住房城乡建设部土建类学科专业"十三五"规划教材

高等学校工程管理和工程造价学科专业指导委员会规划推荐教材

工程合同法律制度

（第二版）

何佰洲　李素蕾　郑宪强　编著

中国建筑工业出版社

图书在版编目（CIP）数据

工程合同法律制度 / 何佰洲，李素蕾，郑宪强编著 . —2 版 . —北京：中国建筑工业出版社，2019.8（2025.6重印）
住房城乡建设部土建类学科专业"十三五"规划教材 . 高等学校工程管理和工程造价学科专业指导委员会规划推荐教材
ISBN 978-7-112-24204-7

Ⅰ.①工…　Ⅱ.①何…②李…③郑…　Ⅲ.①建筑工程－经济合同－合同法－中国－高等学校－教材　Ⅳ.① D923.6

中国版本图书馆CIP数据核字（2019）第194716号

本教材由十五章组成，主要包括合同概述、合同的订立、合同的效力、合同的履行、合同的担保、合同的变更、转让和终止、违约责任、合同纠纷的处理、工程合同概述、工程咨询服务合同、建设工程施工合同、建设工程施工合同索赔管理、工程建设相关合同、国际工程施工合同、FIDIC土木工程施工合同条件。

本教材适用于国内普通高等学校工程管理专业，可作为工程管理专业"工程合同法律制度""工程合同管理"等专业基础课程或者专业课程的教材，也可作为土木、水利工程学科法律类基础课程、专业基础课程和专业课程的教学参考书。

我们向采用本书作为教材的教师提供教学课件，有需要者可与出版社联系，邮箱： 459714788@qq.com。

责任编辑： 向建国　牟琳琳　杨　虹
责任校对： 赵　菲

住房城乡建设部土建类学科专业"十三五"规划教材
高等学校工程管理和工程造价学科专业指导委员会规划推荐教材

工程合同法律制度（第二版）

何佰洲　李素蕾　郑宪强　编著

*

中国建筑工业出版社出版、发行（北京海淀三里河路9号）
各地新华书店、建筑书店经销
北京雅盈中佳图文设计公司制版
建工社（河北）印刷有限公司印刷

*

开本：787×1092毫米　1/16　印张：24¾　字数：522千字
2019 年 12 月第二版　2025 年 6 月第二十七次印刷
定价： 53.00元（赠教师课件）
ISBN 978-7-112-24204-7
（40383）

序 言

全国高等学校工程管理和工程造价学科专业指导委员会（以下简称专指委），是受教育部委托，由住房城乡建设部组建和管理的专家组织，其主要工作职责是在教育部、住房城乡建设部、高等学校土建学科教学指导委员会的领导下，负责高等学校工程管理和工程造价类学科专业的建设与发展、人才培养、教育教学、课程与教材建设等方面的研究、指导、咨询和服务工作。在住房城乡建设部的领导下，专指委根据不同时期建设领域人才培养的目标要求，组织和富有成效地实施了工程管理和工程造价类学科专业的教材建设工作。经过多年的努力，建设完成了一批既满足高等院校工程管理和工程造价专业教育教学标准和人才培养目标要求，又有效反映相关专业领域理论研究和实践发展最新成果的优秀教材。

根据住房城乡建设部人事司《关于申报高等教育、职业教育土建类学科专业"十三五"规划教材的通知》（建人专函〔2016〕3号），专指委于2016年1月起在全国高等学校范围内进行了工程管理和工程造价专业普通高等教育"十三五"规划教材的选题申报工作，并按照高等学校土建学科教学指导委员会制定的《土建类专业"十三五"规划教材评审标准及办法》以及"科学、合理、公开、公正"的原则，组织专业相关专家对申报选题教材进行了严谨细致地审查、评选和推荐。这些教材选题涵盖了工程管理和工程造价专业主要的专业基础课和核心课程。2016年12月，住房城乡建设部发布《关于印发高等教育 职业教育土建类学科专业"十三五"规划教材选题的通知》（建人函〔2016〕293号），审批通过了25种（含48册）教材入选住房城乡建设部土建类学科专业"十三五"规划教材。

这批入选规划教材的主要特点是创新性、实践性和应用性强，内容新颖，密切结合建设领域发展实际，符合当代大学生学习习惯。教材的内容、结构和编排满足高等学校工程管理和工程造价专业相关课程的教学要求。我们希望这批教材的出版，有助于进一步提高国内高等学校工程管理和工程造价本科专业的教育教学质量和人才培养成效，促进工程管理和工程造价本科专业的教育教学改革与创新。

高等学校工程管理和工程造价学科专业指导委员会

2017年8月

第二版前言

　　《工程合同法律制度》是高等学校工程管理和工程造价学科专业指导委员会根据"工程管理专业培养方案及课程教学大纲"制定的工程管理专业主干课程教材编写计划编写的首批教材之一。

　　工程项目是一种具有特定目标、资源及时间限制和复杂专业技术背景的一次性工作，同时又是集技术、经济、法律、组织管理等专业活动于一体并涉及诸多方面的综合性活动过程。工程项目的成败，取决于各个有关参与方在工程项目实施过程的密切协作与配合。市场经济是法制经济，是合同经济。通过合同，能够有效地维系工程项目的各个参与方在工程项目实施过程中所形成的技术、经济、管理方面的协作关系和相应的交易关系，并将这些关系建立在法律的基础上，从而能够有效地确保工程项目的顺利实施。因此，合同是实现工程项目目标的主要法律手段。

　　工程管理专业培养具备由土木工程技术基础知识和管理、经济、法律等基础知识、专业知识组成的具有系统开放的知识结构的高级工程管理专门人才。而依法管理工程项目，依法订立、履行和管理建设工程合同，依法进行工程项目交易是我国依法治国战略的极为重要的组成部分，也是这一战略在工程建设领域的具体体现。因此，工程管理专业的学生必须掌握依法管理工程项目所必备的法律知识体系并具备相应的素质和能力，而工程合同法律制度是该法律知识体系中不可缺少的组成部分。

　　本教材以规范工程合同行为的基本法律——《中华人民共和国民法典》为主线，全面阐述了我国的合同法律制度体系；同时，结合《中华人民共和国建筑法》《中华人民共和国招标投标法》《建设工程质量管理条例》等规范工程合同行为的相关法律、行政法规、规章、条例、司法解释以及《建设工程勘察合同示范文本》《建设工程设计合同示范文本》《建设工程施工合同示范文本（新版）》《建设工程委托监理合同示范文本》等建设工程合同示范文本，全面、系统地阐述了我国工程合同法律、法规制度体系；以《FIDIC 土木工程施工合同条件》《ICE 合同条件》《NEC 新工程合同条件》等在国际工程建设领域影响广泛、运用普遍的国际工程施工合同示范性文本为主要依据，阐述了现代国际工程合同法律制度、法律规范和相关国际惯例。

　　本教材适用于国内普通高等学校工程管理专业，可作为工程管理专业"工程合同法律制度""工程合同管理"等专业基础课程或者专业课程的教材，也可作为土木、水利工程学科法律类基础课程、专业基础课程和专业课程的教学参考书。

本教材由北京建筑大学何佰洲、山东理工大学李素蕾、北京建筑大学郑宪强编著。

我们力图向国内普通高等学校的工程管理专业及相关专业的师生们奉献一本具有时代特征的工程合同法律制度专业教材。但由于著者学识、专业水平的局限，书中疏漏、错误在所难免，敬请读者批评指正并提出宝贵意见，以便使本教材不断完善。

第一版前言

　　《工程合同法律制度》是高等学校工程管理专业指导委员会根据"工程管理专业培养方案及课程教学大纲"制定的工程管理专业主干课程教材编写计划编写的首批教材之一。

　　工程项目是一种具有特定目标、资源及时间限制和复杂专业技术背景的一次性工作，同时又是集技术、经济、法律、组织管理等专业活动于一体并涉及诸多方面的综合性活动过程。工程项目的成败，取决于各个有关参与方在工程项目实施过程的密切协作与配合。市场经济是法制经济，是合同经济。通过合同，能够有效地维系工程项目的各个参与方在工程项目实施过程中所形成的技术、经济、管理方面的协作关系和相应的交易关系，并将这些关系建立在法律的基础上，从而能够有效地确保工程项目的顺利实施。因此，合同是实现工程项目目标的基本和主要法律手段。

　　工程管理专业培养具备由土木工程技术基础知识和管理、经济、法律等基础知识、专业知识组成的具有系统开放的知识结构的高级工程管理专门人才。而依法管理工程项目，依法订立、履行和管理建设工程合同，依法进行工程项目交易是我国依法治国战略的极为重要的组成部分，也是这一战略在工程建设领域的具体体现。因此，工程管理专业的学生必须掌握依法管理工程项目所必备的法律知识体系并具备相应的素质和能力，而工程合同法律制度是该法律知识体系中不可缺少的组成部分。

　　本教材以规范工程合同行为的基本法律——《中华人民共和国合同法》为主线，全面阐述了我国的合同法律制度体系；同时，结合《中华人民共和国建筑法》《中华人民共和国招标投标法》《建设工程质量管理条例》等规范工程合同行为的相关法律、行政法规、规章、条例、司法解释以及《建设工程勘察合同示范文本》《建设工程设计合同示范文本》《建设工程施工合同示范文本》《建设工程监理委托合同示范文本》等建设工程合同示范文本，全面、系统地阐述了我国工程合同法律、法规制度体系；以《FIDIC 土木工程施工合同条件》《ICE 合同条件》《NEC 新工程合同条件》等在国际工程建设领域影响广泛、运用普遍的国际工程施工合同示范性文本为主要依据，阐述了现代国际工程合同法律制度、法律规范和相关国际惯例。另外，对与工程合同行为密切相关的《城市土地使用权出让合同法律制度》《城市土地使用权转让合同法律制度》《城市土地使用权租赁合同法律制度》《城市房屋拆迁补偿安置合同法律制度》《建设工程保险合同法律制度》《建设工程担保合同法律制度》等进行了较为全面的阐述。

本教材适用于国内普通高等学校工程管理专业，可作为工程管理专业"工程合同法律制度""工程合同管理"等专业基础课程或者专业课程的教材，也可作为土木水利工程学科法律类基础课程、专业基础课程和专业课程的教学参考书。

本教材由东北财经大学何佰洲主编，重庆大学杨宇、山东科技大学贾宏俊副主编。参与编写的人员有（按姓氏笔画为序）：深圳职业技术学院王群、大连建工集团李华一、南昌大学杜晓玲、南开大学何红峰、东北财经大学周显峰、扬州大学张敏莉、苏州科技大学张连生、东北林业大学顾永才、四川大学康志华。本书由天津大学曲修山、清华大学朱宏亮主审。

在本教材的编写过程中，参考了许多国内外专家、学者的相关著述，其均在本书所附参考文献中列出。在此谨向他们表示最真挚的谢意。

我们力图向国内普通高等学校的工程管理专业及相关专业的师生们奉献一本具有时代特征的工程合同法律制度专业教材。但由于著者学识、专业水平的局限，书中疏漏、错误在所难免，敬请读者批评指正并提出宝贵意见，以便使这本教材不断完善。

目　录

第一章

合同概述

【本章概要】

通过本章的学习使学生系统掌握合同的概念、特征及分类，理解《中华人民共和国民法典》的基本原则，为学习后面的内容打下良好的理论基础。

第一节　合同的概念、特征和种类

一、合同的概念

合同，或称契约，就词义而言，可从三个角度理解：其一，合同是一种行为，一种由缔约人实施的法律行为；其二，合同是一种协议，一种基于协商一致而达成的协议；其三，合同是一种法律关系，一种存在于合同当事人之间的权利义务关系。

合同法所称合同，其本质是一种合意或协议。《中华人民共和国民法典》（以下简称《民法典》）第四百六十四条规定："合同是民事主体之间设立、变更、终止民事法律关系的协议。婚姻、收养、监护等有关身份关系的协议，适用有关该身份关系的法律规定；没有规定的，可以根据其性质参照适用本编规定"。可见，将合同界定于债权合同，从而将有关身份关系的合同如结婚协议、离婚协议、收养协议、遗赠扶养协议等排除在《民法典》合同编适用的范围之外。

二、合同的法律特征

由于《民法典》将合同限于债权合同，从而决定了合同具有以下法律特征。

（一）合同是平等主体之间的双方或多方的民事法律行为。合同作为民事法律行为，即只有在合同当事人所作出的意思表示符合法律规定的情况下，合同才具有法律约束力，并应受到国家法律的保护。

合同主体间的法律地位完全平等，这是由合同的法律属性决定的。因为，只有在当事人法律地位完全平等的前提下，当事人经过协商而订立的合同条款才能达到权利与义务的对等。这也是合同法上的合同与行政法上的合同的不同之处。因为，行政法上的合同主体是管理人与相对人，是管理与被管理的关系，两者之间不是平等的法律主体关系。

（二）合同是两个或两个以上当事人意思表示相一致的民事法律行为。民事法律行为按当事人多少可分为单方民事法律行为、双方民事法律行为和多方民事法律行为。单方民事法律行为是指仅由当事人一方的意思表示就能构成的民事法律行为，如遗嘱、债务免除、捐助等，只要不违反有关法律规定，这类行为不涉及相对人意思表示即可发生法律效力。多方民事法律行为是指两个及以上当事人意思表示一致所构成的民事法律行为，在这种民事法律关系中没有对立的意思和对立的利益，因而亦称为共同法律行为，如设立公司或多方联营。根据《民法典》规定，单方意思不能构成合同关系，只有两个或两个以上当事人意思表示相一致才能构成合同关系。

（三）合同是以设立、变更或终止民事权利义务关系为目的的民事法律行为。民事主体订立合同，是为了追求预期的目的，即在当事人之间引起民事权利和民事义务关系的产生、变更或消灭。

（四）合同是当事人意思表示一致的协议。由于合同是合意的结果，因此它必须包括以下要素：第一，合同的成立必须要有两个及以上的当事人。第二，各方当事人须互相作出意思表示。第三，各方意思表示是一致的，也就是说当事人达成了一致的协议。

三、合同的种类

依据不同的标准，可以对合同作出不同的分类，这种分类不仅可以针对不同的合同确定不同的规则，而且有助于司法机关在处理合同纠纷时准确地适用法律法规，正确地处理合同纠纷。

（一）双务合同与单务合同

这是以合同各方当事人是否相互负有一定的义务为标准来划分的。双务合同，是指双方当事人都享有权利和承担义务的合同。在这类合同中，当事人的债权债务关系呈对应状态，即每一方当事人既是债权人又是债务人，双方各自享有的权利和负担的债务与对方应尽的义务和享有的权利不可分离。典型的双务合同有买卖、租赁、承揽、建设工程合同、有偿保管、有偿委托以及财产保险等。单务合同，是指一方当事人负担义务而另一方当事人不负担义务的合同。典型的单务合同有赠与、归还原物的借用、无偿保管和无偿委托合同等。实践中，单务合同是合同中的例外，双务合同最为普遍。

（二）有偿合同与无偿合同

这是以当事人取得合法权益是否承担相应的合同义务为标准来划分的。有偿合同，是指一方当事人在取得合同约定权益的同时承担了相应的合同义务，如买卖合同中的双方当事人，当买方取得了合同规定的货物时，必须按合同约定的条件向卖方支付货款。无偿合同，是指一方当事人取得合同约定的权益无需向对方承担相应的义务，合同权益的取得是无偿的。

区分有偿合同与无偿合同的意义在于，有偿合同是建立在合同双方当事人权利与义务对等的基础上的，因此，负有履行义务的当事人违反合同规定时应承担违约责任；而无偿合同负有履行义务的当事人因其履行义务本身就是无偿的，因此，在其未履行合同义务须追究责任时，与有偿合同应有所区别。建设工程所涉及的合同一般都是双务合同，有偿合同。

（三）诺成合同与实践合同

这是以合同的成立于当事人的意思表示外是否尚需交付标的物为标准来划分的。诺成合同，又称不要物合同，是指双方当事人意思表示一致合同即成立并生效的合同。大多数合同都属于诺成合同，如买卖合同、租赁合同、商业借款合同等。实践合同，又称要物合同，是指除当事人双方意思表示一致以外尚需交付标的物才能成立并生效的合同。换言之，在实践性合同中，仅有双方当事人的意思表示一致，还不能产生合同上的权利义务关系，还不能形成有约束力的合同，必须有一方实际交付标的物的行为，才能产生合同成立并生效的法律效果。例如小件寄存合同（保管合同），必须要寄存人将寄存的物品交保管人，合同才能成立并生效。实践中，大多数的合同都属于诺成合同，少部分为实践合同。

（四）要式合同与不要式合同

这是以法律规定合同是否必须具备一定的形式或履行程序为标准来划分的。要式合同，是指法律规定必须具备特定形式或履行特定程序方能成立的合同；反之，则为不要式合同。《民法典》第四百六十九条规定，"当事人订立合同，可以采用书面形式、口头形式和其他形式"，这种对合同形式无特定要求的属于不要式合同。"这种对合同形式有特别规定的属于要式合同。如房地产买卖合同、房地产抵押合同等，按照法律规定必须履行登记程序后才能生效，属于典型的要式合同。

要式合同与不要式合同的区别实际是一个有关合同成立与生效的条件问题。若法律规定某种合同须经批准或登记才能生效，则合同未经批准或登记便不生效；若法律规定某种合同必须采用书面形式合同才生效，则当事人未采用书面形式时合同便不生效。

（五）有名合同与无名合同

这是以法律对合同的内容是否规范并赋予特定的名称为标准来划分的。有名合同，又称为典型合同，是指法律上已经确定了一定的名称及规则的合同。如我国《民法典》所规定的 19 类合同，都属于有名合同。无名合同，又称非典型合同，是指法律上尚未确定一定的名称及规则的合同。

有名合同与无名合同的区分意义主要在于两者适用的法律规则不同。对于有名合同，当事人应遵循《民法典》规范确定当事人的权利义务及其法律责任，以维护当事人的合法权益。对于无名合同，由于《民法典》对其未作规范，因此，无名合同当事人发生纠纷，按《民法典》规定，"本法或者其他法律没有明文规定的合同，适用本编通则的规定，并可以参照适用本编或者其他法律最相类似合同的规定"，这是解决无名合同争议的法律依据。

（六）格式合同与非格式合同

这是以合同条款是否由一方当事人事先拟定并在合同订立时未与另一方当事人协商为标准来划分的。格式合同是一种特殊形式的合同，它是由一方当事人为重复使用而事先拟定的，而且在订立时无需与另一方协商，另一方不能对合同条款提出修改，只能接受或者拒绝。如印刷在机票上的格式条款，它是由航空公司事先制定的，它对于旅客携带行李的种类、重量、大小、规格以及行李遗失或损害所承担的责任均作了明确的规定。非格式合同是由双方当事人经过协商对合同条款达成完全一致，各方当事人的意志在合同条款中得以充分体现，反映了权利与义务的对等，而格式合同并不反映当事人权利与义务的对等。

区别格式合同与非格式合同的意义在于，如对格式合同的理解发生争议，应当按照通常理解予以解释；如对格式合同有两种以上解释，应当作出不利于提供格式合同的解释；如格式合同与非格式合同不一致，应当采用非格式合同。

（七）主合同与从合同

这是以合同相互间的主从关系为标准来划分的。主合同,是指能够独立存在的合同。从合同,是指依附于主合同方能存在的合同。例如,甲与乙订立借款合同,丙为担保乙偿还借款而与甲签订保证合同,则甲乙之间的借款合同为主合同,甲丙之间的保证合同为从合同。从合同的主要特点在于其附属性,即它不能独立存在,必须以主合同的存在并生效为前提。主合同不能成立,从合同就不能有效成立;主合同转让,从合同也不能单独存在;主合同被宣告无效或被撤销,从合同也将失效;主合同终止,从合同亦随之终止。

【案例 1-1】

不是以身份关系为内容的协议,可属于合同法上的合同

【背景材料】

甲年已六十,膝下无儿女,有路边平房 2 间。乙为本村青年,常帮助甲打理日常生活。现甲、乙经村委会主持达成书面协议如下:①乙对甲负责生前扶养、医疗及死后埋葬;②甲百年之后,路边平房 2 间归乙所有。现甲将平房借给邻居丙使用,乙因与丙不和,不同意丙使用,甲坚持借给丙,乙为此不再扶养甲达 1 个月。甲现向法院提出诉讼请求要求乙履行协议。

法院在审理本案中可否适用《民法典》合同编的规定?

【案例评析】

法院在审理本案中可否适用《民法典》合同编的规定决定于甲、乙之间的协议是否属于合同。

身份关系应该是与财产关系的协议相对应的概念。这一对概念的划分标准为当事人之间的协议或法律关系的权利义务是指向财产利益,还是身份利益。财产利益主要包括物权、债权、知识产权等;身份利益主要包括亲权、配偶权、亲属权。前者可用金钱衡量价值,后者不可;前者坚持等价交换原则,后者则无。

本案中,当事人签订的遗赠扶养协议内容主要有二:一是扶养人对受扶养人的生前扶养和死后送葬;二是受扶养人死后财产归扶养人所有。此两项内容绝不牵涉到亲情人伦关系的创设,应该是一种财产关系。所以遗赠扶养协议并非《民法典》第四百六十四条意义上的"身份关系的协议",而是合同编所规范的合同,即本案适用于《民法典》合同编的规定。

第二节　合同的基本原则

《民法典》的基本原则对于《民法典》有着提纲挈领的作用,对于合同的订立、履

行及争议的解决具有普遍指导意义,属于强制性规范,在《民法典》中占据重要的地位。

一、平等原则

《民法典》第四条规定:"民事主体在民事活动中的法律地位一律平等"。这一条规定了订立、履行合同应当遵循的平等原则。在合同法律关系中,当事人之间在合同的订立、履行和承担违约责任等方面,都处于平等的法律地位,彼此的权利义务对等,不允许一方将自己的意志强加给另一方。这是市场经济的内在要求,市场经济的存在和发展要求公平、公正的交易,而市场主体地位平等是实现公平、公正交易的法律前提。这一原则的含义是:合同当事人,无论是法人和其他经济组织还是自然人,只要他们以合同主体的身份参加到合同关系当中来,他们之间就处于平等的法律地位,法律对他们给予一视同仁的保护。

二、自愿的原则

《民法典》第五条规定:"民事主体从事民事活动,应当遵循自愿原则,按照自己的意思设立、变更、终止民事法律关系"。这一条规定了订立合同应当遵循的自愿原则。自然人、法人、其他组织是否签订合同、和谁签订合同、签订什么样的合同,除了法律另有规定之外,完全取决于他们的自由意志,任何单位和个人不得非法干涉。合同自愿原则是合同法最基本的原则,是合同法律关系的本质体现。

自愿原则要求合同确立的权利义务关系必须建立在双方当事人自愿同意的基础上,它贯穿于当事人合同行为的全过程。根据自愿原则,当事人有按自己意愿自主决定与他人订立合同的权利,任何人不得干预,更不能强迫;当事人在订立合同时享有自由选择对方的权利;当事人对合同内容的确定享有充分自主权,在不违反法律强制性规范的情况下,享有自主选择合同形式的权利;合同成立后在履行的过程中,当事人有权选择解决合同争议的方式等。虽然《民法典》从最大限度活跃市场交易与维护当事人合法权益角度确立了合同自愿原则,但是,当事人享有的这种订立合同的自愿权利并不是绝对的、不受限制的,不论从《民法典》还是司法实践看,当事人订立合同时,必须遵循法律法规,遵守社会公德,不得扰乱社会经济秩序,不得损害国家、集体或他人利益。这种对当事人订立合同自愿权利的限制,符合当代世界各国合同立法的趋势及我国的国情。

三、公平的原则

《民法典》第六条规定:"民事主体从事民事活动,应当遵循公平原则,合理确定各方的权利和义务"。这一条规定了订立、履行、终止合同的公平原则。当事人设定民事权利和义务,承担民事责任等时要公正、公允,合情合理。不允许在订立、履行、终止合同关系时偏袒一方。

1. 当事人参加民事活动的机会均等。当事人有同等的机会参加民事活动，行使相应的民事权利，承担相应的民事义务。

2. 当事人之间享有的民事权利和承担的民事义务对等。享有一定的权利，就必须承担一定的义务，反之亦然。

3. 当事人承担民事责任合理。当事人责任与过错的程度相适应，必须合理承担民事责任。

与公平原则相对应的是显失公平原则。显失公平是指明显不公平，合同明显地损害一方当事人的合法权益，另一方则不适当地通过合同取得了过多的权益，合同的天平过于倾斜。显失公平的合同又可分为程度上的显失公平和实质上的显失公平。前者是一方有奸诈行为，在合同磋商和确定时的不公平；后者是合同中的定价过高或者过低，违约责任的约定过于不当导致的不公平。这里既有道德问题又有法律问题，但要由法律来纠正。合同法规定，订立时显失公平的合同，当事人一方有权请求人民法院或者仲裁机构变更或者撤销。

公平原则要求当事人依据社会公众认可的公平观念从事民事活动，这体现了社会公共道德的要求，也是司法机关处理民事纠纷的重要依据。

四、诚实信用的原则

《民法典》第七条规定："民事主体从事民事活动，应当遵循诚信原则，秉持诚实，恪守承诺"。这一条规定了参加民事活动要遵守诚实信用原则。当事人在订立、履行合同的全过程中，都应当抱有真诚的善意、相互协作、密切配合、实事求是、讲究信誉，全面地履行合同所规定的各项义务。

诚实，主要是指当事人在民事活动中的言行要符合实际、表里如一，意思表示要真实。信用，主要是指当事人在民事活动中要言行一致、说到做到、决不食言。

1. 当事人在订立合同时，应当诚实地陈述真实情况，不得有任何隐瞒、欺诈。这并不意味着一味让步或者盲目地轻信对方，当事人应当坚定地提出自己的合理主张，严肃地研究对方的主张，知己知彼。订立合同违反诚实信用原则，应为无效。

2. 当事人在履行合同时，应当全面地履行合同的约定或者法定的义务，恪守合同。当事人因不可抗力等原因不能履行或者不能按期履行合同时，应及时向对方通报有关情况，以避免对方损失的扩大。一方当事人需要变更、解除合同时，应当与对方协商并取得对方的同意或依照法律规定或合同约定进行，不得单方面撕毁合同。

3. 当事人及司法机关在处理合同纠纷时，应当力求正确地解释合同，不得故意曲解合同条款。合同法规定，对于违背诚实信用原则而给对方造成损失的，当事人应当承担损害赔偿责任，弥补由此而带来的损失。当出现立法未预见的情况时，司法机关可依据诚实信用原则行使公平裁量权。

诚实信用原则的本质是基于社会责任本位的思想，将道德规范和法律规范合为一体，兼有法律调节和道德调节的双重职能。在我国，诚实信用原则体现了社会主义精神文明和道德规范的要求。当事人在行使权利、履行义务时，主观上不得损害国家、社会或者他人的利益，不希望、不放任自己的行为给国家、社会或者他人造成危害。这不仅是建立正常的社会经济秩序所必需，也是当事人实现自己的民事权利所必需，归根到底是为了保护当事人的合法权益。诚实不欺、讲究信用，在不损害国家、社会或者他人利益的前提下追求自己的利益，是当事人在合同关系中应当遵守的准则。那种以合法方式掩盖非法目的的行为，用歪曲或者隐瞒真相的手法欺骗对方当事人的行为，违反合同约定的义务擅自变更、解除合同的行为，对可以防止或者减少损失而不及时采取补救措施的行为，都是违反诚实信用原则的行为。诚实信用原则属于强制性规范，不允许当事人约定排除其适用。如果合同行为缺乏基本的诚信约束，势必产生严重的后果，导致不必要的麻烦或者一定的法律责任。

五、合法的原则

《民法典》第八条规定："民事主体从事民事活动，不得违反法律，不得违背公序良俗"。这一条规定了订立、履行合同的合法原则，也称为适法性原则。合同当事人在订立、履行合同时，其行为应当符合法律和行政法规的规定，应当符合社会公德的要求，有利于维护社会经济秩序，有利于维护社会公共利益。

（一）依法订立、履行合同，合同订立、履行的主体、方式和程序、所涉及内容，合同规定的权利义务关系，都要符合我国法律和行政法规的规定。

法律是国家立法机关依照立法程序制定的规范性文件。在我国，法律是指由全国人大及其常委会依照立法程序制定的规范性文件，包括法律、法令、决定等。行政法规是指国务院为领导和管理国家各项行政事务，依据宪法和法律制定的各类规范性文件，包括条例、规定、办法等。因此，这一条讲的法律、行政法规，不包括国务院各部门制定的部门规章、地方人民政府制定的地方性规章，不包括地方人大及其常委会制定的地方性法规。当事人订立、履行合同，遵守法律、行政法规，也是为了维护国家法律的统一和尊严。

订立、履行合同作为一种法律行为必须合法，当事人必须依照我国的法律、行政法规确认权利、履行义务。当事人进行合同行为，必须遵守法律、行政法规，必须限制在法律、行政法规许可的范围内，不得与法律、行政法规相违背、相抵触。法律、行政法规中有某些强制性规范，在条文中多以"必须""应当""不得"等字样出现，或者以某种制裁性规定表示。这种强制性规范，不允许人们以任何方式加以变更或者违反。当事人所订立的合同只有合法才是具有法律效力的合同，所履行的合同只有合法才具有履行的实际意义，才受到国家的认可和法律的保护。法律、行政法规对当事人都具有约束力，任何违反法律、行政法规的行为都可能给国家或者当事人自身的利益带来损害。如果订立、履行合同不依法进行，不符合法律、行政法规的规定或者要求，不仅达不到当事人预期的目的，而且当事人可能还要承担由此产生的法律责任。

关于涉外合同，除法律另有规定外，当事人可以选择处理合同争议所适用的法律。当事人没有选择的，适用与合同有最密切联系的国家法律。在我国境内履行的有关涉外合同适用我国法律。

我国的合同法，从根本上确立了合同主体应享有的权利和应承担的义务，为当事人进行合同行为提供了基本的法律依据。合同法实施后，所谓依法订立、履行合同，主要是指依据合同法及相关的法律、行政法规来订立、履行合同。

（二）订立、履行合同应当遵守社会公德

社会公德也就是社会的公共道德，是人们进行社会生活和社会行为时应共同遵守的行为准则和规范。在我国，许多社会公德已经得到法律的确认成为法律的一部分。但对尚未成为法律组成部分的社会公德，当事人在为合同行为时仍然应当遵守。社会公德是我国社会主义社会中一切活动都应当遵循的共同性的行为准则。民事主体从事的民事活动及其效果，必须符合我国社会的公共道德规范，不得损害社会公共利益。任何当事人都不得采取欺诈或者其他不正当的手段损人利己，更不得为谋求局部利益而损害整个社会的公共利益。

民法上有一条公序良俗原则，即民事法律行为的内容和目的不得违反社会的公共秩序或者善良风俗。立法时并不可能预见一切损害社会公共利益和秩序的行为而作出详尽的禁止性规定，当这种行为发生而法律又没有禁止性的规定时，应当适用公序良俗原则。这就是所谓的，订立、履行合同应当遵守社会公德。

（三）订立、履行合同不得扰乱社会经济秩序，不得损害社会公共利益

良好的、正常的社会经济秩序，是我国国民经济持续、快速、健康发展的重要保障，是我国改革开放和社会主义现代化建设顺利进行的必要前提。社会经济秩序的稳定，不仅是社会经济协调发展的保证，也是合同当事人权益得以保证的必要条件。订立、履行合同，必须有利于维护社会经济秩序，按照社会经济的运行规则进行。如果实施不正当的行为，扰乱社会经济秩序，必须承担法律上的后果。

社会公共利益是社会全体成员或者大多数成员的利益，是合同当事人应当共同维护的。在订立、履行合同的过程中，合同当事人的行为不得损害社会公共利益，包括不得违反国家的政治和经济利益、有损国家主权、危及国家安全、违反社会秩序、有碍社会风化以及严重污染环境、毁坏珍稀资源、破坏生态平衡等，否则要承担法律上的责任。因为当单位、个人的利益与社会公共利益不一致或者妨碍社会公共利益时，法律首先保护的是社会公共利益。损害社会公共利益的民事行为是没有法律效力的。合同法规定，损害社会公共利益的合同是无效合同。任何有害于我国人民精神文明和身心健康的合同，都是不能成立或无效的。社会公共利益为法律所保护，违反社会公共利益的合同为法律所禁止。对利用合同危害社会公共利益的违法行为，县级以上的工商行政管理部门和其他有关管理部门可以依照法律、行政法规规定的职责进行处理；

构成犯罪的还可以依法追究刑事责任。

订立、履行合同的合法性原则，是合同法的一条重要的基本原则。违背了这条原则，合同就失去了法律效力，失去了存在的意义，就得不到法律的保护。

【案例 1-2】

合同的平等、自愿原则

【背景材料】

1999 年 7 月，长江上游连降大雨，致使江水泛滥成灾。张某所在的村庄也被大水淹没，由于张某逃避不及被大水围困于房顶上，眼看被大水浸泡的房屋即将坍塌。正在这危及的时刻，同村王某划着小船经过，张某大声疾呼并央求王某将其运到安全的地方。王某表示可以将张某运到安全的地方，但要求张某必须支付 2000 元的劳务费（该村年人均收入 2500 元），张某同意支付 2000 元。王某将张某运到安全的地方后，双方签订了一张支付 2000 元劳务费的协议。后因王某向张某索要 2000 元不成发生纠纷，王某一纸诉状将张某告上法院。法院应如何判决？

【案例评析】

法院在审理本案中关键要看当时双方达成的协议是否违背被告的真实意思？

当时张某处于非常危险的情况之中，如不答应王某的要求就可能有生命危险，所以他迫不得已答应了原告的条件，这是违背自己的真实意思的。

法院经审理后认为，原告救人索要 2000 元是乘人之危，在违背被告真实意思的情况下所为的民事行为。对此，该协议可撤销。后经法院进行调解，双方自愿达成协议：被告付给原告人民币 100 元作为酬金。

思考题

1. 简述合同的概念。

2. 订立、履行合同时应遵循哪些基本原则？这些原则的主要内容是什么？

第二章

合同的订立

【本章概要】

本章主要讲授合同的主体和形式、合同的订立程序、格式条款及缔约过失责任。通过本章的学习使学生掌握合同订立的必经程序，格式条款的含义、订立规则及无效的情形，缔约过失责任的构成要件及主要类型。

第一节　合同的主体和形式

一、合同主体的资格

《民法典》第四百六十四条规定："合同是民事主体之间设立、变更、终止民事法律关系的协议"。按照这一规定，自然人、法人和其他组织可以签订合同，成为合同的主体。这是《民法典》关于当事人订立合同的主体资格的规定。

（一）当事人的民事权利能力

民事权利能力是指民事主体依法享有民事权利和承担民事义务的资格，民事权利能力是由法律赋予民事主体的。民事权利能力因民事主体的不同而有所区别：

1.关于自然人的民事权利能力

《民法典》第十三条规定："自然人自出生时起到死亡时止，具有民事权利能力，依法享有民事权利，承担民事义务"。

（1）自然人的民事权利能力始于出生。自然人的出生是指胎儿与母体完全分离并具有独立的生命。至于如何确定自然人出生的时间，《民法典》第十五条规定："自然人的出生时间和死亡时间，以出生证明、死亡证明记载的时间为准；没有出生证明、死亡证明的，以户籍登记或者其他有效身份登记记载的时间为准。有其他证据足以推翻以上记载时间的，以该证据证明的时间为准。"

（2）自然人的民事权利能力因死亡而终止。自然人的民事权利能力为公民终身享有，自然人一旦死亡，就不再具有民事权利能力。死亡，是指自然死亡和宣告死亡。

2.关于法人的民事权利能力

《民法典》第五十九条规定："法人的民事权利能力和民事行为能力，从法人成立时产生，到法人终止时消灭"。

法人分为营利法人、非营利法人和特别法人。营利法人是以取得利润并分配给股东等出资人为目的成立的法人，包括有限责任公司、股份有限公司和其他企业法人等。非营利法人是为公益目的或者其他非营利目的成立，不向出资人、设立人或者会员分配所取得利润的法人，包括事业单位、社会团体、基金会、社会服务机构等。特别法人是指机关法人、农村集体经济组织法人、城镇农村的合作经济组织法人、基层群众性自治组织法人。

（1）法人的民事权利能力始于成立。法人因其性质的不同，在确定其成立时间上也有区别。营利法人经依法登记成立。依法设立的营利法人，由登记机关发给营利法人营业执照。营业执照签发日期为营利法人的成立日期。非营利法人经依法登记成立；依法不需要办理法人登记的，从成立之日起，具有法人资格。有独立经费的机关和承担行政职能的法定机构从成立之日起，具有机关法人资格，可以从事为履行职能所需要的民事活动。农村集体经济组织、城镇农村的合作经济组织依法取得法人资格，法律、行政法规有规定的，依照其规定。居民委员会、村民委员会具有基层群众性自治组织法人资格，可以从事为履行职能所需要的民事活动。未设立村集体经济组织的，村民委员会可以依法代行村集体经济组织的职能。

（2）法人的民事权利能力因终止而消灭。在法人存续期间，法人享有民事权利能力，法人一旦终止，其民事权利亦即归于消灭。法人因解散、被宣告破产或者法律规定的其他原因依法完成清算、注销登记的，法人终止。清算期间法人存续，但是不得从事与清算无关的活动。法人清算后的剩余财产，根据法人章程的规定或者法人权力机构的决议处理。法律另有规定的，依照其规定。清算结束并完成法人注销登记时，法人终止；依法不需要办理法人登记的，清算结束时，法人终止。

3. 关于非法人组织的民事权利能力

非法人组织的民事权利能力，其产生和消灭与法人相同，起始于该组织的成立，消灭于该组织的终止。

（二）当事人的民事行为能力

民事行为能力是指民事主体以自己的行为取得民事权利和设定民事义务的资格。民事行为能力也因民事主体的不同而有所区别。

1. 关于法人的民事行为能力

法人的民事行为能力与民事权利能力并不一致，有民事权利能力的，并不一定就具有民事行为能力。根据公民的年龄和智力状况的不同，《民法典》将公民的民事行为能力分为三种：

（1）完全民事行为能力，是指达到法定年龄、能够通过自己的独立行为进行民事活动并独立承担民事责任的。公民具备完全民事行为能力的条件有两个：一是年龄条件。年满十八周岁以上的公民具有完全民事行为能力，可以独立进行民事活动；十六周岁以上不满十八周岁的公民，以自己的劳动收入为主要生活来源的，视为完全民事行为能力人。二是智力状况。精神状况正常，能够完全辨认自己的行为及其后果。

（2）限制民事行为能力，是指只具有部分民事行为能力，可以进行某些民事活动，但不能独立地进行全部民事活动。限制民事行为能力的公民，有两种情况：一是年满八周岁以上的未成年人。年满八周岁以上的未成年人可以进行与他的年龄、智力相适应的民事活动；其他民事活动由他的法定代理人代理，或者征得他的法定代理人的同意。二是不能完全辨认自己行为的精神病人。不能完全辨认自己行为的精神病人是限制民事行为能力人，可以进行与他的精神健康状况相适应的民事活动；其他民事活动由他的法定代理人代理，或者征得他的法定代理人的同意。

（3）无民事行为能力，是指完全不具有以自己的行为取得民事权利和设定民事义务的资格。无民事行为能力的公民，也有两种情况：一是不满八周岁的未成年人；二是完全不能辨认自己行为的精神病人。无民事行为能力的人，由他的法定代理人代理民事活动。

2. 关于法人的民事行为能力

法人的民事行为能力具有以下两个主要特点：

（1）法人的民事行为能力与其民事权利能力相一致。法人的民事权利能力和民事行为能力，从法人成立时产生，到法人终止时消灭。

（2）法人的民事行为能力是通过法人的内部机构来实现的，具体来讲，就是通过其法定代表人或者工作人员来实现的。

3. 关于其他组织的行为能力

其他组织的民事行为能力，也与法人的民事行为能力相同，即其民事行为能力与民事权利能力一致，也由其内部组织机构来实现。

二、合同的形式

所谓合同的形式，又称合同的方式，是指当事人各方意思表示一致的表现方式，是合同内容的外部表现，也是合同内容的载体。

《民法典》第一百三十五条中规定："民事法律行为可以采取书面形式、口头形式或者其他形式"。《民法典》第四百六十九条第一款规定："当事人订立合同，可以采用书面形式、口头形式或者其他形式"。

（一）书面形式

1. 书面形式的概念和特征

书面形式，是指以文字的方式表现当事人之间所订合同内容的形式。《民法典》第四百六十九条规定："书面形式是合同书、信件、电报、电传、传真等可以有形地表现所载内容的形式"。采用书面形式订立合同的最大特点是便于保存、有据可查、发生纠纷时方便举证；有利于当事人主张权利，也便于人民法院或者仲裁机构依法审判或者裁决。因此，对于关系复杂的合同、价款或者酬金数额较大的合同，当事人应当采用书面形式。

书面形式的特征，是必须以某种物质为载体表现其所载内容，而其所载内容可以有形地进行复制，即《民法典》第四百六十九条规定的"可以有形地表现所载内容的形式"。而可以有形地表现所载内容的形式，是指合同内容必须能够以一定的物质形式表现或者固定，以便使人能够直接或者通过仪器间接看到、听到。亦即当事人之间订立的合同，必须能够以一定的物质形式表现出来或者固定下来，供当事人履行合同或者在解决合同争议时使用，或是供人民法院或者仲裁机构在审理裁判时使用。

2. 书面形式的种类

书面形式又可以分为一般书面形式和特殊书面形式两种。一般书面形式，也就是通常意义上的书面形式，即用文字方式来表现合同内容的形式。特殊书面形式，是指除了用文字方式表现合同内容外，还必须对书面合同进行公证、鉴证等法律程序，而后形成的特定书面形式。

3.《民法典》对采用书面形式订立合同的要求

《民法典》第四百九十条规定，法律、行政法规规定或者当事人约定合同应当采用书面形式，当事人未采用书面形式但是一方已经履行主要义务，对方接受时，该合同成立。

（二）口头形式

口头形式是指当事人用谈话的方式所订立的合同，如当面交谈、电话联系等。以口头形式订立合同，其优点是简单方便、直接迅速。口头形式的缺点是其内容难以有形地进行复制，在发生争议时，难以取证、举证，不利于分清当事人之间的责任。

（三）其他形式

其他形式是指采用除书面形式、口头形式以外的方式来表现合同内容的形式。其他形式一般包括推定形式和默示形式。所谓推定形式，是指当事人并不直接用书面或者口头方式进行意思表示，而是通过实施某种行为来进行意思表示。例如在房屋租赁合同期满时，承租人和出租人都不提出合同终止的问题，而且承租人继续支付租金，出租人也继续接受租金，从这种行为中可以推断出租人已经同意延长房屋租赁合同的期限。所谓默示形式，是指当事人采用沉默不语的方式进行意思表示，例如在试用买卖合同中，试用人可以在试用期限内购买标的物，也可以拒绝购买，但是在试用期限届满时如果对是否购买标的物不作表示的，视为同意或愿意购买。

第二节 合同的订立程序

订立合同是当事人就合同的内容协商一致的过程，在这过程中必须经过要约与承诺两个阶段，为此，《民法典》第四百七十一条规定："当事人订立合同，可以采取要约、承诺方式或者其他方式"。这反映了要约与承诺作为订立合同的必需程序在《民法典》上的地位。

一、要约

（一）要约的概念

要约，在商业贸易中也称为发盘、发价。《民法典》第四百七十二条规定："要约是希望和他人订立合同的意思表示"。可见要约是指一方当事人以缔结合同为目的，向对方当事人所作的意思表示。发出要约的人称为要约人，接受要约的人则称为受要约人或相对人（如受要约人作出承诺，则称其为承诺人）。

要约是订立合同的必经阶段，不经过要约阶段，合同是不可能成立的。因此要约是合同订立的启动点，是当事人实质进行合同订立过程的开始。要约作为一种缔约的意思表示，它能够对要约人和受要约人产生法律上的约束力，尤其是要约人在要约的有效期限内，必须受要约的内容约束。

（二）要约的构成要件

《民法典》第四百七十二条规定了要约所应具备的两个条件，联系完整的合同订立程序，要约须同时具备下列条件：

1. 要约必须由特定的当事人作出。一项要约，可以由合同当事人任何一方提出，但是，发出要约的人必须是特定的当事人。因为要约是要约人向相对人所作出的意思表示，旨在得到对方的承诺并成立合同，只有要约人是特定的人，他人才能对之承诺。所谓特定的人，并不是指某个具体确定的人，而是指凡能为外界所客观确定的人，都可视为特定的人。例如，自动售货机的设置，也可视为一种要约。

2. 要约必须向相对人作出。要约必须经过相对人的承诺才能发生要约人希望的效果，即订立合同。因此，要约必须是要约人向相对人发出的意思表示。相对人一般为特定的人，在一般情况下，要约人在特定的时间和场合只能与特定的对方当事人订立特定内容的合同。但是，对于不特定的人作出而又无碍要约所达目的时，要约也可成立。例如，悬赏广告是以广告方式对不特定的人的要约，相对人以完成一定行为作出承诺，合同成立。

3. 要约必须具有订立合同的目的。这一要件称为要约的目的性。根据《民法典》第四百七十二条的规定，要约是希望与他人订立合同的意思表示，要约中必须表明要约经受要约人承诺，要约人即受该意思表示拘束。

4. 要约的内容必须具体确定。这一要件称为要约的确定性。《民法典》第四百七十二条第一款规定，要约的内容应当具体确定。具体确定，就是明确。但具体确定到何种程度，应当依据要约人所要成立的合同的内容来确定。而成立合同的内容的范围及确定程度，本身无法确定。依据合同法对合同内容的规定，合同的内容应当由多项基本条款组成，但就具体合同而言，则未必如此。但要约的内容至少应当就合同的标的作出明确规定，如买卖合同应当就买卖物明确规定，租赁合同应当有明确的租赁物。

（三）要约与要约邀请

要约邀请，又称要约引诱，是一方希望他人向自己发出要约的意思表示。要约与要约邀请在学理上有明显的区别：

1. 要约是一方向另一方发出的以订立合同为目的的意思表示，并且要约应当具备成立一个合同所应当具有的内容。要约邀请则是一方向另一方发出的，邀请其向自己发出要约的意思表示。要约邀请不得完全具备合同内容条款，否则将成为一个要约而非要约邀请。

2. 要约一经生效，则受要约人取得承诺的资格，承诺生效后，则合同成立。要约邀请则只产生对方向其发出要约的可能，对方发出要约的，尚须要约邀请人承诺才能成立合同。

3. 要约人受其发出的生效要约的拘束，要约人只享有依照合同法规定的要求行使撤销权和撤回权，而不得随意单方消灭要约。否则要约人应当对因其要约行为而给对方造成的损失承担赔偿责任。要约人在接到受要约人的合格承诺时，合同成立，要约人应当承担合同义务，违反该义务时应当承担违约责任。要约邀请则对行为人不具有任何约束力。

要约邀请与要约之间最根本的区别就在于要约有成立合同的具体确定的内容，而要约邀请则不必也不应具备满足合同成立的内容，否则其就成为要约而非要约邀请。《民法典》第四百七十三条规定："拍卖公告、招标公告、招股说明书、债券募集办法、基金招募说明书、商业广告和宣传、寄送的价目表等为要约邀请"。但"商业广告和宣传的内容符合要约条件的，构成要约"。从该条款可以看出，商业广告通常是要约邀请，但符合要约的规定要求的，则可以是要约。

（四）要约的法律效力

要约的法律效力又称要约的约束力。一个要约如果符合一定的构成要件，就会对要约人和受要约人产生一定的效力。

1. 要约的生效时间

我国《民法典》第一百三十七条规定，"以对话方式作出的意思表示，相对人知道其内容时生效。以非对话方式作出的意思表示，到达相对人时生效。以非对话方式作出的采用数据电文形式的意思表示，相对人指定特定系统接收数据电文的，该数据电文进入该特定系统时生效；未指定特定系统的，相对人知道或者应当知道该数据电文进入其系统时生效。当事人对采用数据电文形式的意思表示的生效时间另有约定的，按照其约定。"这在合同法上称为到达主义，即意思表示到达时生效，而非作出时生效。对于要约到达生效的规则应注意以下几个问题：其一，到达并不一定实际到达到受要约人及其代理人手中，只要到达受要约人所能够控制的地方（如受要约人的信箱等）即为到达。其二，在要约人发出要约但未到达受要约人之前，要约人可以撤回或修改要约的内容。其三，采用数据电文进入该特定系统的时间，视为到达时间；未指定特定系统的，该数据电文进入收件人的任何系统的首次时间，视为到达时间。

2. 要约法律效力的内容

要约在发出以后即对要约人和受要约人产生一定的约束力。要约约束力的内容具体表现如下：

（1）要约对要约人的约束力。要约一经生效，要约人即受到要约的约束，不得随意撤销或对受要约人随意加以限制、变更或扩张。禁止要约人违反法律和要约的规定随意撤回要约及禁止其违反法律和要约的规定变更要约的内容，对于保护受要约人的利益，维护正常的交易安全是十分必要的。

（2）要约对受要约人的约束力。要约对受要约人的约束力具体表现在三个方面：其一，要约生效以后，只有受要约人才享有对要约人作出承诺的权利，其他人无此资格。如果第三人代替受要约人作出承诺，此种承诺只能视为对要约人发出的要约，而不具有承诺的效力。其二，承诺的资格不能由受要约人随意转让，除非要约人在要约中明确允许受要约人转让或者受要约人在转让承诺资格时征得了要约人的同意。其三，承诺权是受要约人享有的权利，但是否行使这项权利应当受要约人自己决定，这就是说受要约人可以行使也可以放弃该项权利，当其放弃时既可以明示的方式通知要约人表示放弃（即拒绝承诺），也可以默示的方式不为任何意思表示，待要约有效期限届满后推定其放弃（即拒绝承诺），即使要约人在要约中明确规定承诺人若不作出任何意思表示即视为接受要约，此种规定对受要约人也是没有约束力的，是无效的。

（五）要约的撤回和撤销

1. 要约的撤回

（1）要约撤回的概念。指要约生效即开始发生法律效力之前，要约人欲使其不发生法律效力而宣告取消要约的意思表示。要约人作为民事主体希望与他人订立合同的意思表示，体现的是要约人的意志和利益，如果在要约人发出要约以后，又发现该要约的内容不符合自己的意志和利益，从意思自治的原则出发，应当允许要约人调整自己的意思表示，取消已经发出的要约。因此，《民法典》规定要约可以撤回。

（2）要约撤回的条件。《民法典》第四百七十五条规定："要约可以撤回。撤回要约的通知应当在要约到达受要约人之前或者与要约同时到达受要约人"。根据这一规定，要约人在符合下列条件之一的情况下，可以撤回要约：

第一，撤回要约的通知在要约到达受要约人之前到达受要人。第二，撤回要约的通知与要约同时到达受要约人。

撤回要约的通知与要约同时到达受要约人，表明要约已经到达受要约人，要约已经开始生效；但同时也表明，撤回要约的通知也已经到达受要约人并且也已经开始生效。两份表达要约人相反意思的文件同时到达受要约人，并且同时生效，其法律后果是这两份同时生效且内容相反的文件的法律效力互相抵消，都不再具有法律效力。

2. 要约的撤销

（1）要约撤销的概念。要约撤销是指要约生效即开始发生法律效力之后，要约人欲使其丧失法律效力而宣告取消要约的意思表示。要约人发出的要约生效后，对要约人就具有法律约束力。但此时若要约人又发现该要约的内容不符合自己的意志和利益，从意思自治的原则和诚实信用原则出发，在不损害受要约人利益的前提下，应当允许要约人调整自己的意思表示，取消已经发出的要约。因此，《民法典》规定要约可以撤销。

（2）要约撤销的条件。《民法典》第四百七十七条规定："撤销要约的意思表示以对话方式作出的，该意思表示的内容应当在受要约人作出承诺之前为受要约人所知道；撤销要约的意思表示以非对话方式作出的，应当在受要约人作出承诺之前到达受要约人"。按照这一规定，要约人在要约生效以后，要约人可以向受要约人发出撤销要约的通知，宣告取消要约，但撤销要约的通知必须在受要约人发出承诺通知之前到达受要约人。这是因为，要约人想要撤销的要约，是已经到达受要约人并发生法律效力的要约，此时受要约人完全有理由进行订立合同甚至履行合同的准备工作并且可能已经为此付出代价，所以为保护受要约人的利益不受损害，必须对撤销要约的行为进行严格的限制。

（3）要约不得撤销的情形。

根据《民法典》第四百七十六条的规定，在下列两种情况下，要约人不得撤销其要约：

1）要约人以确定承诺期限或者其他形式明示要约不可撤销。要约人为了明确自己受要约约束的期限，可以在发出的要约中确定受要约人的承诺期限。若要约人在要约中确定了承诺期限，表明要约人放弃了要约的撤销权，因此要约人必须遵守要约的约束，而不得在承诺期限内（即要约约束力的存续期间内）撤销要约。同时，要约人如果没有在要约中确定承诺期限，但通过其他形式向受要约人表明要约人放弃要约的撤销权，如要约中虽然没有确定承诺期限，但明确写明了只有在收到对方拒绝承诺的书面通知时才失效，或者要约中有诸如"此要约不可撤销"的文字，就等于向受要约人明确表示要约是不可撤销的。在上述两种要约人明确表示放弃要约的撤销权的情况下，要约人不得撤销要约。

2）受要约人有理由认为要约是不可撤销的，并已经为履行合同做了合理准备工作。除了要约人在要约中确定了承诺期限或者以其他形式明示要约是不可撤销的以外，要约人在受要约人有理由认为要约是不可撤销的并且已经为履行合同作了准备工作的情况下，要约人也不得撤销要约。在有些情况下，虽然要约人在要约中没有明确规定承诺期限或者以其他形式明示要约不可撤销，但从要约的有关内容中受要约人可以推断出要约人实际上表示了要约不可撤销的意思，放弃了要约的撤销权，同时，受要约人基于这种判断，已经为履行合同作了准备工作。如果要约人撤销要约，既违反了要约中放弃撤销权的许诺，又使受要约人的信赖利益遭到损害，这就违反了诚实信用原则。故《民法典》规定，此种情况下，要约人不得撤销要约。

3. 要约撤回和要约撤销的区别

要约人撤回要约的条件是撤回要约的通知在要约到达受要约人之前或者与要约同时到达受要约人，在撤回要约的通知先于要约到达受要约人时，要约还没有生效；在撤回要约的通知与要约同时到达受要约人时，由于撤回通知和要约的法律效力互相抵消，都不再具有法律效力，要约也就当然没有法律效力。因此，要约撤回和要约撤销的区别在于：要约撤回适用于要约没有法律效力的情况，而要约撤销适用于要约已经发生法律效力的情况。

（六）要约的失效

要约失效，是指要约丧失了法律约束力，不再对要约人和受要约人产生拘束。根据《民法典》第四百七十八条的规定，要约失效的原因主要有以下几种：

1. 要约被拒绝。拒绝要约是指受要约人没有接受要约所规定的条件。拒绝的方式有多种，既可以是明确表示拒绝要约的条件，也可以在规定的时间内不作答复而拒绝。一旦拒绝，则要约失效。

2. 要约被依法撤销。要约在受要约人发出承诺通知之前，可以由要约人撤销要约，一旦撤销，要约便失效。

3. 承诺期限届满，受要约人未作出承诺。凡是在要约中明确规定了承诺期限的，则承诺必须在该期限内作出，超出了该期限，则要约自动失效。

4. 受要约人对要约的内容作出实质性变更。此种情况实际上是受要约人向要约人发出了新要约。受要约人的变更行为表明其对要约内容的不接受，故原要约失效。

二、承诺

（一）承诺的概念

根据《民法典》第四百七十九条规定，承诺是受要约人同意要约的意思表示。换言之，承诺是指受要约人同意接受要约的条件以与要约人缔结合同的意思表示。

（二）承诺的构成要件

承诺必须具备以下要件，才能形成一项有效的承诺：

1. 承诺必须由受要约人向要约人作出。由于要约是由要约人向受要约人发出的希望订立合同的意思表示，所以作为同意要约的意思表示的承诺，也必须由接受要约的受要约人向要约人作出，才能成为具有法律效力的承诺。

2. 承诺的内容必须与要约的内容一致。在承诺中，受要约人必须表明其愿意按照要约的全部内容与要约人订立合同。也就是说，承诺是对要约的同意，其同意的内容必须与要约的内容一致，这样才能构成要约人与受要约人之间意思表示的一致即合意，从而使合同成立。同时，承诺对要约的同意必须是绝对的和无条件的，不得在限制、扩张、缩减或者变更要约内容的条件下同意要约的内容，否则，不构成承诺，而应视为对原要约的拒绝并向要约人作出一项新要约或称为反要约。再者，承诺的内容必须与要约的内容一致，是指受要约人必须同意要约的实质内容，而不得对要约的实质内容作出变更即所谓对要约内容的实质性变更，否则，也不构成承诺，而同样应视为对原要约的拒绝并向要约人作出一项新要约或称为反要约。如果承诺只是对要约的非实质内容作了变更即所谓对要约内容的非实质性变更，则不会影响承诺的效力，也不会影响合同的成立。应该明确的是，根据《民法典》第四百八十八条的规定，有关合同标的、数量、质量、价款或者报酬、履行期限、履行地点和方式、违约责任和解决争议方法等的变更，是对要约内容的实质性变更；对要约内容的非实质性变更，是指受要约人在合同标的、数量、质量、价款或者报酬、履行期限、履行地点和方式、违约责任和解决争议方法等内容以外对原要约内容所作的补充、限制和修改。

3. 承诺必须在承诺期限内到达要约人。承诺期限是要约人表示愿意受要约约束并愿意等待受要约人答复（包括承诺）的期限。要约人如果在要约中确定了承诺期限，该承诺期限即为要约的有效期限，受要约人应当在此承诺期限内作出承诺并使承诺到达要约人。超过承诺期限，要约已经失效，受要约人不能作出承诺。对已经失效的要约所作出的承诺，视为受要约人向要约人发出的新要约，不构成承诺，当然也无法导致合同成立。

（三）承诺的方式

《民法典》第四百八十条规定："承诺应当以通知的方式作出，但根据交易习惯或者要约表明可以通过行为作出承诺的除外"。

承诺的方式是指受要约人向要约人作出其同意要约的意思表示的方式。根据《民法典》第四百八十条的规定，受要约人应当以通知的方式作出承诺。但是，在下列两种情况下可以例外：

1. 根据交易习惯可以通过行为作出承诺。如果按照要约人和受要约人以往进行交易的习惯或者根据当地的交易习惯，要约人向受要约人发出要约以后，受要约人在规定的时间内没有作出意思表示的，则应当认为其已经作出承诺，在此种情形下，受要约人可以不再向要约人发出承诺的通知。例如，甲与乙之间在以往的交易中，一向都是一方发出要约后，另一方在规定的时间内没有作出意思表示，就应当认为另一方已经作出了承诺。这一次，甲方又向乙方发出了在某年某月以特定价格购买汽车的要约，乙方没有作意思表示，则应当认为乙方已经作出了承诺。

2. 要约人在要约中表明可以通过行为作出承诺。如果要约人在要约中表明受要约人可以通过行为作出承诺，则受要约人可以不再向要约人发出承诺的通知，只需依照要约人在要约中的要求作出相应的履行行为即表明其已经对要约作出了承诺。如要约人在要约中提出，希望从受要约人处以某价格购买音响设备产品十件，如果受要约人同意即可发货，货到付款。在此种情形下，若受要约人同意要约，可不再向要约人发出承诺的通知，而直接向要约人发货即可。受要约人依照要约的要求作出的发货行为，就是其向要约人作出的承诺。

（四）承诺的生效

1. 承诺生效的法律后果

要约是要约人向受要约人表达的希望与其订立合同的意思表示，承诺则是受要约人向要约人表达的其同意要约的意思表示。当要约人向受要约人发出要约，而受要约人在承诺期限内向要约人发出了承诺并送达要约人，此时，客观上已经存在两个意思表示，即一个是要约人的意思表示，另一个是受要约人的意思表示，而且要约人的意思表示与受要约人的意思表示在内容上一致，表明要约人和受要约人之间已经产生了合意，而合同的本质正是当事人之间的合意。所以当受要约人作出同意要约的意思表示并送达要约人即承诺生效时，也就标志着要约人与受要约人之间的合意达成，亦即标志着他们之间的合同成立。因此，《民法典》第四百八十三条规定："承诺生效时合同成立，但是法律另有规定或者当事人另有约定的除外"。

2. 承诺生效的时间

承诺生效的时间是指受要约人向要约人作出的承诺开始发生法律效力的时间。承诺生效的时间具有重要的法律意义。首先，承诺从什么时候开始生效，合同也就从什么时候成立，所以承诺生效的时间与合同成立的时间紧密相关。其次，在承诺生效的时间问题中，还包含着承诺生效的地点即合同成立的地点的问题。确定承诺在什么时间生效，也就等于确定了承诺在什么地点生效。根据"到达主义"观点，承诺自受要约人发出的承诺到达要约人时生效，即合同的成立地在要约人收到承诺通知之地。合同成立地点与合同发生纠纷后确定人民法院案件诉讼管辖权的问题紧密相关，按照我国《民事诉讼法》的规定，合同成立地是确定人民法院对合同纠纷案件诉讼管辖权的依据之一。

《民法典》第六百八十四条规定："以通知方式作出的承诺，生效的时间适用本法第一百三十七条的规定。承诺不需要通知的，根据交易习惯或者要约的要求作出承诺的行为时生效"。"采用数据电文形式订立合同的，承诺到达的时间适用本法第一百三十七条的规定"。按照这一规定，承诺生效时间的确定标准分为两种：

（1）在承诺采用通知的情况下确定承诺生效的时间标准。在承诺采用通知的情况下，如何确定其生效时间，目前世界上大体有两种不同的做法。一种是以英国、美国为代表的英美法系国家，采用"发信主义"观点，即承诺自受要约人将载有承诺通知的信件投入邮筒或者电报交付电信部门时开始生效；另一种是以法国、德国为代表的大陆法系国家，采用"到达主义"观点，即承诺自受要约人发出的承诺通知到达要约人时开始生效。《民法典》第一百三十七条规定，以对话方式作出的意思表示，相对人知道其内容时生效。以非对话方式作出的意思表示，到达相对人时生效，表明我国《民法典》在承诺生效的时间标准上采用了大陆法系国家的"到达主义"观点。

（2）在承诺不需要通知的情况下确定承诺生效的时间标准。承诺不需要通知是指受要约人根据交易习惯或者要约要求通过行为作出承诺的情况下，以非通知方式作出承诺。在此种情形下，承诺的生效时间以受要约人根据交易习惯或者要约的要求作出承诺的行为为标准确定，即受要约人何时作出承诺的行为，承诺何时生效。

此外，《民法典》第四百九十条、第四百九十一条规定，当事人采用合同书形式订立合同的，自当事人签字、盖章或按指印时合同成立；当事人采用信件、数据电文等形式订立合同的要求签订确认书，签订确认书时合同成立。合同书是指当事人在订立合同的过程中，用以完整地表述、记载合同内容的书面文件。合同书的表现形式有多种，如表格合同、格式合同等。确认书是指当事人采用信件、数据电文等形式订立合同的过程中，当双方就合同的内容进行磋商并达成合意时，一方当事人要求对方当事人签署的最终确认双方合意内容即合同内容的书面文件。由于确认书的作用相当于一方当事人以书面形式向对方当事人作出同意合同内容的意思表示，所以确认书实际上也就是受要约人以书面形式作出的承诺，一经到达要约人即可生效。因此，若当事人采用信件、数据电文等形式订立合同，当事人一方要求签订确认书的，另一方当事人签订的确认书到达当事人一方的时间，即为承诺生效的时间。

在当事人采用合同书形式订立合同时，自双方当事人在合同书上签字或者盖章时合同成立。在多数情形下，双方当事人一般在同一地点、同一时间在合同书上签字或者盖章，所以此时再区别要约与承诺在法律上并没有多大意义，因为要约与承诺几乎同时完成。但是，双方当事人在合同书上签字或者盖章时，事实上还是存在时间上的先后顺序，即先由一方当事人签字或者盖章，再由另一方当事人签字或者盖章。所以，首先签字或者盖章的一方当事人，应当将其视为要约人，后签字或者盖章的一方当事人，则应当将其视为受要约人。首先签字或者盖章的一方当事人将自己已经签字或者盖章的合同书交给后签字或者盖章的另一方当事人，应当视为其将要约交给受要约人，后签字或者盖章的另一方当事人即受要约人在合同书上签字或者盖章，则应当视为受要约人对要约作出承诺，其在合同书上签字或者盖章的时间即为承诺生效的时间。特殊情形下，若双方当事人确实不是同一时间在合同书上签字或者盖章，则最后签字或者盖章的一方当事人在合同书上签字或者盖章的时间即为承诺的生效时间。

（五）承诺期限

1. 承诺期限的概念

承诺期限是指受要约人作出有效承诺的期限，也是要约人表示愿意受要约约束并愿意等待受要约人答复（包括承诺）的期限。

《民法典》第四百八十一条规定："承诺应当在要约确定的期限内到达要约人"。"要约没有确定承诺期限的，承诺应当依照下列规定到达：①要约以对话方式作出的，应当即时作出承诺；②要约以非对话方式作出的，承诺应当在合理期限内到达"。根据这一规定，受要约人作出承诺的期限，应按照下列情况分别确定：

（1）要约中确定了承诺期限的。要约人如果在要约中明确确定了受要约人的承诺期限，受要约人应当在此承诺期限内作出承诺并使其到达要约人。如果超过这一期限承诺未到达要约人，则以无效承诺处理，合同不能成立。

（2）要约中没有确定承诺期限的。如果要约人在要约中没有确定受要约人的承诺期限，按照要约作出方式的不同，又可以分为两种情况：

①要约以对话方式作出时承诺期限的确定。如果要约是以对话方式作出的，应当即时作出承诺。所谓即时，是指立即、当场、马上的意思。

②要约以非对话方式作出时承诺期限的确定。如果要约是以非对话方式作出的，如要约人以书面形式将要约发给受要约人，受要约人则应当在合理期限内作出承诺并送达要约人。

合理期限的确定，应当考虑以下几个方面的因素：一是要约人发出要约并使要约到达受要约人的时间；二是受要约人收到要约后作出承诺的时间；三是受要约人发出承诺通知并使其到达要约人的时间。所以在合同实践工作中，应当根据不同情况来确定合理期限。如由于传递方式的不同，到达的时间也有区别。

2. 承诺期限的计算

（1）承诺期限计算的概念。承诺期限计算，又称为承诺期限的起始时间计算，是指从什么时候起开始计算承诺期限。例如，要约人向受要约人发出要约，要约中确定受要约人必须在十天之内作出答复，此十天即为承诺期限，但该期限从何时开始计算呢？如果要约是通过邮寄发出的，途中需要三天时间，该三天时间是否计算在十天的承诺期限之内呢？而这又直接关系到受要约人究竟有多长的时间作出承诺并送达要约人的问题。

（2）承诺期限的计算。《民法典》第四百八十二条规定："要约以信件或者电报作出的，承诺期限自信件载明的日期或者电报交发之日开始计算。信件未载明日期的，自投寄该信件的邮戳日期开始计算。要约以电话、传真、电子邮件等快速通信方式作出的，承诺期限自要约到达受要约人时开始计算"。按照这一规定，承诺期限的计算与要约的传递方式直接相关，应当按照要约传递方式的不同分别确定：

1）要约以信件方式作出的，根据信件上有无载明日期分别确定承诺期限的开始时间：若是信件上载明日期的，则从信件载明的日期开始计算承诺期限。若是信件上没有载明日期的，则自投寄该信件的邮戳日期开始计算承诺期限。

2）要约以电报方式作出的，承诺期限自电报交发之日开始计算。

3）要约以电话、传真等方式作出的，承诺期限自要约到达受要约人时开始计算。

（六）逾期承诺

1. 因主观原因导致的逾期承诺

因主观原因导致的逾期承诺是指受要约人知道或者应当知道其承诺逾期，即此种逾期是由受要约人的主观过错造成的。它有两种情况：①受要约人超过承诺期限发出承诺，该承诺到达要约人时也超过了承诺期限；②受要约人在承诺期限内发出承诺，但是在通常情况下该承诺不可能在承诺期限内到达要约人。

《民法典》第四百八十六条规定："受要约人超过承诺期限发出承诺，或者在承诺期限内发出承诺，按照通常情形不能及时到达要约人的，为新要约；但是，要约人及时通知受要约人该承诺有效的除外。"这说明因主观原因导致的逾期承诺到达受要约人时已经超出了承诺期限，影响到要约人希望从合同中应取得的期限利益时，尽管要约人收到了承诺，为了保护要约人的利益，也不能因此认定该承诺当然有效，从而对要约人产生拘束力。这时，要约人有权决定该承诺的效力；要约人可以通过及时通知受要约人的方式承认该承诺有效；也可以不对该承诺作任何的意思表示，在这种情况下，该承诺不发生效力，而成为新要约，在当事人之间产生新的要约法律关系。

2. 因客观原因导致的逾期承诺

因客观原因导致的逾期承诺是指受要约人在承诺期限内发出承诺，按照通常情形能够及时到达要约人，但因其他原因承诺到达要约人时出现超过承诺期限的情况。《民法典》第四百八十七条规定："受要约人在承诺期限内发出承诺，按照通常情形能够及时到达要约人，但因其他原因承诺到达要约人时超过承诺期限的，除要约人及时通知受要约人因承诺超过期限不接受该承诺的以外，该承诺有效"。按照这一规定，逾期到达的承诺，其效力应当按照下列情况分别确定：

（1）承诺有效，合同成立。受要约人在承诺期限内发出承诺，按照通常情形能够及时到达要约人，但是因为其他原因而非受要约人原因如邮局未及时递送等，导致承诺超过承诺期限到达要约人，在这种情况下，不能要求受要约人承担承诺因逾期到达而不能生效的责任，一般应当认定逾期到达的承诺有效，合同成立。

（2）承诺无效，合同不能成立。若受要约人在承诺期限内发出承诺，但承诺到达要约人时，已经超过了承诺期限，要约人可以拒绝接受该承诺。要约人如果拒绝接受逾期到达的承诺，则应当及时通知受要约人因其承诺超过承诺期限而不予接受，否则仍按承诺有效处理。

（七）承诺的撤回

承诺撤回是指受要约人在发出承诺以后，在承诺正式生效之前撤回承诺，其实质是受要约人为阻止承诺发生法律效力而宣告取消承诺的意思表示。《民法典》第四百八十五条规定："承诺可以撤回。撤回承诺的通知应当在承诺通知到达要约人之前或者与承诺通知同时到达要约人"。按照这一规定，受要约人撤回承诺，必须符合下列条件之一：

1. 撤回承诺的通知在承诺通知到达要约人之前到达要约人。受要约人在作出承诺之后，如果欲撤回承诺，应当使撤回承诺的通知先于承诺通知到达要约人，亦即撤回承诺的通知应当在承诺生效之前到达要约人。

2. 撤回承诺的通知与承诺通知同时到达要约人。受要约人在作出承诺之后，如果欲撤回承诺，但若未能使撤回承诺的通知在承诺通知到达要约人之前即承诺生效之前到达要约人，则受要约人应当使撤回承诺的通知与承诺通知同时到达要约人，才能有效撤回承诺。

只有在承诺是采用书面通知作出的情况下，才能通过承诺撤回阻止承诺发生法律效力。如果承诺是采用对话方式作出的，就不存在承诺撤回的问题，因为只要受要约人用语言口头表明同意要约即承诺，要约人听到后，承诺即生效，合同即成立，所以不存在承诺撤回的问题。如果承诺是通过行为方式作出的，也不可能存在承诺撤回的问题，因为只要受要约人作出承诺的行为，承诺即生效，合同即成立，所以也就不存在承诺撤回的问题。

此外，与要约不同的是，承诺只能撤回，而不能撤销，但要约除了可以撤回外，还可以撤销。承诺不能撤销的原因在于承诺的法律后果是导致合同成立。承诺一旦生效，合同即告成立，对于已经成立的合同，一方当事人无权撤销，而只能按照合同变更、解除的规定处理。否则，受要约人撤销承诺的行为因事实上已经构成推翻或者否认已经成立的合同的法律后果，因而构成违约。

（八）承诺对要约的变更及其法律后果

对要约的变更包括实质性变更和非实质性变更。

1.对要约内容的实质性变更及其法律后果

对要约内容的实质性变更是指受要约人在其对要约的答复中，对要约中有关合同标的、数量、质量、价款或者报酬、履行期限、履行地点和方式、违约责任和解决争议方法等要约的主要内容所作出的变更、修改。要约中有关合同标的、数量、质量、价款或者报酬、履行期限、履行地点和方式、违约责任和解决争议方法等方面的内容，为要约的实质性内容亦即要约的主要内容，也是当事人双方之间未来的合同所应当具备的主要内容。所谓承诺内容与要约内容的一致，主要是指上述内容的一致。如果受要约人对上述内容提出修改意见，等于否定了要约人提出的订立合同的条件。所以，受要约人对要约内容的实质性变更，按照《民法典》第四百八十八条规定："承诺的内容应当与要约的内容一致。受要约人对要约的内容作出实质性变更的，为新要约。有关合同标的、数量、质量、价款或者报酬、履行期限、履行地点和方式、违约责任和解决争议方法等的变更，是对要约内容的实质性变更"。其法律后果是这种变更将被视为受要约人向要约人发出的一项新要约，而不能成为一项有效的承诺，因而也就不能产生合同成立的法律后果。

2.对要约内容的非实质性变更及其法律后果

对要约内容的非实质性变更是指受要约人在其对要约的承诺中对要约的内容作了部分变更、修改，但这种变更、修改没有涉及要约中有关合同标的、数量、质量、价款或者报酬、履行期限、履行地点和方式、违约责任和解决争议方法等要约的实质性内容。

《民法典》第四百八十九条规定："承诺对要约的内容作出非实质性变更的，除要约人及时表示反对或者要约表明承诺不得对要约的内容作出任何变更的以外，该承诺有效，合同的内容以承诺的内容为准"。按照这一规定，受要约人作出的变更要约非实质性内容的承诺，原则上有效。但是如果要约人及时表示反对的，该承诺无效，而只能作为一项新的要约对待。同时，如果要约人在向受要约人发出要约时，在要约中明确表明承诺不得对要约内容作出任何变更的，则受要约人作出的变更要约非实质性内容的承诺也只能作为一项新的要约对待。

【案例2-1】

该传真是要约还是要约邀请

【背景材料】

文益房地产有限公司因开发住宅小区需购买建材，为此向甲、乙、丙三家建材贸易公司分别发出了传真，传真称："本公司因建设民用住宅欲购钢材100t，水泥500t，砂石1000t，如贵公司有货，请在收到本传真后5天之内书面通知我公司，我公司将派专业人员前往验货购买"。甲、乙、丙三公司在收到传真件的第二天就向文益公司送来的书面答复，均表示有货供应，并提出钢材、水泥和砂石的型号、质量及价格，希望文益公司尽快派人前来洽谈验货购买之事宜。丙公司为了抢得这一商机，于第三天又通知文益公司，称"本公司已按贵公司要求将钢材、水泥、砂石分批发往贵公司"。此时，文益公司已派人到甲建材公司验货并当即签订了购销合同。随后文益公司致函丙建材公司，表示已购买到所需建材，无意再购买丙公司的建材，对于丙公司发来的货拒绝验收付款。丙建材公司认为，文益公司向本公司发出的传真已构成要约，而本公司在文益公司规定的要约有效期内作出了承诺。因此，文益公司必须受其要约约束，遂将文益公司作为被告向法院起诉，要求文益公司履约。

法院经审理查明，被告为购买钢材、水泥、砂石等建材确向原告发过传真件，但是，该传真件仅具有询价性质，表示购货意向，不含有订立合同的具体内容，因此，该传真件不构成有效要约。由于原告自己的过错将被告的这一传真件误解为要约，由此造成的后果不应由被告承担，而应由原告自己承担，据此，受理法院判决驳回原告的诉讼请求。

【案例评析】

本案涉及的问题是：被告发出的求购建材的传真件是要约还是要约邀请？如果该传真件构成有效要约，则被告应承担相应的法律责任；如果该传真件属于要约邀请，则原告发货行为由其自己承担，被告不承担法律责任。

要约是一方当事人以订立合同为目的，向对方提出订立合同的内容，希望与对方订立合同的意思表示，因此，要约中必须有订立合同的具体内容，以及要求对方承诺的期限。而要约邀请，又称为要约引诱，根据《民法典》第四百七十三条规定，"要约邀请是希望他人向自己发出要约的意思表示。卖公告、招标公告、招股说明书、债券募集办法、基金招募说明书、商业广告和宣传、寄送的价目表等为要约邀请。商业广告和宣传的内容符合要约规定的，构成要约"。因此，要约邀请是当事人为实施订立合同的准备行为，发出要约邀请的一方对其发出的内容不承担法律责任。

在本案中，被告向原告发出传真件称："本公司因建设民用住宅欲买钢材 100t、水泥 500t、砂石 1000t，如贵公司有货，请在收到本传真后 5 天内书面通知我公司，我公司将派专业人员前往验货购买"。从这份传真件内容上分析，其性质属于要约邀请而非要约。因为，第一，要约中应该含有订立合同的主要条款，在该传真中，被告对于要购买的建材型号、质量、规格、价款以及交货日期均未作明确规定，显然被告是希望原告收到本传真件后向自己提出要约，以便权衡后决定能否作出承诺；第二，该传真件称："请在收到本传真件后 5 天内书面通知本公司"，这是被告向原告明确表达了要求原告向自己发出要约；第三，该传真件称："我公司将派专业人员前往购买"。这进一步表明，如果原告有建材的话，这些建材是否符合被告的要求，只有在被告派专业人员验货之后才能决定是否购买。从以上的分析可以看出，被告发出的传真件仅具有要约邀请的性质，而不是要约，这样被告在交易中将处于十分有利的地位。而原告由于急于想促成交易，误将被告具有要约邀请性质的传真件认为是要约，导致发货行为，其后果理应自负。

【案例 2-2】

该承诺是否发生法律效力

【背景材料】

甲公司向乙公司发函表示，本公司有某化工原料 40t，每吨价格为 4 万元，如有意购买，可派业务员前来看货，并在 5 天内供货。乙公司收到甲公司函电后，认为这种化工原料属本公司生产所需，当天派公司业务员前往甲公司洽谈购买事宜。乙公司业务员看货后认为该化工原料质量尚可，但对价格不能确定，表示回公司后向总经理汇报，如果决定购买，则 5 天之内带款前来提货；如果 5 天之内未作表示，则甲公司可另卖他家。对此甲公司予以认可。乙公司看货后的第 3 天，丙公司得知甲公司有自己需要的这种化工原料，丙公司与甲公司为购买这批化工原料进行洽谈，甲公司遂以每吨 4.3 万元的价格将这 40t 化工原料卖给了丙公司。乙公司经考虑后同意甲公司的报价，并于第 4 天派业务员带足钱款前往甲公司提货，此时，甲公司已无货供应。乙公司认为甲公司违约，要求甲公司承担违约赔偿责任；而甲公司认为当时乙公司未接受 4 万元 /t 的价格，双方尚未形成合同价格，因此，不存在违约责任，拒绝乙公司的赔偿要求，双方发生纠纷。

【案例评析】

本案处理涉及要约与承诺是否生效及其法律效力。

《民法典》第四百七十一条规定，"当事人订立合同，可以采取要约、承诺的方式"。要约即一方当事人以订立合同为目的，向对方提出订立合同的内容，希望与对方订立合同的意思表示。要约应包含合同的内容，对方对要约内容一经承诺，则要约人必须受其约束，当然，要约人的约束受要约有效期限的限制。本案中，甲公司向乙公司发函其内容已构成法律上的要约。

根据《民法典》第四百七十一条规定，"承诺是受要约人同意要约的意思表示"。乙公司接到甲公司的要约后立即派员前往甲公司看货，尽管乙公司未能当场接受甲公司开出的价格，没有立即作出承诺，但是，乙公司没有拒绝也没有变更甲公司提出的价格，仅表示对价格问题回公司研究后再决定，如果能够接受，则根据甲公司的要求 5 天之内前来付款提货，这实际上是进一步确认了甲公司的要约。在第 4 天，即要约有效期限内，乙公司决定接受甲公司的价格，派员带款前往甲公司提货，乙公司的这一行为可视为乙公司完全接受了甲公司要约的内容，属法律上的承诺，因此，甲、乙两公司已形成合同关系。在这期间甲公司为获取高利，而将这批化工原料售给了丙公司，以致无货供应乙公司，为此，甲公司对乙公司应当承担违约赔偿责任。

第三节　合同的条款

合同条款，是指合同当事人协商一致的合同内容，具体规定着当事人的权利义务。合同条款通常称为合同内容。

一、合同条款的内容

按照当事人意思自治的原则，合同内容由当事人自主协商确定，法律一般不予干预，即《民法典》第四百七十条中规定的"合同的内容由当事人约定"。合同内容的最基本的属性是确定双方当事人之间的权利义务关系，尽管各类合同之间存在差别，然而它们之间的基本点还是相同的，即一份有效的、能够得以履行的合同，必然要具备一些基本的内容，诸如是在什么当事人之间订立合同、当事人订立合同的目的、当事人如何完成合同中确定的义务等，这些内容经过提炼、加工，形成了通常所说的合同一般应具备的条款。《民法典》第四百七十条对合同一般应具备的条款作了规定。根据该条文，合同一般应具备下列条款：

（一）当事人的名称或者姓名和住所

当事人的名称或者姓名和住所，也称合同当事人的自然情况。名称是指法人或者其他组织在登记机关登记的正式称谓；姓名是指公民个人在身份证或者户籍登记上的正式称谓。住所对公民个人而言，是指其长久居住的场所；对法人和其他组织而言，是指其主要办事机构所在地，通常法人和其他组织的住所都要在登记机关进行登记。

（二）标的

标的是合同当事人权利义务一致指向的对象。没有标的，就失去了订立合同的出发点和归宿，当事人权利义务的实现便无从着手，合同也无法履行。因此，作为满足当事人自身需要的合同必须有明确的标的。

合同标的的种类因合同种类的各异而表现不一。它可以是具体的物（财产），如房屋买卖、房屋租赁和房屋借用，其标的就是房屋这一具体的物（财产）。标的可以是有形财产，也可以是无形财产。标的还可以是某种行为，即人的活动，如承揽加工、设计勘察、委托、保管、运输等合同的标的是完成某种工作、提供某种服务的行为。

（三）数量

数量是指以数字和计量单位对合同标的进行具体的确定。数量是衡量标的大小、多少、轻重的尺度，是确定合同当事人之间权利义务范围和权利义务大小的一个标准。

当事人在订立合同时，应当明确约定标的数量。

（四）质量

质量是指以成分、含量、纯度、尺寸、精密度、性能等指标来表示的合同标的内在素质和外观形象的优劣状况。质量也是确定当事人之间权利义务范围和大小的一个标准。质量要求严格的，其义务也就比质量要求低的要大，所以当事人在订立合同时必须明确标的的质量。此外，由于许多产品的质量往往涉及人身和财产的安全问题，国家对许多产品等制定了质量标准，所以当事人在订立合同约定标的的质量时，如果有国家强制性标准或者行业强制性标准的，不得低于国家强制性标准或者行业强制性标准，如果没有国家强制性标准或者行业强制性标准的，则可以由当事人自由协商确定。

（五）价款或者报酬

价款或者报酬，有时也通称为价金，是指一方当事人履行义务时另一方当事人以货币形式支付的代价。在合同标的为物或者智力成果时，取得标的物所应当支付的代价为价款；在合同标的为行为时，获得行为服务所应当支付的代价为报酬。价款或者报酬是有偿合同一般应具备的条款，在无偿合同如赠与合同中，则没有价款或者报酬的内容。

（六）履行期限、地点和方式

1. 履行期限是指当事人履行合同义务的起止时间，亦即负有交付标的义务的当事人交付标的起止时间，或者负有支付价款或者报酬义务的当事人支付价款或者报酬的起止时间。履行期限既是一方当事人请求对方当事人履行合同义务的依据之一，又是判断合同是否已经得到履行的标准之一。

2. 履行地点是指当事人履行合同义务和接受履行合同义务的地方。履行地点也是一方当事人请求对方当事人履行合同义务和判断合同是否已经得到履行的标准之一，涉及享有权利一方当事人的权利实现情况，所以当事人在订立合同时应当尽量将履行地点约定得明确和具体。

3. 履行方式是指当事人履行自己在合同中的义务的方法。履行方式与合同标的有密切的联系，如有的需要以提供劳务的方式履行合同，有的需要以转移财产所有权的方式履行合同。当事人在确定履行方式时，除了依据合同标的，还要根据实际需要进行确定，如在货物买卖合同中，究竟是采用自提、送货方式，还是采用托运方式，如果采用托运方式，是采用铁路运输、水路运输、公路运输或是采用航空运输，应当根据客观需要具体约定。

（七）违约责任

违约是指当事人没有按照合同约定的标的、时间、地点、方式履行义务的行为。违约的表现形式有多种多样，但概括起来有两种，一种是合同的不履行，即当事人根本就没有实施履行合同义务的行为；另一种是合同的不适当履行，即当事人虽然实施了履行合同义务的行为，但不符合或者不完全符合合同约定的条件。所谓违约责任，则是指合同当事人不履行或者不适当履行合同约定的义务所应当承担的法律责任。

（八）解决争议的方法

解决争议的方法是指当事人之间在履行合同过程中发生了争议以后，所采用的处理该争议的方法。争议的解决方法有两类，一类是诉讼解决，即通过向人民法院起诉并由人民法院依法进行审理、判决的方法解决争议；另一类是非诉讼解决，即不通过向人民法院起诉并由人民法院进行审理、判决的方法解决争议。争议的非诉讼解决，又有三种具体方式，一是由当事人双方通过友好协商的方式解决争议；二是由当事人双方共同邀请一个第三人作为调解人，通过由调解人主持调解的方式解决争议；三是由当事人双方在合同中约定仲裁条款或者在事后达成书面仲裁协议，将争议提交仲裁机构，通过仲裁机构依法仲裁的方式解决争议。

合同中解决争议的条款其效力具有独立性。即使合同已被撤销或被宣布为无效，解决争议的条款仍然有效，对合同纠纷的解决仍要采用双方所约定的方式。

二、格式条款

（一）格式条款的概念及特点

格式条款按照《民法典》第四百九十六条的规定，是指当事人为了重复使用而预先拟定，并在订立合同时未与对方协商的条款。格式条款，又称为一般交易条款、一般契约条款或标准条款。包含有格式条款的合同被称为定式合同、定型化合同、标准合同、附和合同等。

格式合同的产生是 20 世纪合同法发展的重要标志之一。格式条款的出现，不仅改变了传统的订约方式，而且对合同自由原则形成了挑战。格式条款具有如下特点：

1. 格式条款是由一方为了反复使用而预先制定的。这就是说，格式条款在订约以前就已经预先制定出来，而不是在双方当事人反复协商的基础上制定出来的。格式条款一般都是为了重复使用而不是为一次性的使用制定的，因此从经济上看有助于降低交易费用，因为许多交易活动是不断重复进行的，所以通过格式条款的方式可以使订约基础明确、费用节省、时间节约，从而大大降低交易费用，适应了现代市场经济高度发展的要求。

2. 格式条款是适用于不特定的相对人的。既然格式条款是为不特定的人制定的，因而，格式条款在订立以前，要约方总是特定的，而承诺方都是不特定的，这就与一般合同的当事人双方都是特定人有所不同。正是因为格式条款将要适用于广大的消费者，因此格式条款的规范，对保护广大消费者的利益具有十分重要的意义。

3. 格式条款的内容具有定型化的特点。所谓定型化的特点，是指格式条款具有稳定性和不变性，它将普遍适用于一切要与起草人订立合同的不特定的相对人，而不因相对人的不同有所区别。一方面，格式条款文件普遍适用于一切要与条款的制定者订立合同的不特定的相对人，相对人对合同的内容只能表示完全的同意或拒绝，而不能修改、变更合同的内容。因此，格式条款也就是指在订立合同时不能协商的条款。另一方面，格式条款的定型化是指在格式条款的适用过程中，要约人和承诺人的双方的地位也是固定的，而不像一般合同在订立过程中，要约方和承诺方的地位可以随时改变。

4. 相对人在订约中居于附从地位。相对人并不参与协商过程，只能对一方制定的格式条款，概括地予以接受或拒绝接受，而不能就合同条款讨价还价，因而相对人在合同关系中处于附从地位。

（二）格式条款提供者的义务

《民法典》第四百九十六条第二款规定："采用格式条款订立合同的，提供格式条款的一方应当遵循公平原则确定当事人之间的权利和义务，并采取合理的方式提请对方注意免除或者减轻其责任等与对方有重大利害关系的条款，按照对方的要求，对该条款予以说明"。按照这一规定，在采用格式条款订立合同的过程中，格式条款的提供者具有如下两项义务：

1. 遵循公平原则确定当事人之间的权利和义务。采用格式条款订立合同时，格式条款的提供者在拟定格式条款时，应当将当事人双方之间的权利义务确定得相互对等，将双方当事人各自享有的权利和承担的义务规定得基本相当，不能一方只享有权利而不承担义务，或者其享有的权利明显大于其所承担的义务。

2. 提示或者说明的义务。格式条款的提供者应当采取合理的方式提请对方注意免除或者限制其责任的条款，按照对方的要求，对该条款予以说明。免除或者限制其责任的条款又称免责条款，是指规定免除或者限制格式条款提供者未来合同责任的各种条款。免责条款有可能给对方当事人的权利造成不利影响，使其处于经济上或者法律上的不利地位。按照公平原则和诚实信用原则，格式条款的提供者有义务提请对方当事人注意这类条款可能给其造成的不利影响。若对方当事人对免责条款存有疑虑并要求予以说明时，格式条款的提供者也有义务对这类条款予以说明。

（三）格式条款的无效

《民法典》第四百九十七条规定："格式条款具有本法第一编第六章第三节和本法第五百零六条规定的无效情形。"按照这一规定，凡格式条款中含有下列内容或具有以下情形的，该条款无效：

1. 具有《民法典》第一编第六章第三节规定情形的。《民法典》第一编第六章第三节规定，有下列情形之一的，合同无效：一方以欺诈、胁迫的手段订立合同，损害国家利益；恶意串通，损害国家、集体或者第三人利益；以合法形式掩盖非法目的；损害社会公共利益；违反法律、行政法规的强制性规定。

2. 具有《民法典》第五百零六条规定情形的。《民法典》第五百零六条规定，合同中的下列免责条款无效：造成对方人身伤害的；因故意或者重大过失造成对方财产损失的。

3. 提供格式条款一方免除其责任的。免除责任又称为免除主要义务。该情形是指格式条款中含有免除格式条款提供者按照通常情形应当承担的主要义务的内容。

4. 加重对方责任。该情形是指格式条款中含有在通常情况下对方当事人不应当承担的义务。

5.排除对方当事人主要权利的。该情形是指格式条款中含有排除对方当事人按照通常情形应当享有的主要权利的内容。例如，某电器生产厂家在电器买卖合同中规定，本厂生产的电器一经售出，不得退换，则该项规定就排除了对方当事人（买方）的主要权利。因为，在电器销售过程中，厂家必须对电器的质量承担责任，如果其销售的电器发生质量问题，买方有权要求退换，此乃买方在该电器买卖合同中的一项主要权利。如果不允许退换，等于排除了买方的该项主要权利。

（四）格式条款的解释

由于格式条款是当事人为了重复使用而预先拟定并在订立合同时未与对方协商的条款，格式条款的提供者可能基于自己的优势地位将不利于对方当事人的条款订入合同。另外，由于对方当事人没有机会针对这些条款与提供者协商，就可能出现双方对之有不同理解的情况发生。为了保护相对方的利益，合同法规定了对格式条款的解释方法。

《民法典》第四百九十八条规定："对格式条款的理解发生争议的，应当按照通常理解予以解释。对格式条款有两种以上解释的，应当作出不利于提供格式条款一方的解释。格式条款与非格式条款不一致的，应当采用非格式条款"。

1.通常理解规则

对格式条款的理解应以一般人的、惯常的理解为准，而不应仅以条款制作人的理解为依据，对某些特殊术语，也应作出通常的、通俗的、一般意义的解释。

2.不利解释规则

在格式条款按照通常的理解也会出现两种以上的解释效果时，应当作出不利于提供格式条款一方的解释。

这一方面体现提供条款一方应对自己提供的条款含义不清负责，另一方面也是为了保护相对方的利益，因为相对方总是处于一种弱势地位。

3.非格式条款效力优先规则

非格式条款即个别商议条款，其效力应优先于格式条款。这样既尊重了当事人的意思，也有利于保护广大消费者的合法权益。

【案例 2-3】

如何正确看待格式合同的效力

【背景材料】

王先生新买一套 2800 元的名牌西装，穿着时不慎弄脏送到环西洗衣店干洗，环西洗衣店服务人员仔细检查了服装后开具了取衣单，在取衣单上确认服装品牌及完好无损，并收取干洗费 50 元。3 天后王先生凭取衣单前往洗衣店取西服，洗衣店服务人员称其服装尚未洗好，要王先生再过几天来取服装。王先生第二次来取服装时，洗衣店服务人员告诉王先生，他的服装被洗衣店丢失了。王先生认为，自己保存的购衣发票能证明服装的品牌、价格以及购买的时间，因此，要求按原价赔偿（即 2800 元）。洗衣店认为，取衣单已载明，如果服装被损坏或丢失，每件最多赔 100 元，因此，洗衣店同意退还收取的干洗费 50 元，另赔偿 200 元。由于双方意见不合，形成诉讼。

法院审理后认为，原告委托被告洗衣并付洗衣费 50 元，被告应按约定完成原告委托的事项。被告将原告的服装丢失，属于违约行为，应赔偿原告同类服装或相应的价款，退还 50 元洗衣费用。尽管被告提出的格式合同规定：如果服装在洗涤过程中丢失，每件最多赔偿 100 元，但这一规定有悖于《民法典》和《消费者权益保护法》的立法原则，显失公平。被告经教育后意识到自己的违约行为，愿意给予原告赔偿。后经法院调解，原、被告达成调解协议，被告退还原告洗衣费 50 元，赔偿原告经济损失 2000 元，并承担诉讼费用。

【案例评析】

本案涉及格式合同效力的问题。

首先，原、被告双方的合同关系是否成立？在本案中，当原告将服装及 50 元洗衣费用交给被告时，这表明原告向被告发出了订立合同的要约；被告对原告的服装进行仔细检查，确认服装品牌、质量完好无损后开具了取衣单，被告的这一行为实际上是接受原告要约，向原告作出了承诺，此时双方的合同关系已经成立。被告工作失误将原告服装丢失，致使原告财产遭受损失，被告理应承担违约赔偿责任。问题是，被告向原告开具的取衣单规定，"如果服装损坏或丢失，每件最多赔偿 100 元"，像这样的格式合同是否具有法律效力？即如何正确看待格式合同。

格式合同是指，当事人为了重复使用而预先拟定的并在订立合同时未与对方协商的合同。格式合同具有要约的广泛性与重复性，是由一方当事人事先拟定并重复使用的，可以向社会公众广泛发出，能够简化重复的交易手续，缩短交易时间、降低交易成本、提高交易效率。由于格式合同是由一方当事人事先拟定好的，在双方当事人合同关系成立之前合同内容已经定型，相对方对其条款只存在接受或拒绝的选择，无权对其内容进行修改，相对方接受格式合同具有被迫性，从这个角度看，双方合同关系的成立不符合协商一致的原则。尤其值得注意的是格式合同往往具有不公平性，因为，提出格式合同的一方在交易中处于强势地位，使得合同的内容体现制定者的意志和利益，形成双方的权利义务不对等。

鉴于格式合同的上述特点，《民法典》对格式合同进行了一定限制。根据《民法典》规定，提供格式合同的一方应当遵循公平原则确定当事人之间的权利义务。公平原则既是我国民法的基本原则，也是《民法典》的基本原则，考虑到格式合同是由一方事先拟定的，签订时也不征询另一方当事人的意见，为避免提供格式的一方将权利向自己倾斜，将义务向对方倾斜，因此，《民法典》十分强调格式合同内容要符合公平原则，如果违背公平原则，另一方可以向法院申请认定该合同无效或者变更合同内容。此外，

《民法典》还规定，格式合同含有提供格式合同一方免除责任、加重对方责任、排除对方主要权利的为无效。免除提供格式合同一方责任的格式合同，违反公平原则，使双方的权利义务处于不平等状况，这类格式合同理应无效；加重对方责任的格式合同，将不属于对方的责任强加于对方，同样违反公平原则，理应属于无效合同；排除对方主要权利的格式合同，使得对方当事人在合同中的主要权益落空，失去了订立合同的意义，这种格式合同同样不具法律效力。

在本案中，对于洗衣店提供的格式合同，原告在订立合同时未提出异议，这表明双方合同关系成立。但是，合同关系的成立与合同的生效，这是两个不同的法律概念，前者仅表明双方当事人就合同条款达成协商一致；后者表明双方当事人达成的合同内容符合法律规定，合同关系受到法律保护，因此，成立的合同未必都具备生效的条件。尽管洗衣店提供的格式合同双方已经确认，但其内容因违反《民法典》的上述规定而不能生效。在本案中，洗衣店提供的格式合同明显地违反公平原则，原告接受其内容是被迫的，而不是原告真实意思的反应。此外，上述格式合同，免除提供格式合同一方责任，加重对方责任，排除对方主要权利，使原告依据合同原来应该享受的权利未能享受到，并且丧失因被告过错对自己造成损失的索赔权，因此，上述格式合同无效。

另外，《消费者权益保护法》第二十六条也明确规定："经营者不得以格式条款、通知、声明、店堂告示等方式，作出排除或限制消费者权利、减轻或者免除经营者责任、加重消费者责任等对消费者不公平、不合理的规定，不得利用格式条款并借助技术手段强制交易。格式条款、通知、声明、店堂告示等含有前款所列内容的，其内容无效"。上述格式合同同样违反这条规定，应属无效合同。被告认识到自己的行为不当，愿意承担相应的赔偿责任，原告对此表示谅解，双方达成的调解协议与法律规定并不冲突。

第四节　缔约过失责任

一、缔约过失责任的含义

缔约过失责任，按其原本意义，叫作"契约缔结之际的过失"，也称为先契约责任，是指缔约当事人因在缔约过程中，一方当事人有过错，导致合同不成立、无效或被撤销，并使对方当事人遭受信赖利益损失时，应承担的民事责任。

因为自缔约开始，缔约当事人之间就依诚实信用原则产生一定的义务，这种义务称为先合同义务。如果当事人一方因有过错而违反该义务，就应对由此给对方造成的损失负赔偿责任。因缔约过失给对方造成的损失应为信赖利益损失，即相信合同可有效成立的损失。因此，缔约过失责任就是缔约当事人一方违反依诚实信用原则所应承担的先合同义务而给对方造成的信赖利益损失应负的赔偿责任。

二、缔约过失责任的构成要件

当事人承担缔约过失责任以违反相关义务并造成损害为条件，具体而言，缔约过失责任的构成要件为：

（一）此种责任发生在合同生效之前。缔约过失责任与违约责任的基本区别在于，它发生在合同生效之前而不是合同生效以后，只有在合同尚未成立，或者虽然已经成立，但因为不符合法定的生效要件而被确认为无效或被撤销时，缔约人才应承担缔约过失责任。

（二）一方当事人违反了依据诚实信用原则所产生的义务。如前所述，缔约过失责任是基于缔约人的先合同义务而成立的，由于合同尚未成立，因此当事人并不负有合同义务，也不可能违反某种合同义务。然而，在订约阶段，当事人依据诚实信用原则应负有诸如协力、告知、通知、忠实、保密等义务，这是法定的义务。一方违反这些义务而给另一方造成信赖利益损失，应承担缔约过失责任。

（三）造成了另一方信赖利益的损失。所谓信赖利益的损失主要是指一方实施某种行为后，足以使另一方对其产生信赖（如相信其会订立合同），并因此而支付了一定的费用，后因合同不能有效成立使该费用不能得到补偿。

（四）一方当事人有过错。缔约过失中的过错，包括故意的过错和过失的过错两种形态。在合同订立阶段，缔约人相互之间的注意义务由一般的消极义务范畴如不得干扰合同的订立而进入合同上的积极义务范畴，这些积极义务包括如通知义务、协力义务、告知义务、保护义务、保密义务等。缔约人应以信赖关系为基础，互相负以必要的注意义务，以保障交易的顺利进行和对方利益不受损害。对上述义务的违反，均构成缔约过失责任的主观过错。

三、缔约过失责任的主要类型

根据《民法典》第五百条的规定，缔约过失责任可有以下类型：

（一）假借订立合同，恶意进行磋商。指在订立合同的过程中，一方当事人根本没有与对方当事人订立合同的意图，为达到损害对方当事人利益之目的，故意与对方当事人进行旨在损害对方当事人利益的合同谈判、磋商的行为。按照国际商事合同通则的规定，一方当事人如果恶意进行订立合同的谈判，或者在谈判过程中恶意终止合同谈判的，应当赔偿因此给另一方当事人造成的损失，其中所谓恶意谈判，则是指一方当事人无意与对方当事人订立合同，却开始或者继续进行谈判。

（二）故意隐瞒与订立合同有关的重要事实或者提供虚假情况。故意隐瞒，是指一方当事人在订立合同的过程中，有意识地没有将有关情况告知对方当事人。重要事实，是指足以影响对方当事人决定是否与自己签订合同的实际情况或实际状况。提供虚假情况是指一方当事人在订立合同的过程中，故意将客观上不存在或者不符合客观事实的资料、信息提交给对方当事人。

（三）泄露或不正当的使用商业秘密。当事人在谈判过程中，一方可能会接触、了解另一方的商业秘密，包括产品的性能、销售对象、市场营销情况等各种商业秘密，对此应依据诚实信用原则负保密义务，不得向外泄露或不正当使用（如将该秘密转让他人）。根据《民法典》第五百零一条规定，"当事人在订立合同过程中知悉的商业秘密或者其他应当保密的信息，无论合同是否成立，不得泄露或者不正当地使用；泄露、不正当地使用该商业秘密或者信息，造成对方损失的，应当承担赔偿责任。"

（四）其他违背诚实信用原则的行为。这是一个兜底条款，用以涵盖法律列举以外的其他各种缔约过失行为。如一方在与另一方协商订约时，明确向另一方许诺，如果另一方完成了某项工作，则他将会与另一方订约，而在另一方信赖其许诺而完成某项工作后，该当事人拒绝订约。此种情况主要是指在订约过程中违背许诺，而给另一方造成损失。

【案例2-4】

法律责任如何认定

【背景材料】

某建筑施工企业隐瞒自身资质等级条件不足的事实，借用了另外一家资质条件合格的资质，并以后者名义参加某施工承包项目的施工投标，并依照招标文件要求的时间、地点递交了投标保证金。在评标期间，评标委员会发现了该情况，即以招标文件相关内容为依据，没收了该投标人的投标保证金。

该投标人的行为应如何认定？没收其投标保证金是承担什么性质的法律责任？

【案例评析】

该投标人的行为属于故意隐瞒与订立合同有关的重要事实或者提供虚假情况，其投标保证金被没收属于承担缔约过失责任。因为施工合同还没有成立。

思考题

1. 合同的基本条款有哪些？
2. 合同的订立程序和主要步骤应具备的条件。
3. 要约撤回与要约撤销有什么区别？
4. 要约失效的条件有哪些？
5. 承诺有效的条件有哪些？承诺的方式有哪几种？
6. 承诺超期与承诺延误的区别？
7. 格式合同中无效的条款主要有哪些？
8. 什么是缔约过失责任？其与违约责任有何区别？
9. 承担缔约过失责任的情形有哪几种？

第三章

合同的效力

【本章概要】

　　本章重点讲述合同生效的要件以及效力有瑕疵的三类合同：效力待定合同、无效合同、可撤销合同，使学生能够根据所学内容判别合同的效力状态。

第一节　合同的生效

一、合同效力的含义

合同效力是一个存在歧义的概念，国内很多学者将其等同于合同生效的概念。其实，合同效力，又称合同的法律效力，它是指已经缔结的合同将对合同当事人乃至第三人产生的法律后果，或者说是法律拘束力。这种法律后果是立法者意志对当事人合意的评价的结果。当法律对当事人合意予以肯定性评价时，发生当事人预期的法律后果，即合同的生效；当法律对当事人合意给予全然否定性评价时，则发生合同绝对无效的后果；当法律给予当事人合意相对否定性评价时，发生合同可撤销或效力未定的法律后果。已成立的合同在效力上是生效、可撤销或效力未定，其衡量标准是法定的一般生效要件。合同符合法定的生效要件，便受到法律的保护，并能产生当事人预期的法律后果，这便是合同的生效。合同的生效是合同效力的表现之一。这也从一个侧面说明了合同的成立与合同的生效是两个不同的概念。

二、合同成立与合同生效

合同成立与合同生效，是相互联系又相互区别的一对概念。合同成立，是指双方当事人意思表示达成了一致；合同生效，是指成立后的合同在法律上得到了肯定性评价，产生了当事人意定的法律效力，也就是使合同获得了相当于法律的效力。合同成立是合同生效的前提，只有合同成立了才能谈得上无效、效力待定、撤销等问题；合同成立只解决合同存在与否的问题，而合同成立后是否发生效力则是法律价值的判断问题。合同成立与合同生效的区别如下：

（一）内容判断上不一致

1. 合同成立表明当事人就合同的必要条款已经达成了合意。合同的成立仅仅是解决了合同是否存在的问题，属于事实判断问题。

2. 合同生效则是法律价值判断问题，其解决的是合同是否符合法律的精神和规定。

所以，合同成立的判断侧重于对合同表面状态的考察；而合同生效侧重于对合同实质内容的考察。

（二）所体现的原则不同

1. 合同成立适用意思自治原则，当事人可以依其自由意志创设权利义务关系。只要具备意思表示一致这一基本事实，合同即告成立。

2. 合同生效制度体现了国家对当事人已经达成的合意的评价问题，体现了国家对合同的干预。

因此，合同成立主要体现了当事人的意志，体现了合同自由原则；合同生效则体现了国家对合同关系的肯定和评价，反映了国家对合同关系的干预。

（三）要件不同

1. 合同成立只是一个事实问题，即当事人对合同的标的、数量等内容协商取得一致。

2. 合同生效是一个法律问题，体现了国家对合同的规制。

（四）法律后果不同

1. 合同不成立只产生民事责任，不产生其他的法律责任。

2. 无效合同不仅要产生民事转让，而且可能引起行政转让，甚至刑事责任。

三、合同生效的要件

合同成立后，能否产生法律效力，能否产生当事人所预期的法律后果，要视合同是否具备生效要件。合同的生效要件是判断合同是否能够具备法律效力的标准，是合同生效的法定必备条件。从我国《民法典》合同编的现有规定中可以看出，《民法典》合同编对合同生效必须具备的条件主要是从程序上作了规定，并没有直接具体规定合同的生效要件。根据这些程序性的规定，同时结合《民法典》总则编关于民事法律行为所应具备要件的规定，可以认为，合同生效应当具备以下要件：

（一）合同当事人具有相应的民事权利能力和民事行为能力

关于当事人的民事权利能力和民事行为能力以及缔约能力的问题，前面已经论及，此处不再赘述。

（二）合同当事人意思表示真实

当事人意思表示真实，是指行为人的意思表示应当真实反映其内心的意思。意思表示真实，又称作意思表示健全或意思表示无瑕疵。合同成立后，当事人的意思表示是否真实往往难以从其外部判断，法律对此一般不主动干预。缺乏意思表示真实这一要件即意思表示不真实，并不绝对导致合同一律无效。

（三）合同不违反法律或者社会公共利益

合同不违反法律和社会公共利益，主要包括两层含义：一是合同的内容合法，即合同条款中约定的权利、义务及其指向的对象即标的等，应符合法律的规定和社会公共利益的要求。二是合同的目的合法，即当事人缔约的原因合法，并且是直接的内心原因合法，不存在以合法的方式达到非法目的等规避法律的事实。

（四）具备法律、行政法规规定的合同生效必须具备的形式要件

形式要件是指法律、行政法规对合同形式上的要求。形式要件通常不是合同生效的要件，但如果法律、行政法规规定将其作为合同生效的条件时，便成为合同生效的要件之一，不具备这些形式要件，合同不能生效。当然法律另有规定的除外。

四、附条件和附期限的合同

合同通常自成立时生效。但是，为了适应复杂的社会经济生活，当事人也可对合同的生效特别规定一定的附加条件，以使合同的生效更符合当事人的实际情况和要求。

只有当所附条件成就时，合同才开始生效。我国《民法典》第一百五十八和一百六十条的规定就属于这方面的规定。上述条文分别对附条件的合同和附期限的合同作出了规定。

（一）附条件的合同

附条件的合同，是指当事人在合同中设定一定的条件，将条件的成就作为合同法律效力发生或消灭的根据的合同。也就是说，合同的生效或失效，决定于将来一定客观事实（条件）的发生。例如，甲乙二人签订房屋租赁合同时，出租人甲考虑其女儿如不调到外地工作，还需要居住此房的情况，故在合同中附了如其女儿调到外地工作，该租赁合同方生效的条件。在这种情况下，甲虽与乙订立了合同，但该合同并不能立即生效，而是要待合同所附条件成就时，即他的女儿调到外地工作时，该合同才生效。

《民法典》第一百五十八条规定："民事法律行为可以附条件，但是根据其性质不得附条件的除外。附生效条件的民事法律行为，自条件成就时生效。附解除条件的民事法律行为，自条件成就时失效。当事人为自己的利益不正当地阻止条件成就的，视为条件已成就；不正当地促成条件成就的，视为条件不成就"。

该条文的规定中包含以下几方面的内容：

1. 对所附条件的要求

合同中所附的条件可以是特定的事件，也可以是特定的行为。但是作为合同生效的条件，应当符合下列要求：

（1）必须是尚未发生的客观且不确定的事实。即在订立合同时尚不能确定其是否发生，但存在发生的可能性，即既可能发生也可能不发生。对于已经发生或者肯定必然发生或者根本不可能发生的事实，不能作为合同的所附条件。

（2）是当事人任意选择的事实，当事人可以通过协议确定之，它属于合同的任意性条款。法定的条件不属于合同的所附条件。

（3）必须是合法的事实。

（4）所附条件所限制的是合同法律效力的发生或消灭。即所附条件的成就，决定着合同法律效力的发生或消灭。合同所附条件成就，该合同便开始生效或者失效。因此，附条件的合同的法律后果是根据当事人的意思、需要和预期的合同履行后果对合同效力的发生或者消灭的依据所进行的限制，而不涉及合同的内容。

2. 所附条件的种类及其效力

（1）附生效条件

生效条件是决定合同效力是否发生的条件。合同中附有生效条件，表明合同成立后，当事人并不欲使之立即生效，而是希望待所附条件成就后，合同才开始生效。故生效条件有延缓或停止合同生效的作用，因而又称其为延缓条件或停止条件。

生效条件的效力在于：生效条件成就时，合同生效；生效条件不成就时，合同不生效。例如，上例中，甲的女儿调到外地工作这一条件成就，房屋租赁合同生效；若甲的女儿未调到外地工作，条件就不成就，该房屋租赁合同就不生效。

（2）附解除条件

解除条件是决定合同效力是否消灭的条件。若在合同中附有解除条件，待条件成就时，该合同即被解除，合同的权利义务关系即告消灭。

解除条件的效力在于：条件成就，合同解除，合同的权利义务关系消灭；条件不成就，合同继续有效。因此，解除条件是对已生效的合同之效力消灭的限制。

需要指出的是，合同所附条件是否成就应顺其自然，不允许借助当事人的任何积极行为，促成或者阻止合同所附条件的成就。《民法典》规定，如果当事人为了自己的利益不正当地阻止条件成就，则视为条件已经成就；如果当事人为了自己的利益不正当地促成条件成就，视为条件不成就。该项规定是对当事人为了自己的利益而积极地、主动地、人为地促成或者阻止合同所附条件成就行为的惩罚。

（二）附期限的合同

附期限的合同是指当事人在合同中设定一定的期限，并将期限的到来作为合同法律效力的发生或终止（消灭）的根据的合同。

《民法典》第一百六十条规定：“民事法律行为可以附期限，但是根据其性质不得附期限的除外。附生效期限的民事法律行为，自期限届至时生效。附终止期限的民事法律行为，自期限届满时失效。”

该条文的规定中包括以下几方面的内容：

附期限的合同中的期限可以作为合同之附款，亦属于任意性条款，可由当事人通过协议进行确定，但不能将法定期限作为合同所附之期限。附期限的合同中的期限所限制的是合同效力的发生或者终止（消灭）。根据合同所附的期限对合同效力所起作用的不同，可以将合同分为附生效期限的合同和附终止期限的合同。

1. 附生效期限的合同

生效期限是指合同的效力自其届至而产生的期限。附生效期限的合同，自期限届至时，合同生效。例如，甲乙双方于 2019 年 2 月 1 日签订加工承揽合同，合同中附有“自双方签字之日起 3 个月后合同开始生效”的条款，此合同即为附生效期限的合同，该合同将于 2019 年 5 月 1 日起开始生效，在此之前该合同不发生法律效力。

2. 附终止期限的合同

终止期限是指合同的效力自其届满而终止（消灭）的期限。附终止期限的合同，自期限届满时失效。例如，甲公司与乙船舶租赁公司签订船舶租赁合同，考虑到船舶航行受自然条件的影响不便规定租赁期限，故在合同中附有“本次航行终了，本租赁合同即告终止”的条款，该合同即为附终止期限的合同。当此次航行终了之时，该船舶租赁合同即告失效。

【案例 3-1】

附条件合同的效力

【背景材料】

2013 年 5 月 10 日，原告梅文干与被告三亮公司签订一份《承诺书》，约定：三亮公司愿意与星城房地产开发公司进行合作，共同合作开发本市大东门高层商住大楼；如果此项目合作成功，三亮公司以其与星城房地产开发公司之间签订正式合同的总金额为准，向梅文干支付 4% 的中介顾问费用。2013 年 6 月 22 日，星城房地产开发公司与三亮公司签订合作经营武汉恒昌房地产开发有限公司《合同书》，同年 7 月 30 日取得工商登记，注册资本为 4000 万元。2019 年 2 月 8 日，原告梅文干持与三亮公司签订的《承诺书》向武汉市武昌区人民法院起诉，要求武汉恒昌公司、中间人陈锦添支付中介顾问费。

法院认为，《承诺书》承诺给付中介顾问费属附延缓条件的民事法律行为，即待《承诺书》中承诺的大东门高层商住大楼成功时，该法律行为才发生法律效力。被告三亮公司与武汉星城公司共同组建武汉恒昌房地产开发公司，进行了工商登记，取得了土地使用权证，但这些并非《承诺书》约定给付中介顾问费用的条件。因此，由于合同所附条件尚未成就，原告梅文干要求两被告按照《承诺书》支付顾问费的诉讼请求不能成立。同时，法院认为原告要求武汉恒昌公司、陈锦添支付中介顾问费用，此两被告均不是合格主体，遂驳回原告梅文干的起诉。

【案例评析】

在已经确定合同的性质为附条件合同（包括附生效条件或附失效条件）的前提下，接下来就要审查所附条件是否符合"条件"的特征，或者说"条件"的条件，即合法性、未来性、不确定性、非法定性等。在确定了这些条件的情况下，再接下来要审查的便是所附条件是否已经成就。在分析条件是否成就时，核心是分析合同中关于条件的具体表述，当事人关于约定条件的真实意思。本案中约定的条件是"合作项目合作成功"，这种约定的确有一定的模糊性，但依一般知识和商业惯例，房地产项目成功的判断标准较为严格，不能将项目公司的成立或者取得政府的某一批准文件作为项目成功的标志，除非当事人明确将其约定为成就的标准。

第二节　效力待定合同

一、效力待定合同的概念

所谓效力待定合同是指合同虽已成立，但因有效要件欠缺，是否能发生效力尚未确定，有待于其他行为或事实使其确定的合同。

此类合同与无效合同及可撤销合同的不同之处在于，行为人并未违反法律的禁止性规定及社会公共利益，也不是因意思不真实而应导致合同撤销，主要是因为有关当事人缺乏缔约能力、代订合同的资格及处分能力所造成的。毫无疑问，由于存在着这些情况，合同本身是有瑕疵的，但这种瑕疵并非不可弥补。一方面，效力待定合同可以因为权利人的承认而生效，如无代理权人代理他人订立合同，经本人承认可以生效。由于这种承认表明效力待定合同的订立是符合权利人的意志和利益的，因此经过追认可以消除合同存在的瑕疵。另一方面，因权利人的承认而使合同有效，并不违反法律和社会公共利益，相反，经过追认而有效既有利于促成更多的交易，也有利于维护相对人的利益。因为相对人与缺乏缔约能力的人、无代理权人、无处分权人订立合同，大都希望使合同有效，并通过有效合同的履行使自己获得期待的利益。因此，通过有权人的追认使效力待定合同生效，而不是简单地宣告此类合同无效，是符合相对人的意志和利益的。

二、效力待定合同的特征

（一）合同已经成立，但本身有事后可以补正的瑕疵

效力待定合同是已经成立的合同，不仅当事人已经就合同的主要条款达成一致，而且合同的内容亦不违反法律的强行性规定和社会公共利益。但合同本身存在着瑕疵，这种瑕疵主要是主体资格方面的瑕疵，可以通过事后的追认予以补正。

（二）合同成立后其效力未定

合同成立后，是否发生效力还有待于其他事实的确定。

（三）效力待定合同的效力取决于第三人的追认

第三人对合同的效力有追认权，一旦有权人予以追认，合同发生效力；如果有权人拒绝追认，合同自始不发生效力。

三、效力待定合同的类型

根据《民法典》的规定，效力待定合同有三种类型：1. 限制民事行为能力人依法不能独立订立的合同；2. 无权代理人订立的合同；3. 无处分权人订立的合同。

（一）限制民事行为能力人依法不能独立订立的合同

《民法典》第二十二条规定："不能完全辨认自己行为的成年人为限制民事行为能力人，实施民事法律行为由其法定代理人代理或者经其法定代理人同意、追认；但是，可以独立实施纯获利益的民事法律行为或者与其智力、精神健康状况相适应的民事法律行为。"

1. 在限制民事行为能力人订立了依法不能独立订立的合同时，其法定代理人享有追认权，可以追认合同使合同有效；限制民事行为能力人取得民事行为能力后，也有权追认合同。该追认权的行使由其法定代理人以意思表示的方式向合同相对人为之。

2. 法定代理人的追认权受除斥期间的限制，该期间为 1 个月。

该期间的起算点是从催告通知所确定的开始起算之日开始起算；若催告未明确追

认开始时间，则以催告之日为准。

3. 法定代理人在该期限内未作追认表示的，视为拒绝追认。

法定代理人有追认权和拒绝权，其中后者的行使可以沉默方式作出。善意相对人在合同被追认之前，也可以行使撤销权，以通知的方式告知对方当事人要撤销合同。相对人撤销的意思表示一经作出，即发生撤销合同的效力。

（二）无权代理人订立的合同

《民法典》第一百七十一条规定："行为人没有代理权、超越代理权或者代理权终止后，仍然实施代理行为，未经被代理人追认的，对被代理人不发生效力"。

1. 无权代理订立的合同，包括三种情形：

（1）自始不存在代理权。

行为人从未获得被代理人的授权，却与被代理人名义与相对人订立合同。

（2）行为人虽有代理权却超越代理权限范围与相对人订立合同。

（3）曾经有代理权，因一定事由代理权消灭后，仍以被代理人的名义与相对人订立合同。

2. 无权代理人所订立的合同因缺乏代理权而存在瑕疵。该瑕疵并非不可修正，因为订立的合同不一定都违背被代理人的意志、损害被代理人的利益，如果一概宣布无效，无疑增加交易成本。故法律规定这类合同效力待定。若被代理人追认，即成为合同主体，追认生效后，被代理人承担合同履行风险，与代理人无关，不能再追究代理人的责任。若无权代理合同不被追认而无效的，相对人与被代理人之间并无任何法律关系，故相对人的损失应向无权代理人主张赔偿。此时，无权代理人承担的赔偿责任在法律性质上应属于缔约过失责任。正因为合同是无效的，所以自然不存在相对人向无权代理人主张履行合同义务的问题。

3. 表见代理

《民法典》第一百七十二条规定："行为人没有代理权、超越代理权或者代理权终止后，仍然实施代理行为，相对人有理由相信行为人有代理权的，该代理行为有效"。所以，表见代理不同于一般的无权代理。

所谓表见代理，是指无权代理人的代理行为客观上有使相对人相信其有代理权的情况，且相对人主观上为善意且无过失，因而可以向被代理人主张代理的效力。表见代理的构成要件如下：①无权代理人须以被代理人的名义进行活动；②无权代理人与相对人之间的民事行为，须具备成立和生效要件；③客观上须有使相对人相信无权代理人具有代理权的情形；④相对人主观为善意且无过失。

表见代理本质上属于无权代理，但因为善意相对人有正当理由相信行为人有代理权，并与其订立合同，为保护善意相对人的利益，维持交易安全，该代理向外有效，合同为有效合同，该合同直接对被代理人发生效力。但在被代理人承担了不利法律后果后，可以向表见代理人追偿损失。

在表见代理中，合同生效并非被代理人自愿选择的结果，而是法律直接规定的结果。故一旦被代理人履行合同后有损失产生的，被代理人当然保留有追究表见代理人赔偿责任的权利。

4. 表见代表

《民法典》第五百零四条规定："法人的法定代表人或者非法人组织的负责人超越权限订立的合同，除相对人知道或者应当知道其超越权限外，该代表行为有效，订立的合同对法人或者非法人组织发生效力。"法人或其他组织往往通过章程或者其他文件对法定代表人或负责人的权利进行限制，但这种限制并非能为相对人知悉，如果相对人不知道，则该法定代表人、负责人超越权限订立合同就为表见代表行为。该行为除相对人知道或应当知道的情况之外越权代表行为有效。但违反国家限制经营、特许经营以及法律行政法规禁止经营规定的除外。

（三）无处分权人订立的合同

这里所谓处分是指法律上的处分，包括财产的出让、赠与、在财产上设定抵押、质押等行为。原则上对财产的处分只能由享有处分权的人行使，无处分权的人处分他人财产构成对他人财产权的侵害。《民法典》第三百一十一条规定："无处分权人将不动产或者动产转让给受让人的，所有权人有权追回。"根据《民法典》的规定，因无权处分行为而订立的合同属于效力待定合同，无处分权的人处分他人财产并不当然导致合同无效，经权利人追认或者无处分权的人订立合同后取得处分权的，该合同仍然发生效力。

1. 无处分权人处分他人财产，其处分权有瑕疵。如果经权利人进行追认或行为人订立合同后取得处分权时，该权利瑕疵得以修复，合同因此而有效。

2. 在权利人不予追认或无权处分人事后没有取得处分权时，相对人已经根据合同取得物的交付，并且属于善意，不知道或者不应当知道存在无权处分的情形，则根据善意取得制度，受让人取得该物的所有权。所有人不能要求返还原物，只能要求无权处分人返还不当得利并追究其损害赔偿责任。

如果相对人没有取得物的交付，在物的权利人及时介入，并宣告无权处分的事实存在的情况下，相对人不可能取得物的所有权。在相对人已支付价款的情况下，发生返还价款的问题，同时相对人也可以要求无权处分人赔偿损失。

【案例 3-2】

表见代理

【背景材料】

甲授权于乙，向丙租屋且租金每月不得超过 4000 元。后甲又单独去信，命令乙不得超过 3500 元／月的租金租屋。乙向丙出具甲的原始书面授权，丙同意以 3900 元／月的价格出租房屋给甲，双方签订合同。甲认为价格过高不同意乙代订的与丙之间的租赁合同。丙要求甲承担责任，后甲下落不明，丙要求乙承担责任。

乙代理甲与丙订立的租赁合同是否有效？

【案例评析】

本案中，乙与丙订立合同已超越其代理权限，但其向丙出示甲的原授权书足以使丙相信其有代理权，丙对合同的订立并无恶意也无过错，该合同具备合同生效的要件，因此，乙代甲与丙订立合同构成表见代理，该表见代理发生与有权代理相同的后果。甲与丙之间的租赁合同有效。丙只能请求甲承担违约责任，不能要求乙承担违约责任。

第三节　无效合同

一、无效合同的概念

无效合同是指虽然已经成立，但因严重欠缺生效要件而自始确定的绝对不能发生当事人预期法律效果的合同。

二、无效合同的特征

（一）合同已经成立

合同成立是确定合同效力的前提。

（二）合同具有违法性

合同之所以无效，在于其违反了法律和行政法规的强制性规定以及损害了社会公共利益这一根本要件。

（三）无效合同当然的、确定的、自始绝对不发生效力

无效合同是当然的无效，不以任何人的意志为转移，任何人均可提出主张，也无须经过一定的程序确认；是从合同成立之时就不发生效力，而不是从确认无效时不发生效力。

合同的无效可以全部无效，也可以只是部分无效。合同无效，并不影响解决争议方法的条款的效力。即解决争议方法的条款具有相对独立性，不受合同无效、被撤销或者终止的影响。

三、无效合同的类型

《民法典》规定：有下列情形之一的，合同无效：

（一）一方以欺诈、胁迫的手段订立合同，损害国家利益；

（二）恶意串通，损害国家、集体或者第三人利益；

（三）以合法形式掩盖非法目的；

（四）损害社会公共利益；

（五）违反法律、行政法规的强制性规定。

根据该条文规定，无效合同的具体情形主要有以下几种：

（一）一方以欺诈、胁迫的手段订立合同，损害国家利益

所谓"欺诈"，是指一方当事人故意隐瞒真实情况或者告知对方虚假情况，诱使对方当事人产生错误的认识而作出错误的、非真实的意思表示的行为。所谓"胁迫"，是指一方当事人以将来要发生的损害或者以直接施加损害相威胁，迫使对方当事人产生恐惧而作出非真实意思表示的行为，通常表现为采用暴力、恐吓、威胁、造谣诽谤等手段。在合同实践中，采用欺诈、胁迫的手段订立合同可能直接损害国家利益，也可能损害集体或者第三人利益或者对方当事人利益。如果采用欺诈、胁迫的手段订立合同直接损害了国家利益，如致使国家经济利益遭受损失，为维护国家利益，法律必须禁止这种合同行为并宣告其无效。因此，当事人以上述两种方式订立合同损害国家利益的，其所订立的合同无效。应当注意的是此种情况只有在损害国家利益时合同无效，与下文的可撤销合同的理由加以区分。

（二）恶意串通，损害国家、集体或者第三人利益

恶意串通，损害国家、集体或者第三人利益的合同是指合同双方当事人在明确知道或者应当明确知道其合同行为将损害国家、集体或者第三人利益的情况下，仍然故意地非法勾结、串通一气，所共同订立并实施的旨在坑害国家、集体或第三人利益从而使自己获利的合同。在现实的经济活动中，这种行为比较普遍，如有些国家机关干部或者工作人员或者企业的采购人员在与外商、其他企业或者单位洽谈交易、签订合同的过程中，恶意串通、收受贿赂，使国家、企业集体利益遭受很大损失；在自然人之间也存在代理人与他人恶意串通损害被代理人（此处其可被视为第三人）合法权益的问题。显而易见，这类合同具有明显而严重的违法性，为维护国家、集体或者第三人利益，法律也必须禁止这种合同行为并宣告其无效。所以，当事人双方恶意串通所订立的损害国家、集体或者第三人利益的合同为无效合同。

（三）以合法形式掩盖非法目的

以合法形式掩盖非法目的合同是指当事人订立的形式上合法，但其内容和真实目的非法的合同。如当事人通过买卖合同转移其非法所获之财产，通过买卖合同隐匿财产、逃避债务。这类合同在形式上并不违反法律，只是当事人通过合同欲达到的真实目的，以及合同的内容和合同履行所产生的后果违反法律规定。这类合同实质上具有明显的违法性，法律也必须禁止这类合同行为并宣告其无效。所以，当事人双方订立的以合法形式掩盖非法目的的合同为无效合同。

（四）损害社会公共利益

损害社会公共利益的合同是指订立合同的目的，依据合同所进行的活动以及合同履行所产生的后果，均违反了全体社会成员或者大多数社会成员利益的合同。如

损害国家主权，危害国家公共安全，违反社会公共道德，危害公众健康，违反社会公共秩序和善良风俗，严重污染环境、破坏生态平衡等的合同行为。社会公共利益体现了全体社会成员的最高利益，违反社会公共利益的行为具有严重的违法性，理应受到法律的严格禁止。因此，对于损害社会公共利益的合同，法律都确认为无效合同。损害（违反）社会公共利益的合同无效，也是各国合同立法普遍确认的基本原则。

（五）违反法律、行政法规的强制性规定

遵守法律、行政法规是订立合同必须遵循的基本原则之一。该项原则要求当事人在订立合同时，从合同形式、合同订立程序到合同内容都必须符合法律、行政法规的规定。法律、行政法规中的强制性规定属于强制性的法律规范，与任意性法律规范相对应。强制性法律规范分为义务性规范和禁止性规范。义务性规范是人们必须为一定行为的法律规定；禁止性规范是人们不得为一定行为的法律规定。法律、行政法规的强制性规定是当事人双方订立合同必须遵守的，也就是说当事人双方在订立合同时不能通过约定规避或者选择性地适用这些规定而必须严格地、无条件地遵守和执行之。而法律、行政法规关于合同的大多数规定是倡导性的，当事人可以通过约定选择性地适用。违反法律、行政法规的强制性规定的合同因违反了法律、行政法规要求当事人有义务遵守的规定，因而比其他类型的无效合同更具有明显而且严重的违法性，法律必须宣告其无效。所以，违反法律、行政法规的强制性规定的合同将肯定不具有法律效力。应当说明的是，只有在违反了法律和行政法规的情况下，合同方才无效，不得随意扩大范围。

四、合同免责条款的无效

（一）免责条款的含义

免责条款是指当事人以协议排除或限制其未来责任的合同条款。

免责条款有效的，违约当事人可以依该条款免除责任。但免责条款也并非全部有效，法律对免责条款设有严格限制，规定某些免责条款无效。

（二）免责条款无效的情形

《民法典》第五百零六条规定："合同中的下列免责条款无效：①造成对方人身伤害的；②因故意或重大过失造成对方财产损失的。"

1.造成对方人身伤害的免责条款无效

人身伤害的免责条款无效，体现了以人为终极目的和终极关怀的价值取向，表明了法律将对人的保护置于中心。

2.因故意或重大过失造成对方财产损失的免责条款无效

重大过失视同故意，而在任何情形下，行为人均应对其故意造成的损害负责。

【案例 3-3】

阴阳合同

【背景材料】

1998 年 11 月，原、被告订立非住宅房屋租赁协议一份，协议规定，原告将房屋十间出租给被告经营，租期五年，月租金 2023 元，全年一次性支付，若逾期十天，出租人有权收回房屋，水电费按实结算。另又约定，若遇到企业所有制发生重大变化，租赁协议重新订立。原、被告未按该协议规定到房地产管理部门登记备案。1999 年 1 月，原告与被告和项某又订立一份房屋租赁合同，约定原告将上述房屋租赁给被告和项某经营，租期 2 年，每年租金 8000 元，半年支付一次。1999 年 3 月 9 日，被告按协议的规定到房地产管理处办理了房屋租赁证。被告已按月租金 2023 元的标准向原告交纳了 1998 年 12 月至 2000 年 12 月期间的租赁费 50575 元。2000 年 10 月，原告实行企业转制，其资产（包括被告承租的房屋）拍卖给第三人所有。

现原告因被告拖欠租金提起诉讼，要求解除 1998 年 11 月签订的协议。被告则认为双方的租赁合同是 1999 年 1 月签订的，租金已经全部交纳，而租期尚未到期，原告无权解除。原、被告争议的焦点是两份租赁协议的效力问题，原告认为 1998 年 11 月订立的租赁协议有效，理由是被告在 1998 年 12 月至 2000 年 12 月租赁期间按此协议约定的月租金支付原告租赁费，1999 年 1 月 1 日订立的租赁协议中故意将租赁房屋面积和租金标准降低，是为了应付办理房屋租赁证时少缴租赁税，双方实际不应按此协议履行。被告认为 1998 年 11 月订立的租赁协议已作废，理由是双方于 1999 年 1 月 1 日又重新订立了一份租赁协议，并且该协议经萧山工商行政管理局见证并以此办理了房屋租赁证，故双方应按此协议履行。

受诉讼法院认定，原、被告虽于 1998 年 11 月和 1999 年 1 月订立两份内容不一致的租赁协议，但双方实际是按 1998 年 11 月订立的协议履行，1999 年 1 月订立的租赁协议将租赁屋的实际面积和租金标准降低，并且明显低于所在地区非住宅房屋租金标准，据此认定该协议系双方为了少缴租赁税而订立，属双方恶意串通，并损害了国家利益，故该协议无效。法院最后支持了原告解除合同的诉讼请求。

【案例评析】

本案诉争的两份协议是司法实务中常见的所谓"阴阳合同"，即当事人签订两份合同，一份是其真实意思的表示，双方实际执行的也是该合同，另一份是为规避法律、逃避法定义务而签订的，是虚假的意思表示。后一份合同通常具有两个方面的特征：主观上是双方恶意串通的结果，存在恶意串通的主观故意；客观上规避法律，逃避法定义务，损害国家利益。在两份合同中，肯定有一份是无效的，另一份通常是有效的，只能依该份有效的合同确定当事人的权利和义务。本案中，第一份协议是双方当事人的真实意思表示，内容不违反法律，是有效的，第二份协议则是双方虚假的意思表示，目的在于规避法律，故法院认定其为无效合同。被告依据该合同进行抗辩和主张自己的权利，显然不能得到支持。

至于有效的协议当事人却没有按照规定向房地产管理部门登记备案，并不影响合同本身的效力；相反，尽管当事人依据第二份协议办理了登记备案手续，该份协议却并不因此而成为有效协议。

由于第一份协议有效。该协议约定了承租人逾期交纳租金时出租人的解约权，故法院依据该协议支持了原告解除合同的诉讼请求。

【案例 3-4】
以欺诈手段订立合同应承担的法律责任

【背景材料】

良工机床制造公司为购买某特殊钢材派人到安达钢铁公司联系，安达公司从钢材仓库中取出样品，并出具权威质监机构对该钢材质量检测报告的复印件，良工机床公司业务员看后予以认可，当即签订了购买这种钢材的合同，并将质量检测报告复印件作为合同的附件。良工公司收获后付清了全部货款，但在使用过程中发现钢材质量与合同规定的质量不符，遂向安达公司提出退货，并要求赔偿损失。安达公司认为本公司是按样品发货，严格按合同约定履行的，拒绝良工公司的要求。因协商不成，良工公司诉至法院。

受理法院经审理查明，样品与合同的标的物是一致的，但是，质量检测报告是伪造的，钢材质量与合同规定的质量标准不符。根据《民法典》第一百四十八条规定，一方以欺诈手段，使对方在违背真实意思的情况下实施的民事法律行为，受欺诈方有权请求人民法院或者仲裁机构予以撤销。受理法院遂作出判决：原、被告订立的购销合同无效；原告将钢材退还给被告，被告返还原告货款并赔偿全部损失；诉讼费用由被告承担。

【案例评析】

根据《民法典》第一百四十八条第一款规定，一方以欺诈手段，使对方在违背真实意思的情况下实施的民事法律行为，受欺诈方有权请求人民法院或者仲裁机构予以撤销。采用欺诈手段订立合同是指，当事人故意告知对方虚假情况，或者故意隐瞒真实情况，诱使对方当事人形成错误认识而与其订立合同。构成合同欺诈应具备以下条件：一是，欺诈方必须有欺诈的故意，有意欺诈对方，在告知对方虚假情况后，对方当事人会形成错误认识，并作出意思表示。二是，欺诈方必须有欺诈的行为，如提供虚假情况，或者隐瞒真实情况。三是，受欺诈方由于欺诈方的欺诈行为而形成错误认识，并作出意思表示，即受欺诈方作出的意思表示与欺诈方作出的欺诈行为之间存在因果关系。

在本案中，被告提出的样品与货物尽管是一致的，是按照样品发货的，从表面看被告是按约履行交货义务的。但是，被告为了骗取原告对其货物的质量的相信，提供了一份虚假的质量检测报告，其目的就是为了使原告相信其货物质量，而原告正是基于对其质量检测报告的确信无疑才订立了合同，原告订约购买的行为与被告的提供虚假质量检测报告之间存在必然因果关系，被告欺诈行为确定无疑，受理法院的上述判决是正确的。

第四节　可撤销合同

一、可撤销合同的概念

可撤销合同又称为可变更、可撤销合同，是指当事人的意思表示不真实，法律允许当事人一方请求人民法院或仲裁机构予以变更或撤销的合同。例如，因重大误解而订立的合同，误解的一方有权请求法院撤销该合同。

二、可撤销合同的特征

（一）可撤销合同是意思表示不真实的合同

可撤销合同也是不符合合同有效要件的，但这种不符合体现在意思表示不真实上。因这类合同只涉及当事人的利益关系，不涉及合同的合法性以及社会公共利益问题，法律并不直接否认其效力，而是赋予当事人以变更权或撤销权。

（二）合同在未撤销之前为有效合同，只有在被撤销后才归于无效

可撤销合同自成立之时起就发生效力，只是因存在可撤销的事由，经撤销后才自始无效。

（三）合同的撤销与否取决于撤销权人是否行使撤销权

可撤销合同的撤销权由合同的当事人行使，如果当事人不主张撤销，法院不能主动撤销；当事人请求变更的，法院和仲裁机构只能变更合同，也不得撤销。

三、可撤销合同的类型

根据《民法典》第一编的规定，可以请求变更或者撤销合同的情形主要有：

（一）因重大误解订立的合同

重大误解是指当事人一方因自己的过失而对合同的内容或者条款在理解、认识上存在重大的错误。在当事人对合同内容或者条款存在认识和理解上的重大错误的基础上订立的合同，不能反映当事人内心订立合同的真实意思。为了维护当事人的利益，对于因重大误解订立的合同，法律允许误解合同内容或者条款的一方当事人主张并请求法定机构变更或者撤销其所订立的合同。

（二）显失公平的合同

显失公平的合同，是指当事人一方在情况紧迫或者缺乏经验的情况下订立的明显对自己有重大不利的合同。订立合同时显失公平，严重地违反了《民法典》所确立的

公平原则、平等原则，必然产生一方当事人严重侵犯另一方当事人合法权益的后果。为维护当事人一方的合法权益，体现法律促进交易公平的原则，法律允许受害方当事人主张并请求法定机构变更或者撤销其所订立的合同。

（三）因欺诈、胁迫订立的合同

在合同实践中，采用欺诈、胁迫的手段订立的合同可能直接损害国家利益，也可能损害集体或者第三人利益或者对方当事人利益。如果采用欺诈、胁迫手段订立的合同直接损害了国家利益，根据《民法典》第一百五十三条规定，应为无效合同。

但当事人一方以欺诈、胁迫的手段，使对方在违背真实意思的情况下订立的合同如果只损害了对方当事人的利益而未构成对国家利益的损害，根据意思自治原则，同时为了维护交易安全，保护受害一方当事人的利益并促进交易，法律赋予受害一方当事人依照其意志决定合同效力的权利，即受害一方当事人有权依照自己的意志主张并请求法定机构撤销合同而使合同效力归于消灭，或者主张并请求法定机构变更合同而使损害自身利益的合同内容得以变更但合同仍然有效。

（四）乘人之危订立的合同

乘人之危，是指当事人一方利用对方当事人处于危难境地而又急于摆脱的心态或者存在紧迫需要的情形，迫使对方当事人接受某种不公平交易条件并作出违背其真实意思表示的行为。当事人一方乘人之危与对方当事人订立的合同，因当事人一方主观上具有恶意，其行为客观上违背了诚实信用原则、公平原则和社会公共道德，因而使当事人一方的行为及其所订立的合同具有明显的违法性。在该种情形下，为了维护交易安全，保护受害一方当事人的利益并促进交易，法律也赋予受害一方当事人依照其意志决定合同效力的权利，即受害一方当事人有权依照自己的意志主张并请求法定机构撤销合同而使合同效力归于消灭，或者主张并请求法定机构变更合同而使损害自身利益的合同内容得以变更但合同仍然有效。

需要指出的是，在以上几种情形下订立的合同，当事人一方有权选择变更或者撤销，即当事人一方有权依照自己的意志决定是主张并请求法定机构撤销合同而使合同效力归于消灭，还是主张并请求法定机构变更合同而使对自己不利的合同内容或者条款得以变更但合同仍然有效。作为处理这类合同法定机构的人民法院或者仲裁机构必须根据当事人一方的意志而不能根据自己的意志决定对这类合同的处理方式。

四、可撤销合同的撤销

（一）撤销权的行使

1. 撤销权

撤销权和变更权，由权利人自己行使。依照合同法的规定，只是可撤销合同的撤销权人有权对合同进行撤销或者变更。除此之外，其他人不得请求撤销合同。撤销权的行使，撤销权人应当向人民法院或者仲裁机构主张，不得由当事人自己确认。

2. 撤销权的主体

并非合同当事人全部享有撤销权。

（1）在欺诈、胁迫、乘人之危的合同中，仅受害方可以行使撤销权；

（2）在显失公平、重大误解的合同中，当事人双方均可行使撤销权。

（二）撤销权的消灭

《民法典》第一百五十二条规定："有下列情形之一的，撤销权消灭：①当事人自知道或者应当知道撤销事由之日起一年内、重大误解的当事人自知道或者应当知道撤销事由之日起九十日内没有行使撤销权；②当事人受胁迫，自胁迫行为终止之日起一年内没有行使撤销权；③当事人知道撤销事由后明确表示或者以自己的行为表明放弃撤销权。当事人自民事法律行为发生之日起五年内没有行使撤销权的，撤销权消灭。"可见，撤销权得于一定原因而消灭：

1. 撤销权因在法定的期限内未行使而消灭

撤销权人必须在规定的期间内行使撤销权。因为可撤销的合同往往只涉及当事人一方意思表示不真实的问题，如果当事人自愿接受此种行为的后果，在法律准许的情况下，这种行为有效。如果撤销权人长期不行使其权利，不主张撤销，在合同已经生效后的很长时间再提出撤销，则会使一些合同的效力长期处于不稳定状况，不利于社会经济秩序的稳定。我国《民法典》第一百五十二条作出明确规定，具有撤销权的当事人在知道或者应当知道可撤销事由之日起一年内没有行使撤销权的，该撤销权消灭。

2. 撤销权人明确表示或者以自己的行为表示放弃撤销权

撤销权是一种权利，权利人既可以行使，也可以放弃。权利人于撤销权存续期间放弃撤销权的，则该权利消灭，不得再行行使。撤销权的放弃，有两种方式：一是明确表示放弃，撤销权人以口头或者书面形式向对方表示放弃撤销权的，于通知到达对方时，撤销权消灭。二是以自己的行为放弃撤销权，撤销权人虽然没有明确表示放弃撤销权，但以其自己的行为可以推断出其已经放弃撤销权的，撤销权消灭。

五、无效合同或者被撤销合同的法律后果

无效合同或者被撤销的合同，不具有法律效力，不能产生当事人所预期的法律后果。但这并不等于无效合同或者被撤销的合同不产生其他法律后果。此处法律后果，是指由于合同无效或者被撤销而给当事人带来的一系列为法律所规定的客观结果。无效合同因其明显而严重的违法性并侵犯了为法律所保护的国家利益、社会公共利益、集体利益、第三者利益、社会公共秩序和社会公共道德，决定了法律不仅要使其不具备法律效力，而且还要使当事人承担民事责任和法律责任。被撤销的合同，当事人虽然不必承担无效合同的某些法律后果（如某些法律责任），但因合同被撤销，当事人也应当承担相应的民事责任。《民法典》第一百五十五条对无效和被撤销的民事法律行为的法律后果作出了规定。

《民法典》第一百五十五条规定："无效的或者被撤销的民事法律行为自始没有法律约束力。民事法律行为部分无效，不影响其他部分效力的，其他部分仍然有效"。

（一）无效的合同或者被撤销的合同自始没有法律约束力

合同自始没有法律约束力或合同自始无效，指的是合同自成立之时起就没有法律效力。导致合同无效或者被撤销的原因常常存在于合同订立过程中或者合同成立之际。因此，尽管确认合同无效、撤销合同行为的发生与合同成立有一定的时间间隔，但确认合同无效和撤销合同的行为及其法律后果具有溯及既往的效力，其将溯及合同成立之时，使合同自成立时起就没有法律效力。

（二）合同部分无效，不影响其他部分效力的，其他部分仍然有效

合同部分无效指合同的部分内容无效。如果合同只是部分内容被确认为无效或合同的部分内容被撤销而被宣告无效并不会影响到合同的其他部分，则合同的其他部分仍然有效。这种情况通常发生在合同的非实质性条款或非主要条款无效的情形中。如果合同无效部分与合同其他部分具有密切且不可分割的关联性，则合同部分无效将影响到合同的其他部分，导致合同的其他部分也将无效。

（三）不影响合同中独立存在的有关解决争议方法的条款的效力

《民法典》第五百零七条规定："合同不生效、无效、被撤销或者终止的，不影响合同中独立存在的有关解决争议方法的条款的效力"。合同终止，指合同法律关系的消灭。解决争议的方法是指合同中规定的解决当事人之间合同争议的手段和地点。合同争议的内容涉及面广，包括合同是否成立方面的争议、合同效力方面的争议（合同是有效还是无效）、当事人履行合同义务状况方面的争议（当事人是守约还是违约）、违约方当事人承担违约责任大小方面的争议等。即便是因合同无效、被撤销或者终止，合同法律关系对当事人双方不再具有约束力，但其之间可能仍然存在需要通过争议解决方法予以解决的因合同无效、被撤销或者终止而产生的法律后果责任承担方面的争议，如损失赔偿责任方面的争议。因此，合同中有关解决争议方法的条款通常具有相对的独立性，只有在真正发生争议时才适用。

所以，合同中独立存在的解决争议的条款的效力不受合同无效、被撤销或者终止的影响，其继续有效。

（四）合同无效或者被撤销的法律后果及相应责任的承担

《民法典》第一百五十七条规定："民事法律行为无效、被撤销或者确定不发生效力后，行为人因该行为取得的财产，应当予以返还；不能返还或者没有必要返还的，应当折价补偿。有过错的一方应当赔偿对方由此所受到的损失；各方都有过错的，应当各自承担相应的责任。法律另有规定的，依照其规定"。该条款对合同无效或者被撤销的法律后果及相应责任的承担作出了规定。

根据该条款的规定，合同无效或者被撤销的法律后果及相应责任的承担主要有以下三种情形：

1. 返还财产

由于合同无效或者被撤销后，合同自始没有法律效力。如果合同还没有开始履行，则没有必要履行。如果合同已经开始履行，则应当立即停止履行，并将当事人之间的财产状况恢复到合同订立时的状态。对于因履行合同而取得的对方当事人财产，应当返还给对方当事人。如果由于某种客观事实导致财产无法返还给对方当事人或者法律规定因履行合同所取得的财产不能返还给对方当事人，或者根据实际情况和对方当事人的实际需要，当事人双方通过协商确定不必返还原财产的，则应当将财产按其价值折价补偿给对方当事人。

2. 赔偿损失

对于合同无效或者被撤销有过错的一方，对于对方当事人因合同无效或者被撤销而遭受的损失，应当承担赔偿责任。对于双方都有过错的，则应当根据其过错的程度，各自向对方当事人承担相应的赔偿其损失的责任。

3. 收归国家所有或者返还集体、第三人

当事人双方恶意串通订立的损害国家、集体或者第三人利益的合同，因其明显而严重的违法性而被法律确认为无效合同，同时当事人双方也因其合同行为和后果的严重违法性理应受到法律的制裁并应承担相应的法律责任。所以，对于当事人双方恶意串通订立的损害国家利益、集体利益或者第三人利益的合同，法律除宣告其无效外，还应强制性地将当事人双方根据合同取得的财产收归国家所有，或者强制当事人双方将其根据合同取得的财产返还给集体或者第三人。该项规定旨在当国家、集体或者第三人利益因当事人双方恶意串通所订立的合同遭受损害时，通过强制当事人双方承担相应的法律后果责任而对这种损害予以补救并同时对当事人双方的严重违法行为予以制裁。

【案例 3-5】

皮草行是否可以申请撤销该买卖合同

【背景材料】

远东皮草行新进一批高档皮大衣，经核价后，将皮大衣每件定价为 5880 元，但是营业员在制作价格标签时，误将"5"字看"2"字，因此在价格标签上写为 2880 元。中午远东皮草行附近一家商务公司经理徐某来逛商场，他发现这皮大衣不仅皮质好、款式新，而且价格也便宜，经试穿满意后，当场付 2880 元购买了 1 件。事后远东皮草行发觉标价有错误，遂找到徐某，向其说明情况，要求其或者按 5880 元付款补交 3000 元，或将皮大衣退还，皮草行将收取 2880 元也退还给徐某等。但是，徐某认为双方的交易已经完成，既不同意补交 3000 元，也不同意退货还钱。因协商不成，远东皮草行将徐某诉至法院，请求法院判令变更或撤销其与徐某的买卖合同关系，即要求徐某或者补交货款 3000 元，或者退还皮装同时将收取的 2880 元退还给徐某。

【案例评析】

本案涉及因重大误解订立的合同的认定及处理问题。

重大误解订立的合同是指，当事人由于自己的疏忽对合同关系中的某些事实产生错误的认识和理解，在违背其真实意思的情况下订立的合同。构成重大误解应符合以下条件：第一，必须是误解人作出了意思表示，错误的认识与其作出的意思表示之间存在因果关系，如果只有错误认识并未作出意思表示，则无法判断是否存在误解；第二，误解人表示出来的意思与其真实意思不一致；第三，误解人是由于疏忽而非主观上的故意，如果其明知对合同内容有误解，这表明当事人追求的正是合同中所表示的意思，而不存在误解；第四，误解必须是重大的，误解涉及合同的重大事项，影响到误解人的重大权益，如果误解是轻微的，并不涉及误解人的重大权益，一般不影响合同效力。

因重大误解订立的合同，按照《民法典》第一编规定，"下列合同，当事人一方有权请求人民法院或者仲裁机构变更或者撤销：①因重大误解订立的；②在订立合同时显失公平"。《民法典》第一百五十二条还规定，"有下列情形之一的，撤销权消灭：①当事人自知道或者应当知道撤销事由之日起一年内、重大误解的当事人自知道或者应当知道撤销事由之日起九十日内没有行使撤销权；②当事人受胁迫，自胁迫行为终止之日起一年内没有行使撤销权；③当事人知道撤销事由后明确表示或者以自己的行为表明放弃撤销权。当事人自民事法律行为发生之日起五年内没有行使撤销权的，撤销权消灭。"

在本案中，皮草行在清点货款时发现少收 3000 元，相当于皮大衣价格的一半，对于皮草行而言确属"较大损失"，即找到买方徐某向其说明情况后，要求徐某或者补交 3000 元货款，或者退货还钱，但徐某却认为交易已经完成，予以拒绝。在这种情况下，皮草行在该买卖交易中确实存在重大误解，因而依法享有撤销权，皮草行可以要求徐某补交 3000 元货款，即变更合同；也可以要求徐某退还皮装同时也将收取的 2880 元退还徐某，即撤销合同，其要求是合理的，受理应该是予以支持，以维护原告的合法权益。

思考题

1. 合同生效应具备哪些条件？合同生效与合同成立有何区别？

2. 附条件合同与附期限合同的区别是什么？

3. 效力待定的合同包括哪几种类型？其本质特点是什么？

4. 无效合同包括哪几种类型？其本质特点是什么？

5. 可变更和可撤销合同应具备哪些条件？其本质特点是什么？

第四章

合同的履行

【本章概要】

　　合同的履行不仅是合同的法律效力的主要内容，而且也是整个合同制度的核心。通过本章的学习，使学生熟悉合同履行的一般规定，掌握合同履行中的抗辩权、代位权和撤销权。

第一节　合同履行概述

合同的履行在合同法中占有极其重要的地位。合同是当事人实现一定经济目的的手段，而这一目的是通过当事人全面履行合同约定的义务达成的。合同的不履行、部分履行或者不适当履行意味着交易的失败或交易完成的不彻底，即表明当事人所要求的经济目的不能达到。通常而言，最大的效益只有通过合同的履行才能达成。因而，法律站在鼓励交易，促进合同全面、彻底履行的立场上，使当事人接受合同的约束，完成自己的合同义务。

一、合同履行的概念

合同履行，是指债务人依据法律和合同的规定全面地、适当地完成其合同义务，以使合同债权得以实现的行为。

合同的履行是合同约束力的当然要求，是合同当事人订立合同的目的得以实现的途径。没有履行行为，合同当事人的权利就无法实际享有，订约目的就会落空。

二、合同履行的原则

合同履行的原则，是当事人在履行合同过程中应当遵循的基本原则或者准则，对当事人履行合同具有重大指导意义，是当事人履行合同行为的基本规范。我国《民法典》第五百零九条对合同履行的原则作出了概括性规定："当事人应当按照约定全面履行自己的义务。当事人应当遵循诚实信用原则，根据合同的性质、目的和交易习惯履行通知、协助、保密等义务"。根据该条文的规定，合同履行应当遵循的原则主要有：

（一）全面履行原则

全面履行原则要求合同当事人按照合同的约定全面地履行自己的义务，即当事人应当严格按照合同约定（规定）的标的、数量、质量，由合同约定的履行义务的主体在合同约定的履行期限、履行地点，按照合同约定的价款或者报酬和履行方式，全面地完成合同约定的自己的义务。

具体而言，全面履行原则主要包括以下几个方面：

1. 履行合同的主体应正确

履行合同的主体是指履行合同约定义务或者接受合同约定义务履行的当事人。在通常情况下，履行合同的主体就是合同的当事人。但在某些情况下，根据合同的性质和特点，并基于当事人在合同中的约定，合同的履行主体可以是第三人，即可由第三人代为履行合同约定义务或者由第三人代为接受合同约定义务之履行。比如，买卖合同中的买方，在支付货款后，可以请求卖方将其所购商品交付第三人，或者卖方接受货款后，可请求买方向第三人提货。

2. 履行合同的标的应正确

根据有关法律规定，合同的标的可以是物、行为或者工作成果等。合同标的的履行必须按照合同约定的标的的品种（种类）、数量、质量等进行。

3. 履行合同的期限要正确

履行合同的期限即履行期限是合同义务人向合同权利人履行义务和合同权利人接受合同义务人履行义务的时间期限。合同当事人必须依照法律规定或者合同约定的时间期限履行义务和接受履行义务。在一般情况下，在合同规定的履行期限内，负有义务的一方当事人既不得迟延履行义务，也不得提前履行义务；享有权利的一方当事人，同样不得要求对方当事人提前履行或者迟延履行义务。如有特殊情况，也必须经双方当事人协商达成提前或者迟延履行义务的协议，合同义务人才能提前或者迟延履行义务，否则应视为违约。

我国《民法典》第五百三十条对于提前履行义务作出了规定："债权人可以拒绝债务人提前履行债务，但提前履行不损害债权人利益的除外。债务人提前履行债务给债权人增加的费用，由债务人负担"。根据该条文规定，合同义务人提前履行义务是有前提条件的，即合同义务人提前履行义务不得损害合同权利人的利益。对于合同义务人提前履行义务有损于合同权利人利益的，合同权利人可以拒绝。在合同义务人提前履行义务的情况下，对于因提前履行义务给合同权利人增加的费用，由合同义务人负担。

4. 履行合同的地点要正确

履行合同的地点即履行地点是合同义务人向合同权利人履行义务和合同权利人接受合同义务人履行义务的地点。履行地点与履行费用和履行期限直接有关，在合同发生纠纷时，合同履行地点也是确定当事人责任的重要依据之一。合同当事人应当按照合同约定的履行地点履行义务和接受履行义务。

5. 履行合同的方式要正确

履行合同的方式即履行方式是合同当事人履行合同义务、享受合同权利的方式。履行方式由合同的内容和性质决定，具体履行方式由合同当事人双方在合同中约定。合同当事人双方应按照合同约定的履行方式履行合同义务和接受合同义务的履行。

我国《民法典》第五百三十一条对合同部分履行的方式作出了规定："债权人可以拒绝债务人部分履行债务，但部分履行不损害债权人利益的除外。债务人部分履行债务给债权人增加的费用，由债务人负担。"根据该条文规定，合同义务人履行合同义务，应当采取全部履行的方式。如果采用部分履行的方式，应当在部分履行不损害合同权利人利益的前提下进行。如果部分履行有损于合同权利人的利益，则合同权利人可以拒绝合同义务人部分履行合同义务。在合同权利人同意合同义务人部分履行其合同义务的情况下，由于部分履行合同义务给合同权利人增加的费用，由合同义务人负担。

此外，合同规定的其他条款，合同当事人也均应依照合同的规定全面地履行。

作为合同履行的基本原则之一，全面履行原则不允许合同的任何一方当事人不按合同的约定履行义务，擅自对合同的内容进行变更。该原则的目的在于约束和督促合同当事人及时、恰当、保质、保量地完成合同约定的义务，增强合同当事人信守合同的观念，防止违约现象的发生。制定、遵循该原则的意义在于，微观上，有利于保护合同双方当事人的合法权益；宏观上，有利于维护正常的社会经济秩序，保持社会经济生活的稳定、健康、持续发展。

（二）诚实信用原则

诚实信用原则不仅是民法、合同法最重要的基本原则，而且也是合同履行过程中当事人双方必须遵循的最高原则。诚实信用原则要求合同当事人在履行合同过程中维持合同双方的合同利益平衡，以诚实、真诚、善意的态度行使合同权利、履行合同义务，信守诺言，恪守合同，相互协作，不对另一方当事人进行欺诈，不滥用权利。同时，诚实信用原则还要求合同当事人在按照合同的性质、目的和交易习惯履行合同约定的主义务的同时，履行合同履行过程中产生的附随义务。如及时通知义务，有的情况需要及时通知对方的，当事人一方应及时通知对方，以便其做好准备；提供必要条件和说明的义务，需要当事人提供必要的条件和说明的，当事人应当彼此根据对方的需要相互提供必要的条件和说明；协作（协助）义务，需要当事人一方（主要是合同权利人）予以协作的，当事人一方应尽可能地提供对方所需要的协作，尽可能地提供对方所需要的一切便利；保密义务，需要当事人保密的，当事人在履行合同过程中应当保守其在订立和履行合同过程中所知悉的对方当事人的商业秘密、技术秘密等。

诚实信用原则最先为大陆法系国家的合同法所确立，它既被看作是合同法的基本原则，也被视为合同履行过程中的特别原则，因而备受关注。根据诚实信用原则的实质，当事人在履行合同的过程中，至少应当做到以下几点：①按照合同约定的所有条款正确、全面地履行合同；②合同义务人不得履行自己已知有损合同权利人利益的合同，对于此种情形，合同权利人可以请求撤销合同；③在以给付特定物为义务的合同中，合同义务人于交付特定物之前，应当以善良管理人注意妥善保存该特定物；④在发生不可抗力或者因其他原因致使合同不能履行或者不能按预定条件履行时，合同义务人应当及时通知合同权利人，以便双方协商处理合同债务；⑤在合同对某一事项未规定明确时，合同义务人应根据公平原则并考虑事实状况合理履行。诚实信用原则的这些基本要求反映了该原则的核心思想，就是将合同完全建立在当事人双方相互信赖的基础之上，以信守合同规定和根据具体情况公平衡量双方当事人的利益相结合为标准，旨在检验合同当事人是否为善意履行行为。

将诚实信用原则作为合同履行的基本原则，可以防止当事人滥用权利，有利于保护当事人的合法权益，维持当事人之间合同利益的平衡，有利于更好地履行合同义务，实现当事人欲达之合同目的。合同没有约定或者约定不明确的，可以根据诚实信用原则进行补充、解释。当一方当事人未依此原则履行合同，给对方当事人的履行造成困难时，对方当事人有权依照法律的有关规定采取相应的措施。例如，当一方当事人由于合同履行过程中情况发生变化而未及时通知对方，给对方当事人履行合同义务造成困难的，对方当事人有权采取中止合同或者采取法律允许且其能够采取的其他履行方式来履行合同义务。我国《民法典》第五百二十九条规定："债权人分立、合并或者变更住所没有通知债务人，致使履行债务发生困难的，债务人可以中止履行或者将标的物提存"。

【案例 4-1】

违反诚实信用原则应承担的法律责任

【背景材料】

东大化工厂与天安机电公司有着长期的合作关系，东大化工厂生产中所需要的机电设备均由天安公司供应，在经济合作中未产生过纠纷。2000 年 7 月，东大化工厂与天安公司订立电机购销合同，根据合同规定：天安公司应在 15 天内向东大化工厂供应 10 台电机，每台 8 万元；东大化工厂收到电机后应在 15 天内向天安公司付清货款 80 万元人民币；任何一方违约应向未违约方支付 10 万元人民币的违约金。合同签订后天安公司积极组织货源，但是直到第 14 天尚未组织到货源，天安公司再组织不到货源将要承担违约责任，必须向东大化工厂支付 10 万元违约金。为逃避违约责任，天安公司考虑到合同中只写明 10 台电机，而未写明是 G 型号还是 H 型号，但是，根据合同价格及东大化工厂以往购买的电机，应是 H 型号电机。天安公司认为既然合同中未注明是 H 型号电机，而自己仓库里有 G 型号电机，因此，决定交付 10 台 G 型号电机，逃过违约金，然后继续组织 H 型号电机。天安公司随后将 10 台 G 型号电机送到东大化工厂，东大化工厂在收到货后的第三天发现天安公司送来的不是自己需要的 H 型号电机，因此，指责天安公司以 G 型号电机冒充 H 型号电机，属于违约行为，要求支付 10 万元的违约金并交付 10 台 H 型号电机。此时天安公司已组织到 H 型号电机，送给东大化工厂调换电机，但不承担违约责任，天安公司认为合同中未明确约定何种型号电机，属发货人误解所致，不同意承担 10 万元违约金责任。

【案例评析】

本案处理涉及合同履行中的诚实信用原则。

法院审理后查明，原告东大化工厂与被告天安公司有长期经济往来，原告以往向被告购买的均是 H 型号电机，且 H 型号电机与 G 型号电机价格有差异。根据原、被告订立的合同确定的每台 8 万元价格，应属于 H 型号的价格。天安公司以合同未注明何种型号为由，以 G 型号电机替代 H 型号电机交付，违反了合同履行中的诚实信用原则，应向对方承担违约责任。

根据《民法典》第七条规定，"民事主体从事民事活动，应当遵循诚信原则。"《民法典》第五百零九条则进一步明确规定，"当事人应当遵循诚信原则，根据合同的性质、目的和交易习惯履行通知、协助、保密等义务。"尽管原、被告订立的购销合同的标的——

电机型号未明确约定，合同条款有缺陷，但是，本案中原、被告不是一般买方与卖方的关系，而是有着长期合作关系，原告在生产中所需要的 H 型号电机均是由被告供应的，而且合同确定的电机价格与 H 型号价格一致，因此，被告理应知道原告需要的是 H 型号电机而不是 G 型号电机。根据诚实信用原则，当事人应当正确行使合同权利，应当按照合同性质、目的和交易习惯善意履行合同义务，针对合同中未明确规定 H 型号电机，天安公司应及时通知东大化工厂对于合同标的型号加以修正弥补，而不应当为逃避违约责任，将 G 型号电机代替 H 型号电机交付原告，天安公司具有明显的过错，应承担违约责任。

第二节　合同履行的一般规定

一、合同条款约定不明的履行规则

合同条款应当明确、具体，以便合同的履行，这是各国合同法的普遍要求。但是，由于客观情况的复杂性和当事人主观认识的局限性，合同条款欠缺或条款约定不明的现象是不可避免的。

《民法典》第五百一十条规定："合同生效后，当事人就质量、价款或者报酬、履行地点等内容没有约定或者约定不明确的，可以协议补充；不能达成补充协议的，按照合同有关条款或者交易习惯确定"。该条文确立了在合同履行过程中处理合同有关内容没有约定或者约定不明确问题的基本原则和基本方法。

（一）协议补充

合同既已生效就必须履行。为了保证合同能够正确及时地履行，必须解决合同有关内容没有约定或者约定不明确的问题。合同是当事人通过协商订立的，合同内容反映的是当事人的共同意思和愿望，其应当在当事人订立合同时通过协商达成一致共同确定。合同有关内容没有约定或者约定不明确属于本应由当事人在订立合同时通过协商达成一致共同解决，但因某些特殊原因未能解决的遗留问题，这一问题所涉及的实质是合同内容。因此，该问题的解决首先应当基于当事人的合意，应当由当事人通过协商达成一致予以解决。解决的具体办法是，当事人通过协商达成补充协议，通过该协议对原来合同中没有约定或者约定不明确的内容予以补充或者明确规定。该补充协议也因而成为合同的重要组成部分。

（二）不能达成补充协议的，按照合同有关条款或者交易习惯确定

当事人经过协商未能就合同中没有约定或者约定不明确的内容达成补充协议的，可以结合合同其他方面的内容（即合同有关条款）加以确定；或者按照人们在同样的合同交易中通常或者习惯采用的合同内容（即交易习惯）予以补充或者加以确定。

严格说来，合同内容明确化的补救方法，仍然是当事人意思自治的方法，而不是法律补救。这是法律尊重当事人合同自由的表现。法律补救是在当事人自由补救仍不

奏效的情况下适用的。其具体内容主要有：

我国《民法典》第五百一十一条分别对合同中质量要求不明确、价款或者报酬不明确、履行地点不明确、履行期限不明确、履行方式不明确、履行费用的负担不明确等问题的具体处理方法作出了规定。

1. 合同对质量要求规定不明确问题的处理方法

《民法典》第五百一十一条第一款规定："质量要求不明确的，按照国家标准、行业标准履行；没有国家标准、行业标准的，按照通常标准或者符合合同目的的特定标准履行。"

2. 合同对价款或者报酬规定不明确问题的处理方法

《民法典》第五百一十一条第二款规定："价款或者报酬不明确的，按照订立合同时履行地的市场价格履行，依法应当执行政府定价或者政府指导价的，按照规定履行"。这一规定说明,价格约定不明的，一般情况下按市场价格履行。并且有两个限制性条件：即合同履行地的市场价格和订立合同时的市场价格。

根据《民法典》第五百一十一条的规定，在合同对价款或者报酬规定不明确而同时合同价款或者报酬应当执行政府定价或者政府指导价的情况下，在履行合同过程中，当价格发生变化时，处理该问题的具体方法应当按照下列规定进行："执行政府定价或者政府指导价的，在合同约定的交付期限内政府价格调整时，按照交付时的价格计价；逾期交付标的物的，遇价格上涨时，按照原价格执行；价格下降时，按照新价格执行。逾期提取标的物或者逾期付款的，遇价格上涨时，按照新价格执行；价格下降时，按照原价格执行"。

3. 合同对履行地点规定不明确问题的处理方法

《民法典》第五百一十一条第三款规定："履行地点不明确，给付货币的，在接受货币一方所在地履行；交付不动产的，在不动产所在地履行；其他标的，在履行义务一方所在地履行。"从这一规定可以看出，履行地点约定不明的，一般情况下都以履行义务一方所在地作为合同的履行地。但有两个例外：一是货币给付，二是不动产交付。前者是以接受履行的一方所在地为合同履行地的，后者则是以不动产所在地作为合同履行地。这是考虑到货币交付的安全性和不动产产权转移的方便性而作的规定的。

4. 合同对履行期限规定不明确问题的处理方法

《民法典》第五百一十一条第四款规定："履行期限不明确的,债务人可以随时履行,债权人也可以随时要求履行,但应当给对方必要的准备时间"。必要的准备时间，是指履行义务的一方或者接受履行义务的一方为了履行义务或者接受履行义务而进行必要准备，为履行义务或者接受履行义务创造必要条件所必需的时间。

5. 合同对履行方式规定不明确问题的处理方法

《民法典》第五百一十一条第五款规定："履行方式不明确的，按照有利于实现合同目的方式履行"。合同履行方式是由合同的性质和内容决定的，合同履行的方式多种多样，既可一次全部履行也可分期分批履行，还可采取定期履行方式；既可由合同义务人直接履行也可由第三人代为履行。对当事人在合同中对合同履行方式没有约定或者约定不明确而又未能通过补充协议确定的情况下，履行义务的当事人应选择最有利于实现合同目的的方式履行合同义务。

6. 合同对履行费用的负担规定不明确问题的处理方法

《民法典》第五百一十一条第六款规定："履行费用的负担不明确的，由履行义务一方负担"。履行费用实质上就是履行合同义务所耗费的费用，属于履行合同义务的成本。如果当事人在合同中没有对履行费用的负担作出明确规定，可以视为由履行合同义务的一方当事人默认承担。即谁履行义务，谁负担履行费用。

二、合同履行中的第三人

在通常情况下，合同必须由当事人亲自履行。但根据法律的规定及合同的约定，或者在与合同性质不相抵触的情况下，合同可以向第三人履行，也可以由第三人代为履行。如《民法典》第七百九十一条规定，当建设工程项目采用总承包时，"发包人可以与总承包人订立建设工程合同……总承包人或者勘察、设计、施工承包人经发包人同意，可以将自己承包的部分工作交由第三人完成。第三人就其完成的工作成果与总承包人或者勘察、设计、施工承包人向发包人承担连带责任。承包人不得将其承包的全部建设工程转包给第三人或者将其承包的全部建设工程肢解以后以分包的名义分别转包给第三人"。

向第三人履行合同或者由第三人代为履行合同，不是合同义务的转移，当事人在合同中的法律地位不变。那么，在向第三人履行合同或者由第三人代为履行合同过程中产生的一些情况和问题，在处理时应适用什么规则呢？我国《民法典》第五百二十二条和第五百二十四条分别对向第三人履行合同和由第三人代为履行的情况做了规定。

（一）向第三人履行合同

《民法典》第五百二十二条规定："当事人约定由债务人向第三人履行债务的，债务人未向第三人履行债务或者履行债务不符合约定，应当向债权人承担违约责任。"该条文的规定明确了以下内容：

1. 当事人可以约定由债务人向第三人履行合同债务

通常情况下，合同债务（义务）应由债务人（义务人）向债权人（权利人）履行。在有些情况下，为了节约交易成本，提高交易效率，有效地平衡与合同有关的各方当事人之间的利益关系，合同债务可以由债务人向第三人履行。但是，合同债务由债务人向第三人履行必须基于原合同当事人双方的约定。合同债务由债务人向第三人履行往往是基于债权人方面的原因。因此，债权人必须征得债务人的同意，这种为方便债权人而作出的合同债务由债务人向第三人履行的约定才能发生法律效力。

2. 合同债务由债务人向第三人履行所导致的增加的履行费用的负担

合同债务本应由债务人向债权人履行，如果合同当事人约定由债务人向第三人履行债务，可能导致债务人履行债务的难度和履行费用的增加。合同当事人约定由债务人向第三人履行债务通常是基于债权人方面的原因和出于方便债权人的考虑。因此，合同当事人约定由债务人向第三人履行债务所导致的债务人履行费用的增加应当由债权人负担，即不能因债务人向第三人履行债务而加重其履行费用的负担。

3. 第三人的法律地位

法律规定在合同当事人约定由债务人向第三人履行债务的情况下，第三人享有请求债务人履行债务的权利，即第三人可以根据原合同债权人与债务人的约定所赋予的权利向债务人主张债权，要求债务人按照合同的约定履行债务。但在债务人未向其履行债务或者履行债务不符合合同约定时，他无权要求债务人向其承担违约责任，原因在于第三人不是合同当事人，债务人向第三人履行债务只是债务履行方式的变化，原合同中的债权债务关系、债权人和债务人的合同法律地位并未因此而改变。因此，在这种情况下，债务人应当向债权人承担违约责任。

（二）由第三人代为履行合同

《民法典》第五百二十三条规定："当事人约定由第三人向债权人履行债务的，第三人不履行债务或者履行债务不符合约定，债务人应当向债权人承担违约责任"。该条文的规定明确了以下内容：

1. 当事人可以约定由第三人代为履行合同债务

法律规定当事人可以约定由第三人代替债务人履行合同债务。但应当注意，由第三人代为履行合同债务必须满足下列条件：合同债务是由法律和合同性质决定不必由合同债务人亲自履行的，由第三人代为履行合同债务未给债权人造成利益损失或者费用增加，经原合同当事人约定同意。例如，偿还借款的债务不一定要由借款人亲自履行，由第三人代替债务人偿还借款是可以的。但法律规定或者合同约定必须由当事人亲自履行的合同债务，不得由第三人代为履行。若第三人代为履行，则属于履行主体不适当的不当履行行为。

2. 违约责任的承担

由第三人代为履行合同债务同样只是合同债务履行方式的变化，原合同中的债权债务关系、债权人和债务人的合同法律地位并未因此而改变，合同债务也并未发生转移，第三人只是履行主体而非合同的当事人。因此，当第三人不履行债务或者履行债务不符合合同约定时，应当由债务人向债权人承担违约责任，而不是由第三人向债权人承担违约责任，亦即应当由债务人对第三人的合同债务履行结果负责。

三、合同履行过程中几种特殊情况的处理

我国《民法典》第五百二十九条至第五百三十一条对合同履行过程中的几种特殊情况及其处理方式作出了规定。这些特殊情况分别为：因债权人分立、合并或者变更住所致使债务人履行债务发生困难，债务人提前履行债务，债务人部分履行债务。

1. 因债权人分立、合并或者变更住所致使债务人履行债务发生困难的情况

通常情况下，合同当事人一方发生合并、分立或者变更住所等情况时，有义务及时通知另一方当事人，以免给合同的履行造成困难。若发生合并、分立或者变更住所等情况的当事人一方未尽及时通知另一方当事人之义务时，则应对其未尽该义务的后果负责。《民法典》第五百二十九条规定："债权人分立、合并或者变更住所没有通知债务人，致使履行债务发生困难的，债务人可以中止履行或者将标的物提存"。

2. 债务人提前履行债务的情况

债务人提前履行债务是指债务人在合同规定的履行期限届至之前就开始履行自己的合同义务的行为。合同一经签订，当事人应当按照合同约定的履行期限履行合同，通常情况下不允许当事人提前履行合同。但在某些情况下，当事人提前履行合同是可以的。《民法典》第五百三十条对当事人提前履行合同的情况作出了规定："债权人可以拒绝债务人提前履行债务，但提前履行不损害债权人利益的除外。债务人提前履行债务给债权人增加的费用，由债务人负担"。

3. 债务人部分履行债务的情况

债务人部分履行债务是指债务人没有按照合同约定履行合同规定的全部义务而只是履行了自己的一部分合同义务的行为。合同一经签订，当事人应当依照合同的约定全面地履行合同，通常情况下不允许当事人部分履行合同。但在某些情况下，当事人部分履行合同也是允许的。《民法典》第五百三十一条对当事人部分履行合同的情况作出了规定："债权人可以拒绝债务人部分履行债务，但部分履行不损害债权人利益的除外。债务人部分履行债务给债权人增加的费用，由债务人负担"。

四、合同生效后，合同主体方面发生变化时的合同效力

在现实的经济活动中，合同生效后作为合同主体的当事人，其主体方面的状况发生变化是正常的，也是常见的。如当事人的姓名、名称发生变更；当事人的法定代表人、负责人、承办人发生变动等。在合同实践中，有的合同当事人借此拒绝履行原合同规定的义务，逃避原合同责任，给合同的履行造成了极大的困难，给对方当事人的合同权利造成了不利影响，也给正常的经济秩序造成了混乱。因此，《民法典》第五百三十二条规定："合同生效后，当事人不得因姓名、名称的变更或者法定代表人、负责人、承办人的变动而不履行合同义务"。原因在于：当事人的姓名、名称是作为合同主体的自然人、法人或者其他组织的符号而非自然人、法人或者其他组织本身，其变更并没有使原合同主体发生实质性变化，因而合同的效力也未发生变化。所以，当事人仍然有义务继续履行合同，不得因其姓名、名称的变更而拒绝履行合同义务。法定代表人是由法律、法人或其他组织的章程或者制度或者条例规定的、不需要特别授权而有权以法人或者其他组织的名义对外进行民事活动的人；承办人则是接受法人或者其他组织的授权委托，代表法人或者其他组织对外从事民事活动的人。法定代表人、负责人、承办人都是为了实现法

人或者其他组织的利益，以法人或者其他组织的名义，对外与对方当事人签订合同的。因此，法定代表人、负责人、承办人在订立合同的过程中实质上是代表当事人进行意思表示的代理人而其自身并非合同主体。所以，其变动并没有使合同主体发生实质性变化，因而合同效力也未发生变化。因此，合同当事人不能以其法定代表人、负责人、承办人的变动为借口拒绝履行合同义务，逃避合同责任。

【案例 4-2】

合同内容约定不明的处理

【背景材料】

某煤业集团有限公司（以下简称甲方）与某机电公司（以下称乙方）是长期矿山机电产品供需协作单位。某年 8 月，甲乙双方签订了一份电机购销合同，约定由乙方向甲方供应 20kW 电机 10 台，每台价格 3 万元，总价 30 万元。合同未注明电机是直流电机还是交流电机，但根据价格和双方以往的交易，甲方购买的电机应是直流电机。甲方强调因技术改造急需，该批电机必须在 20 天内交付，为此双方约定逾期交货由乙方支付违约金 6 万元。合同签订后，乙方即四处寻找货源，至第 19 天时尚无着落。乙方经理王某为逃避支付违约金，便准备了 20kW 交流电机。在甲方开车提货时，乙方将 10 台 20kW 交流电机装车让甲方运走。因双方系长期合作单位，装车后甲方也未细看。在卸车开箱时，甲方发现乙方所供电机不是自己所需的直流电机，于是指责乙方以假充真，要求支付 6 万元违约金并交付 10 台直流电机。双方为此争执一月之久。此时乙方已购进 20kW 直流电机，遂给甲方换了电机，甲方要求乙方承担逾期交货的违约责任，乙方便称其没有逾期交货，因原合同未注明电机系直流或交流，致使发货人产生误解，其损失应由甲方自行承担。甲方起诉至法院，诉请乙方承担违约金 6 万元。法院认定乙方的行为有违诚实信用原则，构成违约行为，应向甲方承担违约责任。

【案例评析】

甲乙双方的交易标的是电机，电机有直流电机与交流电机之分，对此，购货方甲公司明知，供货方乙公司也明知。合同中只说 10 台电机，却没有写明是何种类型的电机，属于典型的约定不明。约定不明如何处理？《民法典》对此有针对性的规定：首先，双方当事人可以通过协议对约定不明的条款进行补充；其次，如果双方不能达成补充协议，则按合同的有关条款或者交易习惯确定；再次，如果根据合同的有关条款和交易习惯还是不能确定，或者根本就没有这方面的交易习惯，则可以按照《民法典》的具体规则加以确定。

本案在对标的物约定不明的情况下，双方又不能达成补充协议，则首先要寻求的是有无合同相关条款。对标的物有直接关联的是价格，价格条款属于相关条款。其实，从价格条款就可以推定甲公司需要的是直流电机而不是交流电机，因为两种电机的价格相差较大：市场上同种型号的直流电机每台 3 万元左右，交流电机每台 2 万元左右。由此即可以推断甲公司需要的是直流电机而非交流电机。

【案例 4-3】

【背景材料】

甲公司自外地采购一批货物，为运回公司所在地，与乙公司订立运输合同，由乙公司将货物运送至甲公司所在地。合同成立后，乙公司又委托丙公司负责运送该批货物，并与丙公司约定，途中货物发生的任何损失，丙公司都无须负责。丙公司遂指派公司司机张某开车运送该批货物。在运输途中，张某因醉酒翻车，造成货物部分损毁。甲公司要求乙公司赔偿其损失，乙公司表示不同意，认为责任应当由丙公司承担。丙公司则认为，他是代乙公司履行合同，并且与乙公司有约定，对途中发生的任何损失都不负责任。几方协商不成，甲公司向法院提起诉讼，要求乙公司赔偿损失。在本案审理中，根据乙公司的请求，法院追加丙公司为第三人。

【案例评析】

对于本案，应当首先明确各方当事人的关系，只有这样才能正确地适用法律。甲公司和乙公司因成立运输合同，而成为运输合同的关系当事人。其中，甲公司为托运人，乙公司为承运人，乙公司负有将货物及时、安全地运送至甲公司所在地的义务。乙公司因委托丙公司负责运送该批货物而与丙公司之间成立委托合同关系，其中乙公司为委托人，丙公司为受托人，丙公司应当按照合同约定处理委托事务，即将货物及时、安全地运送至甲公司所在地。同时，相对于甲公司和乙公司的运输合同而言，丙公司为乙公司债务履行辅助人，丙公司运送该批货物的行为为第三人履行。张某为丙公司职员。但丙公司并没有及时、安全地将货物运送至甲公司所在地，而造成了货物损失。根据我国《民法典》第五百二十三条规定，乙公司应当向甲公司承担违约责任，甲公司可以要求乙公司赔偿其货物损失。

同时，张某作为丙公司职员，因其职务行为所产生的后果，应当由丙公司负责。在本案中，张某受丙公司的指派开车运送货物，其行为为职务行为，丙公司应当对该行为承担责任。由于张某醉酒开车，造成货物损失，对该货物的损失发生有过错，其行为构成侵权，应当赔偿货物所有权人（甲公司）的损失，即甲公司可以向丙公司提起侵权之诉，要求其赔偿损失。

因此，就货物的损失，甲公司可以向乙公司要求赔偿，也可以向丙公司要求赔偿。不同的是，前者为合同责任，后者为侵权责任。但甲公司能否同时向乙公司和丙公司主张权利呢？我们认为，甲公司只能选择或者向乙公司主张权利，或者向丙公司主张权利，而不能同时向两公司主张权利，否则将会导致不当得利的产生。在本案中，甲公司对乙公司提前诉讼，要求其赔偿损失，甲公司就不能再要求丙公司赔偿损失。

如果甲公司向乙公司主张权利，乙公司因此赔偿了甲公司损失后，乙公司可基于其与丙公司的合同而要求其赔偿。这是因为，根据乙公司和丙公司的委托合同，丙公司负有完成委托事务（运送甲公司货物至甲公司所在地）的义务。但丙公司因其过错，造成了乙公司的损失，根据《民法典》第九百二十九条的规定，乙公司可以请求丙公司赔偿其损失。在本案中，虽然乙公司和丙公司约定，"途中货物发生的任何损失，丙公司都无须负责"，但丙公司不因此免责。从性质上看，这一条款属于免责条款，但根据我国《民法典》第五百零六条的规定，这一免责条款为无效。丙公司不能据此要求免去其赔偿责任。

第三节　合同履行过程中的重要法律制度

一、抗辩权制度

抗辩权，是指对抗请求权或否认对方权利主张的权利，其作用在于通过行使这种权利而使对方的请求权消灭或使其效力延期发生。合同履行中的抗辩权包括同时履行抗辩权、先履行抗辩权、不安抗辩权。

（一）抗辩权概述

1.抗辩权的概念

双务合同的当事人在符合法定条件时，暂时拒绝履行其债务的权利。

2.抗辩权的性质

（1）当事人行使抗辩权无效果时，合同可能最终解除，但履行抗辩权本身并不是合同解除的原因。

（2）行使同时履行抗辩权、先履行抗辩权、不安抗辩权，是权利的正当行使，而非违约行为。

（3）抗辩权也是一种自主权，其行使不必经对方当事人同意，也不必经诉讼或仲裁程序，当事人只要符合法定条件，就可以自己行使这种权利，当然也可放弃。

（二）同时履行抗辩权

1.同时履行抗辩权的概念

同时履行抗辩权，又称为履行合同的抗辩权或者不履行抗辩权，它是指在双务合同中，双方互负债务，没有先后履行顺序的，应当同时履行义务，当事人一方在他方没有作出对待给付之前，有权拒绝自己相应的履行义务。同时履行抗辩权从双务合同的性质出发，合理地考虑了双务合同的双方当事人所承担的合同义务的对价性和交换性，维护了合同履行中的公平原则。

我国《民法典》第五百二十五条对同时履行抗辩权作了规定："当事人互负债务，没有先后履行顺序的，应当同时履行。一方在对方履行之前有权拒绝其履行要求。一方在对方履行债务不符合约定时，有权拒绝其相应的履行要求。"

2. 同时履行抗辩权的成立要件

（1）双方因同一合同互负债务，即只存在于双务合同中。只有在同一双务合同中才有可能产生同时履行抗辩权，如果双方的债务产生于两个不同的合同，即使在事实上有密切的关系，也不得主张同时履行抗辩权。

（2）双方债务无先后履行顺序之分，应同时履行。包括：第一，合同直接约定同时履行的；第二，合同未约定双方履行顺序的，推定为同时履行。

（3）双方债务均已届清偿期。行使同时履行抗辩权的前提是双方当事人的债务同时到期，如果债务未到清偿期，则债务尚未生效，也就不产生同时履行抗辩权。

（4）他方当事人尚未履行。他方不履行的，债务人可提出完全的抗辩权；他方不完全履行的，债务人可提出"相应的抗辩权"。

例如，甲、乙订立一商品买卖合同，约定甲给付乙 10t 货物，乙付款 100 万元。后甲交付了 7t 货物，同时请求乙付款 100 万元。问：乙应如何行使抗辩权？为什么？甲、乙未约定履行顺序，故乙可行使同时履行抗辩权，但此时应行使 30 万元的抗辩权，对另外 70 万元，乙无权行使抗辩权。

（三）先履行抗辩权

1. 先履行抗辩权的概念

先履行抗辩权，是指当事人互负债务，有先后履行顺序的，先履行义务一方未履行之前，后履行一方有权拒绝其履行请求；先履行一方履行债务不符合约定的，后履行一方有权拒绝其相应的履行请求。

先履行抗辩权是后履行义务人的权利，因此也被称为后履行抗辩权。

我国《民法典》第五百二十六条对先履行抗辩权作了规定："当事人互负债务，有先后履行顺序，应当先履行一方未履行的，后履行一方有权拒绝其履行要求；先履行一方履行债务不符合约定的，后履行一方有权拒绝其相应的履行要求。"先履行抗辩权是后履行义务人的权利，因此也被称为后履行抗辩权。先履行抗辩权在本质上是先履行一方违约的抗辩权，它和其他违约形式的请求权相结合，构成了对非违约方更为广泛的违约救济。

2. 先履行抗辩权的成立要件

（1）须由同一双务合同产生的互负债务。双方当事人由于同一合同互负债务，在履行上产生牵连性，任何一方债权的实现都是以对方履行债务为前提，从而形成对价关系。如果双方当事人互负的债务并非产生于同一双务合同，这也不会导致先履行抗辩权。

（2）须双方履行债务有先后顺序。这种先后顺序是指履行债务有时间上的先后顺序。在双务合同中，双方当事人履行债务往往有先后顺序的，这种先后顺序如果是双方当事人在合同中的约定或者法律规定不明确，则可根据交易习惯确定。例如，外出旅游，应先付款购买景点门票，后旅游景点；到宾馆用餐，先用餐，后付款等。如果依照合同约定、法律规定或者交易习惯，仍不能确定履行的先后顺序时，则可通过担保措施确定履行的先后顺序。

（3）须先履行一方未履行债务或者履行债务不符合约定条件。只有在先履行一方未履行债务或者履行债务不符合约定条件时，对方当事人才能行使先履行抗辩权。在司法实践中，这种义务主要是针对主给付而言的，如果先履行一方已履行了主给付义务，未履行的仅是从给付义务，那么后履行一方不应行使先履行抗辩权。当然，如果未履行的从给付义务严重影响后履行一方债权的实现，则另当别论。

（4）须先履行的债务是可以履行的，如果先履行一方的债务根本没有实现的可能，那么也就不会产生先履行抗辩权。

先履行抗辩权具有暂时的效力性质，能够暂时地阻止对方当事人行使请求权，起到使对方当事人请求权延期的效力，并非从根本上消灭对方的请求权。也就是说，先履行一方在后履行一方行使先履行抗辩权后，已经履行了债务，在这种情况下，先履行抗辩权失去了存在条件，后履行一方当然应该履行自己的债务，当然，由此而产生迟延履行责任应由先履行一方承担。

（四）不安抗辩权

在应当异时履行的双务合同履行过程中，由于某些原因可能致使后履行合同义务的当事人一方其财产状况明显恶化或者丧失履行合同义务的能力。在现实的经济活动中，这种情况是较为普遍的。在这种情况下，负有先履行合同义务的当事人另一方如果先为履行合同义务，那么，其合同权利显然难以实现，若仍然强迫其先为履行合同义务则有悖于公平原则。为避免这种情况的发生，大陆法系国家较为普遍地在其合同法中设立了不安抗辩权制度。

1. 不安抗辩权的概念

不安抗辩权，是指在双务合同中，先履行债务的一方当事人有证据证明后履行债务的一方当事人有不能履行债务的可能并拒绝提供担保时，先履行债务一方当事人有权中止履行自己的债务。

不安抗辩权与先履行抗辩权一样都适用于异时履行的情况，但不安抗辩权主要是为了保护先履行一方；而先履行抗辩权是为了保护后履行一方。

我国《民法典》第五百二十七条和第五百二十八条对不安抗辩权的行使规则作出了具体规定。

2. 行使不安抗辩权的条件

我国《民法典》第五百二十七条规定："应当先履行债务的当事人，有确切证据证明对方有下列情形之一的，可以中止履行：

（1）经营状况严重恶化；

（2）转移财产、抽逃资金，以逃避债务；

（3）丧失商业信誉；

（4）有丧失或者可能丧失履行债务能力的其他情形。"

我国《民法典》规定的不安抗辩权，是指当事人互负债务并且在合同中约定了先后履行顺序的（即合同属于应当异时履行的双务合同）。如果应当先履行债务的当事人有确切证据证明对方有丧失或者可能丧失履行债务能力的情况时，可以中止履行自己的合同义务。

　　3. 不安抗辩权的构成要件

　　（1）双方互负债务，即不安抗辩权亦只存在于双务合同中；

　　（2）一方有先给付的义务，即不安抗辩权人乃先给付义务人；

　　（3）先给付义务人的债务已届期满；

　　（4）他方有难为给付之风险；

　　造成后履行方丧失或可能丧失履行能力的事由包括：

　　1）财产显形减少；

　　2）丧失商业信誉；

　　3）在提供劳务或完成工作的合同中，债务人丧失劳动能力；

　　4）给付特定物的债务中，该特定物丧失。

　　（5）他方未提供担保。

　　4. 不安抗辩权的行使

　　《民法典》第五百二十八条规定："当事人依照本法第五百二十七条的规定中止履行的，应当及时通知对方。对方提供适当担保时，应当恢复履行。中止履行后，对方在合理期限内未恢复履行能力并且未提供适当担保的，中止履行的一方可以解除合同。"

　　根据本条文和第五百二十七条的规定，不安抗辩权行使的程序为：

　　（1）两个阶段

　　1）第一阶段

　　先履行人能够证明对方有第五百二十七条所列情形之一的，可行使第一个权利：中止己方的履行。

　　2）第二阶段

　　中止履行后，应及时通知对方，对方提供了担保后，先履行人应恢复履行。只有对方在合理期限内未恢复履行能力且未提供担保的，先履行人方可行使第二个权利：解除合同。

　　由此可知，不安抗辩权人行使解除合同权是有一定条件和程序限制的。

　　（2）先履行一方行使不安抗辩权时负有两项义务

　　1）举证的义务

　　先履行的一方必须有确切的证据证明对方具有法律规定的不能或不会对待履行的情况，而不能凭空臆测对方不能或不会对待履行。

　　《民法典》第五百二十七条规定："当事人没有确切证据中止履行的，应当承担违约责任。"

　　2）通知的义务

　　由于先履行义务的一方在行使不安抗辩权时无须征得对方的同意，而不安抗辩权的行使又会导致又会导致先履行一方暂时中止合同的履行，如果在中止合同履行后，不及时通知对方，对方有可能受到损失。

《民法典》第五百二十八条规定，当事人中止履行的，应当及时通知对方。如果没有及时通知甚至根本没有通知的，表明先履行的一方非属正当行使权利，将有可能构成违约。

民法上为保护债权人的利益不受损害，使其债权能够顺利获偿，特别赋予债权人两种权利，即代位权与撤销权。

二、代位权制度

（一）代位权的概念

债务人怠于行使对第三人享有的权利而有害于债权人的债权时，债权人为保护其债权，向法院请求以自己的名义代位行使债务人权利的权利。

代位权是法定的债权人的权能，是债权人所固有的。

（二）代位权的构成要件

1. 债权人对债务人享有合法的债权

债权人的债权是代位权发生的前提和基础。若债权人与债务人之间的合同关系不成立、无效或被撤销，或虽依法成立但即被解除，则债权人不享有债权，从而不得行使代位权。

2. 债务人对第三人享有合法权利

此权利为非专属于债务人的权利。若为专属于债务人的权利，只能由债务人享有和行使，不能作为代位权的客体，则债权人不得代位行使。《民法典》第五百三十五条第一款规定的专属于债务人自身的债权，是指基于扶养关系、抚养关系、赡养关系、继承关系产生的给付请求权和劳动报酬、退休金、养老金、抚恤金、安置费、人寿保险、人身伤害赔偿请求权等权利。

专属于债务人的权利包括：

（1）基于人格关系产生的利益以及人身伤害的损害赔偿；如侵权人致债务人人身伤害，债务人对该侵权人享有的损害赔偿请求权。

（2）基于身份关系产生的利益；如基于抚养关系、扶养关系、赡养关系、继承关系产生的给付请求权。

（3）基于劳动关系产生的利益；如退休金、劳动报酬、养老金等。

（4）保险金；主要是指人寿保险金，与债务人的人身具有密切关系。

（5）其他不得扣押的权利。如抚恤金、救济金、执行程序中的所保留的生活必需品等。

3. 债务人怠于行使其权利

所谓怠于行使，是指债务人能够通过提起诉讼或申请仲裁的方式向其债务人主张权利，但该债务人一直未采用此种方式主张权利。

4. 债务人怠于行使权利有害于债权人的债权

债务人怠于行使权利导致其无足够的财产清偿债务，使债权人的债权难以实现。

如果债务人怠于行使权利并不影响其向债权人履行债务，则债权人的债权并未受到损害，此时债权人不得行使代位权。

（三）债权人代位权的行使

1. 行使方式

（1）债权人代位权的行使主体是债权人。

（2）债权人应以自己的名义行使代位权，并须尽到善良管理人的注意，否则应负损害赔偿责任。

（3）必须通过诉讼方式进行。

2. 行使范围

代位权的行使范围以债权人的债权为限；在代位权诉讼中，债权人行使代位权的请求数额超过债务人所负债务额或者超过次债务人对债务人所负债务额的，对超过部分人民法院不予支持。

（四）代位权的效力

1. 代位权人优先受偿：谁行使代位权获得了财产，该财产就归属于谁。

《民法典》第五百三十七条："债权人向债务人提起的代位权诉讼经人民法院审理后认定代位权成立的，由次债务人向债权人履行清偿义务，债权人与债务人、债务人与次债务人之间相应的债权债务关系即予消灭。"

2. 债权人行使代位权支出的诉讼费用由谁负担

债权人行使代位权的必要费用，由债务人负担；在代位权诉讼中，债权人胜诉的，诉讼费用由次债务人负担，从实现的债权中优先支付，但最终由债务人负担。

三、撤销权制度

（一）撤销权的概念

撤销权又被称为废罢诉权，是指债权人对于债务人所为的危害其债权实现的行为可以请求法院撤销的权利。《民法典》第五百三十八条规定："因债务人放弃其到期债权或者无偿转让财产，对债权人造成损害的，债权人可以请求人民法院撤销债务人的行为。债务人以明显不合理的低价转让财产，对债权人造成损害，并且受让人知道该情形的，债权人也可以请求人民法院撤销债务人的行为。"

撤销权制度与代位权制度同属于债的保全制度，目的是维系债务人的履行能力，保障债权人债权的实现，如果允许债务人任意处分其财产，就会降低其履行能力，使债权人债权的实现失去保障。

（二）撤销权的构成要件

1. 从债权人角度

（1）债权人享有合法的债权，并且该债权在债务人实施不当处分财产行为前已经存在。

只有当债权存在时，该债权才有受侵害的可能性，从而才有行使撤销权以保护债权的必要性。

（2）债权人的债权是以财产给付为标的的债权。

如果债务人不是向债权人给付财产，而是提供劳务、承担不作为义务等，那么即使债务人实施不当处分财产行为，也不会降低其履行能力。

2. 从债务人角度

（1）客观要件

1）债务人实施了一定处分财产的行为

该行为一般为法律行为，如买卖、赠与等。在特殊情况下也可以是非法律行为，如诉讼上的和解与抵销等。这些行为有可能使债务人的现有财产减少而危及债权人的债权，故可以成为撤销权的客体。

2）债务人实施的处分财产的行为已经生效

如果此种行为不能生效，则其财产不会移转于第三人，其责任财产并未减少，债权人的债权并未受到不利影响，此时既无撤销权的对象，也无撤销权的必要。

3）债务人实施的处分财产的行为已经或者将要损害债权人的利益

如果债务人实施处分财产的行为以后，将导致其无足够的资产清偿其债务，使债权人的债权难以实现，就是严重损害债权人的债权。

（2）主观要件

对于债务人的无偿行为，仅须具备上述客观要件。

对于债务人的有偿行为，还须具备主观要件，即债务人与第三人在实施处分财产的行为时都具有损害债权人债权的恶意。第三人的恶意是指其知道或应知道债务人处分财产的行为有害于债权人的债权。

（三）撤销权的行使

1. 撤销权行使的主体即撤销权的主体，是因债务人的行为而使其债权受到损害的债权人。这里所说的债权必须是以财产的给付为标的的债权，但不限于金钱债权，凡是以财产权为标的的债权，债权人均可行使撤销权。

2. 撤销权的行使应由债权人以自己的名义以诉讼的形式为之，债权人提起撤销权诉讼的，由被告住所地人民法院管辖。债权人提起撤销权诉讼时只以债务人为被告，未将受益人或者受让人列为第三人的，人民法院可以追加该受益人或者受让人为第三人。

3. 撤销权的行使范围以债权人的债权为限。债权人行使撤销权所支付的律师代理费、差旅费等必要费用，由债务人负担；第三人有过错的，应当适当分担。

4. 撤销权的行使期限

撤销权属于形成权，因一定期限的经过而消灭，该期限属于除斥期间，不能中断、中止、延长，期限届满后，撤销权消灭。《民法典》规定，在债权人知道或者应当知道撤销事由的情况下，应从知道或者应当知道之日起 1 年内行使撤销权。法律如此规定的目的主要在于促使债权人尽快行使权利，以维护市场交易秩序，如其怠于行使其权利，法律不应予以保护。需要注意的是，如果债权人不知道也不应当知道撤销事由，则不能适用 1 年的除斥期间的规定。

《民法典》规定，自债务人的行为发生之日起 5 年内没有行使撤销权的，该撤销权消灭。该规定的主要目的在于稳定市场交易秩序，如果在很长时间内都允许债权人行使撤销债务人行为的权利，将造成社会经济秩序的紊乱，不利于发挥财产的效用和促进正常的经济流转。

【案例 4-4】

空调机厂拒绝交货是否违约

【背景材料】

5 月 20 日，华明空调机厂与红星工贸公司订立一份购销合同空调机的合同，按照合同的约定：华明厂向红星公司提供 200 台空调机，每台价格为 2500 元，总价款为 50 万元；6 月 20 日，华明公司将 200 台空调机送到红星公司，货到验收，付总款的 40% 即 20 万元；余款分别于 7 月 20 日和 8 月 20 日两次付清；合同成立后红星公司向华明厂付预付款 5 万元。合同签订后红星公司向华明厂支付了预付款 5 万元。6 月 20 日，华明厂依约用货车将 200 台空调机送往红星公司，由于红星公司未能筹集到 20 万元，只筹集到 5 万元，红星公司主张先付 5 万元后要华明厂卸货，华明厂拒绝将空调机卸车验货，双方僵持数小时后，华明厂将货车驶离红星公司，又把 200 台空调机运回厂里。事发后，红星公司认为本公司为履行公司已预付 5 万元，华明厂交货后本公司可以再付 5 万元，余款待筹集到后立即支付，这一切充分表明本公司有履约的诚意，而华明厂却拒绝供货，属严重违约行为，因此将华明厂告到法院，要求华明厂返还 5 万元预付款，并赔偿经济损失 5 万元。

受理法院经审理查明以上事实后认为，原、被告订立的购销合同合法有效，双方应当严格履行。但是，原、被告在合同中未明确约定交货与付 40% 贷款义务的履行先后顺序，因此，双方应当同时履行。在红星公司未付 20 万元贷款的情况下，华明厂为避免发生损失有权将货物运回，华明厂拒绝交货并不违约。由于合同未能履行，华明厂接受红星公司的 5 万元预付款应予返还，对于原告的其他诉讼请求不予支持。

【案例评析】

本案涉及双务合同中同时履行抗辩权的行使问题。

同时履行抗辩权是指，在同时履行的双务合同中，一方当事人在对方当事人不能履行或者不能全部履行时，享有拒绝履行合同的权利。对此，《民法典》第五百二十五条明确规定，"当事人互负债务，没有先后履行顺序的，应当同时履行。一方在对方履行之前有权拒绝其履行要求。一方在对方履行债务不符合约定时，有权拒绝其相应的履行要求。"行使同时履行抗辩权应具有一定条件：①必须在同一双务合同中双方互负债务，如果双方的债务产生于不同的合同，那么不得主张同时履行抗辩权；②双方的债务都已届满清偿期，并且没有先后履行顺序，双方当事人所付的债务同时履行，从而使得双方当事人享受的债权得以同时实现；③一方当事人拥有证据证明负有同时履行义务的对方当事人不能履行合同或者不能全部履行合同；④对方的对待给付是可能履行的义务，如果所负债务已不可能履行，例如因遇不可抗力不能履行，则可适用免责条款。被告华明厂拒绝交货符合上述条件，属于行使同时履行抗辩权。

在本案中，原、被告订立购销合同反映了双方当事人的真实意思，因而合同合法有效。由于合同未明确规定被告交货与原告付20万元货款先后履行顺序，因此双方应当同时履行。如果按原告主张，在支付5万元的情况下被告就要支付50万元的货，这对于被告具有很大的风险。被告要求原告在验证、验货的同时付清20万元货款以证明其有履约能力，而原告只能支付5万元，被告有合理理由怀疑原告履行能力有问题，如果交货，将导致大量余款无法收回，被告拒绝交货有合法理由。由于本合同未能履行，被告收取原告的预付款理应返还原告，至于原告的其他诉讼要求无法律依据，受理法院不予支持是正确的。

【案例 4-5】

代位权的行使

【背景材料】

东莞市虎门通达贸易公司以江苏省宜兴食用油厂和宜兴增捷公司（食用油厂与我国香港增捷公司合资设立的企业）擅自处分仓储物构成侵权为由提起诉讼。1999年12月28日江苏省镇江市中级人民法院作出判决，食用油厂赔偿虎门公司损失6950219.2元，利息损失1630353元，并负担案件受理费49461元及鉴定费1500元，合计8631533.2元。判决生效后食用油厂和增捷公司均未履行，虎门公司在申请执行过程中发现食用油厂对增捷公司拥有到期债权70万美元，即向法院提起代位权诉讼。法院审理期间依法追加食用油厂为第三人。

法院经审理查明，食用油厂及增捷公司均为江苏东海油脂有限公司（下称东海公司）股东，东海公司成立于1992年7月29日，由镇江市润州区粮山农工商公司（甲方）、食用油厂（乙方）、我国香港建华企业有限公司（丙方）、增捷公司（丁方）四方共同投资设立，注册资本280万美元。经过会计师事务所验证，第一期注册资本实收262万美元，其中食用油厂应出资70万美元。以当时美元对人民币汇率折合成人民币385万元投入；增捷公司一个应出资70万美元，以60万美元的设备及现汇10万美元投入。后补足到280万美元。1995年3月。东海公司董事会作出决议，同意食用油厂将其所持东海公司 33% 的股份转让给增捷公司，股金结算由两家公司另行协议约定。后食用油厂与增捷公司完成了股权转让的手续。同年 4 月 18 日江苏省镇江市工商管理局批准了变更登记。但是增捷公司并没有向食用油厂支付股本转让金。

被告增捷公司提出：食用油厂曾经有虚假出资和抽逃注册资金的行为，故而其股权转让的行为是无效的，进而食用油厂不享有对被告的债权；而且，自 1993 年确定股权转让至 1999 年之间，食用油厂一直没有向被告主张过债权，其债权已经超过诉讼时效。故由于食用油厂不对被告享有合法有效的债权，原告的代位权不能成立。法院经审理确认：关于食用油厂虚假出资和抽逃注册资金的证据不足，不予采信；股权转让已经办理完毕相关手续，被告已经取得东海公司的股权，而被告未向转让方食用油厂支付股权转让款；食用油厂曾经向被告主张过权利，其债权未超过诉讼时效。

法院最后认定，虎门公司对食用油才拥有合法的到期债权 8631533.2 元；食用油厂由于转让其拥有的东海公司 33% 的股权给增捷公司，而享有对增捷公司 70 万美元的债权。因债务人食用油厂怠于行使其到期债权，对债权人虎门公司造成了损害。债权人虎门公司在其债权范围内直接向法院请求以自己的名义代位行使债务人食用油厂的债权，符合法律规定。增捷公司关于食用油厂虚假出资和抽逃资金的依据不足，其关于食用油厂的债权已超过诉讼时效的主张与事实不符。故增捷公司应向食用油厂偿付股权转让款，以当时的外汇汇率确定为人民币 3850000 元。虎门公司的代位权之诉成立，依据《合同法》第七十三条（《民法典》第五百三十五条）和《民事诉讼法》第一百二十八条的规定，判决增捷公司将所欠第三人食用油厂的 3850000 元，偿付给虎门公司。

【案例评析】

本案是关于代位权诉讼的典型判例。一审和二审法院都支持了原告的诉讼请求，认定债权人的代位权之诉成立，符合法律规定的行使条件，并判决次债务人直接向债权人履行债务。

被告即次债务人在本案中为反驳代位权人的代位权之诉，提出了两项抗辩理由：一是债务人食用油厂对次债务人不享有合法债权，因为其作为东海公司的股东存在抽逃注册资金的行为；二是即使享有债权也已经超过诉讼时效，因而不是有效的债权。如果此二项抗辩理由中的任何一项成立，原告即代位权人的代位权便不能成立。法院基于被告的此二项抗辩理由而进行了针对性的证据认定和事实查明，首先证明了债务人与次债务人之间的股权转让协议合法有效，债务人依约已经履行完毕自己的义务，股权过户手续办理完毕，次债务人实际取得了目标公司的股权，而未向债务人支付股权转让款，故债务人对次债务人享有债权且已届清偿期；然后证明了该债权并未罹于诉讼时效，债务人一直在向次债务人主张权利，次债务人也多次承认股权转让款未予清偿。至于债权人对债务人的债权则十分清楚，债务人亦与认可。因此，认定原告的代位权符合法律规定的行使条件，并对具体数额进行了认定，由被告直接向债权人履行清偿义务。法院的判决符合《民法典》的规定，对本案原告代位权的成立条件予以了论述和证明，对代位权行使的效力也作出了适当的认定。

【本案启示】

代位权的成立条件已如上述，归纳起来无外乎：其一，两个债权（债权人对债务人的债权，债务人对次债务人的债权）均有效并已届清偿期，有效包括未超过诉讼时效的判断之内；其二，债务人没有以诉讼或者仲裁的方式向次债务人主张债权；其三，债务人的债权不是专属于其自身的具有人身或者身份性质的权利。符合这些条件，代位权之诉即成立。

代位权之诉中被告的抗辩理由具有较多的选择性，只要能够证明其中一项的成立即可否定原告的代位权。如：债权人对债务人的债权或者债务人对次债务人的债权不成立，不成立的原因包括合同不成立、合同被撤销、合同被宣告无效等；债权已经实现；债权已罹于诉讼时效；债权尚未届清偿期等。通常而言，次债务人要证明债权人与债务人之间债的关系和状态不太容易，因为不是他们之间债权关系的当事人，但对自己与债务人之间的债的关系很了解，债的效力、债的履行情况、债的数额等。故应多从此一方面提出抗辩。反之，债权人即代位权人则需从代位权成立的各个方面进行举证证明。

思考题

1. 合同履行应具备哪些条件？

2. 合同中约定不明的条款在合同履行过程中应如何处理？

3. 合同由第三人代为履行与由合同当事人自己履行之间的区别是什么？

4. 什么是抗辩权？合同当事人行使法律或者合同赋予的抗辩权与合同当事人违约有何区别？

5. 行使不安抗辩权应满足哪些条件？

6. 什么是代位权？什么是撤销权？

7. 债权人的撤销权什么情形下消灭？

第五章

合同的担保

【本章概要】

　　本章重点介绍了合同担保的五种形式：保证、抵押、质押、留置和定金。通过本章的学习，使学生掌握并理解这五种担保形式的概念及特征等。

第一节　合同担保概述

一、合同担保的概念

合同担保，即合同之债的担保，是促使债务人履行其债务、保障债权人的债权得以实现的各种法律措施的总称。

二、合同担保的适用范围

（一）合同担保仅适用于民商事行为

国家经济管理行为（包括行政行为、司法行为）产生的债权债务关系不适用《民法典》中的合同编。

（二）合同担保仅适用于民商事活动中产生的具有债权债务内容的行为

因人格、身份关系而直接产生的债权债务关系（如抚养、扶养、赡养关系）不适用《民法典》中的合同编。

（三）合同担保仅适用于民商事法律行为所产生的债权债务关系

不当得利之债、无因管理之债不适用《民法典》中的合同编。

三、合同担保的方式

根据《民法典》的规定，担保的方式包括保证、抵押、质押、留置和定金等五种。

（一）保证

保证是指保证人和债权人约定，当债务人不履行债务时，保证人按照约定履行债务或者承担责任的行为。保证又可分为一般保证和连带责任保证。债权人选择保证担保方式，将承担一定的风险。因为，债权人根据保证合同对保证人的财产不享有担保物权，一旦保证人丧失对保证责任的履行能力，将会危及债权人的利益。

（二）抵押

抵押是指债务人或者第三人不转移对自己特定财产的占有，而将该财产作为债权的担保，当债务人不履行债务时，债权人有权依法以该财产折价或者以拍卖、变卖该财产所得的价款优先受偿。抵押对保护债权人的利益，较之保证而言有力得多。

（三）质押

质押分为动产质押和权利质押。动产质押是指债务人或者第三人将其动产移交债权人占有，将该动产作为债权的担保。债务人不履行债务时，债权人有权依法以该动产折价或者以拍卖、变卖该动产的价款优先受偿。

权利质押是指债务人或者第三人将其权利如各种有价证券、依法可以转让的股份、依法可以转让的商标专用权和专用权、著作权中的财产权等移交债权人占有，将该权利作为债权的担保。债务人不履行债务时，债权人有权依法以该权利折价或者以拍卖、变卖该权利的价款优先受偿。权利质押除适用关于权利质押的规定外，适用于动产质押的有关法律规定。

质押与抵押同样是较为可靠的担保手段，两者不同之处主要表现为：质押，债务人或者第三人必须转移对质押财产的占有。抵押，债务人或者第三人则不必转移对抵押财产的占有。可用以进行质押的财产是债务人或者第三人的动产或者权利，可用以进行抵押的财产则是债务人或者第三人的不动产。

（四）留置

留置是指债权人按照合同的约定占有债务人的动产，债务人不按合同约定的期限履行债务的，债权人有权依法留置该财产，以该财产折价或者以拍卖、变卖该财产的价款优先受偿。但留置仅适用于保管、运输、加工承揽以及法律规定可以留置的其他合同，且留置物权限于动产。

（五）定金

定金是合同实践中较为常见的一种担保方式。定金是指合同的当事人依照法律规定或者合同约定，由当事人一方在合同订立时或者合同订立后、履行前，按合同标的额的一定比例预先向对方支付一定数额的金钱，用以作为其履行合同的担保。给付定金的一方不履行合同的，无权请求返还定金；接受定金的一方不履行合同的，应当双倍返还定金。债务人履行债务后，所付定金可抵作价款或者收回。

对于同一债权的担保，可以选择一种担保方式，也可以同时选择多种担保方式。

四、合同担保的种类

（一）依照担保产生的原因

1.法定担保

法定担保是指依照法律的规定直接产生的担保。

（1）因房屋抵押而同时在相应的土地使用权中产生的抵押权和因土地使用权抵押而同时在土地上房屋产生的抵押权。

（2）留置权

留置的产生无须当事人的约定，而是根据法律的规定和具体的法律事实而产生。但是，当事人可以在合同中约定不得留置的物，以排除留置的适用。

2.约定担保

约定担保是指当事人通过合同的约定而产生的担保。

在我国，除了法定担保外，其他的担保都可以依据当事人的约定而产生，都为约定担保。约定担保的方式有：保证、抵押、质押和定金。

（1）约定担保产生于当事人的担保合同，也即担保约定。约定担保体现了当事人参加民事经济活动的平等性原则和自愿性原则。

（2）约定担保并不意味着当事人可任意设定担保。有些担保方式，当事人除了订立担保合同外，还需到相关部门办理担保登记手续。比如当事人以不动产等《民法典》规定要办理抵押物登记的财产抵押的和以股份、股权质押的，都要到法律法规指定的部门办理登记后，抵押合同才生效。

（二）依照担保标的的不同

1. 人的担保

人的担保又称为信用担保，是指以债务人以外的第三人的信用为标的而设定的担保。

第三人（自然人或法人）以其自身的资产和信誉作为债务人履行债务的担保，当债务人不履行债务时，担保人按照约定履行债务或者承担责任。最典型的方式是保证。

2. 物的担保

物的担保是指以债务人或者第三人所有的特定的动产、不动产或其他财产权利为标的而设定的担保。

如果债务人不清偿债务，债权人可以通过拍卖、折价或变卖作为担保物的财产优先得到清偿。物的担保一经设定，就赋予债权人针对担保物价值的支配权，该权利具有物权的效力。典型方式有抵押、质押、留置。

3. 金钱担保

定金不属于物的担保也非人的担保，而是一种金钱担保。

五、合同担保的特征

（一）从属性

从属性又称为附随性、附从性或伴随性，是指合同担保的成立和存在必须以一定的债权关系为前提，它是一种从属于债权关系的法律关系，不能脱离一般的债权而单独存在。表现在以下三方面：

1. 成立上的从属性

担保的成立应以相应的债权的发生和存在为前提，原则上不能脱离债权债务关系而独立存在。

2. 消灭上的从属性

担保因债权的消灭而解除，担保措施应与所担保的债权共命运。

3. 处分上的从属性

担保随主债权的转移而转移。债权人不能将担保与债权分离转让给不同的受让人，也不能将担保与债权分开为他人提供担保。

（二）相对独立性

合同的担保相对独立于被担保的合同债权而发生或者存在。

1. 发生或存在的相对独立性

合同担保关系虽属一种从法律关系，但也是一种独立的法律关系，与被担保债权的成立和发生分别属于两个不同的法律关系。

2. 效力的相对独立性

合同的担保可以不依附于被担保的合同债权而独立发生效力，被担保的合同债权不成立、无效或者失效，对已经成立的合同担保不产生影响。

六、无效担保合同

无效担保合同是指不具有法律约束力，不能产生当事人所期望的担保法律后果的担保合同。无效担保合同可分为全部无效的担保合同和部分无效的担保合同。部分无效的担保合同一般是指担保合同的部分内容因违反法律规定而无效，其他部分仍然有效的担保合同。

（一）无效担保合同的产生原因

有下列情形之一的，担保合同无效。

1. 担保人主体不合格

担保人主体不合格指担保人依法不具有作为担保人的主体资格。导致担保人主体不合格的原因是多方面的，归纳起来，主要有以下几种原因：①担保人是无民事行为能力或者限制民事行为能力的公民；②不具有法人资格的企业法人的分支机构没有取得法人的书面授权许可或事后追认而提供担保的，或者虽取得法人的书面授权但超出授权范围而提供担保的；③法律明确禁止从事担保活动的单位提供担保的，如国家机关等。

2. 担保人的意思表示不真实

任何形式的民事合同，均应建立在当事人意思表示真实一致的基础上，否则无效或者可以依法撤销。因此，违背担保人真实意思的担保合同无效或者可以依法撤销。例如，银行等金融机构在他人的强令之下所订立的担保合同无效或者可以依法撤销。常见的造成担保人意思表示不真实的原因有胁迫、欺诈、恶意串通、乘人之危等。

3. 担保合同的内容不合法

担保合同所约定的内容违法的（如以法律禁止流通的财产设定抵押），担保合同归于无效或者部分无效。此外，由于担保合同系从合同，除非担保合同的当事人另有约定，否则，被担保的主合同无效，担保合同随之无效。

4. 合同形式不合法

合同形式不合法，可导致合同全部无效。凡未采用书面形式订立的担保合同均属无效合同。法律对担保合同生效条件有明确规定的，如果当事人不履行法定手续，或担保合同不具备法定条件的，该担保合同无效。

（二）无效担保合同的法律后果

无效担保合同虽然不能产生当事人所期望的担保法律后果，但仍然能够产生一定的法律后果。

1.无效担保合同或者担保合同中的无效条款自始无效，对担保合同当事人不具有约束力，没有履行的，不得履行；正在履行的，应当停止履行；已经履行的，应当依法各自承担责任。

2.担保合同被依法确认无效后，债务人、担保人、债权人有过错的，应当根据各自的过错自行承担相应的民事责任。此处民事责任，是指返还财产的责任和损害赔偿的责任。

七、担保责任的免除

担保合同依法订立后，如果被担保人不履行债务，在一般情况下，担保人就必须根据担保合同承担担保责任。但出现下列情形之一的，担保人的担保责任可以免除：

（一）发生不可抗力

不可抗力是合同当事人免责的法定事由。发生不可抗力的情况时，被担保人或担保人对约定的义务不能履行在主观上并无过错，属于客观上的履行不能。根据传统民法理论，当事人没有过错，不应承担责任。但应注意，不可抗力的含义与范围并无明确的法律规定，当事人应事先在合同中对其予以约定。理论上一般认为，不可抗力的情况通常包括自然现象如洪水、台风、地震和社会现象如战争等情况。但不论是自然现象还是社会情况，不可抗力的认定应满足三个条件：一是不能预见，二是不能避免，三是不能克服。

（二）主债务已得到全面、正确的履行

在这种情况下，主债务因为债务人已全面、正确的履行而消灭，担保责任亦随之消灭。

（三）债权人擅自许可债务人转让债务

《民法典》第六百九十七条规定："债权人未经保证人书面同意，允许债务人转移全部或者部分债务，保证人对未经其同意转移的债务不再承担保证责任，但是债权人和保证人另有约定的除外。"

（四）债权人与债务人协议变更主合同的内容未经担保人同意

《民法典》第六百九十五规定："债权人和债务人未经保证人书面同意，协商变更主债权债务合同内容，减轻债务的，保证人仍对变更后的债务承担保证责任；加重债务的，保证人对加重的部分不承担保证责任。"

主合同的变更包括合同主体的变更和合同内容的变更。从《民法典》中本条与第二十三条的联系来看，本条所规定的"协议变更主合同"，是指合同内容的变更。合同内容的变更包括合同的标的、质量、数量、价格以及其他条款的变更等。这些变更对债务人的权利义务造成影响，也对担保人的担保责任造成影响。这是法律规定的如主合同的当事人协议变更主合同内容未经保证人同意时保证人的保证责任得以免除的原因。但是，这并不意味着凡未经保证人同意的主合同协议变更，都可使保证人的保证

责任得以免除。《民法典》立法本意是基于保护担保人的利益而作出这样的规定。如果主合同内容变更的结果减少了债务人的债务，而其他条款并未改变，在这种情况下，也不能免除保证人的保证责任。因为，主合同的这种变更并未损害保证人的利益，相反还减轻了其保证责任，如果免除保证人的保证责任，则有悖《民法典》立法的本意。即如果主合同内容的变更有利于保证人时，即使该项变更未征得保证人的同意，保证人仍应承担保证责任。此结论同样适用于其他担保方式。

（五）债权人在法定期间未主张债权

民事权利的行使受诉讼时效期间的限制。《民法典》第一百八十八条规定："向人民法院请求保护民事权利的诉讼时效期间为三年，法律另有规定的除外。"《民法典》只对保证担保的诉讼时效期间作出了明确规定，其他担保方式的诉讼时效期间适用《民法典》的有关规定。债权人（担保权人）没有在法律规定的诉讼时效期间内主张债权的，担保人的担保义务则相应地：

1. 保证担保的担保责任得以免除。

2. 抵押担保和质押担保的担保人可以以抵押权或者质权已经超过诉讼时效期间为抗辩理由拒绝承担担保责任。

《民法典》第四百一十九条规定，抵押权人应当在主债权诉讼时效期间行使抵押权；未行使的，人民法院不予保护。

3. 留置担保和定金担保的债权人在理论上也存在超过诉讼时效期间才主张债权的情况，在这种情况下，担保人的担保责任也得以免除。但这种情况在实践中几乎是不可能发生的，担保权人控制留置物或已收受定金却不能实现债权的情况极少发生。

第二节 保证

一、保证的概念和法律特征

（一）概念

保证是指保证人和债权人约定，当债务人不履行债务或者发生当事人约定的情形时，保证人按照约定履行债务或者承担责任的行为。

从保证的法律关系看，保证涉及三方面当事人，即保证人、债权人和债务人，是由三个法律关系复合而成的担保关系。

（二）法律特征

1. 保证是一种人的担保方式

保证不以保证人的特定财产担保被保证债务的履行，而是以保证人的信誉和一般财产作为债务人履行债务的担保。这是保证与担保物权及定金的不同。

2. 保证人为债务人以外的第三人

这也是保证与抵押、质押等的重要区别之处。在抵押、质押担保中，承担担保责任的担保人可以是主合同（被担保合同）的债权人、债务人以外的第三人，也可以是主合同的债务人本人。

3. 保证是一种有名合同、诺成合同、单务合同、无偿合同

我国《民法典》虽没有专门规定保证合同，但《民法典》明确地规定了保证合同，因而保证合同仍然是一种有名合同。

4. 保证人履行义务不具有必然性

只有当主债务人不履行债务或不完全履行债务时，保证人才有义务承担责任或代为履行。

二、保证方式

（一）一般保证

当事人在保证合同中对保证方式没有约定或者约定不明确的，按照一般保证承担保证责任。

当事人在保证合同中约定，债务人不能履行债务时，由保证人承担保证责任的，为一般保证。

一般保证的保证人在主合同纠纷未经审判或者仲裁，并就债务人财产依法强制执行仍不能履行债务前，有权拒绝向债权人承担保证责任，但是有下列情形之一的除外：

（一）债务人下落不明，且无财产可供执行；

（二）人民法院已经受理债务人破产案件；

（三）债权人有证据证明债务人的财产不足以履行全部债务或者丧失履行债务能力；

（四）保证人书面表示放弃本款规定的权利。

1. 保证人在保证合同中明确表示承担保证责任的前提条件是债务人不能履行债务。不能履行债务即丧失了债务的履行能力，或者说履行不能。

2. 保证人享有先诉抗辩权

先诉抗辩权是指保证人请求债权人必须先起诉债务人并执行债务人的财产，否则即拒绝履行保证责任的权利。

3. 保证人承担的是补充责任

补充责任是指在向第一次序责任人行使权利无效果以后才可以主张的责任。

（二）连带责任保证

当事人在保证合同中约定保证人和债务人对债务承担连带责任的，为连带责任保证。

连带责任保证的债务人不履行到期债务或者发生当事人约定的情形时，债权人可以请求债务人履行债务，也可以请求保证人在其保证范围内承担保证责任。

连带责任保证是保证人与债务人对债权人承担连带责任的保证。保证人与债务人的责任没有先后之别，只要债务人届期不履行债务，债权人就可以随时要求债务人或

保证人履行债务或者要求其共同承担债务，保证人不得以债权人未先向债务人请求履行而拒绝履行。即连带责任保证的保证人不享有先诉抗辩权。

承担连带责任的前提是债务人届期没有履行债务。只要履行期满而债务人没有履行债务，而无论债务人是否丧失履行能力，债权人均可向保证人请求代为履行或者承担责任。

三、保证人的范围

《民法典》第六百八十三条规定，机关法人不得为保证人，但是经国务院批准为使用外国政府或者国际经济组织贷款进行转贷的除外。

以公益为目的的非营利法人、非法人组织不得为保证人。

（一）国家机关作为保证人的禁止与例外

国家机关是指履行管理社会的公共职能的国家公权力机关，包括国家行政机关、司法机关、立法机关和其他机关。

1. 国家机关的经费为维持国家机关从事公务活动所必需，是保障国家机关履行职能的基础。所以国家机关原则上不得担任保证人。

2. 在特殊情况下，国家机关也可以担任保证人，但应同时符合两个条件：

（1）我国所接受的贷款必须是外国政府或国际经济组织提供的。如世界银行、亚洲银行、国际货币基金组织等国际组织提供的贷款。

对于商业银行对地方政府的贷款，包括外国银行的商业性贷款，国家机关仍然不得做保证人。

（2）需经国务院批准。

（二）非营利法人做保证人的禁止

非营利法人为公益目的或者其他非营利目的成立，不向出资人、设立人或者会员分配所取得利润的法人，为非营利法人。

非营利法人包括事业单位、社会团体、基金会、社会服务机构等。

（三）非法人组织做保证人的禁止

非法人组织是不具有法人资格，但是能够依法以自己的名义从事民事活动的组织。非法人组织包括个人独资企业、合伙企业、不具有法人资格的专业服务机构等。

非法人组织不能 独立承担民事责任，清偿债务的能力存在缺陷，不得担任保证人。

四、保证担保的范围

保证担保的范围是指保证人对其承担保证责任的债务范围。保证担保的范围一般包括主债权及利息、违约金、损害赔偿金和实现债权的费用。当事人可以约定对全部债务承担保证责任，也可以约定只对主债权或只对违约金等部分债务承担保证责任。当然，当事人也可以约定对主债务以外的内容承担保证责任。

五、保证期间

保证期间是指保证人承担保证责任的起止时间。保证人只在合同约定的保证期间内承担保证责任。一般保证的保证人与债权人未在保证合同中约定保证期间的，保证期间为主债务履行届满之日起 6 个月。如果债权人在合同约定或者法律规定的保证期间内没有对债务人提起诉讼或者申请仲裁的，保证人的保证责任得以免除。连带责任保证的保证人与债权人未在保证合同中约定保证期间的，债权人应当在主债务履行期届满之日起 6 个月内要求保证人承担保证责任。如果债权人在保证合同约定的保证期间或者法律规定的 6 个月内没有要求保证人承担保证责任的，保证人的保证责任得以免除。

第三节　抵押

一、抵押的概念和法律特征

抵押，是指债务人或者第三人不转移对特定财产的占有，将该财产作为债权的担保。债务人不履行债务时，债权人有权依照法律规定以该财产折价或者以拍卖、变卖该财产的价款优先受偿。

抵押担保法律关系的当事人为抵押人和抵押权人。抵押人可以是债务人本人，也可以是债权人和债务人以外的第三人；抵押权人是主合同的债权人。抵押担保法律关系的核心是抵押权。抵押权是指因抵押担保法律关系的设立而产生的权利，其具有如下法律特征：

（一）抵押权是担保物权，具有物权的一般属性

抵押权人对抵押物享有控制、支配的权利。控制并非指实施对抵押物的占有，而是指抵押人非经抵押权人同意不得处分抵押物。支配是指债权人在债权已到受清偿的期限而未受清偿时，有权依法处置抵押物并就处置抵押物所获得的价款优先受偿。当抵押权受到第三人的侵害时，抵押权人可以适用物权的保护方法保护其权利。

（二）抵押权以特定的、可依法处分的财产为客体，并且不转移对该财产的占有

抵押物的特定性要求抵押人用以设定抵押权的财产必须是具体、明确的，并为抵押人所合法拥有的。可依法处分的财产是指依法可以转让、拍卖或者变卖的财产。若财产不能处分，抵押权就无法实现。例如，以枪支、弹药作为抵押物，抵押合同即因枪支和弹药系禁止流通物而无效，抵押权无法实现。

（三）抵押权具有追及力

追及力是物权所特有的效力，当履行债务的期限届满而债务人仍未履行债务时，抵押权人依法可以追及该抵押物行使权利，而不论该抵押物的占有状态如何。债权原则上并不具有追及力。

（四）抵押权人就抵押物依法处置所得的价款优先受偿

优先受偿是指当债务人有多个债权人时，有抵押权的债权人的债权可以优先于其他普通债权人的债权得到清偿。抵押权人就抵押物依法处置所得的价款优先受偿是保障抵押权人实现其债权的核心所在。

二、抵押的有关各方

（一）抵押人

抵押人是指为担保债的旅行而提供抵押物的债务人或者第三人。抵押人可以是自然人，也可以是法人。

作为抵押人的限制：

1. 国家机关不得为他人提供抵押；

2. 以公益为目的的事业单位、社会团体不得以其教育设施、医疗设施等设定抵押。

（二）抵押权人

抵押权人是指接受抵押物担保的债权人。抵押权人具有债权人和抵押担保物权人的双重身份。

（三）抵押物

抵押物是指债务人或者第三人用于设定抵押权的财产。

在我国，抵押物主要包括：

1. 不动产

房屋和其他地上定着物，如桥梁、大坝、林木可以抵押。设定房地产抵押必须办理抵押登记，抵押合同自登记时生效。除了现房可以抵押外，依法获准尚未建造的或正在建造中房屋或建筑物也可以抵押。但土地所有权不能抵押。

2. 动产

除了禁止流通物外，其他动产均可抵押。如机器设备、交通工具。

3. 不动产用益物权

土地使用权，以出让、划拨方式取得的国有土地使用权在经过一定的程序后可以抵押。乡（镇）、村企业的土地使用权不能单独抵押，只能与其上建筑物一并抵押。

依据《民法典》第三百九十九条的规定，不得抵押的财产包括：

1. 国有或集体土地所有权。

2. 集体土地使用权

但下列的集体土地使用权可以抵押：

（1）依法承包并经发包方同意的"四荒"（荒山、荒沟、荒丘、荒滩）土地使用权；

（2）以乡（镇）、村办企业厂房等建筑物抵押的，占有范围内的集体土地使用权一并抵押。

3. 公益法人的公益设施

公益法人以公益设施以外的财产为自身债务设抵押，抵押合同有效。但必须满足两个条件：

（1）抵押对象：公益设施以外的财产；

（2）担保债务：抵押人自身的债务。

例如，某大学向银行借款 1000 万元，以校车队所属的车辆作抵押。该抵押合同有效。

4. 所有权、使用权不明或有争议的财产

（1）按份共有人有权决定以其份额设抵押。

（2）共同共有物设抵押的，原则上应经全体共有人的同意，否则无效。

（3）部分共同共有人擅自以共有物抵押的，其他共有人明知而未持异议的，即保持沉默的，视为同意，抵押有效。

（4）以共有船舶设抵押的，须经三分之二以上份额的共有人同意。

5. 依法被查封、扣押、监管的财产。

6. 依法被确认的违法、违章建筑。

三、抵押权的实现

主合同的债务履行期届满抵押权人未受清偿的，可以与抵押人协议以抵押物折价或者以拍卖、变卖该抵押物所得的价款受偿；协议不成的，抵押权人可以向人民法院提起诉讼。抵押物折价或者拍卖、变卖后，其价款超过债权数额的部分归抵押人所有，不足部分由债务人清偿。

（一）折价方式

折价方式是指主合同的债务履行期届满后债务人不能履行债务的，由抵押权人与抵押人协商，参照市场价格将抵押物作价，将抵押物的所有权转移给抵押权人，使其债权得以实现。但应注意，抵押权人与抵押人在订立抵押担保合同时不能预先约定抵押物折价的价款额。《民法典》第四百零一条规定："订立抵押合同时，抵押权人和抵押人在合同中不得约定在债务履行期届满抵押权人未受清偿时，抵押物的所有权转移为债权人所有。"《民法典》作出这样的规定的目的，是为了使抵押人避免在订立抵押担保合同时出于急迫和无奈，以高价值的财产设定抵押权担保数额较小的债权。当债务清偿期届满抵押人不能清偿债务时，不得不按预先约定将该财产以过低的价格转移给债权人而使自身利益遭受损害。

（二）拍卖方式

拍卖方式指以公开竞争的形式将标的物卖给出价最高的买者。拍卖方式能最大限度地体现拍卖物（抵押物）的价值，对维护抵押人和债权人的利益都较为充分。抵押物的拍卖应当遵循《拍卖法》的规定。

（三）变卖方式

变卖方式是指经济活动中一般的买卖方式。变卖方式的弱点是无法真正、充分地体现抵押物的价值，且在司法实践中容易受一些非正常因素的干扰。但由于我国拍卖市场尚未发育健全，有些抵押物即使通过拍卖的方式也未能卖出。为使债权人的债权得以实现，客观上需要变卖这种方式。为了防止抵押物变卖价格过低而损害抵押人的利益，《民法典》第四百一十条规定，变卖抵押物应当参照市场价格。

【案例 5-1】

抵押合同的效力

【背景材料】

个体工商户李某想从外地购进一批服装，为筹集资金遂向其朋友张某借款 5 万元，张某碍于情面同意借给，但同时要求李某提供相应的财产作担保。李某就以自己的一幢价值 7 万元的房屋向张某设定抵押，以担保两年期的张某债权 5 万元。双方订立了书面借款合同，但就房屋抵押事项未订立书面合同。在当地房管机关办理抵押权登记时，工作人员因为疏忽也未要求他们提供书面抵押合同。两年后，借款债权到期，李某因经营亏损无法还债，张某要求实行房屋抵押权，李某则以无书面抵押合同为由主张房屋抵押合同无效。

抵押合同是否有效？

【案例评析】

由于李某与张某之间设立的抵押物是房屋，此抵押的成立必须到有关部门办理登记，登记之后抵押才能生效。在本案中就李某房屋设立的抵押合同因已办理抵押权登记，所以是合法有效的。至于李某与张某之间未就抵押事项订立书面合同，对房屋抵押权的效力并不产生影响，因此李某的主张不成立，张某仍然可以向李某主张就其房屋实现抵押权。

第四节　质押

一、质押的概念和法律特征

质押是指债务人或者第三人将其动产或者财产权利移交债权人占有，以该动产或者财产权利作为债权的担保，当债务人不履行债务时，债权人有权依法以该动产或者财产权利折价或者以拍卖、变卖该动产或者财产权利所得价款优先受偿。债权人是质权人，债务人或第三人是出质人，移交的动产为质物。

质押与抵押的最大不同点在于，抵押不转移对抵押物的占有，而质押必须转移对质物或用以质押的财产权利凭证的占有。

根据《民法典》的规定，质押分为动产质押和权利质押。质押的核心是债权人的质权。质权属于担保物权，具有如下法律特征：

1. 质权的设立以转移质押物的占有为前提。这也是质权人能够实现债权的关键所在。

2. 质押物限于动产和权利。民事权利有多种，但依法能用以质押的仅限于财产权利，如汇票、本票、支票、债券、存单以及依法可以转让的股票、股份、商标权等。非财产权利不能质押。

3. 债权人接受质押物，该质押物被债权人占有，债务人不履行债务时，债权人依法就质押物的交换价值优先受偿。

二、动产质押

（一）订立动产质押担保合同应注意的问题

1. 出质人必须依法对质物享有所有权或处分权。否则，动产质押担保合同无效。

2. 质物须系依法可以自由流转之物。《民法典》规定，动产质押的质物系可移交的动产，但对哪些动产可以作为质物并无明确规定。若当事人所约定的质物系法律所禁止或者限制流通之物，则债权就难以实现。因此，质物应以能自由流转之物为限。此外，动产质押担保合同实践中还应注意以下问题：一是应严格审查质物的完整性，是否存在法律上的瑕疵而造成处分质物时出现交易上的障碍；二是应审查质物是否为独立之物。这是因为，质押必须转移对质物地占有。如果用以质押的动产系非独立存在、难以转移占有之物，则不能作为质物。如果该动产属于主物，尚需审查该动产是否属于共有，属于共同共有的，应取得所有共有人的同意；属于按份共有的，如份额对物而言具有不可分性，也应取得所有共有人的同意。

3. 动产质押担保合同内容应完备、合法并应采用书面形式。动产质押担保合同应当包括以下内容：

（1）被担保的主债权种类、数额；

（2）债务人履行债务的期限；

（3）质物的名称、数量、质量、状况；

（4）质押担保的范围；

（5）质物移交的时间；

（6）当事人认为需要约定的其他事项。

质权人与出质人以书面形式就动产质押事宜达成协议后，动产质押担保合同成立，自质物移交质权人占有时生效。故当事人对质物移交的时间应约定明确、具体。

（二）质权人的权利和义务

1. 收取质物所生孳息的权利。《民法典》规定，质权人所收孳息应当先充抵收取孳息的费用。因此，法律赋予质权人收取质物孳息的权利是为了使其获得孳息的质权，而不是取得其所有权，质权人对质物所生孳息不能随意处分。

2. 质物有损坏或者价值明显减少的可能，足以危害质权人权利的，质权人可以要求出质人提供相应的担保。出质人不提供的，质权人可以拍卖或者变卖质物，并与出质人协议将拍卖或者变卖所得的价款用于提前清偿所担保的债权或者向与出质人约定的第三人提存。

3. 优先受偿权。优先受偿权主要表现在两个方面：一是质权人优先于普通债权人就处分质物的价款受偿；二是同一质物有数个质权人时，先设定质权的质权人优先于后设定质权的质权人就处分质物的价款受偿。

质权人依法负有以下基本义务：

1. 妥善保管质物。因保管不善致使质物灭失或者损毁的，质权人应当承担民事责任。

2. 返还质物。债务履行期届满债务人履行债务的，或者出质人提前清偿所担保的债权的，质权人应当返还质物。

三、权利质押

（一）依法可以设定质押的权利

1. 汇票、支票、本票、债券、存款单、仓单、提单

汇票是指由出票人签发的、委托付款人在见票时或者在指定日期无条件支付确定的金额给收款人或者持票人的票据。汇票分为银行汇票和商业汇票。

本票是指由出票人签发的、承诺由出票人本人在见票时无条件支付确定的金额给收款人或持票人的票据。

支票是指由出票人签发的、委托办理支票存款业务的银行或者金融机构在见票时无条件支付确定的金额给收款人或持票人的票据。

债权人接受以汇票、本票、支票设定质押的，应当审查票据所记载的内容是否符合《中华人民共和国票据法》的规定。

债券是指根据法定程序发行的、在约定期限还本付息的有价证券。《担保法》规定的债券包括国库债券、企业债券、金融债券等。

存款单是指银行等金融机构发给存款人的、证明其债权的单据。

仓单是指由仓库保管人应寄托人的请求而填发的、证明寄托人对寄托在仓库之物享有债权的单据。仓单属于有价证券。

提单是指《中华人民共和国海商法》所规定的、用以证明海上货物运输合同存在且货物已经由承运人接受或者装船以及承运人保证据以交付货物的单证。可以质押的提单主要是指可以转让的或者经法定程序后可以转让的提单。

2. 依法可以转让的股份、股票

《民法典》第四百四十三条规定："以依法可以转让的股票出质的，出质人与质权人应当订立书面合同，并向证券登记机构办理出质登记。质押合同自登记之日起生效。

股票出质后，不得转让，但经出质人与质权人协商同意的可以转让。出质人转让股票所得的价款应当向质权人提前清偿所担保的债权或者向与质权人约定的第三人提存。"

3. 依法可以转让的商标专用权，专利权、著作权中的财产权

注册商标转让权（商标注册人依法转让商标专用权的权利）和注册商标使用许可权是商标注册人享有的财产权；专利转让和专利实施许可权是专利权人所享有的财产权；著作使用权是著作权中的财产权，这几类权利可以质押。

4. 依法可以质押的其他权利

《民法典》作出此项规定为将来扩大可以质押的权利范围留下余地。

（二）权利质押担保合同生效的法定条件

权利质押担保合同应当采用书面形式。

1. 以汇票、支票、本票、债券、存款单、仓单、提单出质的，应当在合同约定的期限内将权利凭证交付质权人。质押合同自权利凭证交付之日起生效。

2. 以依法可以转让的股票出质的，出质人与质权人应当向证券登记机构办理出质登记。质押合同自登记之日起生效。

3. 以有限责任公司的股份出质的，适用公司法股份转让的有关规定。质押合同自登记之日起生效。

4. 以依法可以转让的商标专用权，专利权、著作权中的财产权出质的，出质人与质权人应当向其管理部门办理出质登记。质押合同自登记之日起生效。

第五节　留置

一、留置的概念

债权人因保管合同、运输合同、加工承揽合同等依法占有债务人的动产，债务人有权依照法律的规定留置该财产，经过一定的期限，债务人不履行债务时，得以该财产折价或者以该财产折价或者以拍卖、变卖该财产所得的价款优先受偿。

债权人就是留置权人。动产被留置的债务人就是留置人。被留置的财产就是留置物。

二、留置权的法律特征

留置权与动产质权的区别如下：

（一）发生不同

1. 留置权为法定担保物权，依照法律的规定发生，并且其发生必须具备法定条件。

2. 动产质权为约定担保物权，依当事人的设定而发生。

（二）行使条件

留置权的行使需要经过宽限期，而动产质权无此必要。

（三）消灭条件不同

1.留置权消灭的法定条件为丧失占有和债务人另行提供担保。

2.动产质权消灭的绝对原因并非质物消灭。

三、留置权人的权利

（一）收取留置财产的孳息

留置权人有权收取留置财产的孳息。收取的孳息应当先冲抵收取孳息的费用。

（二）留置权人的优先受偿权

四、留置权的实现

留置权人与债务人应当约定留置财产后的债务履行期间；没有约定或者约定不明确的，留置权人应当给债务人两个月以上履行债务的期间，但鲜活易腐等不易保管的动产除外。债务人逾期未履行的，留置权人可以与债务人协议以留置财产折价，也可以就拍卖、变卖留置财产所得的价款优先受偿。

留置财产折价或者变卖的，应当参照市场价格。

第六节　定金

一、定金的概念和法律特征

定金是指合同的当事人依照法律规定或者合同约定，由当事人一方在合同订立时或者合同订立后、履行前，按合同标的额的一定比例预先向对方支付一定数额的金钱，用以作为其履行合同的担保。定金具有以下法律特征：

1.定金是合同成立的证明。给付和收受定金的事实，是认定合同成立的依据。

2.定金具有双向担保性，即定金对主合同当事人双方互为担保。给付定金的一方不履行合同，无权请求返还定金；接受定金的一方不履行合同，应当双倍返还定金。

3.定金是一种合同履行前的预先给付，具有预付款的功能。如果合同得以正确履行，定金可充抵应付合同价款的一部分。但定金与单纯的预付款有质的区别，后者不是合同的担保形式，不具有定金的法律效力。

二、定金担保合同的成立及生效

定金担保合同系主合同的从合同，可以在主合同之外另行订立。定金担保也可以通过当事人在主合同中单列定金条款的方式约定采用。定金担保合同应以书面形式订立，约定定金的数额及交付的期限。

定金担保合同系实践合同，当事人双方依法签订合同后，必须由约定交付定金的一方当事人交付定金后合同才能生效，当事人之间的定金担保法律关系才能依法确定。

三、约定采用定金担保方式应注意的问题

《民法典》规定，定金的数额由当事人约定，但不得超过主合同标的额的 20%。

《民法典》颁布以前，我国不少法律和法规对定金担保方式都作出了规定，但极少对定金的数额进行限制。合同实践中，有的当事人对定金的数额约定得过高，如规定为合同标的额的 50% 甚至更高，收受定金的一方不履行合同的，给付定金的一方可得到双倍返还的定金数额就达到甚至超过合同的总标的额，很不合理。因此，《民法典》对定金的最高数额进行限制是必要的。

与定金担保方式相同，保证、抵押、质押等担保方式既可以通过当事人在主合同外单独订立相应书面合同的方法约定采用，也可以通过当事人在主合同中订立相应条款的方法约定采用。

思考题

1. 合同担保有哪几种主要形式？各种担保形式的特点是什么？

2. 保证人有何要求？

3. 一般保证与连带责任保证的区别？

4. 抵押担保和质押担保的区别是什么？

5. 定金的担保作用如何体现？

6. 定金的限额性及定金合同的生效条件？

7. 行使留置权应具备什么条件？留置适用于哪几种类型的合同？

第六章

合同的变更、转让和终止

【本章概要】

本章重点介绍了合同的变更、转让和终止。通过本章的学习，使学生掌握合同变更与合同转让的本质区别、合同转让的类型、合同权利义务终止的六种情形等。

第一节　合同的变更

一、合同变更的概念

合同的变更有广义与狭义之分。

广义的合同变更是指合同法律关系的主体和合同内容的变更。狭义的合同变更仅指合同内容的变更，不包括合同主体的变更。

合同主体的变更是指合同当事人的变动，即原来的合同当事人退出合同关系而由合同以外的第三人替代，第三人成为合同的新当事人。合同主体的变更实质上就是合同的转让。合同内容的变更是指在合同成立以后、履行之前或者在合同履行开始之后尚未履行完毕之前，合同当事人对合同内容的变更。应当注意的是，合同的主体变更时，一般不发生合同内容的变更，而在合同内容变更时，一般也不发生合同主体的变更。如果合同的主体与合同的内容同时发生变更，实际上已经成为一个新的合同，而不再属于合同主体变更或者合同内容变更的范畴。

《民法典》所指的合同变更是指合同内容的变更。本章所论述的合同变更也仅指狭义的合同变更，即合同内容的变更。合同变更可分为协议变更和法定变更两种类型。协议变更是指合同当事人在合意的基础上，以协议的方式对合同的内容进行变更。法定变更是指在合同成立后，当发生法律规定的可以变更合同的事由时，可根据一方当事人的请求对合同内容进行变更而不必征得对方当事人的同意。但这种变更合同的请求须向人民法院或者仲裁机构提出。

《民法典》规定，因重大误解订立的合同或在订立合同时显失公平的，当事人一方（受损害的当事人一方）有权请求人民法院或者仲裁机构变更或者撤销合同；当事人一方以欺诈、胁迫的手段或者乘人之危，使对方在违背其真实意思的情况下订立的合同，受损害的当事人一方有权请求人民法院或者仲裁机构变更或者撤销合同。

二、合同变更的特征

（一）合同非要素变更

在我国《民法典》的规定中，只有合同内容的变化才属于合同变更的范围。

合同要素的变更属于合同更改。所谓要素改变是指合同的主体、客体的改变；而所谓非要素的改变则是指标的物数量的少量增减、履行地点的改变、履行期限的顺延等。

（二）合同的变更仅指合同内容的局部变更，而不是对原合同内容的全部改变

如果合同内容已经全部发生变化，新合同全面代替旧合同，导致新旧合同丧失同一性，这就是合同更改，而非变更。

（三）合同的变更通常依据双方当事人的约定，也可以基于法律的直接规定

1. 根据当事人之间的约定对合同进行变更，即约定的变更；

2. 当事人依据法律规定请求人民法院或仲裁机构进行变更，即法定的变更。

三、合同变更的要件

合同变更需具备以下要件：

（一）合同关系存在、有效

合同变更是针对已经存在的合同的内容进行的，因此当事人之间合同关系的存在是合同变更的前提条件。没有当事人之间合同关系的存在，则不会发生合同变更问题。同时，合同变更还必须是针对已经生效且尚未履行完毕的合同，无效合同不存在变更问题。

（二）合同内容发生变化

合同内容的变化包括：标的物数量的增减；标的物品质的改变；价款或酬金的增减；履行期限、履行地点、履行方式的改变；结算方式的改变；担保的设定或取消；违约金的变更；利息的变化。例如，在某建设工程施工合同中，建设单位与承包商（某施工企业）在原合同中约定承建的工程项目是一个七层的商品住宅，后因城市规划要求，该商品住宅调整为六层，该项调整即属于合同标的的部分改变，构成合同变更。但是，如果合同标的全部改变，则不构成合同变更，而是产生了一个新的合同。如上例中，建设单位与承包商在原合同中约定承建的商品住宅因不符合城市规划要求而被取消，建设单位只能在原地建造城市公园，而承包商仍然是某施工企业，这种合同标的的完全改变不属于合同变更，而是在原合同当事人之间产生了一个新的合同。

（三）经当事人协商一致，或依照法律规定

一方当事人可以请求人民法院或者仲裁机构对重大误解或显失公平的合同予以变更。

（四）法律、行政法规对待变更合同应当办理批准、登记等手续的，应遵守其规定

四、合同变更的效力

合同变更的效力，主要包括以下几个方面：

（一）合同变更后，发生变更的合同内容将发生法律效力，原有的合同内容将失去法律效力，当事人应当按照变更后的合同内容履行。合同变更是合同内容的部分替换，其实质是以变更后的合同取代原有的合同。

（二）合同变更只对合同未履行的部分有效，对已履行的合同内容将不发生法律效力，即合同的变更没有溯及力。合同当事人不得以合同变更为由要求合同已履行的部分归于无效。

（三）合同变更不影响当事人请求损害赔偿的权利。合同变更以前，一方因可归责于自己的原因给对方造成损害的，另一方有权要求责任方承担损害赔偿责任，该权利不因合同变更而受影响，但是合同变更协议已经对受害人的损害作出处理的除外。合同变更本身给一方当事人造成损害的，另一方当事人也应当对此承担损害赔偿责任，

不得以合同变更乃是当事人的自愿而不负赔偿责任。因为，合同变更协议其性质与一般合同无异，均适用缔约过失责任或违约责任原则。

（四）主合同的变更对从合同的效力。主合同的变更必然会涉及对从合同的效力问题。如主合同附属的保证、抵押、质押合同，只要是由第三人提供的担保，主合同当事人若没有在变更协议中明确约定这些担保对变更后的合同仍然有效，则认定为不再有效。从合同的当事人是第三人的，从合同的变更应当有第三人的同意。如果没有第三人的书面同意，则该从合同对变更后的主合同不再具有效力。如果担保合同是主合同当事人之间自己订立的，当事人对担保合同没有作出变更的约定，应当认为担保合同没有变更，继续有效。

（五）当事人对合同变更的内容约定不明确的，推定为未变更。当事人对合同变更的内容应当具体、明确。如果当事人对合同变更的内容约定不明确，将导致无法有效判断当事人是否已对合同作出变更，合同变更部分也就无法履行，同时也容易导致当事人之间发生纠纷。为避免因合同变更内容约定不明确可能造成的纠纷，《民法典》规定，当事人对合同变更的内容约定不明确的，推定为未变更。

第二节　合同的转让

一、合同转让的概念及程序

（一）合同转让的概念

合同转让是指合同一方当事人将合同的权利、义务全部或部分转让给第三人的法律行为。合同的转让包括权利（债权）转让、义务（债务）转移和权利义务概括转让三种情形。合同的转让实质上是合同主体的变更或者增加，是合同法律关系主体，即合同权利义务的承担者的变化。如果是合同一方当事人将合同的权利、义务全部转让给第三人，这实际上就是该当事人退出原合同关系，而由第三人取而代之，即是合同一方当事人的变更。如果是合同一方当事人将合同的权利、义务部分转让给第三人，这实际上就是在原有合同关系之外又增加了一种合同另一方当事人与第三人（受让人）之间的新的合同关系（该合同的内容只是原合同的部分权利义务内容）。例如，在一个房屋租赁合同中，原承租人与出租人约定，承租人租赁该房屋一个楼层总共二十间房间，租期为三年，租金为每年五万元。该合同履行一年之后，承租人由于业务的萎缩，并不需要整个楼层，因此，其将楼层的一侧（十间房间）按原房屋租赁合同中规定的条件转租给第三人。这种转租行为就属于合同权利义务的部分转让，这一转让行为将在出租人和接受转租的第三人之间产生一个新的合同。该合同的内容只是原房屋租赁合同中有关楼层的一侧（十间房间）租赁的权利义务内容。如果承租人决定将该楼层按原房屋租赁合同中规定的条件全部转租给第三人，就属于合同权利义务的全部转让，接受整个楼层转租的第三人将取代原房屋租赁合同的承租人而成为该房屋租赁合同的新的承租人。

（二）合同转让的程序

合同转让涉及第三方当事人，合同转让后，原合同当事人之间的权利义务关系将发生变化。因此，合同转让应当遵循一定的程序进行。根据《民法总则》的规定，经通知债务人，债权人可以将合同的权利全部或者部分转让给第三人；经债权人统一，债务人可以将合同的义务全部或者部分转移给第三人。

二、合同债权转让

（一）合同债权转让的概念及法律特征

合同债权转让即合同权利转让，是指合同的债权人通过协议将其合同权利（债权）全部或者部分转让给第三人的行为。合同债权转让具有以下法律特征：

第一，合同债权转让不改变合同权利的内容，只是由原合同的债权人将其合同权利全部或者部分转让给第三人。

第二，合同债权转让的主体是债权人和第三人。

第三，第三人作为合同债权转让的受让人加入到原合同关系中，与原债权人共同享有合同权利。

第四，合同债权转让的方式有合同权利的全部转让和部分转让两种。

第五，合同债权转让的对象是合同权利。

（二）合同债权转让的要件

1.须以有效的合同权利为前提。债权人转让的合同权利必须是法律上认可的、具有法律效力的合同权利。

2.合同债权的债权人（让与人）应当与受让人达成合同债权转让协议。债权人与受让人之间达成合同债权转让协议是合同债权转让的法律依据。

3.合同债权转让应当通知债务人。债权人转让权利的，应当通知债务人。如果未通知债务人，该合同债权转让对债务人不发生效力。

4.债权人转让的合同权利（债权）必须是依法可以转让的合同权利（债权）。《合同法》对不得转让的合同权利做了规定：

（1）根据合同性质不得转让的合同权利主要有：①根据个人信任关系产生而必须由特定人享有的合同权利，如根据雇佣合同、委托合同产生的合同权利。②以特定的债权人为基础产生的合同权利。③从权利。从权利指附随于（从属于）主权利的权利。如因担保合同而产生的合同权利，相对于被担保的主权利而言则是从权利。该权利随主权利的转移而转移，随主权利的消灭而消灭，主权利无效，该从权利也将无效。若从权利离开主权利，其将失去意义与价值。因此，从权利不得与主权利相分离而单独转让。

（2）按照当事人约定不得转让的合同权利。根据合同自由原则，合同当事人双方可以在订立合同时或者订立合同后在合同中特别约定，禁止合同的任何一方当事人转让合同权利，只要该项约定不违反法律、行政法规的强制性规定和社会公共道德，就将产生法律效力。合同的任何一方当事人违反此类约定而转让合同权利的都将构成违约。

（3）依照法律规定不得转让的合同权利。如《担保法》规定，设定最高额抵押的合同债权不得转让。因为，最高额抵押所担保的合同债权数额在担保期间届满之前处于不确定状态，可以随时增减变动，从而导致该合同债权（权利）也处于不确定状态。因此，法律明确规定此类合同债权（权利）不得转让。

（三）合同债权转让的效力

合同债权转让后，对受让人和债务人都将产生一定的法律效力。

1. 对受让人的法律效力

受让人在合同权利全部转让的情况下，取代了原合同债权人的地位，在合同权利部分转让的情况下，受让人将享有原合同的部分合同权利，并就该部分合同权利与原合同的对方当事人确立了新的合同关系。同时，受让人取得与被转让的合同权利有关的从权利。合同的从权利是指与合同的主权利相关联，但自身并不能独立存在，而是以主权利的存在为前提条件的合同权利，其附随于（从属于）合同的主权利。如由主权利附随产生的违约金债权、损害赔偿请求权、留置权等都属于由主合同规定或者依照法律的规定所产生的债权人的从权利。这些从权利应当随主权利的转让而转让。但是，有些从权利专属于债权人自身的除外。如，在一个工程预算软件的转让合同中，预算软件开发者的人身权是不能转让的。

2. 对债务人的法律效力

（1）债务人在接到合同债权转让的通知后，债务人就有义务向接受合同权利转让的受让人履行债务。

（2）债务人对让与人（原合同债权人）的抗辩，可以向受让人主张。

（3）债务人对接受合同权利转让的受让人享有债务抵销权。债务人接到（合同）债权转让通知时，债务人对让与人（原合同债权人）另享有合同权利，并且债务人的合同权利优先于转让的合同权利到期或者同时到期的，债务人可以向受让人主张抵销。

三、合同债务转移

（一）合同债务转移的概念

合同债务转移又称为合同债务承担。其实质上就是合同义务的转移，指合同债务人将合同的义务全部或者部分转移给第三人，由第三人完全取代合同债务人的地位而向合同债权人履行合同义务或者由第三人加入合同关系成为合同债务人而向合同债权人履行部分合同义务的法律行为。

合同债务转移分为合同义务的全部转移和合同义务的部分转移。合同义务的全部转移是指合同债务人与第三人达成协议，将其在合同中的全部义务转移给第三人。合同义务的全部转移是由第三人完全取代合同债务人的地位，成为合同债务的承担者，而合同债务人退出合同关系。

合同义务的部分转移是指合同债务人将合同义务的一部分转移给第三人，由第三人履行该部分合同义务。在合同义务的部分转移情形中，合同债务人并没有退出合同关系，只是其所承担的合同义务被减轻（少）了，同时第三人将加入合同关系成为合同债务人。此时，作为合同债务人的第三人所承担的合同义务的具体数额由合同债务转移协议确定。

（二）合同债务转移的要件

合同债务转移应具备以下要件：

1. 合同债务转移须以有效的合同义务存在为前提。

2. 所转移的合同义务必须是可以进行转让的合同义务，即合同义务应具有可转让性。

3. 合同债务的转移应当取得合同债权人的同意。合同债务的转移，除合同债务人与第三人达成合同债务转移协议外，只有在取得合同债权人的同意后，才能生效。

（三）合同债务转移的效力

合同债务转移后，合同关系中合同债权人的地位并未改变，其仍然享受原有的合同权利。合同债务的转移只对第三人（合同新债务人）产生法律效力。

合同债务转移对第三人（合同新债务人）具有以下几方面的法律效力：

1. 在合同义务全部转移的情形中，合同新债务人（第三人）完全取代合同债务人的地位，由其履行全部合同义务；在合同义务的部分转移情形中，合同新债务人加入合同关系成为合同债务人，由其根据合同债务转移协议规定的数额履行部分合同义务。

2. 合同债务人转移合同义务后，合同新债务人可以主张合同原债务人对合同债权人的抗辩。

3. 合同债务人转移合同义务的，合同新债务人应当承担与主债务有关的从债务，但该从债务专属于合同原债务人自身的除外。主债务是不依赖于其他合同义务而能够独立存在的合同义务，从债务则是以其他合同义务的存在为前提条件的合同义务。从属于主债务的从债务，与主债务密切联系在一起，不能与主债务相互分离而独立存在。因此，其将随主债务的转移而一并发生转移。合同债务人在转移合同债务时即使未在合同债务转移协议中明确规定从债务的转移问题，也不影响从债务随主债务一并转移给合同新债务人。

四、合同权利义务的概括转让

（一）合同权利义务的概括转让的概念

合同权利义务的概括转让（又称为合同债权债务的概括转让），是指合同的当事人一方将其在合同中的权利和义务（债权和债务）一并转让给第三人，由第三人概括地继受这些权利和义务的法律行为。合同权利义务的概括转让一般有两种方式：一是合同转让（合同转移），二是企业合并。

（二）合同权利义务的概括转让的法律特征

合同权利义务的概括转让具有以下法律特征：

1. 合同权利义务的概括转让是由第三人取代合同当事人一方在合同关系中的法律地位，一并承受其在原合同中的权利和义务。第三人既能够享受当事人一方在原合同中的权利，又必须承担其在原合同中的义务。这实质上就是将合同转让给第三人。

2. 可以进行合同权利义务概括转让的只能是双务合同的当事人一方。由于单务合同的当事人一方只享受合同权利，另一方只承担合同义务，不存在当事人一方既享受合同权利同时又承担合同义务的情形。因此，合同权利义务的概括转让不适用于单务合同。

3. 合同当事人一方将合同权利和义务进行概括转让的，须经合同当事人另一方同意。

（三）当事人发生合并或者分立引起的合同权利义务的概括转让问题

当事人合并是指合同当事人与其他民事主体合并成为一个民事主体。当事人合并有两种形式：一种是新设合并，即由两个以上的当事人合并成为一个新的民事主体；另一种是吸收合并，即由两个以上的当事人中的一个加入另一个之中。当事人分立是指当事人由一个分割成两个或两个以上的民事主体。当事人分立也有两种形式：一是派生分立，即将原当事人的一部分分离出来，成为一个或者几个新的民事主体，而原当事人并未消灭；二是新设分立，即将原当事人分割成为两个或者两个以上新的民事主体，原当事人消灭。无论合同当事人是合并还是分立，都将引起合同权利和义务的概括转让问题。当事人合并，其合同中的权利和义务也随之合并；当事人分立，其合同中的权利和义务也随之分立。所以，当事人合并或者分立的法律后果都将直接影响合同当事人权利的行使和义务的履行，同时也将涉及合同债权人的合同权利的保护和合同利益的实现。因此，法律有必要明确规定当事人合并或者分立后对原已存在的合同中的权利和义务的概括转让问题。《合同法》第九十条规定："当事人订立合同后合并的，由合并后的法人或者其他组织行使合同权利，履行合同义务。当事人订立合同后分立的，除债权人和债务人另有约定的以外，由分立的法人或者其他组织对合同的权利和义务享有连带债权，承担连带债务。"

【案例 6-1】

该合同权利转让是否有效

【背景材料】

4 月 10 日，利民贸易公司与美林冰箱厂订立了一份电冰箱购销合同，合同约定，6 月 30 日前美林冰箱厂向利民公司交付 1000 台电冰箱，每台电冰箱价格为 1500 元，总价款 1500000 元，由利民公司到美林冰箱厂自提；合同订立后，利民厂向美林冰箱厂付定金 300000 元，余款 1200000 元于 7 月 20 日前付清。之后，利民公司得知立进综合商店欲购电冰箱，遂利民公司与立进商店订立 1000 台电冰箱销售合同，由立进商店直接到美林冰箱厂提货，每台 1600 元，总货款为 1600000 元。随后，利民公司书面通知商店直接到美林冰箱厂提货，提货时间与付款方式不变，美林冰箱厂接函后未作表示。立进商店于 6 月 30 日派车前往美林厂提货前，遭美林厂拒绝，美林厂认为合同是与利民公司订立的，只有利民公司有权提货，立进商店无权提货。因协商不成，立进商店将美林冰箱厂诉至法院，请求判令美林冰箱厂承担违约责任。

受理法院审理后查明以上事实，遂作出判决支持立进商店的诉讼请求。

【案例评析】

本案处理涉及合同权利的转让问题。

合同权利的转让，即合同权利人将自己在合同上的权利转让给第三人的行为。转让合同权利的人称为让与人，接受权利的人称为受让人。合同权利转让的主体是让与人与受让人，这种权利转让通常不影响债务人的利益，因为，合同权利转让的结果，只是债务人履行债务的对象发生了变化，而债务的内容及性质未发生变化。所以，合同权利转让只要不违反法律规定及社会公共利益，应该是允许的。但是，权利人必须将转让合同权利的事实及时地通知到债务人。因为，只有在权利人将权利转让事实及时通知债务人的情况下，债务人才能按照合同约定向受让人履行债务。为此，《民法典》第五百四十六条规定，"债权人转让债权的，应当通知债务人。未经通知，该转让对债务人不发生效力。"

在本案中，利民公司将与美林冰箱厂订立合同中的权利转让给立进商店，该转让符合合同转让的有关法律规定，是有效转让。利民公司将转让事实及时地通知了美林冰箱厂，此时，该合同权利转让即对作为债务人的美林冰箱厂发生了法律效力，美林冰箱厂应该向权利受让人即立进商店履行合同义务，向立进商店交货，而美林冰箱厂却以合同是与利民公司订立为理由，拒绝立进商店交提货，这是违反《民法典》的规定的，属违约行为，应承担违约责任。

【案例 6-2】

该合同转让协议是否已生效

【背景材料】

三林电气设备公司与华光传真机厂于 7 月订立了一份购销合同，按合同规定，三林公司向华光厂购买传真机 100 台，每台价格为 800 元；华光厂于 10 月底前将 100 台传真机送到三林公司，经验收合格后，三林公司应在收货后 10 天内将 80000 元货款一次性付清。之后，三林公司于 8 月份与海通电子商厦达成协议，由三林公司将原来与华光厂订立的购买 100 台传真机的合同转让给海通商厦，原合同的全部权利义务均由海通商厦承担。随后三林公司将合同转让之事通知了华光厂，华光厂对此未作表示。10 月底华光厂将 100 台传真机送到三林公司，三林公司向华光厂表示原来合同已转让给海通商厦，要华光厂将货直接送到海通商厦。随之华光厂将货送到海通商厦时，由于当时传真机销售疲软，海通商厦担心货物积压，影响资金周转，表示可以接受 30 台传真机，对于其余 70 台传真机不接受，遂产生纠纷。

在诉讼中，华光厂认为三林公司已将合同转让给海通公司，因此，海通公司拒绝收货属违约行为；同时华光厂还表示，三林公司转让合同之行为本公司未认可，因此三林公司应承担责任。海通公司认为，尽管本商厦与三林公司订立了合同转让协议，但是，华光厂对此未明确表示同意，转让协议无效，因此，自己拒收货物并无不妥。三林公司则认为，自己与华光厂订立的合同已转让给海通商厦，并及时通知了华光厂，自己与本案无关系。

【案例评析】

本案涉及合同权利义务概括转让的问题。

合同权利义务的概括转让是指，合同一方当事人将自己的权利义务一并转让给第三人，由第三人概括地承担这些合同权利义务。合同概括转让的结果是，原合同一方当事人退出合同关系，作为受让人的第三人成为合同关系的当事人。合同权利义务概括转让的生效，首先，要由第三人与让与人就有效合同权利义务转让达成协议，因为第三人通过合同转让成为合同的当事人，不仅享有合同权利，同时也要承担合同义务，如果第三人接受转让后不能按约履行则要承担违约责任。其次，为维护合同另一方当事人的权利，合同一方当事人在转让合同权利义务时，还必须经过另一方当事人的同意。因为，在合同权利义务概括转让时，一方当事人既转让权利，也转让义务，而义务的转让，会直接影响另一方当事人权利的实现，如果合同一方当事人为逃避债务，将合同转让给无履行能力的第三人，这将严重损害另一方当事人的利益。

在本案中，三林公司与华光厂签订的购销合同是合法有效的，对于双方当事人均具有法律约束力。三林公司与海通商厦达成的合同转让协议，是出于双方当事人的真实意思表示，因此，也是合法有效的，对双方当事人也同样具有法律约束力。三林公司在合同转让后即将转让事实通知了华光厂，华光厂未明确表示同意，此时还不能认为合同转让已经生效。但是，当华光厂将货送三林公司时，三林公司再次向其告知合同已转让给海通商厦，并要求华光厂将货送到海通商厦，这时，华光厂将货送到海通商厦的行为表明其已接受了合同转让。因此，根据《合同法》有关权利义务转让的有关规定，法院应该认定三林公司与海通商厦关于合同转让协议是合法有效的，海通商厦与华光厂成为购销合同关系，三林公司不再与原合同有关。

第三节　合同的权利义务终止

一、合同的权利义务终止的概念

（一）合同的权利义务终止的概念

合同的权利义务终止又称为合同的终止或者合同的消灭，是指因某种原因而引起的合同权利义务（债权债务）客观上不复存在。

（二）合同的权利义务终止的原因

合同的权利义务终止须有法律上的原因。法律规定的合同权利义务终止的原因一旦发生，合同当事人之间的权利义务关系即在法律上当然消灭，并不须由当事人主张。根据《民法典》第五百五十七条的规定，导致合同权利义务终止的原因主要有：

（1）债务已经按照约定履行；

（2）合同解除；

（3）债务相互抵销；

（4）债务人依法将标的物提存；

（5）债权人免除债务；

（6）债权债务同归于一人；

（7）法律规定或者当事人约定终止的其他情形。

二、债务已经按照约定履行

债务已经按照约定履行，又称为（债务）清偿。

（一）清偿的概念

清偿是指合同债务人根据法律规定或者合同约定所实施的全面地、正确地履行合同义务，使合同债权人的合同权利（合同债权）得以完全实现的行为。在正常情况下，当事人订立合同都是期望通过债务清偿来实现其交易目的。债务得到清偿后，因债务人的合同义务已经完全得到履行，债权人的合同权利已经完全实现，当事人订立合同之目的也已经完全实现，合同权利义务关系自然归于消灭。因此，清偿是债的消灭最基本、最重要、最常见的原因。《民法典》第五百五十七条规定："债务已经按照约定履行。"

（二）清偿的要件

清偿必须具备以下要件：

1.清偿人。清偿人是指由其清偿债务从而使债权得以实现的人。清偿人一般应由合同债务人为之，故合同债务人是最主要的清偿人，但清偿人不仅仅局限于债务人，债务人的债务也可以由第三人代为清偿。不过，法律对由第三人代为清偿债务人的债务有严格的限制。如，债务必须是根据合同性质可以由第三人代为清偿的债务，必须是在债权人不具有拒绝第三人代为清偿债务的特别理由的情形下方可为之等。

2.清偿受领人。清偿受领人是指受领清偿利益的人。清偿必须向有受领权的人为之，经其受领后，即发生清偿的效力，合同权利义务关系才归于消灭。清偿受领人主要是合同债权人，但为充分保护合同债权人的合同权利和合同利益，及时实现其合同债权，合同债权人以外的下列人也可以成为清偿受领人：合同债权人的代理人、破产财产管理人、收据持有人、可代位行使合同债权人的合同权利（债权）的债权人等。

3.清偿标的。清偿标的是指合同债务人按照法律规定或者合同约定应当清偿的内容。原则上，合同债务人应当按照合同约定的标的清偿。但是，如果经合同债权人同意，合同债务人也可以其他标的清偿，即代物清偿。代物清偿是指合同债权人受领他种给付以代替原合同约定之给付而使合同权利义务关系消灭的行为。代物清偿必须具备以下条件：原合同债务存在，合同债务人必须以他种给付代替原合同约定之给付，必须有当事人之间的合意，必须清偿受领人现实受领他种给付。

三、合同解除

（一）合同解除的概念及法律特征

合同解除是指合同有效成立后，在尚未履行或者尚未履行完毕之前，因当事人一方或者双方的意思表示而使合同的权利义务关系（债权债务关系）自始消灭或者向将来消灭的一种民事行为。合同解除可以分为协议解除、约定解除和法定解除。

合同解除具有以下法律特征：

1. 合同解除只适用于有效成立的合同。合同解除是使合同权利义务关系非正常消灭的一种制度，只有在合同有效成立后、尚未履行或者尚未履行完毕前，才存在合同解除问题，而对于已经成立但尚未生效的合同、无效合同、可撤销合同，不存在合同解除问题。

2. 合同解除必须具备一定的条件。依法有效成立的合同，对当事人双方均具有法律约束力，当事人双方必须严格依照合同约定享受合同权利，履行合同义务。当事人双方在没有任何法定或者约定的解除合同依据的情况下，不得随意解除合同。当事人双方必须在经其协商一致或者在具备约定的合同解除条件或者法定的合同解除条件的情况下才能解除合同。

3. 合同解除必须有解除行为。合同解除的条件只不过是合同解除的前提，《民法典》并未规定一旦合同解除条件具备，合同即当然解除。因此，当事人双方欲解除合同，必须要有解除合同的行为，即解除行为。解除行为有的是合同当事人双方的行为，如双方协商一致，合意解除合同；有的是合同当事人一方的行为，如依法或者依照合同享有合同解除权的当事人一方，在法律规定或者合同约定的合同解除条件具备时有权单方通知对方解除合同。

4. 合同解除的效力是使合同的权利义务关系（债权债务关系）自始消灭或者向将来消灭。

（二）合同解除的种类

1. 协议解除

协议解除是指合同有效成立后，在尚未履行或者尚未履行完毕之前，当事人双方通过协商，就解除合同达成一致（形成合意），使合同的权利义务关系归于消灭的行为。

协议解除实质上是当事人双方通过订立一个新合同来解除原合同，从而使原合同的权利义务关系归于消灭。我国《民法典》第五百六十二条第一款规定："当事人协商一致，可以解除合同。"大部分合同的解除都是通过当事人协商而实现的。

2. 约定解除

约定解除是指当事人双方在合同中明确约定一定的条件，在合同有效成立后，尚未履行或者尚未履行完毕之前，当事人一方或者双方在该条件成就时享有解除权，并通过该解除权的行使，使合同的权利义务关系归于消灭的行为。

约定解除的特点是当事人在合同中约定解除合同的条件，约定的条件出现时，即可行使解除权而使合同解除。约定解除属于单方解除。我国《民法典》第五百六十二条第二款规定："当事人可以约定一方解除合同的条件。解除合同的条件成就时，解除权人可以解除合同。"

3. 法定解除

法定解除是指在合同有效成立后，尚未履行或者尚未履行完毕之前，当法律规定的合同解除条件成就时，依法享有法定的合同解除权的当事人一方行使解除权而使合同的权利义务关系归于消灭的行为。

法定解除的特点是由法律直接规定解除的条件，当此种条件具备时，当事人可以解除合同。法定解除属于单方解除。

法定解除的条件（情形）：

根据《民法典》第五百六十三条的规定，有下列情形之一的，当事人依法享有法定的合同解除权，并可通过行使解除权使合同的权利义务关系归于消灭。

（1）因不可抗力致使不能实现合同目的

不可抗力是指不能预见、不能避免并且不能克服的客观情况。不可抗力往往导致合同的当事人双方不能履行合同义务，从而导致当事人双方的合同目的不能实现。不可抗力属于合同当事人双方以外的外界强制力，因不可抗力致使合同目的不能实现无法归责于合同任何一方当事人，在这种情况下合同的当事人双方均享有法定的合同解除权，任何一方当事人均有权行使解除权而使合同的权利义务关系归于消灭。当然，应注意的是，不可抗力发生后，对合同的影响程度是不一样的，有些只是暂时阻碍合同义务的履行，有些只是影响到合同部分义务的履行，对于不可抗力不能一概援引作为解除合同的条件。只有当不可抗力出现并致使不能实现合同目的时，才能援引其作为解除合同的条件，从而解除合同。

不可抗力的具体类型主要有：

第一，重大的自然灾害。如，洪水、地震、台风、海啸等。然而，人类对重大自然灾害的预见能力和克服能力在不断提高。因此，属于不可抗力的重大自然灾害的范围在不断缩小。在合同实践中，对于由重大自然灾害构成的不可抗力，当事人双方应在订立合同时在合同中事先约定其具体类型、程度（等级），以便在合同履行过程中当事人双方能够有效判断其所遇到的重大自然灾害是否属于合同约定的不可抗力，进而判断是否能够援引其作为合同解除的条件。

第二，政府行为。如，因政府颁布新的法律和行政法规、国家经济政策的重大调整、计划合同所依据的国家计划变更或者取消等。这些情况通常是合同当事人双方不能预见、不能避免并且不能克服的，而且其常常导致合同义务客观上不能履行，从而致使当事人双方的合同目的不能实现。因此，其构成不可抗力。

第三，社会突发事件。如，战争、动乱，军事冲突、军事政变等。这些情况通常也是合同当事人双方不能预见、不能避免并且不能克服的，其也常常导致合同义务客观上不能履行，从而致使当事人双方的合同目的不能实现。因此，其也构成不可抗力。

不可抗力有如下特点：

第一，不可抗力具有客观性。不可抗力属于发生在当事人双方以外的外界强制力，不以当事人双方的主观意志和愿望为转移。

第二，何种事件能够被确认为不可抗力，需要考察当事人在主观上是否尽到了应有的注意义务。凡是基于当事人以外的客观因素发生，当事人虽尽了最大努力仍不能预见、不能避免并不能克服的事件应被确认为不可抗力；而凡是基于当事人以外的客观因素发生，但当事人能够预见而没有预见到，或者是未尽最大努力克服或避免的事件，则不能构成不可抗力。

例如，在某建设工程施工合同中，承包商承包的土建工程拖期，承包商拖期的理由是因六月份遇到了连续十几天的大雨，无法施工，并认为该情况属于不可抗力。承包商以此为由，拒绝承担工程拖期的违约责任。其实，在南方梅雨季节，连续十几天的大雨并不奇怪，这是承包商应当预见到的客观情况。承包商在计算工期和编制施工组织设计时，应当考虑到这种情况并在工程进度计划和施工组织方案中作出合理安排，以避免这种情况对土建工程施工造成不利影响。因此，该情况不构成不可抗力。

（2）在履行期限届满之前，当事人一方明确表示或者以自己的行为表明不履行主要债务

这种情形属于先期违约又称为预期违约。先期违约是指在合同履行期限到来之前，一方当事人在无正当理由的情况下明确肯定地向另一方当事人表示或者以其行为表明将不履行合同的主要义务。先期违约与实际违约有所不同。先期违约表现为未来将不履行合同义务，而实际违约则是现实地违反合同义务。一般情况下，只有在合同规定的履行期限届满之后，才会存在违约的问题。但是，如果在合同规定的履行期限届满之前，债务人明确表示拒绝履行主要债务或者债权人有确凿证据表明债务人将不履行主要债务，债权人的合同期待利益（期待债权）就此丧失，该合同也相应失去了存在的意义。为此，《民法典》确立了先期违约制度，以督促当事人履行合同义务，使当事人可以从无益的合同拘束中早日解脱出来，以减少不必要的损失。

先期违约作为合同解除的法定条件必须具备以下要件：

第一，需债务人在合同规定的履行期限届满之前即通过明示或者默示作出其将违约的意思表示，亦即，债务人在合同规定的履行期限届满之前就明确表示将不履行主要债务或者以其行为表明其将不履行主要债务。

例如，某建材供应商与某承包商订立买卖合同，优惠供应一批螺纹钢。但在交付之前，供应商找到了新的买主，且出价更高。该供应商便将承包商订购的这批螺纹钢卖给了新的买主，而其仓库并无同样规格的螺纹钢库存，在这种情形下，该建材供应商实际上已经以其行为（将螺纹钢卖给新的买主）向承包商表明其在该买卖合同规定的履行期限届满之前将不履行其在该买卖合同中的主要债务，承包商基于该买卖合同的期待债权已经无法实现。因此，承包商已无再继续维持该买卖合同关系之必要，因而其可以解除合同。

第二，需存在法律规定的先期违约行为。

根据《民法典》第五百六十三条的规定，先期违约行为表现为两种形态：

1）在履行期限届满之前，合同的一方当事人向另一方当事人明确表示其将不履行合同的主要债务。这是一种明示毁约行为。

2）在履行期限届满之前，合同的一方当事人以自己的行为向另一方当事人表明其将不履行主要债务。这是一种默示毁约行为。

第三，需合同当事人一方不履行合同的主要债务。一般而言，合同当事人一方不履行合同的次要债务和附随债务，虽然会不同程度地损害合同当事人另一方的合同利益，但通常不会导致合同目的无法实现，合同当事人另一方可以通过违约方的损害赔偿得到被损害的合同利益的补偿。但是，合同的主要债务在通常情况下是与合同目的紧密联系在一起的。合同当事人一方不履行合同的主要债务，将使合同目的无法实现，英国法将这种违约后果极其严重的违约情形称为"根本违约"。因此，并非一旦合同当事人一方发生先期违约，合同当事人另一方就可以当然解除合同。只有当合同当事人一方先期不履行合同的主要债务，致使合同目的无法实现，即构成"根本违约"时，合同的另一方当事人才能享有合同解除权，并通过行使该解除权使合同的权利义务关系归于消灭。例如，在商品房买卖合同中，房屋有一定的质量缺陷，并不必然导致购房人具有解除合同、退房退款的权利。房屋有质量缺陷，只要不影响使用，开发商有义务维修，也可以折价处理或者赔偿购房者损失。只有当房屋的质量缺陷影响到房屋的结构安全，房屋不能使用时，购房者才可以解除合同，退房退款。

（3）当事人一方迟延履行主要债务，经催告后在合理期限内仍未履行

这是因合同当事人一方迟延履行合同的主要债务而导致合同另一方当事人享有合同解除权从而解除合同的情形。

合同当事人一方迟延履行合同主要债务作为合同解除的法定条件必须具备下列要件：

第一，合同当事人一方在合同规定的履行期限届满后未履行合同债务。在合同规定的履行期限届满后，合同当事人一方未按合同约定履行合同债务，即构成迟延履行。通常情形下，合同当事人在迟延一段时间后，仍然会继续履行合同债务。但如果合同当事人一方在合同规定的履行期限届满后仍未履行合同债务或者明示或者默示仍将不

履行合同债务，则其迟延履行就转化为拒绝履行，该方当事人即发生根本违约。

第二，在合同规定的履行期限届满后，合同当事人一方没有履行合同的主要债务。如前所述，合同的主要债务通常与合同目的紧密联系在一起。合同当事人一方在合同规定的履行期限届满后不履行合同的主要债务，将使合同目的无法实现。而合同当事人一方在合同规定的履行期限届满后不履行合同的次要债务或者附随债务并不必然导致合同目的无法实现，合同目的仍然有可能因合同当事人一方在合同规定的履行期限届满之前履行了合同的主要债务而得以实现，并无解除合同之必要。因此，《民法典》规定，合同当事人一方必须是在迟延履行合同的主要债务的情形下，合同的另一方当事人才有权解除合同。

第三，必须经合同当事人另一方催告，且被催告的合同当事人一方在合理期限内仍未履行合同的主要债务。合同规定的履行期限一般不会对合同当事人的期待利益产生根本影响，合同当事人一方迟延履行合同主要债务也不必然导致合同期待利益的严重丧失或者完全丧失。合同当事人一方迟延履行主要债务给合同当事人另一方造成的损失可以通过让违约方承担违约责任得到补偿。合同的解除将导致合同权利义务关系的消灭，这实际上就是消灭了当事人双方通过合同所进行的交易。如果只要合同当事人一方发生迟延履行合同债务（包括合同主要债务或者次要债务）的情形，就允许合同当事人另一方解除合同，必然会导致许多不应当或者没有必要解除的合同被解除，进而致使大量通过合同进行的交易无法有效进行，这显然违背了《民法典》鼓励市场交易、维护社会经济秩序的立法目的。因此，《民法典》规定，对于合同当事人一方迟延履行合同主要债务的，合同当事人另一方必须进行催告，并实际给予迟延履行的合同当事人一方一段合理的合同主要债务履行宽限期，使其继续准备并实际履行合同的主要债务。在宽限期届满后，若迟延履行的合同当事人一方仍不履行合同的主要债务，则其迟延履行就转化为拒绝履行，该方合同当事人即发生根本违约，在此情形下，合同另一方当事人才有权解除合同。

（4）当事人一方迟延履行债务或者有其他违约行为致使不能实现合同目的

通常情形下，合同当事人一方迟延履行债务并不必然导致合同目的不能实现，应根据时间对实现合同目的的重要性程度来判断合同当事人一方迟延履行债务是否会导致合同目的的不能实现。有些合同的履行期限（时间）对于实现合同目的至关重要，一旦合同当事人一方迟延履行合同债务，其结果将导致无法实现合同目的，严重损害合同另一方当事人的合同利益。此种情形下，合同当事人一方迟延履行合同债务的行为即构成"根本违约"，合同另一方当事人便享有合同解除权，并且这种解除权的行使无需催告。不过，当事人另一方在行使合同解除权时，应当有证据证明违约方当事人继续履行合同已无意义，或者继续履行合同将使其遭受额外损失。

例如，某单位为工程开工举行剪彩典礼，与某娱乐公司订立租赁合同租用其巨幅彩虹及气球，约定在工程开工剪彩典礼日送到。但娱乐公司因日程安排有冲突，无法将彩虹及气球在工程开工剪彩典礼日送到。据此，该单位无需催告，就有权解除与娱乐公司的租赁合同。

除了迟延履行外其他违约行为，如拒绝履行、不完全履行（部分履行）、不适当履行（履行合同不符合合同约定）、可归责于合同当事人一方的履行不能等，只要其违约后果严重，足以导致合同目的无法实现，严重损害非违约方合同当事人的合同利益，亦即构成"根本违约"，非违约方合同当事人就有权解除合同。

（5）法律规定的其他情形

对合同法定解除的条件，《民法典》除了对上述四种情形专门作出规定外，还对其他情形分别作出了规定。此类规定主要见于合同法分则中。

（三）合同解除的程序

1. 行使合同解除权的程序

（1）合同解除权的概念

合同解除权是指解除权人享有的依其单方解除合同的意思表示而使合同的权利义务关系归于消灭的权利。合同解除权在性质上是一种形成权。形成权是指权利人依自己的意思，使自己与他人之间的法律关系发生变动的权利。形成权的主要功能在于权利人可以依其单方的意思表示，使已经有效成立的法律关系得以变更或者消灭。

（2）行使合同解除权的条件

在因不可抗力致使不能实现合同目的、当事人一方先期违约等合同法定解除条件及合同约定解除条件成就时，合同当事人一方便享有依其单方解除合同的意思表示而解除合同的权利，即享有合同解除权。该方合同当事人即成为解除权人。但解除权人行使合同解除权必须及时。因为，在合同当事人一方依照法律或者依照合同享有合同解除权的情形下，若其长期不行使合同解除权，势必影响合同当事人双方权利义务关系的确定。因此，为了平衡在合同法定解除及合同约定解除过程中解除权人与不享有合同解除权的合同当事人一方的利益关系，并及时、有效地确定解除合同时合同当事人双方的权利义务关系，《民法典》对合同解除权的行使做了期限上的限制。根据《民法典》第九十五条的规定，下列两种情形下，解除权人的合同解除权消灭：

第一，若法律对合同解除权的行使期限有明确规定，或者合同当事人在订立合同时或者在合同法定解除条件及合同约定解除条件成就后对合同解除权的行使期限作了明确约定的，解除权人在该法定或者约定的合同解除权行使期限内不行使合同解除权的，该合同解除权消灭。

第二，在法律没有规定或者合同当事人没有在合同中约定合同解除权行使期限的情形下，不享有合同解除权的合同当事人一方在法律规定或者合同约定的合同解除条件成就后，享有为解除权人行使合同解除权确定一定的合理期限，并催告解除权人在该期限内行使合同解除权的权利。如果该期限届满后，解除权人仍未行使合同解除权，该合同解除权消灭。

（3）行使合同解除权的程序

无论是在合同的法定解除还是合同的约定解除的情形下，解除权人行使合同解除权都必须在法律规定或者合同约定的合同解除条件成就后，按照法律规定的程序进行。因为，合同解除条件的成就并不必然导致合同实际被解除的法律后果，这一法律后果还必须通过解除权人按照法律规定的合同解除程序，行使合同解除权来实现。《民法典》第五百六十五条对于合同法定解除和合同约定解除过程中合同解除权的行使程序作出了规定："当事人一方依照本法第五百六十二条第二款、第五百六十三条的规定主张解除合同的，应当通知对方。合同自通知到达对方时解除。对方有异议的，可以请求人民法院或者仲裁机构确认解除合同的效力。法律、行政法规规定解除合同应当办理批准、登记等手续的，依照其规定。"根据该条文的规定，合同解除权的行使程序是，当法律规定或者合同约定的合同解除条件成就时，依法或者依据合同享有合同解除权的解除权人行使合同解除权解除合同的，应当将其解除合同的意思通知合同对方当事人，一旦该通知到达合同对方当事人，合同即被解除。在解除合同的通知到达合同对方当事人后，如果合同对方当事人对解除合同持有异议的，其可以提起确认之诉，请求人民法院或者仲裁机构确认解除合同的效力。对于法律、行政法规规定解除合同应当办理批准、登记等手续的，合同当事人必须依照法律规定办理批准、登记等手续，其后解除合同的法律效力才能依法产生。此种情形下，批准、登记等手续实质上是作为解除合同的生效要件中的形式要件。

2. 合同协议解除的程序

合同的协议解除是以合同当事人双方就解除合同协商一致为前提的。合同的协议解除实质上是合同当事人双方通过订立一个新合同来解除原合同，从而使原合同的权利义务关系归于消灭。因此，合同协议解除的程序实质上就是合同的订立程序。

（四）合同解除的法律后果

合同解除的法律后果是使合同权利义务关系归于消灭。而对于合同解除之前的合同权利义务关系（债权债务关系）应当如何处理，则是合同解除过程中一个至关重要的问题。《民法典》第五百六十六条对于如何处理这一问题作出了规定："合同解除后，尚未履行的，终止履行；已经履行的，根据履行情况和合同性质，当事人可以要求恢复原状，采取其他补救措施，并有权要求赔偿损失。"根据该条文的规定，合同解除的法律后果主要有下列几种情形：

1. 如果合同当事人是在合同尚未履行之前解除合同的，合同解除的法律后果是合同当事人双方终止履行合同。

2. 如果合同已经履行了一部分或者已经全部履行，合同当事人应当根据合同履行的情况和合同的性质，分别采取以下几种措施：

（1）合同当事人可以要求恢复原状。恢复原状是指合同解除后，合同当事人应将合同的权利义务关系（债权债务关系）恢复到合同订立之前的状态。恢复原状是合同解除具有溯及力所表现出的效力。而所谓合同解除具有溯及力，是指合同解除使合同的权利义务关系溯及既往（合同成立之时）地消灭，如合同自始没有成立一样。

（2）在不能恢复原状的情况下可以要求采取其他补救措施。有些合同，在部分履行或者全部履行后，其履行后果无法恢复原状。如在分期付款的买卖合同履行过程中，因分期付款的买受人未支付到期价款的金额达到全部价款的五分之一的，出卖人可以解除合同。若买受人已经使用了合同标的物，其后果导致该标的物很难或者无法恢复原状。再如，在建设工程施工合同履行过程中，当工程建设项目的主体结构部分已经施工完成时，因发包人的严重违约行为，导致承包人行使合同解除权解除合同。但已经施工完成的工程建设项目主体结构部分是无法恢复原状的。对于这类合同，《民法典》规定，当事人可以要求采取其他补救措施。采取其他补救措施是合同解除不具有溯及力所表现出来的效力。合同解除不具有溯及力是指合同解除不发生溯及既往的效力。此种情形下合同解除只能使合同的权利义务关系向将来消灭，合同解除之前的权利义务关系仍然有效。

（3）在合同一方当事人要求恢复原状或者在不能恢复原状的情况下采取其他补救措施后，其仍有损失的，有权要求有过错的合同当事人一方赔偿损失。

四、债务相互抵销

（一）抵销的概念

抵销是指合同当事人双方相互负有给付义务，将两项债务相互冲抵，使其相互在对等额内消灭。抵销依其产生依据的不同分为法定抵销和合意抵销。

（二）法定抵销

法定抵销是指由法律明确规定抵销的构成要件，当合同当事人双方的合同交易事实充分满足抵销的构成要件时，依合同当事人一方的意思表示而发生的抵销。

法定抵销应具备以下要件：

1. 必须是合同当事人双方互负合法债务，互享合法债权。这是抵销成立的前提条件。

2. 合同当事人双方互负债务，该债务的标的物的种类、品质必须相同。

3. 必须是合同当事人双方的债务均已届清偿期。

4. 必须是合同当事人双方的债务均不属于不能抵销的债务。

因法定抵销而产生的抵销权属于形成权，其行使由抵销权人以意思表示向对方为之。抵销权人只要有抵销的单方意思表示，抵销即可生效。抵销权人主张抵销的单方意思表示应当以通知的方式告诉对方。通知自到达对方时生效。《民法典》第五百六十八条第二款规定："当事人主张抵销的，应当通知对方。通知自到达对方时生效。"另外，因法定抵销而产生的抵销权，合同的任何一方当事人均有权主张。

抵销不得附条件或者期限。因为，若抵销附条件或者附期限，将使抵销的效力不确定，这有悖于抵销的本旨，也有害于合同中对方当事人的合同利益。

对于依照法律规定或者按照合同性质不能抵销的债务，合同当事人双方不得主张抵销。依照法律规定不能抵销的债务有：因侵权行为所负之债务，法律禁止扣押的债权，合同当事人双方约定应向第三人为给付的债务。按照合同性质不能抵销的债务有：以行为为标的的合同债务，以智力成果为标的的合同债务。

（三）合意抵销

合意抵销是指经合同当事人双方意思表示一致所发生的抵销。合意抵销体现了当事人的意思自治，因此，《民法典》对合意抵销的债务的标的物种类、品质没有作强制规定。当事人之间互负债务，即使债务的标的物种类不同、品质不同，只要经双方当事人协商一致，就可以抵销。《民法典》第五百六十九条规定："当事人互负债务，标的物种类、品质不相同的，经双方协商一致，也可以抵销。"

无论是法定抵销还是合意抵销，其效力基本相同，即使合同当事人之间同等数额内的双方互负债务归于消灭。抵销是对合同债务的绝对消灭，故抵销生效后不得撤回。

五、债务人依法将标的物提存

（一）提存的概念

提存是指由于债权人的原因致使债务人无法向其交付标的物时，债务人得以将该标的物提交给有关机关保存，从而消灭合同权利义务关系的制度。目前，我国的提存机关为公证机关。

债权人对于债务人的给付负有协助和受领的义务。当债权人无正当理由拒不受领时，债务人的债务不能消灭，其时刻处于准备履行状态，对债务人有失公平。法律为结束这一不公平的状态，特设提存制度解决这一问题。

通过提存，债务人就可以将其无法给付的标的物提交给提存机关保存，以代替向债权人的给付，从而免除自己的清偿责任。债务人提存后，债务人的债务即归消灭，从而提存为合同终止的原因。

（二）提存的原因

《民法典》第五百七十条规定："有下列情形之一，难以履行债务的，债务人可以将标的物提存：

1. 债权人无正当理由拒绝受领；

2. 债权人下落不明；

3. 债权人死亡未确定继承人或者丧失民事行为能力未确定监护人；

4. 法律规定的其他情形。

标的物不适于提存或者提存费用过高的，债务人依法可以拍卖或者变卖标的物，提存所得的价款。"

（三）提存的效力

提存最根本的效力是使合同权利义务关系归于消灭。但是，由于提存涉及三方当事人，即提存人（合同债务人）、提存机关和合同债权人，因而提存的效力，亦应当分为提存于合同债务人与合同债权人之间的效力、提存于提存人与提存机关之间的效力和提存于合同债权人与提存机关之间的效力三个部分。

1. 提存于合同债务人与合同债权人之间的效力。债务人将标的物提存后，依法产生使合同债务归于消灭的效力。因此，自债务提存之日起，合同债务人的合同债务归于消灭，进而致使合同的权利义务关系归于消灭。另外，根据《民法典》第五百七十三条的规定，标的物提存后，毁损、灭失的风险由债权人承担。提存期间，标的物的孳息归债权人所有，提存费用由债权人负担。因此，标的物提存后，债务人支付利息及收取孳息的债务，也因标的物提存而消灭。附有担保的债务，其担保也因标的物提存而消灭。

2. 提存于提存人与提存机关之间的效力。提存机关负有保管提存标的物的权利和义务。提存机关应当采用适当的方法妥善保管提存标的物，以防止其毁损、灭失或者变质。对于不宜保存的提存标的物，提存领受人到期不到提存机关领取或者超过保管期限的，提存机关可以拍卖或者变卖或者通过其他方式处理该提存标的物，保存其价款。

3. 提存于合同债权人与提存机关之间的效力。《民法典》第五百七十四条规定，债权人可以随时领取提存物，但债权人对债务人负有到期债务的，在债权人未履行债务或者提供担保之前，提存部门根据债务人的要求应当拒绝其领取提存物。债权人领取提存物的权利，自提存之日起五年内不行使而消灭，提存物扣除提存费用后归国家所有。

六、债权人免除债务

（一）免除的概念

债权人免除债务简称免除。免除是指债权人单方向债务人为意思表示，抛弃其全部或者部分债权，从而全部或者部分消灭合同的权利义务关系的法律行为。债权人免除债务属于单方法律行为，是导致合同权利义务关系终止的原因之一。

（二）免除的法律特征

免除具有下列法律特征：

1. 免除是债权人处分债权的行为。因此，免除需要免除人具有处分该债权的权利能力和行为能力。无民事行为能力人或者限制民事行为能力人未征得其法定代理人同意的，不得为免除行为。

2. 免除为无因行为。免除仅依据债权人单方表示的免除债务的意思而发生法律效力。债权人免除债务人债务可能是出于不同的原因（目的、动机），如出于友情或者为达成和解等，但无论原因为何，如果原因无效或者不成立，均不影响免除的效力。

3. 免除为无偿行为。因债权人免除债务人的债务而使债务人获得利益时，债务人无须为此付出代价。

4. 免除为非要式行为。免除的意思表示不需要特定的方式，无论债权人是采用口头形式还是书面形式，也无论其是采用明示方式还是默示方式，只要债权人作出免除的意思表示，且该意思表示真实，免除均能发生法律效力。

5. 免除为单方行为。只要债权人单方向债务人作出免除债务的意思表示，免除即发生法律效力，无须征得债务人同意。

（三）免除的效力

免除的效力是导致合同的权利义务关系绝对消灭。根据《民法典》第五百七十三条的规定，债权人可以免除债务人的部分债务，也可以免除债务人的全部债务。债权人免除债务人部分债务的，债权人与债务人之间的合同权利义务关系部分消灭（终止），合同不终止。债权人免除债务人全部债务的，债权人与债务人之间的合同权利义务关系全部消灭，合同即告终止。因免除使合同债权（权利）、债务（义务）归于消灭。因此，合同债权的从权利、合同主债务的从债务也同时归于消灭。

七、债权债务同归于一人

（一）混同的概念

债权债务同归于一人，亦称为混同。混同是指债权和债务同归于一人，致使合同权利义务关系终止的法律事实。混同是一种法律事实，并不需要任何意思表示，只要债权债务同归于一人的事实存在，即发生合同权利义务关系终止的效力。因为合同是双方或者多方之间的法律行为，但是，如果因为合同当事人合并或者继承，致使原合同的债权人与债务人合为一个合同主体，则原合同的权利义务关系当然消灭，合同随即终止。

《民法典》第五百七十六条规定："债权和债务同归于一人的，合同的权利义务终止，但涉及第三人利益的除外。"

（二）混同的原因

混同的原因主要有：

1. 概括承受。这是发生混同的主要原因。例如，企业合并。企业合并，使得合并前的两个企业之间的合同权利义务关系（债权债务关系）因为同归于合并后的企业而消灭。

2. 特定承受。特定承受即债务人受让债权人的债权，债权人承受债务人的债务。此种情形下也因发生混同而使得债权人与债务人之间的合同权利义务关系归于消灭，合同即终止。

（三）混同的效力

混同的效力在于绝对地消灭合同的权利义务关系以及由合同债权（权利）所产生的从权利。但是，如果合同标的上设有第三人的权利，即使发生混同事实，合同的权利义务关系也不能归于消灭（终止）。因为，此种情形下如果允许混同消灭合同的权利义务关系，就会损害第三人的利益，故有例外。

【案例 6-3】

债的免除与抵销

【背景材料】

甲乙系朋友，二人合伙做生意。2004 年 2 月 14 日，二人在某商场购物时，正值商场开展情人节降价促销活动，乙欲为其女友购买一枚戒指，选好戒指后却发现所带钱不够，差 2000 元。甲对乙说："我给你 2000 元吧。"乙将戒指买下。但乙一直未将此 2000 元还给甲，甲碍于情面也未要求乙偿还。不久后的某一天，甲对乙说："那次的 2000 元就算送给你吧，你不用还了。"乙当即表示感谢。2005 年 3 月，甲乙之间因出现纠纷而解散合伙，在处理合伙债务时又出现争执，甲盛怒之下将乙打伤，乙为治疗花去医疗费 2200 元。乙要求赔偿，甲提出：上次在商场替你付了 2000 元款，相互抵销，我再给你 200 元了结。乙不同意，提出此款的债务已经免除，甲说我现在不愿意免除，乙说此款本来就是你说好帮我付款，是送给我的，性质属于赠与，你不愿意免除也没有关系，我不会还你的。由于甲拒绝支付乙的医疗费，乙提起诉讼，甲在诉讼中提出反诉，请求确认乙欠其债务 2000 元，并提出其已经主张此债权与欠乙的医疗费相互抵销，抵销不需要乙的同意，抵销的后果已经发生，甲仅欠乙 200 元。法院认定甲乙之间不形成赠与合同，乙本应偿还向甲的借款 2000 元，但由于甲明确放弃了债权，免除了乙的债务，故该债权债务关系已经消灭；由于甲对乙的债务为人身损害赔偿之债，而乙对甲并无与此相同的债务，故本案不适用于债的抵销。最终判决支持了乙的诉讼请求，驳回甲的反诉请求。

【案例评析】

本案涉及赠与合同、债的免除、债的抵销等问题。就赠与合同而言，其成立必须有双方的合意为前提，即赠与人同意赠与、受赠人同意接受赠与的意思表示一致。甲在商场替乙支付购买戒指的价款，只是由于乙当时忘了带钱包，无法付账，甲于此特定情形下替乙付款，其所言"我帮你付款"表明甲只是替乙付账，而非将此 2000 元赠送给乙。赠与的意思表示必须是明确的，不能推定行为人有赠与的意思表示。而本案中甲的意思表示明显地不属于赠与。从债和合同的角度分析，甲的行为属于代为清偿，该行为能够产生乙与商场购买戒指的债务消灭的后果，但在甲乙之间则形成了新的个债关系，乙为债务人，甲为债权人，乙负有偿还此债务的义务。所以，乙主张赠与是不成立的。

但是，债务可因债权人的免除而消灭。《民法典》第五百七十五条规定："债权人免除债务人部分或者全部债务的，债务债权部分或者全部终止，但是债务人在合理期限内拒绝的除外。"甲向乙表明了免除乙的 2000 元债务，该意思表示为真实的意思表示，已经向债务人作出，债务的免除是单方法律行为，只要行为人作出了意思表示，就产生免除债的效力，且不得反悔，使用禁反言的规则。甲在免除债务后又提出不愿意免除，其意思表示不能产生法律效力，双方之间的借款合同关系已经消灭。

甲致乙伤害，造成乙 2200 元的损失，在甲乙之间又形成一个债的关系，但该债不属于合同之债，而属于人身损害赔偿之债。债权债务是可以相互抵销的，但是债务的相互抵销是以互负到期债务且债务的标的物种类、品质相同为前提，并且都只能是合同之债。本案中，即使乙欠甲的 2000 元未被免除而有效，但甲欠乙的债务属于人身损害赔偿之债，两种债完全属于不同性质的，不能抵销，何况甲的债权因其免除乙的债务而已归于消灭。故法院判决甲赔偿乙的损失是适当的。

【本案启示】

合同法上的债的抵销是指基于合同关系形成的债，这是前提，合同之债与其他种类的债与侵权损害赔偿之债、不当得利之债、无因管理之债等是不能相互抵销的。在合同之债中，当债的标的物种类、品质相同时，抵消权属于法定抵消权，是形成权性质的权利，任何一方均可主张抵销，抵销的意思表示到达对方即产生抵销的效力；对于标的物种类、品质不同的合同之债，也可以抵销，但此时属于约定抵销，须双方当事人同意方可产生抵销的效力，单方的意思表示不能产生抵销的效力。

当然，在民法上，合同之外的债如果种类相同，给付内容相同，也是可以相互抵销的。例如互有致害行为，互有人身损害，形成相互的金钱赔偿之债，可以相互抵销。

免除是债的消灭原因之一，并适用禁反言原则，这于债的免除很重要。免除系单方行为，无须债务人的同意，故即使债务人未表示接受免除，同样产生免除的效力。但免除不能附条件，附条件的免除不产生免除的效力。

【案例 6-4】

合同解除能否免除有过错方的责任

【背景材料】

红云会展有限公司为准备 10 月 1 日的大型会展，于 8 月 5 日与志力工贸有限公司签订了一份购销合同，按合同约定，红云公司向志力公司购买 900 套展览办公用品，每套价格为 2000 元，共计为 1800000 元；志力公司必须在 9 月 20 日前交货等。合同订立后，由于志力公司对于组织货源过程中的困难估计不足，到 9 月 20 日仅交付 300 套展览办公用品，对于剩余的 600 套要求延期到 10 月 15 日交付，遭红云公司拒绝。红云公司一方面通知志力公司解除合同；另一方面以每套 2200 元的价格从第三方购得所需的 600 套展览办公用品，为此，多花费 120000 元。事后红云公司要求志力公司赔偿这笔额外支出的 120000 元，遭志力公司拒绝后，遂诉讼到法院。

原告认为，其与被告订立的购销合同有效，被告未能在约定的期限内履行交货义务属违约行为，为不影响大型会展活动正常进行，原告不得不以高价向第三方购得所需会展办公用品，其多支出的部分完全是由被告造成的，因此被告负有赔偿责任。被告辩称，因原告自己提出解除合同，既然原、被告合同关系已经解除，这意味着双方权利义务消灭，被告也就不再承担任何责任了。

法院审理后查明以上事实。法院认为，原、被告订立的购销合同合法有效，被告在合同规定的交货期限届满时尚有 600 套展览办公用品未能交货，已影响原告合同目的的实现，原告为不影响大型展览正常进行，向第三方高价购买所需物品是合情合理的。根据《民法典》第五百六十三条第四款和第五百六十六条之规定，判决支持原告的诉讼请求。

【案例评析】

本案处理涉及法定解除合同及解除合同后责任认定的问题。

法定解除合同是指，合同依法成立后，在尚未履行或者尚未完全履行前，法律规定的解除合同条件成就时，解除权人行使解除权使合同的权力义务消灭。根据《民法典》第五百六十三条第四款规定，"当事人一方迟延履行义务或者其他违约行为致使不能实现合同目的的"时，另一方当事人有权解除合同。在本案中，原告订购的展览办公用品是用于 10 月 1 日的大型展览活动的，具有很强的时间性，被告在合同规定的交货期限内交付而且数量占总量的三分之二，如果按照被告要求到 10 月 15 日才能全部交付，这势必影响原告预定的大型会展活动正常进行，致使原告无法"实现合同目的"，这种履行已经没有必要，因此，原告要求解除合同，其要求是合理合法的。

根据《民法典》第五百六十六条规定，"合同解除后。尚未履行的，终止履行；已经履行的，根据履行情况和合同性质，当事人可以要求恢复原状、采取其他补救措施，并有权要求赔偿"。据此，赔偿损失也是合同解除后的法律效力之一。这就表明，如果合同解除是由一方当事人的违约行为引起的，违约方对于非违约行为造成的损害，不能由于合同解除而免除其应承担的赔偿责任。在确定赔偿数额时，如果双方当事人有约定的，则应按照约定赔偿；如果双方当事人没有约定的，违约方应赔偿非违约方为正常履行合同所支出的费用。在本案中，原告为不影响预定的大型会展而向第三方购买 600 套办公用品，其价格每套 2200 元，经法院调查认为符合当时市场价，因此，原告为正常履行合同、实现合同目的而多支出的 120000 元，理应由被告承担，法院的判决并无不妥之处。

思考题

1. 在工程合同中，哪些情形属于合同变更？

2. 在施工合同的履行中，哪些因素可以构成不可抗力导致合同的解除？

3. 如果当事人在合同中约定了解除合同的条件，当该条件成就时，合同是否就自动解除？

4. 施工企业与建设单位签订了建筑工程总承包合同后，能否将合同转让？为什么？

5. 何谓标的物提存？

6. 合同转让有什么要求？

7. 合同终止的情形有哪些？

第七章

违约责任

【本章概要】
　　本章重点介绍了违约责任。通过本章的学习，使学生掌握违约责任的概念、分类、归责原则及承担方式等。

第一节　违约责任概述

一、违约责任的概念和特点

（一）违约责任的概念

违约责任，也称为违反合同的民事责任，是指合同当事人因违反合同义务所承担的责任。

当事人一方不履行合同义务或者履行合同义务不符合约定的，即构成违约行为。

我国《民法典》第五百七十七条规定："当事人一方不履行合同义务或者履行合同义务不符合约定的，应当承担继续履行、采取补救措施或者赔偿损失等违约责任。"

（二）违约责任的特点

1. 违约责任以合同有效成立为前提

若合同不成立、不生效、无效、被撤销，纵使当事人有过失，对方有损失，也不发生违约责任，应承担缔约过失责任。

2. 违约责任的产生以合同当事人不履行合同义务为条件

如果当事人违反的不是合同义务，而是法律规定的其他义务，则应负其他责任。如行为人违反了侵权法所规定的不得侵害他人财产和自身的义务，造成对他人的侵害，则行为人应负侵权责任。

违反合同义务是违约责任与侵权责任、不当得利责任、缔约过失责任相区别的主要特点。

3. 违约责任具有相对性

合同关系具有相对性，决定了违约责任的相对性。这种相对性是指违约责任只能在特定的当事人之间即合同关系的当事人之间发生。比如甲、乙之间订立了买卖合同，在甲尚未交付标的物之前，该标的物被丙损毁，致使甲不能向乙交付该标的物，甲仍然应当向乙承担违约责任，而不得以标的物不能交付是因为第三人丙的侵权行为所致为由，要求免除其违约责任。

4. 违约责任主要具有补偿性

违约责任的补偿性是指违约责任旨在弥补或补偿因违约行为造成的损害成果。违约责任主要应体现补偿性。比如约定的违约金或赔偿金不能过高，否则一方当事人有权要求法院减少数额。

作为违约金主要形式的损害补偿，应当主要用于补偿受害人因违约所遭受的损失，而不能将损害赔偿变成为一种惩罚。

5. 违约责任可以由当事人约定

违约责任尽管有明显的强制性特点，但仍有一定的任意性，即当事人可以在法律规定的范围内，对一方的违约责任作出事先的安排。

二、违约责任的分类

（一）根据违约行为的主体

1. 单方违约

单方违约是指违约是由一方当事人的行为造成的。

在单方违约的情况下，应由违约方承担违约责任。

2. 双方违约

双方违约是指双方当事人的行为都构成违约。

（二）根据违约行为所致后果的严重程度

1. 根本违约

根本违约是指一方的违约致使另一方订约目的不能实现或违约行为后果严重。

2. 非根本违约

非根本违约是指一方的违约并没有导致另一方订约目的不能实现，或者使其遭受重大损害。

根本违约和非根本违约的区别主要表现在当事人一方迟延履行债务或者有其他违约行为致使不能实现合同目的，另一方享有单方解除权；而在非根本违约的情况下，非违约方可以要求对方承担违约责任，但不能解除合同。

（三）根据违约行为发生的时间

1. 预期违约

预期违约是指在履行期限到来之前的违约。

2. 实际违约

实际违约是指在履行期限到了以后因为一方不履行或不适当履行合同义务而构成违约。

三、违约责任的归责原则

归责原则是确定行为人的民事责任的根据和标准，是贯穿整个民事责任制度并对制定民事责任规范起统帅作用的立法指导方针。归责原则直接决定着违约责任的构成要件、损害赔偿的范围、举证责任的内容和免责事由等违约责任制度的主要内容。因此，归责原则的确定，对违约责任制度的内容起着决定性的作用。

在违约责任的归责原则问题上，我国合同立法经历了一个发展过程。最早制定的《经济合同法》采用的是过错责任原则。但后来相继颁布实施的《民法通则》《涉外经济合同法》《技术合同法》都没有采用过错责任原则作为违约责任的归责原则，导致合同实践中对违约责任的归责原则产生各种不同的理解和做法。《民法典》明确规定，违约责任的归责原则上采用严格责任原则，只有不可抗力才可以免责。

《民法典》采用严格责任原则作为违约责任的归责原则，首先，有利于促使合同当事人认真履行合同义务。过去国内合同履行率不高，一些合同当事人总是绞尽脑汁寻找借口推卸"过错"，以避免承担违约责任。《民法典》采用严格责任原则作为违约责任的归责原则后，不论何种原因（除可免责原因外），只要合同当事人存在的违约行为，就必须承担违约责任。至于合同当事人与第三人之间的债权债务关系，则属于另一种法律关系，不能成为合同当事人免除违约免责的依据。其次，有利于保护受害人的合法权益。过去采用过错责任原则作为违约责任的归责原则，守约方合同当事人要承担大量的举证责任，证明违约方合同当事人既在客观上有违约行为又在主观上有过错，才能要求其承担违约责任，这不利于保护受害人的合法权益。采用严格责任原则作为违约责任的归责原则，守约方合同当事人则无须举证证明违约方合同当事人在主观上有过错。

【案例 7-1】

双方违约时如何确定各自责任

【背景材料】

大宇地板厂与端星装饰公司订立购销合同，按合同约定：大宇地板厂向端星装饰公司提供柚木地板 3000 m^2，每平方米价格 200 元，总价 60 万元；大宇厂应将地板于 5 月 4 日前送到端星公司，货到验收后端星公司将 60 万元货款一次性付清；如果大宇厂逾期交货，或者端星公司逾期付款，每逾期 1 天按货款的 20% 罚款。合同签订后大宇厂积极组织生产，由于数量较大，尽管大宇厂作了很大努力，但交货日期比合同晚了 3 天，直到 5 月 7 日才将 3000 m^2 地板送到端星公司，端星公司对地板数量、质量、规格检验后开具收条，同时支付了 24 万元，并写下还款保证，余款 36 万元于 5 月 10 日前付清。事后大宇厂多次催讨余款，但端星公司推翻了所立的还款保证，拒付货款，其理由是按合同约定，每逾期 1 天交货，按货款总价 20% 罚款，大宇厂延迟 3 天交货应罚款 36 万元，因此，对于余款 36 万元可以不必支付了。大宇厂将端星公司告到法庭，请求法院判令端星公司偿还货款 36 万元，并承担本案的诉讼费用。

法院审理查明以上事实后认为，原、被告所订立的地板销售合同，其中相互偿付违约金的比例违反有关法律规定，应确认无效，其余条款为有效。合同履行过程中，原告未按合同约定的时间交货，属违约行为；被告未按合同约定的时间付款，亦属违约行为。在法院主持下，原、被告达成以下调解协议：一、被告向原告支付剩余货款 36 万元；二、诉讼费用由原、被告各承担一半。

【案例评析】

本案处理涉及双方当事人均有违约行为时应如何确定其各自的责任。

在本案中，原、被告双方订立的地板购销合同，是双方当事人经过协商一致后达成的协议，合同对于标的的数量、质量、规格、品种、价款、交货时间及地点，以及违约责任等均有规定，合同条款比较齐全，但是，合同中有关违约责任的有关规定，明显违反国家的有关法律规定。根据最高人民法院有关司法解释，逾期交货的违约金与逾期付款的违约金，均应按逾期付款金额或逾期交货部分货款总价每日万分之三计算，据此，可以看出合同中有关相互偿付违约金比例定得过高，违反国家法律规定。

合同往往由众多条款构成，有些条款的内容能决定合同的性质和整体效力，如果这些条款无效将导致整个合同无效。例如，将法律禁止流通的毒品、枪支等作为买卖合同的标的物，属于违法行为，导致整个合同无效。但是，合同中也有一些条款具有相对独立性，与合同整体具有可分性，这部分条款被确认无效时，并不会从整体上影响合同的有效性，整个合同的效力继续存在。在这种情况下，合同部分条款无效，且不影响其他条款效力的，其他条款任然有效。因此，大宇厂与端星公司订立的合同，其中相互偿付违约金条款无效，其余条款仍然有效。

按《民法典》第五百九十二条规定："当事人双方都违反合同的，应当各自承担相应的责任"。在本案中，原告迟延3天交货属违约行为，被告收到货并出具了还款保证后未即时付清货款同属违约行为，双方应分别承担各自的违约责任，在查明事实、明确责任的基础上，在受理法院主持下，双方达成上述调解协议是可取的。

第二节　违约责任的承担

一、违约责任的承担方式

违约责任属于民事责任的一种，根据《民法典》第五百七十七条的规定："当事人一方不履行合同义务或者履行合同义务不符合约定的，应当承担继续履行、采取补救措施或者赔偿损失等违约责任。"

（一）继续履行

继续履行是指在合同当事人一方不履行合同义务或者履行合同义务不符合合同约定时，另一方合同当事人有权要求其在合同履行期限届满后继续按照原合同约定的主要条件履行合同义务的行为。继续履行作为一种违约后的补救方式。《民法典》第五百八十三条规定当事人一方不履行合同义务或者履行合同义务不符合约定的，在履行义务或者采取补救措施后，对方还有其他损失的，应当赔偿损失。因此，从上述法律规定可以看出，继续履行是合同当事人一方违约时，其承担违约责任的首选方式。

1.违反金钱债务时的继续履行

金钱债务是指合同当事人所负有的直接表现为支付货币的合同义务。当事人违反金钱债务，即发生未支付价款或者报酬的违约行为时，都应承担相应的违约责任。《民法典》第五百七十九条规定："当事人一方未支付价款或者报酬的，对方可以要求其支付价款或者报酬。"此处所谓的未支付，既包括了完全不支付也包括了不完全支付（即未按照合同约定支付价款或者报酬）。也就是说，无论是完全不支付，还是不完全支付，违约方合同当事人都应承担支付相应价款或者报酬的违约责任，守约方合同当事人都有要求违约方合同当事人支付相应价款或报酬的权利。当违约方合同当事人完全不支付时，守约方合同当事人有权要求其支付全部的价款或报酬；当违约方合同当事人不完全支付时，守约方合同当事人有权要求其支付未支付部分的价款或者报酬。

2. 违反非金钱债务的继续履行

非金钱债务是指除货币支付以外的合同义务，如，提供货物、提供劳务、完成工作等。非金钱债务不同于金钱债务，其债务标的往往更具特定性和不可替代性，所以非金钱债务的实际履行对于合同目的的实现显得更为重要。若合同当事人一方违反非金钱债务，包括不履行非金钱债务或者履行非金钱债务不符合合同约定，合同当事人另一方均有权要求其实际履行。

非金钱债务具有相当的广泛性。在合同履行过程中由于客观条件的变化，有些非金钱债务是可以实际履行的；有些则不能实际履行或者不必实际履行。具体而言，下列非金钱债务可以不实际履行：第一，法律上或者事实上不能履行的；第二，债务的标的不适于强制履行或者履行费用过高的；第三，债权人在合理期限内未要求履行的。

（二）采取补救措施

采取补救措施是指违约方合同当事人所采取的旨在消除违约后果的除继续履行、支付赔偿金、支付违约金、支付定金方式以外的其他措施。《民法通则》第一百三十四条规定的承担民事责任方式主要有：停止侵害，排除妨碍，消除危险，返还财产，恢复原状，修理、重作、更换，赔偿损失，支付违约金，消除影响、恢复名誉，赔礼道歉等。这些责任方式有些属于违约责任方式，有些则属于侵权责任方式。而《合同法》中规定的采取补救措施，通常为恢复原状，修理、重作、更换、退货、减少价款或者报酬等。

《民法典》第五百一十条规定，质量不符合约定的，应当按照当事人的约定承担违约责任。对违约责任没有约定或者约定不明确，依照《民法典》第五百八十二条的规定仍不能确定的，受损害方根据标的的性质以及损失的大小，可以合理选择要求对方承担修理、更换、重作、退货，减少价款或者报酬等违约责任。

质量是合同标的的内在素质和外观素质的综合反映，是该合同标的区别于同类另一合同标的的基本特征。质量包括产品质量、服务质量等。质量条款是合同一般应当具备的条款。当事人双方一般应在合同中就标的的质量标准和要求及履行合同时违反该标的的质量标准和要求所应当承担的违约责任进行约定。如果履行合同时当事人所交付的合同标的的质量不符合合同约定，则违约方合同当事人应当按照合同约定承担相应的违约责任。

合同当事人交付的标的的质量不符合合同约定，在合同当事人没有就此约定违约责任或者约定违约责任不明确时，可以按以下三种方式处理：第一，可以由合同当事人就违约责任协议补充。如果双方达成补充协议，违约方可依照此协议承担相应的违约责任。第二，如果合同当事人无法就违约责任条款达成协议，则可根据合同有关条款或者交易习惯就违约责任进行确定。如果能够确定，违约方则依此承担违约责任。第三，如果上述两种方式均无法确定违约责任，则受损害方可以根据标的的性质以及损失的大小，合理选择要求对方以下列方式承担相应的违约责任：修理、更换、重作、退货、减少价款或者报酬等。

合同当事人交付的标的质量不符合合同约定，在按照上述方式承担了相应的法律责任后，对方还有其他损失的，应当赔偿损失。

（三）赔偿损失

1.赔偿损失的概念

赔偿损失又称为违约损害赔偿，是指合同当事人一方因不履行合同义务或者履行合同。

义务不符合合同约定而给对方造成损失时，依法或者根据合同约定应当赔偿对方合同当事人所受损失的行为。《民法典》第五百八十三条规定，当事人一方不履行合同义务或者履行合同义务不符合约定的，在履行义务或者采取补救措施后，对方还有其他损失的，应当赔偿损失。

赔偿损失违约责任的归责原则适用严格责任原则，其构成要件只要求违约方合同当事人客观上有违约行为，而无需其主观上有过错。

2.赔偿损失金额的确定方法

赔偿损失金额的计算方法因赔偿原则不同而有所不同。

（1）完全赔偿原则下的赔偿损失金额的计算方法

赔偿损失的目的在于补偿受害人因违约方违约所遭受的损失，通过补偿使受害人的财产状况恢复到合同订立前的状态或者合同如期履行的状态。各国合同立法对违约损害赔偿往往采用完全赔偿原则。我国合同立法也采用了完全赔偿原则。《民法典》第五百八十四条规定，当事人一方不履行合同义务或者履行合同义务不符合约定，给对方造成损失的，损失赔偿额应当相当于因违约所造成的损失，包括合同履行后可以获得的利益。

（2）限制赔偿原则下的赔偿损失金额的确定方法

赔偿损失违约责任的确定适用于完全赔偿原则在于补偿受害人因违约方违约行为所遭受的损失。但为了公平地保护合同当事人各方的权益，减少交易风险，促进交易进行，有必要对完全赔偿原则的使用作出必要的限制。可预见性原则就是对完全赔偿原则的使用进行限制的原则之一。《民法典》第五百八十四条中的规定具体体现了这一原则。"当事人一方不履行合同义务或者履行合同义务不符合约定，给对方造成损失的……，但不得超过违反合同一方订立合同时预见或者应当预见到的因违反合同可能造成的损失。"

（3）经营欺诈惩罚赔偿原则下的赔偿损失金额的确定方法

《民法典》第五百八十四条规定，经营者对消费者提供商品或者服务有欺诈行为的，依照《中华人民共和国消费者权益保护法》的规定承担损害赔偿责任。经营者与消费者进行交易，应当遵循自愿、平等、公平、诚实信用的原则。国家法律保障消费者依法行使权利，维护消费者的合法权益。《中华人民共和国消费者权益保护法》第四十九条规定，经营者提供商品或者服务有欺诈行为的，应当按照消费者的要求增加赔偿其受到的损失，增加赔偿的金额为消费者购买商品的价款或者接受服务的费用的一倍。

3. 对因非违约方合同当事人没有采取适当措施致使违约所造成的损失扩大时，对扩大部分的损失违约方不予赔偿

合同责任的确定应当体现公平合理的原则。合同当事人有违约行为时，其应当承担相应的违约责任，但这并不当然意味着非违约方合同当事人在明知对方违约时没有任何义务。为了维护合同当事人双方权利义务关系的公平，法律要求在合同当事人一方违约后，非违约方合同当事人负有采取适当措施防止损失扩大的义务。如果非违约方合同当事人没有采取适当措施防止损失扩大，则其无权就扩大的损失要求违约方合同当事人赔偿。《民法典》第五百九十一条规定，当事人一方违约后，对方应当采取适当措施防止损失的扩大；没有采取适当措施致使损失扩大的，不得就扩大的损失要求赔偿。当事人因防止损失扩大支出的合理费用，由违约方承担。

合同当事人一方违约时，非违约方合同当事人应采取适当措施防止损失的扩大。对于何为措施"适当"，存在不同的观点。有的观点主张应以非违约方合同当事人在经济上是否合理来判断；有的观点主张应以违约方合同当事人是否出于善意为依据。防止损失的扩大是指合同当事人一方的违约行为已造成对方一定的损失发生，对方采取适当的措施防止损失的进一步扩大。而合同当事人一方违约时，对方履行了法定义务，采取了适当措施防止了损失的扩大，为此支出的合理费用也应当由违约方合同当事人承担。因为，无论是违约方合同当事人违约造成的损失，还是对方为防止损失扩大而采取适当措施所导致的合理费用，均因违约方的违约行为所致，理应由违约方合同当事人承担。

（四）违约金

1. 违约金的概念

违约金是指合同当事人在合同中约定或者由法律所规定的，当合同当事人一方违约时应向对方支付的一定数量的货币。

《民法典》第五百八十五条规定："当事人可以约定一方违约时应当根据违约情况向对方支付一定数额的违约金，也可以约定因违约产生的损失赔偿额的计算方法。约定的违约金低于造成的损失的，当事人可以请求人民法院或者仲裁机构予以增加；约定的违约金过分高于造成的损失的，当事人可以请求人民法院或者仲裁机构予以适当

减少。当事人就迟延履行约定违约金的，违约方支付违约金后，还应当履行债务。"

2.违约金的性质

从《民法典》第五百八十五条的规定来看，违约金属于违约责任的承担方式，违约金既具有补偿性也具有一定的惩罚性，但主要是补偿性。

3.违约金的国家干预

违约金的约定虽然属于当事人所享有的合同自由的范围，但这种自由不是绝对的，而是受限制的。

《民法典》第五百八十四条第二款规定："约定的违约金低于造成的损失的，当事人可以请求人民法院或者仲裁机构予以增加；约定的违约金过分高于造成的损失的，当事人可以请求人民法院或者仲裁机构予以适当减少。"

（1）享有增加或减少职权的机关是人民法院和仲裁机构。

（2）变更违约金的前提是当事人请求。

如果当事人没有请求，人民法院和仲裁机构都不能依照职权主动变更违约金。

4.违约金与定金

《民法典》第五百八十七条规定："债务人履行债务的，定金应当抵作价款或者收回。给付定金的一方不履行债务或者履行债务不符合约定，致使不能实现合同目的的，无权要求返还定金；收受定金的一方不履行债务或者履行债务不符合约定，致使不能实现合同目的的，应当双倍返还定金。"可见，定金也是作为承担违约责任的方式之一。

当合同当事人在合同中既约定有违约金又约定有定金时，若合同当事人一方违约，对方合同当事人如何确定违约救济手段呢？《民法典》第五百八十八条规定："当事人既约定违约金，又约定定金的，一方违约时，对方可以选择适用违约金或者定金条款。"即，允许合同当事人一方在对方违约时可以根据实际情况选择违约金或者定金作为违约方合同当事人违约责任的承担方式。一般依照非违约方的意志而选择于其最有利的一个。

二、违约责任的承担主体

（一）合同当事人双方违约时违约责任的承担

《民法典》第五百九十二条规定："当事人双方都违反合同的，应当各自承担相应的责任。"违约行为的存在是承担违约责任的必备要件。合同当事人双方均有违约的可能，因此，违约行为可以分为单方违约和双方违约，相应地，违约责任也可以分为单方责任和混合责任。单方责任是指违约一方合同当事人向守约一方合同当事人所承担的违约责任。混合责任是指合同当事人双方均违反了合同义务，各自根据其违约情况分别向对方承担相应的违约责任。从《民法典》第五百九十二条的规定来看，《民法典》对于双方违约实际上也采纳了混合责任制度。

（二）因第三人的原因造成违约时违约责任的承担

《民法典》第五百九十三条规定："当事人一方因第三人的原因造成违约的，应当向对方承担违约责任。当事人一方和第三人之间的纠纷，依照法律规定或者按照约定解决。"

《民法典》确立的违约责任归责原则为无过错责任原则，即严格责任原则。因此，只要合同当事人一方有违约行为，就要承担相应的违约责任，而对于违约方合同当事人是否存在主观上的过错和导致违约行为产生的客观原因则在所不问。也就是说，违约问题属于合同当事人之间的问题，合同当事人一方有违约行为，就应当承担相应的违约责任。合同当事人一方的违约行为即使是由于第三人的原因造成的，违约方合同当事人也应当承担违约责任。至于第三人给违约方合同当事人造成的损失如何救济，则属于另外的法律关系问题。违约责任旨在重新平衡合同当事人之间因违约而失去平衡的权利义务关系，维护非违约方合同当事人的合同利益。

当事人一方与第三人之间的关系属于合同以外的关系。合同当事人一方向对方承担违约责任，为此所遭受的损失是第三人的行为造成的。根据公平原则，该损失理应由第三人承担。从终极角度看，这也符合民事责任的过错责任原则。至于当事人一方与第三人之间的纠纷如何解决，则完全取决于当事人一方与第三人之间的法律关系，依照法律或者按照约定解决。

三、违约责任与侵权责任竞合

《民法典》第一百八十六条规定："因当事人一方的违约行为，侵害对方人身权益、财产权益的，受损害方有权选择请求其承担违约责任或者侵权责任。"这是《民法典》对违约责任与侵权责任竞合作出的规定。责任竞合是指由于某种法律事实的出现而导致两种或者两种以上的责任产生，而这些责任彼此之间是相互冲突的。违约责任与侵权责任竞合是指合同当事人一方的同一违约行为既违反了合同规定的义务而导致其必须向对方合同当事人承担违约责任，同时又侵害了对方合同当事人的人身和财产权益而导致其必须向对方合同当事人承担侵权责任。关于违约责任与侵权责任竞合时如何处理，无论是大陆法系国家，还是英美法系国家都存在不同的观点，而我国《民法典》采用了禁止竞合原则。根据该项原则，由于违约责任和侵权责任，均以赔偿损失为核心内容，因此受害方不能同时主张，而只能主张其一，以防止其不当得利。

【案例 7-2】

能否要求违约方既承担违约金又承担继续履行的义务

【背景材料】

广发公司与恒利公司于 2003 年 1 月 10 日订立钢材购销合同，按合同约定，广发公司购买恒利公司钢材 700t，每吨价格 5200 元，总价款为 364 万元，由恒利公司于 2

月 10 日送货上门；合同订立后，广发公司应于 1 月 13 日前向恒利公司预付货款 36 万元；如果任何一方违约，违约方应向对方支付违约金 10 万元。合同订立后，广发公司于 1 月 12 日向恒利公司支付了 36 万元预付款。2 月初，恒利公司表示目前钢材价格普遍上涨，要求将钢材价格每吨上调到 5700 元，否则拒绝发货。广发公司不能接受，要求按照合同确认的每吨 5200 元执行，双方交涉无果，广发公司于 2 月底到法院起诉，请求法院判令恒利公司支付违约金 10 万元，并且继续履行合同。

恒利公司辩称：自 1 月下旬以来钢材价格呈上涨趋势，按原价供应会造成亏损，本公司于 2 月份与飞虹公司订立的同类钢材销售合同即以每吨 5700 元成交的，如果坚持每吨 5200 元，对本公司显失公平。恒利公司同意解除合同，退还原告预付款，并愿按合同约定向原告支付 10 万元违约金。

法院经审理查明：原、被告订立的钢材购销合同合法有效。被告与飞虹公司订立的销售钢材合同确定价格为 5700 元，合同在履行过程中，与本案无关，但能证明被告有履行能力。被告在有履约能力的情况下，为卖得高价，拒不履行与原告订立的合同，属违约行为，应承担违约责任。法院在查明上述事实的基础上，作出如下判决：被告恒利公司继续履行合同，于本判决生效之日起 5 天内向原告交付钢材 700t；被告向原告支付违约金 10 万元。本案诉讼费由被告承担。

【案例评析】

原、被告订立的合同合法有效，原告已履行了合同规定的义务，被告应履行供货的义务，被告未能供货，其行为构成违约，当然承担相应的违约责任。在本案中，被告违约是为了追求更多的利润，也就是讲，被告与原告订立合同后又与飞虹公司订约，同类钢材每吨差价为 500 元，以 700t 计算，总价相差 35 万元，即使被告向原告承担支付 10 万元违约金，被告仍可多获 25 万元。被告为追求利润最大化，在能够向原告供货的情况下，故意违约，而与飞虹公司订立合同，以高价向飞虹公司出售钢材。被告的违约行为，损害了原告的利益，扰乱了社会经济秩序，其性质严重，因此，被告要求解除合同并承担违约金，受理法院对此不予支持是正确的，相反如果受理法院支持被告的要求，这无疑是纵容鼓励当事人为了自己的利益违反合同，这不利于维护正常的交易秩序。

法院判令被告恒利公司继续履行合同是合理、正确的。

根据《民法典》规定："当事人一方不履行非金钱债务或者履行非金钱债务不符合约定的，对方可以请求履行"。据此，非违约方有权要求违约方按照合同约定的违约义务继续履行。继续履行作为对违约方应承担的一种违约责任形式，具有其他违约责任形式不可替代的作用，它与违约金、赔偿损害等违约责任形式相比更能实现非违约方订立合同的目的，符合合同严守原则。本案原告有权要求被告按照合同约定的履行义务继续履行，以维护自己的合法权益。当然，继续履行作为对非金钱债务的一种责任形式，并非在任何情况下都能适用，其适用有一定局限性。一般讲，在以下情形，不适用继续履行的责任形式：①法律上不能履行，即在特定情形下继续履行违法法律规定，例如，当债务人破产时，如果强制其履行与债权人订立的合同，这实际上赋予了债权人优先受偿权，使其优于违约方的其他债权人受偿，这就违反了破产法的有关规定。②事实上不能履行，即由于自然的原因致使债务人不能履行合同，例如，作为买卖合同标的物的特定物，因卖方保管不妥而被损毁，虽经卖方努力却不能使被损毁的标的物复原。③债务的标的不适用强制履行，即债务的标的具有特殊性，采用强制履行，将违反合同的性质与目的，例如，对于提供劳务的合同，强迫债务人提供劳务，这将涉及人身自由，同时也无助于实现债权人的债权。④继续履行费用过高，即债务人继续履行所花的费用过高，相反，如果采用违约方承担损害赔偿的责任形式，这样既能弥补债权人的损失，同时又不高于债务人继续履行所花的费用，这样对双方都是有益的。结合本案，被告不存在上述四种不能继续履行的情形，被告之所以拒绝履行与原告订立的合同，其目的是为将同样的钢材卖给飞虹公司以获取更多的利润，被告对于与原告订立的合同是有继续履行能力的，原告有权要求被告继续履行交货义务，法院支持原告请求是合理的。

另据《民法典》规定："当事人一方不履行合同义务或者履行合同义务不符合合同约定的，应当承担继续履行、采取补救措施或者赔偿损失等违约责任"。这表明，在合同纠纷案件中，可以同时要求违约方承担支付违约金和继续履行的责任形式。因此，在本案中，受理法院的判决是合理、正确的。

第三节　预期违约与不可抗力

一、预期违约

（一）预期违约的概念

预期违约又称为先期违约，是指在合同成立并生效之后、合同履行期限届满之前，合同当事人一方在无正当理由的情况下明确肯定地向合同另一方当事人表示或者以其行为表明其将不履行合同的主要义务的行为。预期违约是违约的一种具体形态，其将构成对合同中权利人的期待的权利（期待的债权）的侵害和合同法律制度的破坏及《合同法》尊严的损害，也必将对合同交易的正常进行产生不利影响。因此，我国《合同法》设立了预期违约制度。《民法典》第五百七十八条规定，当事人一方明确表示或者以自己的行为表明不履行合同义务的，对方可以在履行期限届满之前要求其承担违约责任。

预期违约制度起源于英美法系国家，是英美法系国家在判例基础上发展起来的特有制度。该制度的设立体现了公平、效益、安全的价值目标。设立预期违约制度的目的是，使受损害方提前获得法律上的救济，防止其蒙受本来可以避免的损失。在大陆法系国家中对相关问题的救济措施通常为不安抗辩权制度。在根据大陆法系理论构筑自身合同法律体系的国家中，我国是最先引进英美法系国家的预期违约制度的国家。

（二）预期违约的特征

与一般违约（实际违约）相比较，预期违约具有以下显著特征：

第一，预期违约发生的时间是在合同成立并生效后履行期限届满之前，其发生具有预先性。而一般违约（实际违约）发生的时间则是在合同履行期限届满之后。

第二，预期违约可以分为明示预期违约和默示预期违约。明示预期违约是指在合同规定的履行期限届满之前，合同的一方当事人向另一方当事人明确表示其将不履行合同的主要义务。默示预期违约是指在合同规定的履行期限届满之前，合同的一方当事人以自己的行为向另一方当事人表明其将不履行主要义务。而一般违约（实际违约）则不存在上述分类。

第三，预期违约侵害的是合同权利人的期待的权利（期待的债权），而一般违约侵害的是合同权利人的现实的权利（现实的债权）。

（三）预期违约的构成要件

预期违约的构成要件包括：

第一，合同必须是合法有效的。这是合同履行的前提，也是承担违约责任的前提，同时也是预期违约制度存在的前提。如果合同无效，则根本不存在违约问题，当然也就不存在预期违约问题。

第二，必须发生在合同成立并生效后至合同履行期限届满之前。如果发生在合同履行期限届满之后，则属于实际违约。

第三，必须有表明当事人不履行合同义务的事实发生。这种事实可以是在合同规定的履行期限届满之前，合同的一方当事人向另一方当事人明确表示其将不履行合同的主要义务，也可以是在合同规定的履行期限届满之前，合同的一方当事人以自己的行为向另一方当事人表明其将不履行主要义务。

（四）预期违约的法律责任

预期违约作为违约的一种具体形态，其发生将构成对非违约方合同当事人的期待权利（期待的债权）的侵害。因此，我国《民法典》赋予非违约方合同当事人要求发生预期违约行为的合同当事人一方承担违约责任的权利，即《民法典》第五百七十八条规定："当事人一方明确表示或者以自己的行为表明不履行合同义务的，对方可以在履行期限届满之前要求其承担违约责任。"

二、不可抗力

（一）不可抗力的概念

关于不可抗力的具体含义，主要有三种学说：主观学说认为，不可抗力是当事人主观上虽然已尽最大程度的注意，但仍不能防止其发生的事件；客观学说认为，不可抗力是与当事人的主观因素无关，而发生在当事人以外的、非通常发生的事件；折中学说认为，主观学说和客观学说均具有片面性，对不可抗力的判断应采用主客观标准，即同时考虑主观因素和客观因素。

我国《民法通则》第一百五十三条规定，不可抗力是指不能预见、不能避免并不能克服的客观情况。《涉外经济合同法》第二十四条第三款规定，不可抗力事件是指当事人在订立合同时不能预见、对其发生和后果不能避免并不能克服的事件。上述定义基本上采纳了折中学说观点，体现了主观标准与客观标准的统一。《民法典》完全采纳了《民法通则》中的不可抗力定义。

（二）不可抗力的构成要件

根据《民法典》第一百八十条的规定，不可抗力的构成要件为：

1. 事件的发生是合同当事人双方订立合同时不能预见的；

2. 事件的发生是合同当事人双方尽到了最大程度的努力仍不能避免的；

3. 事件所造成的损害后果是合同当事人双方尽到了最大程度的努力仍不能克服的；

4. 事件发生在合同履行期间。

（三）不可抗力为违约责任的免责事由

不可抗力常常导致合同当事人无法按照合同的约定履行合同义务，即导致合同当事人发生事实上的违约。但是，在这种情形下，如果让合同当事人因自己主观上不能预见、客观上不能避免并不能克服的事件导致的违约承担违约责任，显然是不公平的。因此，世界各国民事立法大都将不可抗力作为违约责任的免除条件或者免除事由之一。

我国《民法典》第五百九十条规定，因不可抗力不能履行合同的，根据不可抗力的影响，部分或者全部免除责任。但法律另有规定的除外。

（四）合同当事人迟延履行合同义务后发生不可抗力的，不可抗力不能为违约责任的免责事由

《民法典》第五百九十条规定："……。当事人迟延履行后发生不可抗力的，不能免除责任。"不可抗力只有发生在合同履行期间，才能被援引作为免除合同当事人违约责任的事由。而在合同当事人迟延履行合同义务后发生不可抗力导致合同当事人不能履行合同义务从而构成违约的，不可抗力则不能作为违约责任的免责事由。合同当事人迟延履行合同义务本已经构成违约，因而合同当事人迟延履行合同义务后发生的不可抗力与其迟延履行合同义务的违约行为之间便具有因果联系。因为，假如合同当事人未迟延履行合同义务，则不可抗力的发生不会导致合同义务不能履行。因此，这种情形下，不可抗力不能作为违约责任的免责事由。

（五）发生不可抗力后合同当事人的通知义务

《民法典》第五百九十条规定："当事人一方因不可抗力不能履行合同的，应当及时通知对方，以减轻可能给对方造成的损失，并应当在合理期限内提供证明。"设立该项义务的目的，是使对方合同当事人知道不可抗力的发生以及合同义务因此不能履行的事实，从而使其能够及时采取措施减少因合同义务不能履行而造成的损失。

【案例 7-3】

预期违约

【背景材料】

甲公司与乙公司签订了一份冰箱买卖合同，约定乙于合同订立后 30 日内向甲出售 100 台冰箱，每台单价 1000 元，乙负责代为托运，交货地点为甲公司所在地，甲于货到后立即付款。乙于合同订立后第 10 天发出了该 100 台冰箱。甲公司由于发生资金周转困难，于冰箱发出的当日电话向乙表明自己将不能付款。乙于是寻找新的买家，并于 3 天后与丙（丙与甲同处一地）签订了该 100 台冰箱的购销合同，合同约定：丙买下 100 台托运中的冰箱，每台单价 900 元，丙于订立合同时向乙公司支付 10000 元定金，在收到货物后 15 天内付清全部货款；如有违约，违约方应承担合同总价款百分之二十的违约金。乙公司同时电话告知甲解除其与甲签订的合同。运输公司在运输过程中于冰箱托运后的第 4 天遇上泥石流，30 台托运中的冰箱收到浸泡而损毁。丙于冰箱托运后第 5 日收到 70 台完好无损的冰箱，丙以其未能如约收到 100 台冰箱为由拒绝向乙付款，并主张乙双倍返还定金并支付违约金。

【案例评析】

本案需要探讨的问题包括：乙在与甲的合同履行期届满前主张解除合同是否有合法依据？在此解除合同的情形下，乙是否可以向甲主张违约责任？遭遇泥石流而损毁的冰箱的损失应由谁承担？丙的主张能否得到支持？

首先，在甲乙之间的买卖合同中，甲于合同履行期间届至前即明确表示不能履行合同，此时乙享有选择权，既可以等待合同履行期限届至时向甲追究违约责任，也可以根据《民法典》第五百六十三条和第五百七十八条的规定，行使解除权解除合同，同时主张甲的违约责任，因为甲的行为已经构成预期违约，且属于明示的预期违约。

其次，在乙与丙之间的买卖合同中，标的物冰箱因遭遇不可抗力（泥石流属于不可抗力中的自然灾害）而有 30 台损毁，此项损失即属于买卖合同中的风险，它不可归责于任何一方当事人。由于乙丙之间的买卖合同属于出卖交由承运人运输的在途标的物，即所谓的路货交易，其风险转移规则依据《民法典》第六百零六条的规定，不适用于交货转移风险规则，而是自买卖合同成立时风险即转移至买受人，由买受人承担风险，除非当事人另有约定，而本案中并无此约定，故损毁的 30 台冰箱损失应当由买受人即丙承担。

再次，由于标的物的部分损毁系由不可抗力所致，出卖人不构成违约，乙不承担违约责任，故丙不能要求乙双倍返还定金。即使不是由于不可抗力而导致标的物的损失，乙构成违约，在买卖合同既约定了定金罚则又约定了违约金的情况下，丙也只能在定金罚则和违约金中选择其一适用，而不是同时主张。另有一点需要指出的是：如果甲乙之间的买卖合同未发生甲预期违约的情况下，或者在甲发生预期违约而乙选择等待履行期届至再追究甲的违约责任下，而不是像现在这样选择提前解除合同，则标的物在运输途中发生的危险，应当由甲公司承担，因为甲乙之间已经明确约定交货地点为甲公司所在地，货物运抵前交付未完成，风险未转移，仍由出卖人甲承担。此时不能适用《民法典》第六百零七条和第六百零三条的规定，将风险视为标的物交付给第一承运人时转移，因为此两条规定适用的前提是当事人未约定交付地点或约定不明，而本案中甲乙的买卖合同明确约定了交付地点。

【案例 7-4】

因不可抗力事件不能履行合同能否免责

【背景材料】

浙江奉昌水泥厂与杭州天成建筑公司 6 月 15 日订立一份水泥购销合同，根据合同约定，奉昌水泥厂应于 8 月 1 日到 8 月 5 日前向天成建筑公司提供 70t 水泥，由奉昌水泥厂派车运到天成公司，天成公司验收合格后付款。8 月 1 日奉昌水泥厂所在地区遭雷电袭击，致使当地发生大面积停电，电力部门全力抢修直至 8 月 9 日才恢复通电。停电期间奉昌水泥厂被迫停产，8 月 2 日奉昌水泥厂将断电停产情况告知天成公司，表示一旦电网恢复供电将立即安排生产，尽早发货。8 月 9 日恢复后，奉昌水泥厂积极安排生产，于 8 月 12 日将生产的 70t 水泥送往天成公司。由于奉昌水泥厂水泥未能在 8 月 5 日前送到，致使天成公司停工待料，造成经济损失 5 万元。天成公司要求奉昌水泥厂赔偿损失 5 万元，并将奉昌水泥厂告到法院。奉昌水泥厂辩称，其未按合同规定时间送货系雷电击坏当地供电系统，致使本厂停工，无法生产，属于不可抗力；而且在停电情况发生后已及时告知天成公司，因此，可以不承担赔偿责任。

受理法院查明上述事实后认为，原、被告签订的水泥购销合同合法有效。被告未能及时履行供货义务，并非自己不愿履行，而是由于该地区供电系统遭雷电袭击损坏被迫停产，致使被告无法生产，且被告在合同履行期间已将上述情况及时告知原告，根据法律规定，被告属不可抗力不能履行合同，应予免除责任，故驳回原告诉讼请求。

【案例评析】

本案涉及因不可抗力不能履行合同免责的问题。

不可抗力是指不能预见、不能避免并不能克服的客观情况。由于不可抗力属于合同当事人意志不能控制的情况，各国法律一般都将不可抗力作为不能履行合同的免责事由。当然，构成不可抗力应符合一定的条件，即在订立合同时，在现有的科学技术条件下，以一般社会公众的预见能力为标准来衡量，对事件的发生无法预见；当这种事件发生后，合同当事人竭尽全力，仍无法正常履行合同，无法克服事件造成的损害后果。因此，《民法典》第五百九十条规定："因不可抗力不能履行合同的，根据不可抗力的影响，部分或者全部免除责任，但法律另有规定的除外"。在本案中，被告所在地区电网因雷击无法供电，致使被告停产，因此，被告未能在合同约定的期限内交货，符合因不可抗力不能履行合同的免责事由。

同时《民法典》第五百九十条还规定："当事人一方因不可抗力不能履行合同的，应当及时通知对方，以减轻可能给对方造成的损失，并应当在合理期限内提供证明"。因为，当事人一方因不可抗力不能正常履行合同，这势必影响合同另一方合同权利的实现，因此，法律规定发生不可抗力事件的一方不能履行合同必须及时通知另一方当事人，另一方当事人可采取适当措施以减轻自己可能受到的损害。如果发生不可抗力的一方未尽通知义务，致使对方损失，则发生不可抗力一方因未尽通知义务对对方损失承担赔偿责任。在本案中，原、被告订立的合同有效，各方应当按约履行自己的义务。如果被告未发生不可抗力事件，被告完全可以在合同约定时间内交货，也不会发生迟延履行。被告发生不可抗力事件后，在合同履行期限内及时通知了原告，这可视为被告已经尽了"通知义务"之义务，应当免除责任，即使原告因此受到损失，被告也不承担赔偿责任。

思考题

1. 违约责任有哪些特点？

2. 《民法典》适用的违约责任归责原则是什么？其意义何在？

3. 违约责任的承担方式主要有哪些？

4. 在合同中当事人既约定有违约金又约定有定金的，应如何确定违约救济手段？

5. 什么是预期违约？预期违约和实际违约有何区别？

6. 发生不可抗力是否可以追究当事人的违约责任？

第八章

合同纠纷的处理

【本章概要】

本章重点介绍了合同纠纷的处理方式。通过本章的学习，使学生掌握合同纠纷处理的四种方式：和解、调解、仲裁和诉讼等。

第一节　合同纠纷的产生原因

合同纠纷，是指合同当事人之间对合同履行状况和合同违约责任承担等问题所产生的争议。

对合同履行状况所发生的争议，一般是指合同当事人之间对合同是否已经履行、履行是否符合合同约定等问题所产生的意见分歧。对合同违约责任承担所发生的争议，则是指合同当事人之间就违约责任应由哪一方合同当事人承担和应当承担多少所产生的意见分歧。合同有效成立后，合同当事人就必须全面履行合同中约定的各项义务。但是，在合同履行过程中，常常由于下列原因，导致合同当事人之间产生纠纷。

一、合同形式选择不当

《民法典》第四百六十九条规定："当事人订立合同，可以采用书面形式、口头形式或者其他形式。"口头合同虽然具有简便、迅速、易行和缔约成本低等优点，但也有口说无凭、不易分清合同责任、举证困难、容易产生纠纷等缺点。与口头合同相比较，书面合同虽然具有形式复杂和繁琐、便捷性差、缔约成本高等缺点，但其也有安全、有凭有据、举证方便、不易发生纠纷等优点。因此，当事人在订立合同时，应根据合同标的的性质和特点，合同的权利义务内容，合同交易目的、性质和特点等选择适当的合同形式，才能有效地避免合同纠纷的发生。如，建设工程施工合同按照合同计价方式的不同就可以分为固定价格合同、可调价格合同和成本加酬金价格合同。在订立建设工程施工合同时，当事人应根据工程规模大小、工期长短、造价的高低、工程复杂程度、当事人双方的风险承担能力和风险管理水平等多种因素，经过综合分析后，选择适当的合同形式。如，对工期长、造价高、工程复杂程度高、风险因素及其他难以控制的各种相关因素多的工程，若选择固定价格合同，就有可能在合同履行过程中因各种因素的变化和影响导致承包商工程建设施工成本上升，进而难以按照合同规定的固定合同价格完成工程；而固定价格合同却恰恰要求承包商必须按照合同中规定的固定价格完成合同规定的工程内容。因此，这种矛盾常常导致业主和承包商在合同价格调整及工程价款支付等方面的问题上产生合同纠纷。

二、合同主体的缔约资格不符合规定

根据《民法典》的规定，合同当事人可以是自然人、法人或者其他组织，当事人订立合同，应当具有相应的民事权利能力和民事行为能力。此所谓当事人订立合同必须具备的基本主体资格。此外，法律、法规，对不同专业领域、针对不同交易类型的具体合同的当事人的缔约资格，也作出了相应的具体和特殊规定。如《建筑法》对建筑施工企业、建设工程勘察单位、建设工程设计单位和工程建设监理单位等作为建设

工程施工合同，建设工程勘察、设计合同，建设工程委托监理合同的当事人的缔约资格作了具体和特殊规定，这些单位除具备企业法人资格外，还必须按照其拥有的注册资本、专业技术人员、技术装备和已完成的建筑工程经营业绩等条件，将其划分为不同的资质等级，经资质审查合格，取得相应的资质等级后，方可在其取得的相应资质等级许可的范围内从事建筑活动，订立有关建设工程合同。"资质等级"实质上就是对从事建筑活动的企业和单位在订立建设工程合同的过程中作为合同当事人的缔约资格的特殊规定。但是，当前一些从事建筑活动的企业或单位，超越资质等级或无资质等级承包工程，造成建设工程合同主体缔约资格不符合有关法律、法规的要求，进而导致这类合同在履行过程中常常因为合同当事人的缔约资格不符合法律、法规的规定而致使合同无效或者被撤销、被变更，并在相关合同问题的处理、合同无效或者被撤销后的法律后果责任的承担方面产生严重的合同纠纷。

三、合同条款不全，约定不明确

在合同履行过程中，由于合同条款不全、约定不明确而引起合同纠纷是相当普遍的现象。因此，合同条款不全、约定不明确是造成合同纠纷最常见、最主要的原因。当前，一些缺乏合同意识和不善于运用法律手段保护自身权益的当事人，在谈判或者签订合同时，认为合同条款太多、事无巨细显得过于繁琐且没有必要，从而造成合同缺款少项；一些合同虽然条款比较齐全，但其内容约定得过于原则，不具体、不明确，从而导致合同履行过程中由于合同当事人无法有效履行合同而产生纠纷。例如，在建设工程施工合同签订时，合同当事人选择了固定价格合同形式，但在合同价格条款中，当事人只约定了合同价格采用固定价格，即通常所谓的合同价格"一次包死"，但却不具体约定"包死"的范围，导致承包人无法确定其承担的合同价格风险究竟有多大。而在合同履行过程中，一旦发生承包人自己认为难以承受的风险并致使其认为该风险不在"包死"的固定合同价格范围之内，承包人通常会要求发包人调整合同价格以补偿其风险损失。但因合同价格为固定价格不允许调整，因而在这种情形下，合同当事人之间在合同价格问题上发生纠纷就是很自然的事情了。

四、草率签订

合同一经签订，便在当事人之间产生权利义务关系，只要这种关系满足法律的要求，即成为当事人之间的法律关系。当事人在合同中的权利将受到法律保护，义务将受到法律约束，此所谓"合同即法律"。但是，在合同实践中，一些合同当事人由于法制观念淡薄、法律知识欠缺、合同法律意识不强等原因，对合同法律关系缺乏足够的、明确的认识，签订合同不认真，履行合同不严肃，导致合同纠纷不断发生。例如，在签订建设工程施工合同时，发包人在对承包人的资质、业绩、资产状况、商业信誉等还不十分了解的情况下，就匆忙将工程发包给承包人，并与其签订合同；或者承包人在对工程发包人的建设资金落实情况、资信状况等尚不十分清楚的情形下，就草率的承接工程并与发包人签订合同。这些匆忙草率签订合同的行为，常常给未来的合同履行埋下纠纷的种子。

五、缺乏对违约责任的具体规定

违约责任指合同当事人不履行合同义务或者履行合同义务不符合合同约定时所应当承担的民事责任。作为合同的重要条款之一，违约责任条款是每一个合同都应当具备的条款。《民法典》对合同违约责任的归责原则、承担违约责任的方式等作了具体规定。当事人订立合同时，应尽可能详细、全面地针对合同交易过程中各种可能的违约情形具体、明确地约定违约责任，包括违约行为的具体描述、违约责任的归属、承担违约责任的方式、违约责任程度或者确定违约责任大小的方式等。例如，当事人在订立合同时，对某种违约行为约定采用违约金作为违约责任的承担方式，那么，当事人则应当在合同中明确、具体地约定该种违约行为的具体表现、违约金的具体数额或者比例的大小或者确定因违约方违约所造成的损失赔偿额的计算方法等。否则，在合同履行过程中，一旦出现当事人违约的情形，当事人双方就可能对是否发生违约、违约方应该支付多少违约金等违约责任的确定、归属和承担等问题产生纠纷。如，在订立建设工程施工合同时，当事人双方只在合同中约定承包人不能按合同约定竣工应当承担违约责任，但没有具体约定承包人每延误一天工期应支付给发包人多少违约金，或者承包人每延误一天工期给发包人造成的损失赔偿额如何计算。而一旦承包人不能按期竣工，就可能造成合同双方当事人在违约金的具体数额问题上产生纠纷。

综上所述，合同纠纷的成因是错综复杂的，但绝大多数合同纠纷是合同当事人的主观原因所造成的。为了有效预防或者避免合同纠纷，就要求合同当事人不断增强合同意识、增强运用法律手段保护自身权益的意识及能力，尽可能控制导致合同产生纠纷的因素的影响，把合同纠纷控制在最低范围内。

在合同履行过程中，合同当事人之间发生纠纷是正常的，通常情况下也是不可能绝对避免的。但是一旦发生合同纠纷，当事人双方就应当采取积极有效的办法解决纠纷，以有效调整和重新平衡当事人之间因为纠纷而失去平衡的合同权利义务关系，有效地维系合同关系，确保合同当事人双方合同目的的实现。

根据《民法典》的规定，合同纠纷的解决方式有和解、调解、仲裁和诉讼。

第二节　合同纠纷的和解与调解

和解与调解是解决合同纠纷的重要、常用和有效方式。国内相关法律对这两种方式都作出了规定。《民法典》第二百三十三条规定，物权受到侵害的，权利人可以通过和解、调解、仲裁、诉讼等途径解决。《仲裁法》第四十九条规定，仲裁庭在作出裁决前，可以先行调解。《民事诉讼法》第九十三条规定，人民法院审理民事案件，根据当事人自愿的原则，在事实清楚的基础上，分清是非，进行调解。

一、和解

（一）和解的概念与特征

和解是指合同当事人之间发生纠纷后，在没有第三方介入的情况下，合同当事人双方在自愿、互谅的基础上，就已经发生的纠纷进行商谈并达成协议，自行解决纠纷的一种方式。

和解具有以下特征：

1. 和解是合同当事人双方在自愿、友好、互谅的基础上进行的。和解过程没有第三方介入，不伤害合同当事人双方的感情，有利于维系和发展双方基于合同而产生的合作关系。经过协商达成的解决纠纷的协议，合同当事人双方一般也能自觉遵守。

2. 和解的方式和程序十分灵活。与仲裁和诉讼不同，和解通常没有确定的方式和严格的程序，合同当事人双方在不违反法律的前提下，可以根据实际需要以多种方式进行磋商，以使纠纷得到灵活的解决。

3. 和解能够节省开支和时间，使合同纠纷得到经济、快速的解决。由于和解不需要经过严格的程序，而是由合同当事人双方根据纠纷的具体情况自主进行，这可以节省因第三人介入纠纷解决过程而必须产生的费用（如仲裁费用、诉讼费用和律师费用等）。另外，和解不必经过严格的程序，也节约了因程序问题而耗费的时间。

由于和解具有上述特征，因而在合同实践中，产生纠纷的合同当事人双方往往愿意首先采用和解的方式解决纠纷。特别是互有诚意的合同当事人双方，在合同纠纷发生后，通常都愿意首先采用和解方式解决纠纷，双方在互谅的基础上，友好协商，相互作出一些让步，各自分担一些损失，使纠纷得到解决。

和解具有以下优点：

1. 简便易行。和解只需发生纠纷的合同当事人双方进行协商，不需要任何第三方介入，协商的方式、地点和时间，双方可以自行决定，因而十分方便。

2. 有利于加强合同当事人双方之间的协作。合同当事人双方选择和解方式解决纠纷，在自愿协商的过程中会增强对对方的理解，而采取互谅、互让的态度，不仅不会使双方之间的纠纷激化，反而有利于巩固双方之间的协作关系，增强彼此之间的信任感。

3. 有利于合同的顺利履行。由于和解解决纠纷的协议是在合同当事人双方自愿协商的基础上形成的，因而双方一般都能自觉遵守并执行，使合同纠纷得以顺利解决，从而有利于合同的顺利履行。

（二）和解的局限性

和解所达成的协议能否得到切实有效的遵守和执行，完全取决于发生纠纷的合同当事人双方的诚意和信誉。如果在双方达成和解协议之后，一方反悔，拒绝履行应尽的义务，和解协议就成为一纸空文。而且在合同实践中，当导致合同纠纷的争议标的金额巨大或者纠纷双方分歧严重时，要通过协商达成和解协议是比较困难的。同时，由于和解协议缺乏受法律约束的强制履行效力，因而和解方式有其自身的局限性。鉴于此，我国法律既重视和解在解决合同纠纷方面的积极作用，同时又未将其作为惟一的合同纠纷解决方式，而是允许发生纠纷的合同当事人在通过和解解决纠纷无效时，可以通过调解、仲裁或诉讼方式解决纠纷。

二、调解

（一）调解的概念与特征

调解是指合同当事人于纠纷发生后，在第三者的主持下，根据事实、法律和合同，经过第三者的说服与劝解，使发生纠纷的合同当事人双方互谅、互让，自愿达成协议，从而公平、合理地解决纠纷的一种方式。

调解具有以下特征：

与和解相同，调解也具有方法灵活、程序简便、节省时间和费用、不伤害发生纠纷的合同当事人双方的感情等特征。但同时，由于调解是在第三者主持下进行的，因此，其还具有下列独特特征：

1. 由于第三者常常能够站在较为公正的立场上，较为客观、全面地看待、分析纠纷的有关并提出解决方案，从而有利于纠纷的公正解决。

2. 由于有第三者介入，可以缓解发生纠纷的合同双方当事人之间的对立情绪，便于双方较为冷静、理智地考虑问题。

3. 有利于合同当事人双方抓住时机，寻找适当的突破口，公正、合理地解决纠纷。

由于调解具有上述特征，因而，我国法律历来重视调解在解决合同纠纷方面的积极作用。

（二）调解的种类

调解是在第三者主持下进行的，这里的"第三者"可以是仲裁机构或者法院，也可以是仲裁机构或者法院以外的其他组织或者个人。参与调解的第三者不同，调解的性质也就不同。一般而言，调解主要有下列几种：

1. 仲裁机构调解

仲裁机构调解是指发生纠纷的合同当事人双方将纠纷事项提交仲裁机构后，由仲裁机构依法进行的调解。仲裁机构在接受发生纠纷的合同当事人双方的仲裁申请后，仲裁庭可以先行调解。如果双方达成调解协议，调解成功，仲裁庭即制作调解书并结束仲裁程序。如果达不成调解协议，仲裁庭应当及时作出裁决。

2. 联合调解

联合调解是指涉外合同纠纷发生后，当事人双方分别向所属国的仲裁机构申请调解，由双方所属国受理该项纠纷的仲裁机构分别派出数量相等的人员组成"联合调解委员会"，由该委员会调解解决该项纠纷。由这种"联合调解委员会"所进行的调解就是联合调解。实践证明，联合调解是解决国际经济、贸易合同纠纷的有效方式。

3. 法院调解

法院调解又称司法调解，是指在通过民事诉讼程序解决合同纠纷的过程中，由受理合同纠纷案件的法院主持进行的调解。我国《民事诉讼法》第九条规定："人民法院审理民事案件，应当根据自愿和合法的原则进行调解；调解不成的，应当及时判决。"该法第九十三条规定："人民法院审理民事案件，根据当事人自愿的原则，在事实清楚的基础上，分清是非，进行调解。"上述法律规定表明，我国法院对受理的民事、经济案件，在作出判决以前，除当事人不愿意调解外，都应当进行调解，尽量促使案件和平解决。经调解，双方当事人在自愿、合法的原则下达成协议，并由法院批准后制作调解书。调解书一旦由当事人签收就与法院的判决书具有同等的法律效力。

4. 专门机构调解

专门机构调解是指发生纠纷的合同当事人双方将纠纷提交专门调解机构，由该机构主持进行的调解。我国的专门调解机构是中国国际贸易促进委员会北京调解中心及设立在各省、市分会中的涉外经济争议调解机构。该机构根据当事人双方达成的书面调解协议或者一方当事人的调解申请，在征得另一方当事人同意后按照该机构的调解规则或者当事人协商选择的调解规则，居间、公正地进行调解。

5. 其他民间组织调解或者个人调解

除了仲裁机构、法院或者专门调解机构以外，其他任何组织或者个人都可以对合同纠纷进行调解。其特点是调解主持人不是负有专门调解职责的人，而是基于发生纠纷的合同当事人双方的信赖临时选任的能够主持公道的人。只要双方认可，其他民间组织调解或者个人调解也不失为解决合同纠纷的一种有效方法。

（三）调解的缺陷

调解的基础是双方自愿，因而调解能否成功必须依赖于发生纠纷的合同当事人双方的善意和同意。当合同纠纷涉及重大经济利益或者双方存在严重分歧时，上述前提条件一般是不存在的。同时，某些组织或者个人主持的调解，发生纠纷的合同双方当事人所达成的协议，对双方当事人并没有法律上的约束力，所以在执行时往往也存在较大的困难。因而，调解的缺陷也是很明显的。与和解一样，调解并不是解决合同纠纷的惟一有效手段。

采用调解解决合同纠纷的优点，与采用和解基本相同。不论是和解还是调解，最根本的还在于发生纠纷的合同当事人双方有彻底解决合同纠纷的共同愿望，能够相互理解和互谅互让地解决合同纠纷。不论是通过和解还是通过调解解决合同纠纷，都必须坚持下列几项原则：

1. 自愿原则

虽然在《仲裁法》《民法典》和《民事诉讼法》中都有对解决合同纠纷采取和解或者调解的条款，但这并不意味着和解或者调解是发生纠纷的合同当事人双方必须采用的法定合同纠纷解决程序。因为和解或者调解都是建立在合同当事人自愿的基础上的。特别是调解不同于仲裁或者诉讼，只有合同当事人自愿接受调解时，才可以进行调解。调解解决合同纠纷时，调解人应耐心倾听发生纠纷的合同双方当事人和关系人的意见，并对这些意见进行分析研究、调查核实。然后，据理说服合同双方当事人，使他们自愿达成协议，促使调解成功。如果调解无效，发生纠纷的合同双方当事人都有权请求仲裁机构裁决或者人民法院判决，任何人都不得阻止其行使这项权利。

2. 依法原则

当事人订立、履行合同，应当遵守法律、行政法规，解决合同纠纷也不例外。不论是采用和解或者调解解决合同纠纷，都必须坚持依法原则。和解协议或者调解协议都是合同的组成部分，都必须遵守法律、行政法规的规定，决不允许以违反法律、行政法规为代价来解决合同纠纷，否则，和解或者调解都是无效的。

3. 公平、公正原则

在采用和解方式解决合同纠纷时，合同双方当事人都应当摆正自己的位置，以求公平地解决合同纠纷。在采用调解方式解决合同纠纷时，调解人应当立场公正，秉公办事，对合同双方当事人都应当不偏不倚。只有这样才能取得合同双方当事人的信任，在其主持下形成的调解协议，才能为合同当事人双方所接受。否则，调解人的意见便不具有说服力，合同当事人双方也难以达成调解协议。即使合同当事人双方勉强达成调解协议，也会因调解协议基础不牢而出现反复或者出现调解协议得不到履行的情况，甚至适得其反，导致合同纠纷扩大和合同当事人双方矛盾激化。

4. 依法制作裁决书或者调解书原则

《仲裁法》规定："达成和解协议的，可以请求仲裁庭根据和解协议作出裁决书，""调解达成协议的，仲裁庭应当制作调解书或者根据协议的结果制作裁决书。调解书与裁决书具有同等法律效力。"《民事诉讼法》规定："调解达成协议，人民法院应当制作调解书。调解书应当写明诉讼请求、案件的事实和调解结果。"根据这些法律规定，凡是发生纠纷的合同当事人双方通过和解或者调解解决合同纠纷而达成协议的，都依法可以或者应当制作裁决书或者调解书。由于和解或者调解都是建立在合同当事人双方自愿基础上的合同纠纷解决方式，因此，在根据和解协议制作的裁决书或者根据调解所达成的协议制作的调解书或者裁决书生效之前合同当事人对和解协议或者调解协议反悔的，仲裁机构或者人民法院应及时作出仲裁裁决或者法院判决。

第三节　合同纠纷的仲裁

一、仲裁的概念

仲裁指发生纠纷的合同当事人双方根据合同中约定的仲裁条款或者纠纷发生后由其达成的书面仲裁协议，将合同纠纷提交给仲裁机构并由仲裁机构按照仲裁法律规范的规定居中裁决，从而解决合同纠纷的法律制度。仲裁分为国内仲裁和涉外仲裁。

根据我国《仲裁法》的有关规定，对于合同纠纷的解决，实行"或裁或审制"。即发生纠纷的合同当事人双方只能在"仲裁"或者"诉讼"两种方式中选择一种方式解决其合同纠纷。

二、仲裁的特征

（一）仲裁与调解的异同

仲裁与调解相比，其相同之处主要在于两者都以双方当事人的自愿为基础。而其区别在于：

第一，仲裁由仲裁机构进行；而调解可以由任何单位或者个人主持进行。

第二，申请仲裁的双方当事人均受仲裁协议的约束。即使一方事后反悔，另一方仍可根据仲裁协议将合同纠纷提交仲裁，仲裁庭也可据此受理该合同纠纷并对其进行仲裁；而调解自始至终都需要当事人双方同意。

第三，仲裁裁决具有法律约束力。根据《仲裁法》的规定，无论是涉外仲裁还是国内仲裁，一旦仲裁庭作出仲裁裁决，该仲裁裁决即具有法律效力，当事人双方必须执行，如果一方拒不执行，另一方有权请求人民法院强制执行；而作为调解结果的调解书或者裁决书的执行则一般取决于双方当事人的诚意，调解不成或者调解协议达成后一方反悔的，当事人双方还可以根据仲裁协议通过仲裁或者根据《民事诉讼法》通过诉讼解决纠纷。

第四，仲裁员和调解人的地位不同。调解人在调解过程中只起说服劝导作用，目的是促使发生纠纷的当事人双方互相让步，达成和解协议。但能否达成和解协议，则完全取决于发生纠纷的双方当事人的意愿，调解人无权居中裁断；而仲裁员则不同，在通过仲裁解决合同纠纷的过程中，其虽也负有规劝、疏导责任，但在调解无效时，其可以依法对合同纠纷进行居中裁决。

（二）仲裁与诉讼的异同

仲裁与诉讼相比，其相同之处在于解决合同纠纷的决定都是由第三者独立作出的，并都对当事人具有法律约束力。而两者之间的不同之处在于：

第一，仲裁机构一般多为民间性质，它只能根据双方当事人的仲裁协议或者其在合同中约定的仲裁条款受理合同纠纷案件。在无仲裁协议或者双方当事人未在合同中约定仲裁条款时，当事人无权将争议提交仲裁解决，即使提交，仲裁机构也无权受理；而诉讼则是在国家专门的审判机关进行的，它依照法定管辖权受理合同纠纷案件，当事人一方就合同纠纷向法院起诉，无需征得对方同意。

第二，仲裁的事项与范围通常是由双方当事人事先或事后约定的，仲裁员不得对当事人双方约定范围以外的事项进行仲裁；而法院受理合同纠纷案件的范围则由法律规定，它可以审理法律规定范围内的任何事项。

第三，仲裁的方式较为灵活。以仲裁方式解决合同纠纷，当事人双方有较大的选择余地。特别是涉外合同纠纷的双方可以协议选择彼此都能接受或者满意的仲裁员、仲裁机构及地点、仲裁程序和实体法来处理纠纷；而采用诉讼方式解决合同纠纷时，一切都必须依照法律规定，当事人双方无权任意选择受理合同纠纷的人民法院和法官。

第四，仲裁专业性强，保密程度高。仲裁员一般都是有关方面的专家、学者，这有利于准确、公正地处理合同纠纷。另外，仲裁往往是秘密进行的，不像法院审判那样一般要公开审理，也不像法院判决那样可以向社会公布。所以，采用仲裁方式解决合同纠纷，尤其是解决专有技术和知识产权方面的合同纠纷，更适合当事人保密的需要。

第五，仲裁实行一裁终局制度，不像法院判决那样往往要进行二审，甚至再审，因而仲裁有利于合同纠纷的快速、有效解决，节省时间和费用。

三、仲裁的基本原则

（一）意思自治原则

该项原则包括下列两个方面的含义：

第一，当事人是否将他们之间发生的合同纠纷提交仲裁，由其自愿协商决定。

第二，当事人将他们之间的合同纠纷提交哪一个仲裁委员会仲裁，也由其自愿协商决定，仲裁不实行级别管辖和地域管辖。

（二）独立公正原则

仲裁应依法独立进行，不受行政机关、社会团体和个人的干涉。为了确保这一原则的实行，《仲裁法》第十四条规定，仲裁委员会独立于行政机关，与行政机关没有隶属关系，仲裁委员会之间也没有隶属关系。

为了确保仲裁的公正性，《仲裁法》作出了一系列规定，如对仲裁员资格条件的规定，对仲裁员回避的规定，对仲裁员责任的规定等。

（三）一裁终局原则

一裁终局原则是世界各国普遍接受的仲裁原则。仲裁裁决是终局性的，仲裁裁决作出后，当事人双方就同一合同纠纷再次申请仲裁或者向人民法院起诉的，仲裁委员会或者人民法院不予受理。

四、仲裁协议

（一）仲裁协议概念及表现形式

仲裁协议是指发生纠纷的双方当事人达成的自愿将纠纷提交仲裁机构解决的书面协议。它是发生纠纷的当事人双方就其纠纷提交仲裁及仲裁机构受理纠纷的依据，也是强制执行仲裁裁决的前提条件。

仲裁协议通常表现为合同中的仲裁条款。当事人双方在纠纷发生后达成的愿意将其纠纷提交仲裁机构解决的专门仲裁协议以及其他形式的仲裁协议。

1.合同中的仲裁条款是指当事人双方在合同中规定的双方将来如发生纠纷即提交仲裁裁决的条款。由于这种条款通常是作为合同本身的内容订入合同的,故称仲裁条款。合同中的仲裁条款是仲裁协议中最为普遍的形式。

2.专门的仲裁协议,是指当事人双方自愿将纠纷提交仲裁的一种具有独立内容的专门协议。它是相对独立于合同之外的协议,与合同中的仲裁条款具有同等法律效力。专门仲裁协议的订立,可以是在纠纷发生之前,也可以是在纠纷发生之后。

3.其他形式的仲裁协议,是指除合同中的仲裁条款和专门的仲裁协议以外的其他可以证明当事人双方自愿将纠纷提交仲裁的书面材料。主要包括双方往来的信函、电报等文件中表示同意仲裁的文字记录等。

（二）仲裁协议的内容

各国法律及有关国际公约目前对仲裁协议应包括的内容,并无统一规定。我国《仲裁法》第十六条规定,仲裁协议必须具备以下内容:

1.请求仲裁的意思表示。在仲裁协议中,当事人应在协商一致的基础上作出真实的意思表示,明确表明愿意将纠纷提交仲裁解决。

2.仲裁事项。仲裁事项是指当事人双方提交仲裁的纠纷范围,即当事人双方将何种性质的纠纷提交仲裁机构仲裁。当事人双方只有将仲裁协议中约定的事项提交仲裁时,仲裁机构才予以受理,否则,仲裁机构不予受理。

3.选定的仲裁委员会。当事人双方在签订仲裁协议时,应明确写明将仲裁事项交由哪一个仲裁委员会进行仲裁,否则,仲裁协议将无法执行。

五、仲裁程序

（一）仲裁的申请

合同当事人双方在请求仲裁机构对其合同纠纷进行仲裁时,应具备以下条件:

1.有仲裁协议。即合同当事人双方在发生纠纷的合同中订有仲裁条款,或者事后达成了愿意将纠纷提交仲裁的书面仲裁协议。

2.有具体的仲裁请求和事实、理由。

3.属于仲裁委员会的受理范围。

当事人申请仲裁,应当向仲裁委员会递交仲裁协议、仲裁申请书及副本。仲裁申请书应当依据《仲裁法》的规定和要求载明有关事项。

当事人、法定代理人可以委托律师和其他代理人进行仲裁活动。委托律师和其他代理人进行仲裁活动的,应当向仲裁委员会提交授权委托书。

（二）仲裁的受理

仲裁委员会收到当事人的仲裁申请书后,首先要进行审查,经审查认为符合受理条件的,应当在收到仲裁申请书之日起五日内受理,并书面通知当事人;经审查认为不符合受理条件的,也应当在收到仲裁申请书之日起五日内书面通知当事人不予受理,并说明理由。

申请人可以放弃或者变更仲裁请求。被申请人可以承认或者反驳仲裁请求，有权提出反请求。

仲裁委员会受理仲裁申请后，应当在仲裁规则规定的期限内将仲裁规则和仲裁员名册送达申请人，并将仲裁申请书副本和仲裁规则、仲裁员名册送达被申请人。被申请人收到仲裁申请书副本后，应当在仲裁规则规定的期限内向仲裁委员会提交答辩书。仲裁委员会收到答辩书后，应当在仲裁规则规定的期限内将答辩书副本送达申请人。被申请人未提交答辩书的，不影响仲裁程序的进行。

《仲裁法》规定，仲裁庭可以由三名仲裁员或者一名仲裁员组成。由三名仲裁员组成的，设首席仲裁员。当事人约定由三名仲裁员组成仲裁庭的，应当各自选定或者各自委托仲裁委员会主任指定一名仲裁员，第三名仲裁员由当事人共同选定或者共同委托仲裁委员会主任指定。第三名仲裁员是首席仲裁员。

《仲裁法》规定，当事人有权申请请求仲裁员回避。当事人提出回避申请，应当说明理由，在首次开庭前提出。回避事由在首次开庭后知道的，可以在最后一次开庭终结前提出。

一方当事人因另一方当事人的行为或者其他原因，可能使裁决不能执行或者难以执行的，可以申请财产保全。当事人申请财产保全的，仲裁委员会应当将当事人的申请依照《民事诉讼法》的有关规定提交人民法院。申请有错误的，申请人应当赔偿被申请人因财产保全所遭受的损失。仲裁委员会在保全申请具有担保的前提下，依法可以采取如下措施：中止合同履行，查封和扣押货物，变卖不易保存的货物并保存价款，法律允许的其他方法。仲裁委员会决定采取保全措施时，可以责令申请人提供担保，拒绝提供的驳回申请。

（三）开庭和裁决

仲裁应当开庭进行。当事人协议不开庭的，仲裁庭可以根据仲裁申请书、答辩书以及其他材料作出裁决。仲裁不公开进行。当事人协议公开的，可以公开进行，但涉及国家机密的除外。

仲裁庭在查明事实，分清责任的基础上，应着重进行调解，引导和促使当事人达成调解协议。调解应在仲裁员的主持下，按照法律规定的程序进行。调解达成协议的，仲裁庭应当制作调解书或者根据协议的结果制作裁决书。调解书与裁决书具有同等法律效力。调解书应当写明仲裁请求和当事人协议的结果。调解书由仲裁员签名，加盖仲裁委员会印章，送达双方当事人。经过调解仍达不成协议的，或者调解书送达当事人签收前当事人一方或者双方反悔的，仲裁庭应当及时作出裁决。仲裁庭应按照多数仲裁员的意见作出裁决，少数仲裁员的不同意见可以记入笔录。仲裁庭不能形成多数意见时，裁决应当按照首席仲裁员的意见作出。仲裁的最终结果以裁决书给出。

（四）执行

调解书和裁决书均为具有法律效力的文件。调解书一经送达当事人双方并经其签收后即发生法律效力，裁决书自作出之日起发生法律效力。当事人应当主动履行仲裁裁决，一方当事人不履行时，另一方当事人可以向有管辖权的人民法院申请执行。

六、申请撤销裁决

《仲裁法》第五十八条规定："当事人提出证据证明裁决有下列情形之一的，可以向仲裁委员会所在地的中级人民法院申请撤销裁决：

（一）没有仲裁协议的；

（二）裁决的事项不属于仲裁协议的范围或者仲裁委员会无权仲裁的；

（三）仲裁庭的组成或者仲裁的程序违反法定程序的；

（四）裁决所根据的证据是伪造的；

（五）对方当事人隐瞒了足以影响公正裁决的证据的；

（六）仲裁员在仲裁该案时有索贿受贿，徇私舞弊，枉法裁决行为的。"

仲裁裁决被人民法院撤销的，当事人可以根据双方达成的书面仲裁协议重新申请仲裁，也可以向人民法院起诉。

七、涉外仲裁的特别规定

（一）涉外仲裁的概念

涉外仲裁，是指我国的涉外仲裁机构——涉外仲裁委员会依据我国《仲裁法》和国际公约——《承认及执行外国仲裁裁决公约》的规定，对涉外经济贸易、运输和海事中发生的纠纷所进行的仲裁。

（二）涉外仲裁委员会和仲裁员

我国的涉外仲裁机构——涉外仲裁委员会可以由中国国际商会组织设立。我国《仲裁法》规定："涉外仲裁委员会可以从具有法律、经济贸易、科学技术等专门知识的外籍人士中聘任仲裁员。"

第四节 合同纠纷的诉讼

诉讼是解决合同纠纷的有效方式之一。根据我国现行法律规定，下列情形下当事人可以选择诉讼方式解决合同纠纷：

1. 合同纠纷的当事人不愿意和解或者调解的可以直接向人民法院起诉。

2. 经过和解或者调解未能解决合同纠纷的，合同纠纷当事人可以向人民法院起诉。

3. 当事人没有订立仲裁协议或者仲裁协议无效的，可以向人民法院起诉。

4. 仲裁裁决被人民法院依法裁定撤销或者不予执行的，当事人可以向人民法院起诉。

合同当事人双方可以在签订合同时约定选择诉讼方式解决合同纠纷，并依法选择有管辖权的人民法院，但不得违反《民事诉讼法》关于级别管辖和专属管辖的规定。

一、民事诉讼的概念和特征

民事诉讼是指人民法院在双方当事人和其他诉讼参与人的参与下，依法审理和解决民事纠纷案件和其他案件的各种诉讼活动，以及由此所产生的各种诉讼法律关系的总和。

民事诉讼具有以下特征：

（一）民事诉讼主体具有多元性

民事诉讼主体不仅包括人民法院，而且还包括当事人、诉讼代理人、证人、鉴定人员、翻译人员等。其中人民法院在整个诉讼过程中起主导作用。

（二）民事诉讼过程具有阶段性和连续性

民事诉讼的全过程是由若干阶段组成的，一般包括第一审程序、第二审程序、执行程序，还可能有审判监督程序，但并非每一个案件都必须经过这些阶段才能结束。每一阶段都有自己的任务，只有完成前一阶段的任务，才能进入后一阶段。

（三）民事诉讼实行两审终审制度

两审终审制度是指一个民事案件经过两级法院审判就宣告终结的制度。与仲裁不同，民事诉讼当事人对一审判决不服，可以依法提起上诉，从而启动二审程序。

（四）民事诉讼实行公开审判

公开审判是指人民法院审判民事案件，除法律规定的情形外，审判过程及结果依法向公众和社会公开。

二、民事诉讼的管辖

管辖是指各级人民法院和同级人民法院之间，受理第一审民事案件的分工和权限。民事案件的管辖分为级别管辖、地域管辖、移送管辖和指定管辖。

（一）级别管辖

级别管辖是指各级人民法院受理第一审民事案件的权限范围。它主要根据案件的性质和对社会的影响来确定。《民事诉讼法》第十七条至第二十条对级别管辖作出了规定。根据该法的规定：

1. 最高人民法院管辖在全国范围内有重大影响的第一审民事案件和最高人民法院认为应当由自己审判的第一审民事案件；

2. 高级人民法院管辖本辖区内有重大影响的第一审民事案件；

3. 中级人民法院管辖的第一审民事案件有三种：

第一，重大涉外案件。

第二，在本辖区有重大影响的案件。

第三，最高人民法院确定由中级人民法院管辖的案件。

此外，将经济纠纷提起诉讼的诉讼单位属于省、自治区、直辖市以上的，一般由中级人民法院管辖；经济纠纷争议标的数额较大、案件比较复杂的，也可以由中级人民法院管辖。

4. 基层人民法院管辖除上述案件之外的其他第一审民事案件。我国绝大多数第一审民事案件由基层人民法院管辖。

（二）地域管辖

地域管辖是同级人民法院受理第一审民事案件的分工和权限。主要包括：

1. 一般地域管辖。以"原告就被告"为原则，即民事案件一般由被告所在地人民法院管辖。

2. 特殊地域管辖。即以诉讼标的所在地或者引起法律关系产生、变更、消灭的法律事实所在地为划分标准对地域管辖进行分类而产生的不同种类的地域管辖。我国《民事诉讼法》规定了九类特殊案件的地域管辖。其中，因合同纠纷提起的诉讼，由被告住所地或者合同履行地人民法院管辖。

3. 专属管辖。专属管辖是指根据《民事诉讼法》的规定，某些案件必须由特定的人民法院管辖，当事人或人民法院不得加以变更。

4. 协议管辖。协议管辖是指当事人在法律允许的范围内以书面形式约定将其纠纷交由其共同选择的人民法院管辖并予以审判。

根据我国《民事诉讼法》的规定，协议管辖必须满足以下条件和限制：

（1）协议管辖适用于合同纠纷或者其他财产权益纠纷；

（2）合同当事人双方可以通过书面协议选择被告住所地、合同履行地、合同签订地、原告住所地、标的物所在地等与争议有实际联系的地点的人民法院管辖；

（3）协议管辖不得违反《民事诉讼法》对级别管辖和专属管辖的规定；

（4）协议管辖只能针对第一审法院的管辖。

三、民事诉讼的原则

（一）人民法院依法独立审判民事案件的原则

我国《宪法》第一百三十一条规定："人民法院依照法律规定独立行使审判权，不受行政机关、社会团体和个人的干涉。"这是我国最高法律赋予人民法院的权利，也是民事诉讼活动必须遵循的原则。这一原则有以下三层含义：

第一，根据《宪法》赋予人民法院的独立审判权，人民法院在审理民事案件时，任何行政机关、社会团体和公民个人都无权进行干涉。

第二，人民法院对民事诉讼案件行使独立审判权。是指人民法院作为一个整体行使审判权是独立的。亦即每个人民法院有权独立地对民事诉讼案件进行审判，而不是任何一个审判员或者某个法庭有权独立地对民事诉讼案件进行审判。

第三，人民法院对民事诉讼案件独立进行审判，必须依照法律规定进行。

（二）民事诉讼当事人有平等的诉讼权利原则

该项原则包括以下三个方面的内容：

第一，民事诉讼当事人双方有平等的诉讼权利，是由民事法律关系的特点所决定的。民事法律关系是一种平等的权利义务关系，决定了当事人在民事活动中享有平等的权利。诉讼权利是保护民事权利的手段，因而也应当完全平等。如，诉讼当事人双方都有委托代理人、申请回避、提供证据、进行辩护、提起上诉等权利。但是也有一些权利，因诉讼当事人在诉讼中所处地位不同而有所不同，但却是对等的。如，原告有起诉权，被告有反驳权和反诉权。

第二，诉讼双方当事人有同等的行使诉讼权利的手段。法律不给予原告或者被告任何一方以多于对方的任何诉讼手段。

第三，诉讼双方当事人负有同等的诉讼义务。法律不允许一方只享有诉讼权利而不承担诉讼义务；也不允许一方只承担诉讼义务，而剥夺其诉讼权利。

民事诉讼当事人有平等诉讼权利，还表现在对诉讼当事人适用法律一律平等原则方面。这一原则是在法律面前人人平等这一社会主义法制原则在民事诉讼法中的具体体现。其含义是指，人民法院审理民事案件，对于诉讼当事人是公民的，应不分民族、性别、年龄、职业、宗教信仰、教育程度、财产状况、居住年限，适用法律应一律平等。对于诉讼当事人是法人的，应不分法人性质、所有制形式，适用法律也应一律平等。任何公民、法人和其他组织的民事权益受到侵犯，都一样受到法律保护；任何公民、法人和其他组织侵犯他人的民事权益，都一样受到法律制裁。在适用法律上，都不得偏袒或者歧视任何一方当事人。

（三）人民法院审理案件，遵循以事实为根据，以法律为准绳的原则

这一原则是民事诉讼的各项原则中居核心地位的原则。事实是适用法律的前提和基础，法律是解决案件的尺度和标准，两者相辅相成。只有在查明案件的基础上，才能适用法律，正确处理案件。以事实为根据，要求人民法院在审理民事纠纷案件时要从实际出发，实事求是，忠于案件事实真相。人民法院取得案件事实真相，可以从以下两方面入手：

第一，向当事人调查。这种调查应向民事纠纷诉讼案件双方当事人进行。通过调查，一要查清双方当事人之间存在的民事法律关系的事实；二要查清当事人之间产生纠纷的症结所在的事实。

第二，取证。所谓取证就是取得证据。证据是查明案件事实的关键，无论何种证据，包括书面证据、物证、证人证言、视听资料等都是有利于查明案件真相的材料。在取证过程中，应按照法定程序，全面、客观地审查核实，排除虚假伪证，利用各种真实的证据，对案件事实得出正确的结论。

以法律为准绳，要求人民法院在审理案件过程中，在查明案件事实的基础上，按照有关法律或者行政法规的规定，判明当事人之间产生纠纷的原因和责任归属，确定他们之间的民事权利义务关系，制裁民事违法行为，保护当事人的合法权益。人民法院在审理案件过程中，还应根据案件的类型、性质等的不同，正确选择适用的法律。例如，合同纠纷案件应根据《民法典》的有关规定审理，建设工程合同纠纷，则应根据《民法典》和《建筑法》等的有关规定审理。

（四）人民法院审理民事案件，应当根据当事人自愿原则和合法原则先行调解

人民法院在审理民事案件过程中，应当先行调解。调解贯穿民事诉讼全过程，人民法院在诉讼的任何阶段，不论是第一审普通程序审理前的准备阶段、开庭审理阶段，还是第二审程序，也不论是按简易程序审理的民事案件，还是按普通程序审理的民事案件，能够通过调解方式解决的，都应贯彻先行调解原则，尽量通过调解解决。

调解虽然是民事诉讼程序中的先行程序，但并不是人民法院根据民事诉讼程序审理民事案件的必经程序。如果当事人不愿意接受调解，或者调解不成的，或者当事人一方在调解书送达前反悔的，人民法院都应当及时判决。

四、民事诉讼程序

民事诉讼程序是人民法院审理民事案件的程序。包括：

（一）第一审程序

第一审程序指各级人民法院审理第一审民事案件的诉讼程序，分特别程序、简易程序和普通程序。特别程序是指人民法院审理某些非民事权益纠纷案件所适用的特殊审判程序，其仅在基层人民法院审理选民资格案件和非诉讼案件时适用。简易程序是指基层人民法院及其派出法庭审理简单民事案件所适用的一种简便易行的诉讼程序，其只适用于事实清楚、权利义务关系明确、纠纷不大的简单民事案件。普通程序是指人民法院审理民事案件时适用的基础程序，又称为第一审普通程序，其具有程序的完整性和广泛适用性两个特点。普通程序一般包括以下几个阶段：

1. 起诉和受理

起诉是原告因自己的合法权益受到侵害或者与他人发生纠纷时，向人民法院提出诉讼请求，要求给予确认和保护的行为。

受理是人民法院对原告的起诉进行审查，确定是否立案的活动。人民法院对于原告的起诉经审查认为符合起诉条件的，应当在收到起诉状或者口头起诉后七日内立案，并通知当事人；人民法院对于原告的起诉经审查认为不符合起诉条件的，应当在收到起诉状或者口头起诉后七日内通知原告不予受理并说明理由。

2. 审理前的准备

人民法院受理案件以后，必须在开庭前做好必要的准备工作，以保证民事诉讼的顺利进行。

3. 调解

人民法院对于已经受理的案件，应当在查明事实、分清是非的基础上，根据当事人自愿、合法的原则进行调解。调解达成协议，应当制作调解书，调解书送达当事人即发生法律效力。

调解未达成协议或者调解书送达前当事人一方反悔的，人民法院应当及时审判。

4. 开庭审理

开庭审理是指人民法院受理民事案件后，按照法定程序，对民事案件进行法庭审理和裁判的诉讼活动。人民法院审理民事案件，以公开审理为原则，不公开审理为例外，但无论案件是否公开审理，宣判一律公开进行。

（二）第二审程序

第二审程序是指当事人不服第一审人民法院作出的未生效的判决，依法向上一级人民法院提起上诉，上一级人民法院根据事实和法律，对案件进行审判的程序。

（三）审判监督程序

审判监督程序是指对已经发生法律效力的判决，人民法院认为确有错误，或者当事人基于法定的事实和理由认为有错误，或者人民检察院发现存在应当再审的法定事实和理由时，由人民法院依法再次进行审理的程序。

（四）执行程序

执行程序是指人民法院执行组织进行执行活动和申请执行人、被执行人以及协助执行人进行执行活动必须遵守的法律程序。

五、关于合同争议的诉讼时效与仲裁时效

（一）诉讼时效的概念和效力

1. 诉讼时效的概念

诉讼时效是指权利人于一定期间内不行使民事权利而于该一定期间届满时即丧失请求人民法院保护其民事权利的制度。

民事权利受法律保护，是民事权利本身固有的性质，因此权利人在其民事权利受到侵害时，有权通过民事诉讼程序请求人民法院予以保护，人民法院应当依法满足权利人的诉讼请求。然而，人民法院依法保护民事权利是有条件的，权利人只有在法定期间内向人民法院请求保护，人民法院才予以保护。权利人请求人民法院保护其民事权利的法定期间就是诉讼时效期间。

2. 诉讼时效的效力

诉讼时效期间届满，消灭的只是权利人的胜诉权而不是实体权利，即只消灭权利人请求人民法院保护其民事权利的权利。如果当事人自愿履行义务，不受其限制，而且当事人履行义务后不得以诉讼时效期间届满为由请求返还。

3. 诉讼时效的种类

（1）普通诉讼时效

根据我国《民法典》第一百八十八条的规定，向人民法院请求保护民事权利的诉讼时效期间为三年。法律另有规定的，依照其规定。

（2）特殊诉讼时效

特殊诉讼时效不是由民法规定的，而是由特别法规定的诉讼时效。例如，《民法典》第五百九十四条规定，因国际货物买卖合同和技术进出口合同争议提起诉讼或者申请仲裁的时效期间为 4 年；1992 年 11 月颁布的《海商法》规定，就上海货物运输向承运人要求赔偿的请求权，时效期间为 1 年。

（3）最长诉讼时效

从权利被侵害之日起超过二十年的，人民法院不予保护。这是我国《民法总则》对最长诉讼时效的规定。

（二）仲裁时效

我国《民法典》第一百九十八条规定："法律对仲裁时效有规定的，依照其规定；没有规定的，适用诉讼时效的规定"。

仲裁时效和诉讼时效在原理上是一致的，因此不再赘述仲裁时效的概念和意义。但是，根据上述法律规定，仲裁时效分为法律明确规定的仲裁时效和适用诉讼时效的仲裁时效。前者，如《产品质量法》第四十五条的规定："因产品存在缺陷造成损害要求赔偿的诉讼时效期间为二年，自当事人知道或者应当知道其权益受到损害时起计算。"《民法典》第五百九十四条规定，国际货物买卖合同和技术进出口合同争议提起诉讼或者申请仲裁的时效期间为四年。后者，是指法律没有明确规定仲裁时效，但对诉讼时效作了规定，则仲裁时效适用于法律对诉讼时效的规定。如，我国《民法典》规定了诉讼时效，则有关争议需进行仲裁时，除前述单行法规定的仲裁时效外，直接适用于诉讼时效的规定。

思考题

1. 合同纠纷的产生原因有哪些？

2. 合同纠纷的处理方式有哪几种？各种处理方式有何特点？

3. 调解有哪几种具体类型？

4. 调解与仲裁之间的区别何在？

5. 什么是诉讼时效？

6. 调解与仲裁的优缺点表现在哪些方面？

7. 民事诉讼的管辖有何规定？

第九章

工程合同概述

【本章概要】

通过本章的学习，使学生了解、熟悉工程合同的主体、客体、主要内容和形式等。

第一节　工程合同的概念及特点

一、工程合同的概念

所谓工程合同，是指承包人进行工程的勘察、设计、施工等，由发包人支付相应价款的合同，包括工程勘察、设计、施工合同。

工程合同的双方当事人分别称为承包人和发包人。承包人是指在工程合同中负责工程的勘察、设计、施工任务的一方当事人；发包人是指在工程合同中委托承包人进行工程的勘察、设计、施工任务的一方当事人。在工程合同中，承包人最主要的义务是进行工程的勘察、设计、施工等工作；发包人最主要的义务是向承包人支付相应的价款。

二、工程合同的特点

广义上，工程合同为承揽合同的一种。它与一般的承揽合同相同，均为诺成合同、双务合同和有偿合同，并都是承揽人（承包人）按照定作人（发包人）的要求完成一定的工作，由定作人支付报酬或价款的合同。但工程合同也与一般承揽合同有明显的区别，主要表现在工程合同的如下特征上：

（一）工程合同的标的仅限于建设工程

工程合同的标的主要是作为建设工程的各类建筑物、地下设施和附属设施及其线路、管道、设备等。正是因为工程合同的标的是建设工程，而建设工程对国家和社会具有特殊的意义，其生产建设过程对合同双方当事人有特殊要求，因而使工程合同成为与一般承揽合同不同的一类合同。

（二）工程合同具有较强的国家管理性

由于建设工程对国家和社会的方方面面具有较大影响，在工程合同的订立和履行方面具有强烈的国家干预色彩。

（三）工程合同为要式合同

根据《民法典》的规定，当事人对合同采取的形式享有自主选择权，但对一些比较重要的合同类型，为了保护交易安全，法律一般都规定应当采用书面形式，工程合同即属于这种情形。由于工程合同通常情况下工作量大，涉及面广，当事人之间权利义务关系复杂，因此，《民法典》第七百八十九条明确规定，建设工程合同应当采用书面形式。

第二节　工程合同的主体与客体

一、工程合同发包人的缔约资格

有关工程合同发包人的缔约资格的规定如下：

原国家计委颁布的《关于实行建设项目法人责任制的暂行规定》第二条规定："国有单位经营性基本建设大中型项目在建设阶段必须组建项目法人；项目法人可按《公司法》的规定设立有限责任公司（包括国有独资公司）和股份有限公司形式。"第六条规定："项目可行性研究报告经批准后，正式成立项目法人，并按有关规定确保资本金按时到位，同时及时办理公司设立登记。"

二、建设工程勘察、设计合同承包人的缔约资格

建设工程勘察、设计合同的承包人为建设工程勘察、设计企业。

建设工程勘察、设计企业，其作为建设工程勘察、设计合同承包人的缔约资格应根据其资质等级许可范围与其拟承接的建设工程勘察、设计任务是否适应加以确定。

根据《建设工程勘察设计资质管理规定》的规定，从事建设工程勘察、工程设计活动的企业，应当按照其拥有的资产、专业技术人员、技术装备和勘察设计业绩等条件申请资质，经审查合格，取得建设工程勘察、工程设计资质证书后，方可在资质许可的范围内从事建设工程勘察、工程设计活动。具体包括：

1. 工程勘察资质分为工程勘察综合资质、工程勘察专业资质、工程勘察劳务资质。

工程勘察综合资质只设甲级；工程勘察专业资质设甲级、乙级，根据工程性质和技术特点，部分专业可以设丙级；工程勘察劳务资质不分等级。

取得工程勘察综合资质的企业，可以承接各专业（海洋工程勘察除外）、各等级工程勘察业务；取得工程勘察专业资质的企业，可以承接相应等级相应专业的工程勘察业务；取得工程勘察劳务资质的企业，可以承接岩土工程治理、工程钻探、凿井等工程勘察劳务业务。

2. 工程设计资质分为工程设计综合资质、工程设计行业资质、工程设计专业资质和工程设计专项资质。

工程设计综合资质只设甲级；工程设计行业资质、工程设计专业资质、工程设计专项资质设甲级、乙级。

根据工程性质和技术特点，个别行业、专业、专项资质可以设丙级，建筑工程专业资质可以设丁级。

取得工程设计综合资质的企业，可以承接各行业、各等级的建设工程设计业务；取得工程设计行业资质的企业，可以承接相应行业相应等级的工程设计业务及本行业范围内同级别的相应专业、专项（设计施工一体化资质除外）工程设计业务；取得工程设计专业资质的企业，可以承接本专业相应等级的专业工程设计业务及同级别的相应专项工程设计业务（设计施工一体化资质除外）；取得工程设计专项资质的企业，可以承接本专项相应等级的专项工程设计业务。

3. 建设工程勘察、工程设计资质标准和各资质类别、级别企业承担工程的具体范围由国务院住房城乡建设主管部门商国务院有关部门制定。

根据工程性质和技术特点，个别行业、专业、专项资质可以设丙级，建筑工程专业资质可以设丁级。

取得工程设计综合资质的企业，可以承接各行业、各等级的建设工程设计任务；取得工程设计行业资质的企业，可以承接相应行业相应等级的工程设计业务及本行业范围内同级别的相应专业、专项（设计施工一体化资质除外）工程设计业务；取得工程设计专业资质的企业，可以承接本专业相应等级的专业工程设计业务及同级别的相应专业设计业务（设计－施工一体化资质除外）；取得工程设计专项资质的企业，可以承接本专项相应等级的专项工程设计业务。

4. 建设工程勘察、设计资质标准和各资质类别、级别企业承担工程的范围由国务院建设行政主管部门同国务院有关部门制定。

三、建设工程施工合同承包人的缔约资格

建设工程施工合同的承包人为建筑业企业。

建筑业企业是指从事土木工程、建筑工程、线路管道设备安装工程、装修工程的新建、扩建、改建活动的企业。

建筑业企业作为建设工程施工合同承包人的缔约资格应根据其资质等级许可范围与其拟承接的建设工程施工建设任务的建设工程项目是否适应加以确定。

根据 2015 年 1 月 22 日住建部颁布的《建筑业企业资质管理规定》的规定，企业应当按照其拥有的资产、主要人员、已完成的工程业绩和技术装备等条件申请建筑业企业资质，经审查合格，取得建筑业企业资质证书后，方可在资质许可的范围内从事建筑施工活动。

建筑业企业资质分为施工总承包资质、专业承包资质、施工劳务资质三个序列。

施工总承包资质、专业承包资质按照工程性质和技术特点分别划分为若干资质类别，各资质类别按照规定的条件划分为若干资质等级。施工劳务资质不分类别与等级。

建设工程施工总承包企业资质等级及承包工程范围：

1. 取得施工总承包特级资质的企业可承担本类别各等级工程施工总承包、设计及开展工程总承包和项目管理业务。

2. 取得房屋建筑、公路、铁路、市政公用、港口与航道、水利水电等专业中任意 1 项施工总承包特级资质和其中 2 项施工总承包一级资质，即可承接上述各专业工程的施工总承包、工程总承包和项目管理业务，及开展相应设计主导专业人员齐备的施工图设计业务。

3. 取得房屋建筑、矿山、冶炼、石油化工、电力等专业中任意 1 项施工总承包特级资质和其中 2 项施工总承包一级资质，即可承接上述各专业工程的施工总承包、工程总承包和项目管理业务，及开展相应设计主导专业人员齐备的施工图设计业务。

4. 特级资质的企业，限承担施工单项合同额 3000 万元以上的房屋建筑工程。

四、工程合同的客体

工程合同的客体为建设工程（项目）及其勘察、设计、施工建设、设备安装、装饰装修等工作任务。

工程合同的客体与其他一般合同的客体相比较具有下列特点：

（一）建设工程建造地点在空间上的固定性

建设工程都是建造在建设单位所选定的地点，建成后不能移动，只能在建造的地点使用。由于建设工程的固定性，而导致建设工程生产的地区性和固定性。因为，建设工程的固定性和地区性，所以要求建筑、结构和暖通等设计必须要适应当地的气象、工程地质和水文地质等自然条件的要求；材料（特别是地方建筑材料）和构件等物资的选用，也必须因地制宜；施工方法、施工机械和技术组织措施等方案的选择也必须结合当地的自然和技术经济条件来考虑。例如，某一建设工程，尽管对其功能、用途、面积和标准等要求完全相同，但由于建设单位选定的建设地点是在南方或北方，则在造型、基础埋置深度、墙体厚度、暖通设施、材料选用和施工方案等方面，均有很大的差异。

（二）建设工程生产的单件性

建设工程的多样性和固定性，导致了生产的单件性。一般工业产品大多数是标准化的，加工制造的过程也基本上相同，可以重复连续地进行批量生产。而建设工程的生产，都是根据每个建设单位的特定要求单独设计，并在指定的地点单独进行建造，基本上是单个"定做"，而非"批量"生产。为了适应不同的用途，建设工程的设计就必须在总体规划、内容、规模、等级、标准、造型、结构、装饰、建筑材料和设备选用等诸方面做到各不相同。即使是用途完全相同的建设工程，按同一标准设计进行建造，其工程的局部构造、结构和施工方法等方面也会因建造时间、当地工程地质和水文地质情况以及气象等自然条件和社会技术经济条件的不同而发生变化。

（三）建设工程生产的露天性

建设工程因其特有的固定性及形体庞大，其生产一般是在露天进行的。就是建设工程生产的装配化、工厂化、机械化程度达到很高水平时，也还是需要在指定的施工现场来完成固定的最终建设产品。因此，由于气象等自然条件的变化，会引起工程设计的某些内容和施工方法的变动，也会因采取防寒、防冻、防暑降温、防雨、防汛及防风等措施，而导致具体施工生产工艺或过程发生变化。

（四）建设工程生产周期长，程序复杂

建设工程的生产周期较长，环节多，涉及面广，社会合作关系复杂。这种特殊的生产过程，决定了建设工程价值的构成不可能一样。例如，土地征用费、居民搬迁费、青苗和树木赔偿费、供电贴费、总图工程费等费用，都因工程、建设地点、程序和环节、社会合作等情况各异而不同，这些必然影响工程合同的内容和管理。

（五）建设工程生产质量的差异性

建设工程在施工生产过程中，由于选用的建筑材料、半成品和成品的质量不同，施工技术条件不同，建筑安装工人的技术熟练程度不同；企业生产经营管理水平不同等诸方面因素的影响，势必造成生产质量上的差异。

（六）建设工程生产工期的差异性

建筑施工企业在建设工程的施工生产过程中，往往应建设单位的要求或其他原因使建设工程交付使用的日期比合同或定额规定的工期提前，为此，建筑施工企业就必须采取必要的赶工技术组织措施。

第三节　工程合同的主要内容和形式

工程合同应当具备一般合同通常应具备的条款，如发包人、承包人的名称和住所，标的，数量，质量，价款，履行方式，地点，期限，违约责任，解决争议的方法等。由于工程合同标的的特殊性，法律对工程合同中某些条款作出了明确或特殊的规定，成为工程合同中不可缺少的条款。

一、建设工程勘察、设计合同的主要内容

为了规范建设工程勘察、设计合同，《民法典》第七百九十四条规定："勘察、设计合同的内容一般包括提交有关基础资料和概预算等文件的期限、质量要求费用以及其他协作条件等条款。"

（一）提交有关基础资料和文件（包括概预算）的期限

该条款是对勘察人、设计人提交勘察、设计成果时间的要求。建设工程勘察、设计合同的当事人之间应当根据勘察、设计的内容和工作难度确定提交工作成果的期限。勘察人、设计人必须在此期限内完成并向发包人提交工作成果。超过这一期限的，应当承担违约责任。

（二）勘察或者设计的质量要求

该条款是此类合同中最为重要的合同条款，也是勘察人或者设计人所应当承担的最重要的合同义务。勘察人或者设计人应当对没有达到合同约定质量的勘察或者设计成果承担违约责任。

（三）勘察或者设计费用

向勘察人或者设计人支付勘察费用或者设计费用是建设工程勘察、设计合同中发包人所应承担的最重要的合同义务。工程勘察可以按照国家规定的现行收费标准计取费用，或按"预算包干""中标价加签证""实际完成工作量结算"等方式计取收费。国家规定的收费标准中没有规定的收费项目、由发包人、勘察人另行约定。

除上述条款外，建设工程勘察、设计合同当事人还可以在合同中约定其他协作条

件等条款。协作条件条款的具体内容，应当根据建设工程项目及其勘察、设计工作内容和要求以及发包人的具体要求等情况加以确定，如发包人提供资料的期限，现场必要的工作和生活条件，设计的阶段、进度和设计文件份数等。

二、建设工程施工合同的主要内容

根据《民法典》第七百九十五条的规定，施工合同的内容包括工程范围、建设工期、中间交工工程的开工和竣工时间、工程质量、工程造价、技术资料交付时间、材料和设备供应责任、拨款和结算、竣工验收、质量保修范围和质量保证期、相互协作等条款。

（一）工程范围

建设工程施工合同当事人应在合同中附上工程项目一览表及其工程量，主要包括建筑幢数、结构、层数、资金来源、投资总额以及工程的批准文号等。

（二）建设工期

即建设工程的开工和竣工日期。

（三）中间交工工程的开工和竣工时间

中间交工工程是指需要在全部工程完成期限之前完成的工程。对中间交工工程的开工和竣工时间，建设工程施工合同当事人也应当在合同中作出明确约定。

（四）工程质量

工程质量是建设工程施工合同最重要的条款。根据我国有关建设工程质量的法律、法规，承包人交付工程一般要符合下列基本质量要求：

（1）完成工程设计和合同中规定的各项工作内容，达到国家规定的竣工条件；

（2）工程质量要符合国家现行的有关法律、法规、技术标准、设计文件和合同中规定的要求，经质量监督站核定为合格或者优良；

（3）工程所用的建筑材料、有关配件和设备要有出厂合格证和必要的试验报告；

（4）具有完整的工程技术档案和竣工图，并已办理完毕工程竣工交付使用的有关手续；

（5）已签署工程保修证书。

（五）工程造价

工程造价，如为招标工程，则应以中标时确定的中标价格为准。如按初步设计总概算投资包干时，应以经审批的概算投资中与承包内容相应部分的投资为工程造价。如按施工图预算包干，则应以审查后的施工图总预算或者综合预算为工程造价。如果一时不能计算出工程造价，合同中也应明确规定工程造价的确定依据、计算方法。

（六）技术资料交付时间

发包人应当在合同约定的时间内向承包人按时提供与本工程项目有关的全部施工和技术资料，否则，造成的工期损失或者工程变更应由发包人负责。

（七）材料和设备供应责任

该条款应当约定在建设工程施工过程中所需要的材料和设备由建设工程施工合同当事人中的哪一方负责提供。

（八）拨款和结算

该条款应当约定发包人向承包人拨付工程价款和工程结算价款的方式和时间。

（九）竣工验收

该条款应以国务院、住建部等国家有关部门颁发的行政法规、部门规章、竣工验收规范及施工图纸说明书、施工技术文件等为依据进行约定。

（十）质量保修范围和质量保证期

建设工程施工合同当事人应当根据实际情况确定合理的质量保修范围和质量保证期，但不得低于有关行政法规关于建设工程质量保修的有关规定确定的标准。

除了上述十项基本合同条款以外，建设工程施工合同当事人还可以约定其他协作条款。如，施工准备工作的分工、工程变更时的处理办法等。

三、订立工程合同应当采用的形式

工程合同具有标的额大、合同期限长、不能即时结清等特点，因此应当采用书面形式。《民法典》第七百八十九条规定："建设工程合同应当采用书面形式。"对有些工程合同，国家有关部门制定了统一的示范文本，订立合同时可以参照相应的示范文本。采用示范文本或其他书面形式订立的工程合同，在组成上并不是单一的。凡能体现招标人与中标人协商一致协议内容的文字材料，包括各种文书、电报、图表等，均为工程合同的组成部分，称为工程合同文件。订立工程合同时，应当注意明确约定工程合同文件的组成及其解释顺序。

工程合同文件，一般包括以下几个组成部分：

（1）合同书及其附件。合同书是投标人在中标后与招标人谈判达成一致协议后签署的文件，通常由招标人在招标文件中拟定好格式。投标人中标后，经招标人和中标人的法定代表人或者其正式授权委托的全权代表签署后，合同即开始生效。合同书附件也称合同书附录或备忘录，是指在签署合同书之前的整个招标、投标过程中，招标人、投标人对招标文件、投标文件所作的经过双方协商达成一致意见的补充和修改的文件。合同书附件应当明确标明对原有招标文件、投标文件的补充和修改内容。合同书附件附在合同书之后，是工程合同文件的重要组成部分。合同书附件写好并经双方同意后，即可正式签署合同书。

（2）中标通知书。

（3）投标书及其附件、招标文件。

（4）合同专用条款。

（5）合同通用条款。

（6）标准、规范及有关技术文件。

（7）图纸。

（8）工程量清单或确定工程造价的工程预算书。

（9）双方有关工程的洽商、变更等书面协议或文件。

工程合同的所有合同文件，应能互相解释，互为说明。当事人对合同条款的理解有争议的，应按照合同所使用的词句、合同的有关条款、合同的目的、交易习惯以及诚实信用的原则等确定该条款的真实意思。合同文本采用两种以上的文字订立并约定具有同等效力的，对各文本使用的词句推定具有相同含义。各文本使用的词句不一致的，应当根据合同的目的予以解释。在工程合同履行过程中，当发现合同文件出现含糊不清或不相一致的时候，通常按合同文件的优先顺序进行解释。合同文件的优先顺序，除双方另有约定的外，应按合同通用条款中的规定确定，即排在前面的合同文件比排在后面的更具有解释上的优先性和权威性。因此，在订立工程合同时，当事人双方应根据建设工程的实际情况对合同文件的解释顺序进行约定。

思考题

1. 工程合同的概念及工程合同的主要特点是什么？

2. 工程合同发包人和承包人的缔约资格应满足哪些要求？

3. 工程合同的客体有哪些特点？

4. 工程合同的形式及其特点。

5. 工程合同的主要内容有哪些？

第十章
工程咨询服务合同

【本章概要】

　　本章重点介绍了三种工程咨询合同：建设工程勘察合同、建设工程设计合同、建设工程委托监理合同。通过本章的学习，使学生了解、熟悉建设工程勘察合同、设计合同、委托监理合同的主要内容等。

第一节   工程咨询合同

一、工程咨询概述

咨询是指咨询方运用自己所拥有的专业知识、技术、经验和信息等为委托人完成提供咨询意见、培训人员、提供决策方案或者建议、完成咨询报告、提供管理服务等智力性服务工作并获取相应报酬的过程。

工程咨询是针对工程建设过程所进行的咨询。工程咨询的范围很广，涵盖了与工程建设过程有关的政策建议、项目管理、工程勘察设计、工程监理、财务管理、采购管理、工程建设的社会和环境影响研究与评价等诸多方面。常见的工程咨询服务包括以下几个方面：

（一）投资前研究

指在确定建设工程项目之前进行的调查研究。其目的在于确定投资的优先性和部门方针，确定建设工程项目的基本特性及其可行性，提出和明确针对建设工程项目而在政府政策、经营管理和机构方面所需的变更和改进。

（二）准备性服务

指为了充分明确建设工程项目内容和实施项目所需的技术、经济和其他方面条件内容的准备性服务工作，通常包括编制详细的投资概算和营运费用概算，进行工程详细设计，编制交钥匙工程合同的实施规范，编制土建工程和设备招标采购的招标文件。其中，还包括与编制建设工程项目采购文件有关的服务，如保险要求的确定，承包人的资格预审，分析招标文件并且提出招标建议等。

（三）执行服务

指为了充分保障建设工程项目的有效实施而进行的服务性工作。其中，最主要的就是工程监理和项目管理，包括检查和督促工作，审核承包商和供货商出具的发票，以及与合同文件的解释有关的技术性服务。另外，还包括协助采购建设工程项目在开始和营运阶段的各种实施，协调同一建设工程项目的不同承包商和供应商的关系等。

二、工程咨询合同的类型

工程咨询合同按照其计价方式和付款方式的不同，可以分为以下类型：

（一）总价合同

总价合同被广泛应用于简单的规划和可行性研究、环境研究、标准或普通建筑物的详细设计。采用总价合同时，价格应当作为评选咨询专家的因素之一。总价合同的特点是合同项下的付款总额一旦确定，就不要求按照人力或成本的投入量计算付款。总价合同一般按约定的时间表或进度付款，管理上比较容易，但是谈判可能比较复杂。对于咨询专家应当完成的任务，委托人应当有充分的了解。在谈判中，委托人应当仔细审查咨询公司提出的合同金额费用概算和计算依据。例如，所需的人力、工作时间和其他投入。如果合同中无专门约定，在合同履行期间，不论咨询公司的投入高于还是低于预算水平，合同双方均不应要求调整或者补偿。采用总价合同时，咨询公司可以根据具体工作的类别，按惯例的百分比报价，但在谈判时仍然应当开列详细的费用预算。总价合同的费用预算通常包括价格不可预见费，但是应当在谈判中检查其是否合理。总价合同金额内不应包括实物不可预见费，合同之外的工作通常按计时费率另行支付。

（二）人／月合同

人／月合同，主要用于复杂的研究、工程监理、顾问性服务以及大多数的培训等服务工作。这类服务工作的服务范围和时间长短一般难于确定。付款是基于双方同意的人员（一般在合同中列出名单）按小时、日、周或月计算的费率，以及使用实际支出和双方同意的单价计算的可报销项目费用。人员的费率包括工资、社会成本、管理费、酬金／利润以及特别津贴。这类合同应包括一个对咨询人付款总数的最高限额。这一付款上限应包括为不可预见的工作量和工作期限留出的备用费，以及在合适的情况下提供的价格调整，以时间为基础的合同需要由委托人严密监督和管理以确保该项服务的各项具体工作的进展令人满意，且咨询人的付款申请是适当的。

（三）百分比合同

这类合同通常用于建筑方面的服务，也可用于采购代理和检验代理。百分比合同将付给咨询人的费用与估算的或者实际的项目建设成本，或者所采购和检验的货物的成本直接挂钩。对这类合同应以服务的市场标准和／或估算的人、月费用为基础进行谈判，或寻求竞争性报价。与总价合同一样，合同项下的付款总额一旦确定，就不要求按照人力或者成本的投入量计算付款。这种合同在某些国家一度广为采用，但是容易增加工程成本，因此一般是不可取的。只有在合同是以一个固定的目标成本为基础并且合同项下的服务能够精确界定时，才推荐在建筑服务中使用此类合同。

在实际工作中，委托人可以使用国际通用标准的咨询服务合同。例如，国际咨询工程师联合会颁布的各种咨询服务合同范本，使用时只需要稍加修改。世界银行也有一套咨询服务合同范本，用于世界银行、国际开发协会及联合国开发计划署投资的项目。其中，最常用的主要是计时制和总价合同两种类型。世界银行的这套咨询服务合同范本适用于大型工程建设项目的投资前研究、准备性服务和执行服务，一般为委托人和咨询公司之间签订合同的依据。而对于一些短期的技术援助项目，如研讨会、重要的课题研究等，一般都聘请个人咨询专家。对于国内项目单位利用世界银行贷款聘用个人咨询专家，财政部要求统一采用财政部与世界银行共同编制的个人咨询专家服务合同标准范本。

三、工程咨询合同的重要条款

尽管各类工程咨询合同的条款不尽相同、侧重点也不同，但一般都包括以下几个重要条款：

1. 货币

委托人发出的建议书、邀请函应明确说明咨询公司要以世界银行任何成员国的货币或以欧洲货币单位表示其服务价格。咨询公司也可以用不同的外国货币金额之和来报价，但使用的外币不应超过三种。委托人可以要求咨询公司说明其报价中以借款国货币表示的当地费用部分，合同项下的付款应按建议书中表示价格的一种或多种货币支付。

2. 价格调整

合同期超过 18 个月的合同，应在其中包括一个价格调整条款，以针对国外或当地的通货膨胀对报酬进行调整。如果当地或国外通货膨胀很高或不可预测时，合同期少于 18 个月的合同也可包括价格调整条款。

3. 支付条款

委托人和咨询公司应在谈判期间就合同中的支付条款，包括支付金额、支付时间表和支付程序达成一致，支付可以按固定时间间隔方式（如以时间为基础的合同）或按双方同意的方式（如总价合同）。超过合同总价 10% 的预付款一般要求必须提供预付款保函。

4. 借款人的贡献

借款人通常应指派自己的专业人员以不同方式参与工作任务。借款人和咨询公司之间的合同应提供支配这些人员（称为对口人员）的细节和借款人应提供的设施。合同还应规定，如借款人不能提供上述设施或在任务执行过程中撤回，咨询公司能够采取的措施和将获得的补偿。

5. 利益冲突

咨询公司除得到合同规定报酬外，不应得到任何与该任务有关的报酬。咨询公司及其相关的单位和人员不得从事与合同项下客户和其利益有冲突的咨询活动，并且应被排除在与任务有关的货物和服务采购名单之外。

6. 适用法律和争端解决。

合同应包括涉及适用法律和争端解决机制的条款，世界银行鼓励使用国际商务仲裁，但不应指定世界银行作为仲裁人或者要求世界银行指定仲裁人。

第二节 工程勘察、设计合同

一、工程勘察、设计合同概述

（一）工程勘察、设计

工程勘察是指根据建设工程的要求，查明、分析、评价建设场地的地质、地理、环境特征和岩土工程条件，编制建设工程勘察文件的活动。工程勘察一般包括水文地质勘察、工程测量和工程地质勘察等几个方面。

工程设计是指根据建设工程的要求，对建设工程所需的技术、经济、资源、环境等条件进行综合分析、论证，编制建设工程设计文件的活动。

按照我国的工程建设程序，建设工程项目选址及设计任务书被批准以后，便可以进行建设工程设计工作。建设工程设计一般包括初步设计、施工图设计两个阶段。在一些技术难度大又缺乏经验的建设项目中，可以在施工图设计之前增加技术设计阶段。此外，大型民用建筑工程在初步设计前，还应当进行方案设计。为解决总体开发方案和建设总体部署等重大问题，可以进行总体规划设计。

（二）工程勘察、设计合同的概念和形式

《民法典》第七百八十八条规定，建设工程合同是承包人进行工程建设，发包人支付价款的合同。建设工程合同包括工程勘察、设计、施工合同。建设工程合同应当采用书面形式。根据上述法律规定，建设工程勘察、设计合同是指为完成一定的建设工程项目的勘察、设计任务，发包人与承包人（勘察人、设计人）之间明确双方的权利义务关系的书面协议。

《民法典》第七百八十九条规定："建设工程合同应当采用书面形式。"据此，订立建设工程勘察、设计合同是一种要式行为，必须采取书面形式。以口头形式或其他形式订立的勘察设计合同都是无效的。发包人与承包人签订建设工程勘察设计合同应当依据《招标投标法》《民法典》《建筑法》以及《建设工程勘察设计管理条例》（国务院第 293 号令），国家推荐使用的《建设工程勘察合同（示范文本）》（GF-2016-0203）和《建设工程设计合同（示范文本）》（GF-2015-0209，GF-2015-0210）

二、《建设工程勘察合同（示范文本）》

《建设工程勘察合同（示范文本）》（以下简称《示范文本》）适用于岩土工程勘察、岩土工程设计、岩土工程物探 / 测试 / 检测 / 监测、水文地质勘察及工程测量等工程勘察活动，岩土工程设计也可使用《建设工程设计合同示范文本（专业建设工程）》（GF-2015-0210）。

《示范文本》由合同协议书、通用合同条款和专用合同条款三部分组成。《示范文本》合同协议书共计 12 条，主要包括工程概况、勘察范围和阶段、技术要求及工作量、合同工期、质量标准、合同价款、合同文件构成、承诺、词语定义、签订时间、签订地点、合同生效和合同份数等内容，集中约定了合同当事人基本的合同权利义务。通用合同条款是合同当事人就工程勘察的实施及相关事项对合同当事人的权利义务作出的原则性约定，共计 17 条。专用合同条款是对通用合同条款原则性约定的细化、完善、补充、修改或另行约定的条款。合同当事人可以根据不同建设工程的特点及具体情况，通过双方的谈判、协商对相应的专用合同条款进行修改补充。

《示范文本》通用合同条款主要包括以下内容：

（一）发包人权利与义务

1. 发包人权利

（1）发包人对勘察人的勘察工作有权依照合同约定实施监督，并对勘察成果予以

验收。

（2）发包人对勘察人无法胜任工程勘察工作的人员有权提出更换。

（3）发包人拥有勘察人为其项目编制的所有文件资料的使用权，包括投标文件、成果资料和数据等。

2. 发包人义务

（1）发包人应以书面形式向勘察人明确勘察任务及技术要求。

（2）发包人应提供开展工程勘察工作所需要的图纸及技术资料，包括总平面图、地形图、已有水准点和坐标控制点等，若上述资料由勘察人负责搜集时，发包人应承担相关费用。

（3）发包人应提供工程勘察作业所需的批准及许可文件，包括立项批复、占用和挖掘道路许可等。

（4）发包人应为勘察人提供具备条件的作业场地及进场通道（包括土地征用、障碍物清除、场地平整、提供水电接口和青苗赔偿等）并承担相关费用。

（5）发包人应为勘察人提供作业场地内地下埋藏物（包括地下管线、地下构筑物等）的资料、图纸，没有资料、图纸的地区，发包人应委托专业机构查清地下埋藏物。若因发包人未提供上述资料、图纸，或提供的资料、图纸不实，致使勘察人在工程勘察工作过程中发生人身伤害或造成经济损失时，由发包人承担赔偿责任。

（6）发包人应按照法律法规规定为勘察人安全生产提供条件并支付安全生产防护费用，发包人不得要求勘察人违反安全生产管理规定进行作业。

（7）若勘察现场需要看守，特别是在有毒、有害等危险现场作业时，发包人应派人负责安全保卫工作；按国家有关规定，对从事危险作业的现场人员进行保健防护，并承担费用。发包人对安全文明施工有特殊要求时，应在专用合同条款中另行约定。

（8）发包人应对勘察人满足质量标准的已完工作，按照合同约定及时支付相应的工程勘察合同价款及费用。

（二）勘察人权利与义务

1. 勘察人权利

（1）勘察人在工程勘察期间，根据项目条件和技术标准、法律法规规定等方面的变化，有权向发包人提出增减合同工作量或修改技术方案的建议。

（2）除建设工程主体部分的勘察外，根据合同约定或经发包人同意，勘察人可以将建设工程其他部分的勘察分包给其他具有相应资质等级的建设工程勘察单位。发包人对分包的特殊要求应在专用合同条款中另行约定。

（3）勘察人对其编制的所有文件资料，包括投标文件、成果资料、数据和专利技术等拥有知识产权。

2. 勘察人义务

（1）勘察人应按勘察任务书和技术要求并依据有关技术标准进行工程勘察工作。

（2）勘察人应建立质量保证体系，按本合同约定的时间提交质量合格的成果资料，并对其质量负责。

（3）勘察人在提交成果资料后，应为发包人继续提供后期服务。

（4）勘察人在工程勘察期间遇到地下文物时，应及时向发包人和文物主管部门报告并妥善保护。

（5）勘察人开展工程勘察活动时应遵守有关职业健康及安全生产方面的各项法律法规的规定，采取安全防护措施，确保人员、设备和设施的安全。

（6）勘察人在燃气管道、热力管道、动力设备、输水管道、输电线路、临街交通要道及地下通道（地下隧道）附近等风险性较大的地点，以及在易燃易爆地段及放射、有毒环境中进行工程勘察作业时，应编制安全防护方案并制定应急预案。

（7）勘察人应在勘察方案中列明环境保护的具体措施，并在合同履行期间采取合理措施保护作业现场环境。

（三）工期

1. 开工及延期开工

勘察人应按合同约定的工期进行工程勘察工作，并接受发包人对工程勘察工作进度的监督、检查。因发包人原因不能按照合同约定的日期开工，发包人应以书面形式通知勘察人，推迟开工日期并相应顺延工期。

2. 成果提交日期

勘察人应按照合同约定的日期或双方同意顺延的工期提交成果资料，具体可在专用合同条款中约定。

3. 发包人造成的工期延误

因以下情形造成工期延误，勘察人有权要求发包人延长工期、增加合同价款和（或）补偿费用：

（1）发包人未能按合同约定提供图纸及开工条件；

（2）发包人未能按合同约定及时支付定金、预付款和（或）进度款；

（3）变更导致合同工作量增加；

（4）发包人增加合同工作内容；

（5）发包人改变工程勘察技术要求；

（6）发包人导致工期延误的其他情形。

除专用合同条款对期限另有约定外，勘察人在上述情形发生后7天内，应就延误的工期以书面形式向发包人提出报告。发包人在收到报告后7天内予以确认；逾期不予确认也不提出修改意见，视为同意顺延工期。

4. 勘察人造成的工期延误

勘察人因以下情形不能按照合同约定的日期或双方同意顺延的工期提交成果资料的，勘察人承担违约责任：

（1）勘察人未按合同约定开工日期开展工作造成工期延误的；

（2）勘察人管理不善、组织不力造成工期延误的；

（3）因弥补勘察人自身原因导致的质量缺陷而造成工期延误的；

（4）因勘察人成果资料不合格返工造成工期延误的；

（5）勘察人导致工期延误的其他情形。

5. 恶劣气候条件

恶劣气候条件影响现场作业，导致现场作业难以进行，造成工期延误的，勘察人有权要求发包人延长工期。

（四）成果资料

1. 成果质量

成果质量应符合相关技术标准和深度规定，且满足合同约定的质量要求。双方对工程勘察成果质量有争议时，由双方同意的第三方机构鉴定，所需费用及因此造成的损失，由责任方承担；双方均有责任的，由双方根据其责任分别承担。

2. 成果份数

勘察人应向发包人提交成果资料四份，发包人要求增加的份数，在专用合同条款中另行约定，发包人另行支付相应的费用。

3. 成果交付

勘察人按照约定时间和地点向发包人交付成果资料，发包人应出具书面签收单，内容包括成果名称、成果组成、成果份数、提交和签收日期、提交人与接收人的亲笔签名等。

4. 成果验收

勘察人向发包人提交成果资料后，如需对勘察成果组织验收的，发包人应及时组织验收。除专用合同条款对期限另有约定外，发包人 14 天内无正当理由不予组织验收，视为验收通过。

（五）后期服务

1. 后续技术服务

勘察人应派专业技术人员为发包人提供后续技术服务，发包人应为其提供必要的工作和生活条件，后续技术服务的内容、费用和时限应由双方在专用合同条款中另行约定。

2. 竣工验收

工程竣工验收时，勘察人应按发包人要求参加竣工验收工作，并提供竣工验收所需相关资料。

（六）合同价款与支付

1. 合同价款与调整

（1）依照法定程序进行招标工程的合同价款由发包人和勘察人依据中标价格载明

在合同协议书中；非招标工程的合同价款由发包人和勘察人议定，并载明在合同协议书中。合同价款在合同协议书中约定后，除合同条款约定的合同价款调整因素外，任何一方不得擅自改变。

（2）合同当事人可任选下列一种合同价款的形式，双方可在专用合同条款中约定：

1）总价合同

双方在专用合同条款中约定合同价款包含的风险范围和风险费用的计算方法，在约定的风险范围内合同价款不再调整。风险范围以外的合同价款调整因素和方法，应在专用合同条款中约定。

2）单价合同

合同价款根据工作量的变化而调整，合同单价在风险范围内一般不予调整，双方可在专用合同条款中约定合同单价调整因素和方法。

3）其他合同价款形式

合同当事人可在专用合同条款中约定其他合同价格形式。

（3）需调整合同价款时，合同一方应及时将调整原因、调整金额以书面形式通知对方，双方共同确认调整金额后作为追加或减少的合同价款，与进度款同期支付。除专用合同条款对期限另有约定外，一方在收到对方的通知后 7 天内不予确认也不提出修改意见，视为已经同意该项调整。合同当事人就调整事项不能达成一致的，则按照约定的争议解决方式处理。

2. 定金或预付款

实行定金或预付款的，双方应在专用合同条款中约定发包人向勘察人支付定金或预付款数额，支付时间应不迟于约定的开工日期前 7 天。发包人不按约定支付，勘察人向发包人发出要求支付的通知，发包人收到通知后仍不能按要求支付，勘察人可在发出通知后推迟开工日期，并由发包人承担违约责任。

定金或预付款在进度款中抵扣，抵扣办法可在专用合同条款中约定。

3. 进度款支付

发包人应按照专用合同条款约定的进度款支付方式、支付条件和支付时间进行支付。出现合同约定价款调整因素，以及变更合同价款，调整的合同价款及其他条款中约定的追加或减少的合同价款，应与进度款同期调整支付。

发包人超过约定的支付时间不支付进度款，勘察人可向发包人发出要求付款的通知，发包人收到勘察人通知后仍不能按要求付款，可与勘察人协商签订延期付款协议，经勘察人同意后可延期支付。

发包人不按合同约定支付进度款，双方又未达成延期付款协议，勘察人可停止工程勘察作业和后期服务，由发包人承担违约责任。

4. 合同价款结算

除专用合同条款另有约定外，发包人应在勘察人提交成果资料后 28 天内，依据约定进行最终合同价款确定，并予以全额支付。

（七）变更与调整

1. 变更范围与确认

合同变更是指在合同签订日后发生的以下变更：

（1）法律法规及技术标准的变化引起的变更；

（2）规划方案或设计条件的变化引起的变更；

（3）不利物质条件引起的变更；

（4）发包人的要求变化引起的变更；

（5）因政府临时禁令引起的变更；

（6）其他专用合同条款中约定的变更。

当引起变更的情形出现，除专用合同条款对期限另有约定外，勘察人应在 7 天内就调整后的技术方案以书面形式向发包人提出变更要求，发包人应在收到报告后 7 天内予以确认，逾期不予确认也不提出修改意见，视为同意变更。

2. 变更合同价款确定

（1）变更合同价款按下列方法进行：

1）合同中已有适用于变更工程的价格，按合同已有的价格变更合同价款；

2）合同中只有类似于变更工程的价格，可以参照类似价格变更合同价款；

3）合同中没有适用或类似于变更工程的价格，由勘察人提出适当的变更价格，经发包人确认后执行。

（2）除专用合同条款对期限另有约定外，一方应在双方确定变更事项后 14 天内向对方提出变更合同价款报告，否则视为该项变更不涉及合同价款的变更。

（3）除专用合同条款对期限另有约定外，一方应在收到对方提交的变更合同价款报告之日起 14 天内予以确认。逾期无正当理由不予确认的，则视为该项变更合同价款报告已被确认。

（4）一方不同意对方提出的合同价款变更，约定的争议解决方式处理。

（5）因勘察人自身原因导致的变更，勘察人无权要求追加合同价款。

（八）知识产权

1. 除专用合同条款另有约定外，发包人提供给勘察人的图纸、发包人为实施工程自行编制或委托编制的反映发包人要求或其他类似性质的文件的著作权属于发包人，勘察人可以为实现本合同目的而复制、使用此类文件，但不能用于与本合同无关的其他事项。未经发包人书面同意，勘察人不得为了本合同以外的目的而复制、使用上述文件或将之提供给任何第三方。

2. 除专用合同条款另有约定外，勘察人为实施工程所编制的成果文件的著作权属于勘察人，发包人可因本工程的需要而复制、使用此类文件，但不能擅自修改或用于与本合同无关的其他事项。未经勘察人书面同意，发包人不得为了本合同以外的目的而复制、使用上述文件或将之提供给任何第三方。

3. 合同当事人保证在履行本合同过程中不侵犯对方及第三方的知识产权。勘察人在工程勘察时，因侵犯他人的专利权或其他知识产权所引起的责任，由勘察人承担；因发包人提供的基础资料导致侵权的，由发包人承担责任。

4. 在不损害对方利益情况下，合同当事人双方均有权在申报奖项、制作宣传印刷品及出版物时使用有关项目的文字和图片材料。

5. 除专用合同条款另有约定外，勘察人在合同签订前和签订时已确定采用的专利、专有技术、技术秘密的使用费已包含在合同价款中。

（九）不可抗力

1. 不可抗力的确认

（1）不可抗力是在订立合同时不可合理预见，在履行合同中不可避免的发生且不能克服的自然灾害和社会突发事件，如地震、海啸、瘟疫、洪水、骚乱、暴动、战争以及专用条款约定的其他自然灾害和社会突发事件。

（2）不可抗力发生后，发包人和勘察人应收集不可抗力发生及造成损失的证据。合同当事双方对是否属于不可抗力或其损失发生争议时，按约定的争议解决方式处理。

2. 不可抗力的通知

遇有不可抗力发生时，发包人和勘察人应立即通知对方，双方应共同采取措施减少损失。除专用合同条款对期限另有约定外，不可抗力持续发生，勘察人应每隔7天向发包人报告一次受害损失情况。

除专用合同条款对期限另有约定外，不可抗力结束后2天内，勘察人向发包人通报受害损失情况及预计清理和修复的费用；不可抗力结束后14天内，勘察人向发包人提交清理和修复费用的正式报告及有关资料。

3. 不可抗力后果的承担

因不可抗力发生的费用及延误的工期由双方按以下方法分别承担：

（1）发包人和勘察人人员伤亡由合同当事人双方自行负责，并承担相应费用；

（2）勘察人机械设备损坏及停工损失，由勘察人承担；

（3）停工期间，勘察人应发包人要求留在作业场地的管理人员及保卫人员的费用由发包人承担；

（4）作业场地发生的清理、修复费用由发包人承担；

（5）延误的工期相应顺延。

因合同一方迟延履行合同后发生不可抗力的，不能免除迟延履行方的相应责任。

（十）合同生效与终止

1. 双方在合同协议书中约定合同生效方式。

2. 发包人、勘察人履行合同全部义务，合同价款支付完毕，本合同即告终止。

3. 合同的权利义务终止后，合同当事人应遵循诚实信用原则，履行通知、协助和保密等义务。

（十一）合同解除

1. 有下列情形之一的，发包人、勘察人可以解除合同：

（1）因不可抗力致使合同无法履行；

（2）发生未约定按时支付合同价款的情况，停止作业超过 28 天，勘察人有权解除合同，由发包人承担违约责任；

（3）勘察人将其承包的全部工程转包给他人或者肢解以后以分包的名义分别转包给他人，发包人有权解除合同，由勘察人承担违约责任；

（4）发包人和勘察人协商一致可以解除合同的其他情形。

2. 一方依据上述约定要求解除合同的，应以书面形式向对方发出解除合同的通知，并在发出通知前不少于 14 天告知对方，通知到达对方时合同解除。对解除合同有争议的，按约定的争议解决方式处理。

3. 因不可抗力致使合同无法履行时，发包人应按合同约定向勘察人支付已完工作量相对应比例的合同价款后解除合同。

4. 合同解除后，勘察人应按发包人要求将自有设备和人员撤出作业场地，发包人应为勘察人撤出提供必要条件。

（十二）责任与保险

勘察人应运用一切合理的专业技术和经验，按照公认的职业标准尽其全部职责和谨慎、勤勉地履行其在本合同项下的责任和义务。

合同当事人可按照法律法规的要求在专用合同条款中约定履行本合同所需要的工程勘察责任保险，并使其于合同责任期内保持有效。

勘察人应依照法律法规的规定为勘察作业人员参加工伤保险、人身意外伤害险和其他保险。

（十三）违约

1. 发包人违约

（1）发包人违约情形

1）合同生效后，发包人无故要求终止或解除合同；

2）发包人未按约定按时支付定金或预付款；

3）发包人未按约定按时支付进度款；

4）发包人不履行合同义务或不按合同约定履行义务的其他情形。

（2）发包人违约责任

1）合同生效后，发包人无故要求终止或解除合同，勘察人未开始勘察工作的，不退还发包人已付的定金或发包人按照专用合同条款约定向勘察人支付违约金；勘察人已开始勘察工作的，若完成计划工作量不足 50% 的，发包人应支付勘察人合同价款的50%；完成计划工作量超过 50% 的，发包人应支付勘察人合同价款的 100%。

2）发包人发生其他违约情形时，发包人应承担由此增加的费用和工期延误损失，并给予勘察人合理赔偿。双方可在专用合同条款内约定发包人赔偿勘察人损失的计算方法或者发包人应支付违约金的数额或计算方法。

2. 勘察人违约

（1）勘察人违约情形

1）合同生效后，勘察人因自身原因要求终止或解除合同；

2）因勘察人原因不能按照合同约定的日期或合同当事人同意顺延的工期提交成果资料；

3）因勘察人原因造成成果资料质量达不到合同约定的质量标准；

4）勘察人不履行合同义务或未按约定履行合同义务的其他情形。

（2）勘察人违约责任

1）合同生效后，勘察人因自身原因要求终止或解除合同，勘察人应双倍返还发包人已支付的定金或勘察人按照专用合同条款约定向发包人支付违约金。

2）因勘察人原因造成工期延误的，应按专用合同条款约定向发包人支付违约金。

3）因勘察人原因造成成果资料质量达不到合同约定的质量标准，勘察人应负责无偿给予补充完善使其达到质量合格。因勘察人原因导致工程质量安全事故或其他事故时，勘察人除负责采取补救措施外，应通过所投工程勘察责任保险向发包人承担赔偿责任或根据直接经济损失程度按专用合同条款约定向发包人支付赔偿金。

4）勘察人发生其他违约情形时，勘察人应承担违约责任并赔偿因其违约给发包人造成的损失，双方可在专用合同条款内约定勘察人赔偿发包人损失的计算方法和赔偿金额。

（十四）索赔

1. 发包人索赔

勘察人未按合同约定履行义务或发生错误以及应由勘察人承担责任的其他情形，造成工期延误及发包人的经济损失，除专用合同条款另有约定外，发包人可按下列程序以书面形式向勘察人索赔：

（1）违约事件发生后 7 天内，向勘察人发出索赔意向通知；

（2）发出索赔意向通知后 14 天内，向勘察人提出经济损失的索赔报告及有关资料；

（3）勘察人在收到发包人送交的索赔报告和有关资料或补充索赔理由、证据后，于 28 天内给予答复；

（4）勘察人在收到发包人送交的索赔报告和有关资料后 28 天内未予答复或未对发包人作进一步要求，视为该项索赔已被认可；

（5）当该违约事件持续进行时，发包人应阶段性向勘察人发出索赔意向，在违约事件终了后 21 天内，向勘察人送交索赔的有关资料和最终索赔报告。索赔答复程序与本款第（3）、（4）项约定相同。

2. 勘察人索赔

发包人未按合同约定履行义务或发生错误以及应由发包人承担责任的其他情形，造成工期延误和（或）勘察人不能及时得到合同价款及勘察人的经济损失，除专用合同条款另有约定外，勘察人可按下列程序以书面形式向发包人索赔：

（1）违约事件发生后 7 天内，勘察人可向发包人发出要求其采取有效措施纠正违约行为的通知；发包人收到通知 14 天内仍不履行合同义务，勘察人有权停止作业，并向发包人发出索赔意向通知。

（2）发出索赔意向通知后 14 天内，向发包人提出延长工期和（或）补偿经济损失的索赔报告及有关资料；

（3）发包人在收到勘察人送交的索赔报告和有关资料或补充索赔理由、证据后，于 28 天内给予答复；

（4）发包人在收到勘察人送交的索赔报告和有关资料后 28 天内未予答复或未对勘察人作进一步要求，视为该项索赔已被认可；

（5）当该索赔事件持续进行时，勘察人应阶段性向发包人发出索赔意向，在索赔事件终了后 21 天内，向发包人送交索赔的有关资料和最终索赔报告。索赔答复程序与本款第（3）、（4）项约定相同。

（十五）争议解决

因本合同以及与本合同有关事项发生争议的，双方可以就争议自行和解，双方也可以请求行政主管部门、行业协会或其他第三方进行调解。当事人不愿和解、调解或者和解、调解不成的，双方可以在专用合同条款内约定的方式向约定的仲裁委员会申请仲裁或者向有管辖权的人民法院起诉。

三、《建设工程设计合同（示范文本）》

《建设工程设计合同（示范文本）》分为两种：一种是《建设工程设计合同（示范文本）》（GF-2015-0209），适用于房屋建筑工程，包括建设用地规划许可证范围内的建筑物构筑物设计、室外工程设计、民用建筑修建的地下工程设计及住宅小区、工厂厂前区、工厂生活区、小区规划设计及单体设计等，以及所包含的相关专业的设计内容（总平面布置、竖向设计、各类管网管线设计、景观设计、室内外环境设计及建筑装饰、道路、消防、智能、安保、通信、防雷、人防、供配电、照明、废水治理、空调设施、抗震加固等）等工程设计活动；另一种是《建设工程设计合同（示范文本）》（GF-2015-0210），适用于专业建设工程，包括房屋建筑工程以外各行业建设工程项目的主体工程和配套工程（含厂/矿区内的自备电站、道路、专用铁路、通信、各种管网管线和配套的建筑物等全部配套工程）以及与主体工程、配套工程相关的工艺、土木、建筑、环境保护、水土保持、消防、安全、卫生、节能、防雷、抗震、照明工程等工程设计活动。此处所言的专业建设工程具体包括煤炭、化工石化医药、石油天然气（海洋石油）、电力、冶金、军工、机械、商物粮、核工业、电子通信广电、轻纺、建材、铁道、公路、水运、民航、市政、农林、水利、海洋等工程。

《建设工程设计合同（示范文本）》由合同协议书、通用合同条款和专用合同条款三部分组成。《建设工程设计合同（示范文本）》（GF-2015-0210）与《建设工程设计合同（示范文本）》（GF-2015-0209）结构内容相似，《建设工程设计合同（示范文本）》（GF-2015-0210）详细内容可参见附件。《建设工程设计合同（示范文本）》（GF-2015-0209）通用合同条款主要包括以下内容：

（一）发包人一般义务与决定

1. 发包人一般义务

（1）发包人应遵守法律，并办理法律规定由其办理的许可、核准或备案，包括但不限于建设用地规划许可证、建设工程规划许可证、建设工程方案设计批准、施工图设计审查等许可、核准或备案。

发包人负责本项目各阶段设计文件向规划设计管理部门的送审报批工作，并负责将报批结果书面通知设计人。因发包人原因未能及时办理完毕前述许可、核准或备案手续，导致设计工作量增加和（或）设计周期延长时，由发包人承担由此增加的设计费用和（或）延长的设计周期。

（2）发包人应当负责工程设计的所有外部关系（包括但不限于当地政府主管部门等）的协调，为设计人履行合同提供必要的外部条件。

2. 发包人决定

（1）发包人在法律允许的范围内有权对设计人的设计工作、设计项目和／或设计文件作出处理决定，设计人应按照发包人的决定执行，涉及设计周期和（或）设计费用等问题按合同工程设计变更与索赔的约定处理。

（2）发包人应在专用合同条款约定的期限内对设计人书面提出的事项作出书面决定，如发包人不在确定时间内作出书面决定，设计人的设计周期相应延长。

（二）设计人一般义务、项目负责人与设计人员

1. 设计人一般义务

设计人应遵守法律和有关技术标准的强制性规定，完成合同约定范围内的房屋建筑工程方案设计、初步设计、施工图设计，提供符合技术标准及合同要求的工程设计文件，提供施工配合服务。

设计人应当按照专用合同条款约定配合发包人办理有关许可、核准或备案手续的，因设计人原因造成发包人未能及时办理许可、核准或备案手续，导致设计工作量增加和（或）设计周期延长时，由设计人自行承担由此增加的设计费用和（或）设计周期延长的责任。

2. 项目负责人

（1）项目负责人应为合同当事人所确认的人选，并在专用合同条款中明确项目负责人的姓名、执业资格及等级、注册执业证书编号、联系方式及授权范围等事项，项目负责人经设计人授权后代表设计人负责履行合同。

（2）设计人需要更换项目负责人的，应在专用合同条款约定的期限内提前书面通知发包人，并征得发包人书面同意。通知中应当载明继任项目负责人的注册执业资格、管理经验等资料，继任项目负责人继续履行（1）项约定的职责。未经发包人书面同意，设计人不得擅自更换项目负责人。设计人擅自更换项目负责人的，应按照专用合同条款的约定承担违约责任。对于设计人项目负责人确因患病、与设计人解除或终止劳动关系、工伤等原因更换项目负责人的，发包人无正当理由不得拒绝更换。

（3）发包人有权书面通知设计人更换其认为不称职的项目负责人，通知中应当载明要求更换的理由。对于发包人有理由的更换要求，设计人应在收到书面更换通知后在专用合同条款约定的期限内进行更换，并将新任命的项目负责人的注册执业资格、管理经验等资料书面通知发包人。继任项目负责人继续履行（1）约定的职责。设计人无正当理由拒绝更换项目负责人的，应按照专用合同条款的约定承担违约责任。

3. 设计人人员

（1）除专用合同条款对期限另有约定外，设计人应在接到开始设计通知后7天内，向发包人提交设计人项目管理机构及人员安排的报告，其内容应包括建筑、结构、给水排水、暖通、电气等专业负责人名单及其岗位、注册执业资格等。

（2）设计人委派到工程设计中的设计人员应相对稳定。设计过程中如有变动，设计人应及时向发包人提交工程设计人员变动情况的报告。设计人更换专业负责人时，应提前7天书面通知发包人，除专业负责人无法正常履职情形外，还应征得发包人书面同意。通知中应当载明继任人员的注册执业资格、执业经验等资料。

（3）发包人对于设计人主要设计人员的资格或能力有异议的，设计人应提供资料证明被质疑人员有能力完成其岗位工作或不存在发包人所质疑的情形。发包人要求撤换不能按照合同约定履行职责及义务的主要设计人员的，设计人认为发包人有理由的，应当撤换。设计人无正当理由拒绝撤换的，应按照专用合同条款的约定承担违约责任。

（三）设计分包

1. 一般约定

设计人不得将其承包的全部工程设计转包给第三人，或将其承包的全部工程设计肢解后以分包的名义转包给第三人。设计人不得将工程主体结构、关键性工作及专用合同条款中禁止分包的工程设计分包给第三人，工程主体结构、关键性工作的范围由合同当事人按照法律规定在专用合同条款中予以明确。设计人不得进行违法分包。

2. 设计分包的确定

设计人应按专用合同条款的约定或经过发包人书面同意后进行分包，确定分包人。按照合同约定或经过发包人书面同意后进行分包的，设计人应确保分包人具有相应的资质和能力。工程设计分包不减轻或免除设计人的责任和义务，设计人和分包人就分包工程设计向发包人承担连带责任。

3. 设计分包管理

设计人应按照专用合同条款的约定向发包人提交分包人的主要工程设计人员名单、注册执业资格及执业经历等。

4. 分包工程设计费

（1）除下述第（2）目约定的情况或专用合同条款另有约定外，分包工程设计费由设计人与分包人结算，未经设计人同意，发包人不得向分包人支付分包工程设计费；

（2）生效的法院判决书或仲裁裁决书要求发包人向分包人支付分包工程设计费的，发包人有权从应付设计人合同价款中扣除该部分费用。

5. 联合体

（1）联合体各方应共同与发包人签订合同协议书。联合体各方应为履行合同向发包人承担连带责任。

（2）联合体协议，应当约定联合体各成员工作分工，经发包人确认后作为合同附件。在履行合同过程中，未经发包人同意，不得修改联合体协议。

（3）联合体牵头人负责与发包人联系，并接受指示，负责组织联合体各成员全面履行合同。

（四）工程设计资料

1. 提供工程设计资料

发包人应当在工程设计前或专用合同条款约定的时间向设计人提供工程设计所必需的工程设计资料，并对所提供资料的真实性、准确性和完整性负责。

按照法律规定确需在工程设计开始后方能提供的设计资料，发包人应及时地在相应工程设计文件提交给发包人前的合理期限内提供，合理期限应以不影响设计人的正常设计为限。

2. 逾期提供的责任

发包人提交上述文件和资料超过约定期限的，超过约定期限15天以内，设计人按本合同约定的交付工程设计文件时间相应顺延；超过约定期限15天以外时，设计人有权重新确定提交工程设计文件的时间。工程设计资料逾期提供导致增加了设计工作量的，设计人可以要求发包人另行支付相应设计费用，并相应延长设计周期。

（五）工程设计要求

1. 一般要求

（1）发包人应当遵守法律和技术标准，不得以任何理由要求设计人违反法律和工程质量、安全标准进行工程设计，降低工程质量。

发包人要求进行主要技术指标控制的，钢材用量、混凝土用量等主要技术指标控制值应当符合有关工程设计标准的要求，且应当在工程设计开始前书面向设计人提出，经发包人与设计人协商一致后以书面形式确定作为本合同附件。

发包人应当严格遵守主要技术指标控制的前提条件，由于发包人的原因导致工程设计文件超出主要技术指标控制值的，发包人承担相应责任。

（2）设计人应当按法律和技术标准的强制性规定及发包人要求进行工程设计。有关工程设计的特殊标准或要求由合同当事人在专用合同条款中约定。设计人发现发包人提供的工程设计资料有问题的，设计人应当及时通知发包人并经发包人确认。

除合同另有约定外，设计人完成设计工作所应遵守的法律以及技术标准，均应视为在基准日期适用的版本。基准日期之后，前述版本发生重大变化，或者有新的法律以及技术标准实施的，设计人应就推荐性标准向发包人提出遵守新标准的建议，对强制性的规定或标准应当遵照执行。因发包人采纳设计人的建议或遵守基准日期后新的强制性的规定或标准，导致增加设计费用和（或）设计周期延长的，由发包人承担。

设计人应当根据建筑工程的使用功能和专业技术协调要求，合理确定基础类型、结构体系、结构布置、使用荷载及综合管线等。

设计人应当严格执行其双方书面确认的主要技术指标控制值，由于设计人的原因导致工程设计文件超出在专用合同条款中约定的主要技术指标控制值比例的，设计人应当承担相应的违约责任。

设计人在工程设计中选用的材料、设备，应当注明其规格、型号、性能等技术指标及适应性，满足质量、安全、节能、环保等要求。

2. 工程设计保证措施

发包人应按照法律规定及合同约定完成与工程设计有关的各项工作。

设计人应做好工程设计的质量与技术管理工作，建立健全工程设计质量保证体系，加强工程设计全过程的质量控制，建立完整的设计文件的设计、复核、审核、会签和批准制度，明确各阶段的责任人。

3. 工程设计文件的要求

（1）工程设计文件的编制应符合法律、技术标准的强制性规定及合同的要求。

（2）工程设计依据应完整、准确、可靠，设计方案论证充分，计算成果可靠，并能够实施。

（3）工程设计文件的深度应满足本合同相应设计阶段的规定要求，并符合国家和行业现行有效的相关规定。

（4）工程设计文件必须保证工程质量和施工安全等方面的要求，按照有关法律法规规定在工程设计文件中提出保障施工作业人员安全和预防生产安全事故的措施建议。

（5）应根据法律、技术标准要求，保证房屋建筑工程的合理使用寿命年限，并应在工程设计文件中注明相应的合理使用寿命年限。

4. 不合格工程设计文件的处理

（1）因设计人原因造成工程设计文件不合格的，发包人有权要求设计人采取补救措施，直至达到合同要求的质量标准，并按设计人违约责任条款的约定承担责任。

（2）因发包人原因造成工程设计文件不合格的，设计人应当采取补救措施，直至达到合同要求的质量标准,由此增加的设计费用和(或)设计周期的延长由发包人承担。

(六)工程设计进度与周期

1. 工程设计进度计划

(1)工程设计进度计划的编制

设计人应按照专用合同条款约定提交工程设计进度计划,工程设计进度计划的编制应当符合法律规定和一般工程设计实践惯例,工程设计进度计划经发包人批准后实施。工程设计进度计划是控制工程设计进度的依据,发包人有权按照工程设计进度计划中列明的关键性控制节点检查工程设计进度情况。

工程设计进度计划中的设计周期应由发包人与设计人协商确定,明确约定各阶段设计任务的完成时间区间,包括各阶段设计过程中设计人与发包人的交流时间,但不包括相关政府部门对设计成果的审批时间及发包人的审查时间。

(2)工程设计进度计划的修订

工程设计进度计划不符合合同要求或与工程设计的实际进度不一致的,设计人应向发包人提交修订的工程设计进度计划,并附具有关措施和相关资料。除专用合同条款对期限另有约定外,发包人应在收到修订的工程设计进度计划后5天内完成审核和批准或提出修改意见,否则视为发包人同意设计人提交的修订的工程设计进度计划。

2. 工程设计开始

发包人应按照法律规定获得工程设计所需的许可。发包人发出的开始设计通知应符合法律规定,一般应在计划开始设计日期7天前向设计人发出开始工程设计工作通知,工程设计周期自开始设计通知中载明的开始设计的日期起算。

设计人应当在收到发包人提供的工程设计资料及专用合同条款约定的定金或预付款后,开始工程设计工作。

各设计阶段的开始时间均以设计人收到的发包人发出开始设计工作的书面通知书中载明的开始设计的日期起算。

3. 工程设计进度延误

(1)因发包人原因导致工程设计进度延误

在合同履行过程中,发包人导致工程设计进度延误的情形主要有:

1)发包人未能按合同约定提供工程设计资料或所提供的工程设计资料不符合合同约定或存在错误或疏漏的;

2)发包人未能按合同约定日期足额支付定金或预付款、进度款的;

3)发包人提出影响设计周期的设计变更要求的;

4)专用合同条款中约定的其他情形。

因发包人原因未按计划开始设计日期开始设计的,发包人应按实际开始设计日期顺延完成设计日期。

除专用合同条款对期限另有约定外,设计人应在发生上述情形后5天内向发包人发出要求延期的书面通知，在发生该情形后 10 天内提交要求延期的详细说明供发包人审查。除专用合同条款对期限另有约定外，发包人收到设计人要求延期的详细说明后，应在 5 天内进行审查并就是否延长设计周期及延期天数向设计人进行书面答复。

如果发包人在收到设计人提交要求延期的详细说明后，在约定的期限内未予答复，则视为设计人要求的延期已被发包人批准。如果设计人未能按本款约定的时间内发出要求延期的通知并提交详细资料，则发包人可拒绝作出任何延期的决定。

发包人上述工程设计进度延误情形导致增加了设计工作量的，发包人应当另行支付相应设计费用。

（2）因设计人原因导致工程设计进度延误

因设计人原因导致工程设计进度延误的，设计人应当按照设计人违约责任条款承担责任。设计人支付逾期完成工程设计违约金后，不免除设计人继续完成工程设计的义务。

4. 暂停设计

（1）因发包人原因引起暂停设计的，发包人应及时下达暂停设计指示，发包人应承担由此增加的设计费用和（或）延长的设计周期。

（2）因设计人原因引起的暂停设计，设计人应当尽快向发包人发出书面通知并按设计人违约责任条款承担责任，且设计人在收到发包人复工指示后 15 天内仍未复工的，视为设计人无法继续履行合同的情形，设计人应按合同解除的约定承担责任。

（3）当出现非设计人原因造成的暂停设计，设计人应当尽快向发包人发出书面通知。在上述情形下设计人的设计服务暂停，设计人的设计周期应当相应延长，复工应有发包人与设计人共同确认的合理期限。当发生本项约定的情况，导致设计人增加设计工作量的，发包人应当另行支付相应设计费用。

（4）暂停设计后，发包人和设计人应采取有效措施积极消除暂停设计的影响。当工程具备复工条件时，发包人向设计人发出复工通知，设计人应按照复工通知要求复工。

除设计人原因导致暂停设计外，设计人暂停设计后复工所增加的设计工作量，发包人应当另行支付相应设计费用。

5. 提前交付工程设计文件

（1）发包人要求设计人提前交付工程设计文件的，发包人应向设计人下达提前交付工程设计文件指示，设计人应向发包人提交提前交付工程设计文件建议书，提前交付工程设计文件建议书应包括实施的方案、缩短的时间、增加的合同价格等内容。发包人接受该提前交付工程设计文件建议书的，发包人和设计人协商采取加快工程设计进度的措施，并修订工程设计进度计划，由此增加的设计费用由发包人承担。设计人认为提前交付工程设计文件的指示无法执行的，应向发包人提出书面异议，发包人应在收到异议后 7 天内予以答复。任何情况下，发包人不得压缩合理设计周期。

（2）发包人要求设计人提前交付工程设计文件，或设计人提出提前交付工程设文件的建议能够给发包人带来效益的，合同当事人可以在专用合同条款中约定提前交付工程设计文件的奖励。

（七）工程设计文件交付

1. 交付的内容

（1）工程设计图纸及设计说明。

（2）发包人可以要求设计人提交专用合同条款约定的具体形式的电子版设计文件。

2. 交付方式

设计人交付工程设计文件给发包人，发包人应当出具书面签收单，内容包括图纸名称、图纸内容、图纸形式、份数、提交和签收日期、提交人与接收人的亲笔签名。

3. 工程设计文件交付的时间和份数

工程设计文件交付的名称、时间和份数在专用合同条款中约定。

（八）工程设计文件审查

1. 设计人的工程设计文件应报发包人审查同意。审查的范围和内容在发包人要求中约定。审查的具体标准应符合法律规定、技术标准要求和本合同约定。

除专用合同条款对期限另有约定外，自发包人收到设计人的工程设计文件以及设计人的通知之日起，发包人对设计人的工程设计文件审查期不超过15天。

发包人不同意工程设计文件的，应以书面形式通知设计人，并说明不符合合同要求的具体内容。设计人应根据发包人的书面说明，对工程设计文件进行修改后重新报送发包人审查，审查期重新起算。

合同约定的审查期满，发包人没有做出审查结论也没有提出异议的，视为设计人的工程设计文件已获发包人同意。

2. 设计人的工程设计文件不需要政府有关部门审查或批准的，设计人应当严格按照经发包人审查同意的工程设计文件进行修改，如果发包人的修改意见超出或更改了发包人要求，发包人应当根据工程设计变更与索赔条款的约定，向设计人另行支付费用。

3. 工程设计文件需政府有关部门审查或批准的，发包人应在审查同意设计人的工程设计文件后在专用合同条款约定的期限内，向政府有关部门报送工程设计文件，设计人应予以协助。

对于政府有关部门的审查意见，不需要修改发包人要求的，设计人需按该审查意见修改设计人的工程设计文件；需要修改发包人要求的，发包人应重新提出发包人要求，设计人应根据新提出的发包人要求修改设计人的工程设计文件，发包人应当根据工程设计变更与索赔条款的约定，向设计人另行支付费用。

4. 发包人需要组织审查会议对工程设计文件进行审查的，审查会议的审查形式和时间安排，在专用合同条款中约定。发包人负责组织工程设计文件审查会议，并承担会议费用及发包人的上级单位、政府有关部门参加的审查会议的费用。

设计人按工程设计文件交付条款的约定向发包人提交工程设计文件，有义务参加发包人组织的设计审查会议，向审查者介绍、解答、解释其工程设计文件，并提供有关补充资料。

发包人有义务向设计人提供设计审查会议的批准文件和纪要。设计人有义务按照相关设计审查会议批准的文件和纪要，并依据合同约定及相关技术标准，对工程设计文件进行修改、补充和完善。

5. 因设计人原因，未能按工程设计文件交付条款约定的时间向发包人提交工程设计文件，致使工程设计文件审查无法进行或无法按期进行，造成设计周期延长、窝工损失及发包人增加费用的，设计人应按设计人违约责任的约定承担责任。

因发包人原因，致使工程设计文件审查无法进行或无法按期进行，造成设计周期延长、窝工损失及设计人增加的费用，由发包人承担。

6. 因设计人原因造成工程设计文件不合格致使工程设计文件审查无法通过的，发包人有权要求设计人采取补救措施，直至达到合同要求的质量标准，并按设计人违约责任条款的约定承担责任。

因发包人原因造成工程设计文件不合格致使工程设计文件审查无法通过的，由此增加的设计费用和（或）延长的设计周期由发包人承担。

7. 工程设计文件的审查，不减轻或免除设计人依据法律应当承担的责任。

（九）施工现场配合服务

1. 除专用合同条款另有约定外，发包人应为设计人派赴现场的工作人员提供工作、生活及交通等方面的便利条件。

2. 设计人应当提供设计技术交底、解决施工中设计技术问题和竣工验收服务。如果发包人在专用合同条款约定的施工现场服务时限外仍要求设计人负责上述工作的，发包人应按所需工作量向设计人另行支付服务费用。

（十）合同价款与支付

1. 合同价款组成

发包人和设计人应当在专用合同条款中明确约定合同价款各组成部分的具体数额，主要包括：

（1）工程设计基本服务费用；

（2）工程设计其他服务费用；

（3）在未签订合同前发包人已经同意或接受或已经使用的设计人为发包人所做的各项工作的相应费用等。

2. 合同价格形式

发包人和设计人应在合同协议书中选择下列一种合同价格形式：

（1）单价合同

单价合同是指合同当事人约定以建筑面积（包括地上建筑面积和地下建筑面积）每平方米单价或实际投资总额的一定比例等进行合同价格计算、调整和确认的建设工程设计合同，在约定的范围内合同单价不作调整。合同当事人应在专用合同条款中约定单价包含的风险范围和风险费用的计算方法，并约定风险范围以外的合同价格的调整方法。

（2）总价合同

总价合同是指合同当事人约定以发包人提供的上一阶段工程设计文件及有关条件进行合同价格计算、调整和确认的建设工程设计合同，在约定的范围内合同总价不作调整。合同当事人应在专用合同条款中约定总价包含的风险范围和风险费用的计算方法，并约定风险范围以外的合同价格的调整方法。

（3）其他价格形式

合同当事人可在专用合同条款中约定其他合同价格形式。

3. 定金或预付款

（1）定金或预付款的比例

定金的比例不应超过合同总价款的20%。预付款的比例由发包人与设计人协商确定，一般不低于合同总价款的20%。

（2）定金或预付款的支付

定金或预付款的支付按照专用合同条款约定执行，但最迟应在开始设计通知载明的开始设计日期前专用合同条款约定的期限内支付。

发包人逾期支付定金或预付款超过专用合同条款约定的期限的，设计人有权向发包人发出要求支付定金或预付款的催告通知，发包人收到通知后7天内仍未支付的，设计人有权不开始设计工作或暂停设计工作。

4. 进度款支付

发包人应当按照专用合同条款约定的付款条件及时向设计人支付进度款。在对已付进度款进行汇总和复核中发现错误、遗漏或重复的，发包人和设计人均有权提出修正申请。经发包人和设计人同意的修正，应在下期进度付款中支付或扣除。

5. 合同价款的结算与支付

发包人应将合同价款支付至合同协议书中约定的设计人账户。

（1）对于采取固定总价形式的合同，发包人应当按照专用合同条款的约定及时支付尾款。

（2）对于采取固定单价形式的合同，发包人与设计人应当按照专用合同条款约定的结算方式及时结清工程设计费，并将结清未支付的款项一次性支付给设计人。

（3）对于采取其他价格形式的，也应按专用合同条款的约定及时结算和支付。

（十一）工程设计变更与索赔

1. 发包人变更工程设计的内容、规模、功能、条件等，应当向设计人提供书面要求，设计人在不违反法律规定以及技术标准强制性规定的前提下应当按照发包人要求变更工程设计。

2. 发包人变更工程设计的内容、规模、功能、条件或因提交的设计资料存在错误或作较大修改时，发包人应按设计人所耗工作量向设计人增付设计费，设计人可按本条约定和专用合同条款的约定，与发包人协商对合同价格和 / 或完工时间做可共同接受的修改。

3. 如果由于发包人要求更改而造成的项目复杂性的变更或性质的变更使得设计人的设计工作减少，发包人可按本条约定和专用合同条款的约定，与设计人协商对合同价格和 / 或完工时间做可共同接受的修改。

4. 基准日期后，与工程设计服务有关的法律、技术标准的强制性规定的颁布及修改，由此增加的设计费用和（或）延长的设计周期由发包人承担。

5. 如果发生设计人认为有理由提出增加合同价款或延长设计周期的要求事项，除专用合同条款对期限另有约定外，设计人应于该事项发生后 5 天内书面通知发包人。除专用合同条款对期限另有约定外，在该事项发生后 10 天内，设计人应向发包人提供证明设计人要求的书面声明，其中包括设计人关于因该事项引起的合同价款和设计周期的变化的详细计算。除专用合同条款对期限另有约定外，发包人应在接到设计人书面声明后的 5 天内，予以书面答复。逾期未答复的，视为发包人同意设计人关于增加合同价款或延长设计周期的要求。

（十二）**专业责任与保险**

1. 设计人应运用一切合理的专业技术和经验知识，按照公认的职业标准尽其全部职责和谨慎、勤勉地履行其在本合同项下的责任和义务。

2. 除专用合同条款另有约定外，设计人应具有发包人认可的、履行本合同所需要的工程设计责任保险并使其于合同责任期内保持有效。

3. 工程设计责任保险应承担由于设计人的疏忽或过失而引发的工程质量事故所造成的建设工程本身的物质损失以及第三者人身伤亡、财产损失或费用的赔偿责任。

（十三）**知识产权**

1. 除专用合同条款另有约定外，发包人提供给设计人的图纸、发包人为实施工程自行编制或委托编制的技术规格书以及反映发包人要求的或其他类似性质的文件的著作权属于发包人，设计人可以为实现合同目的而复制、使用此类文件，但不能用于与合同无关的其他事项。未经发包人书面同意，设计人不得为了合同以外的目的而复制、使用上述文件或将之提供给任何第三方。

2. 除专用合同条款另有约定外，设计人为实施工程所编制的文件的著作权属于设计人，发包人可因实施工程的运行、调试、维修、改造等目的而复制、使用此类文件，但不能擅自修改或用于与合同无关的其他事项。未经设计人书面同意，发包人不得为了合同以外的目的而复制、使用上述文件或将之提供给任何第三方。

3. 合同当事人保证在履行合同过程中不侵犯对方及第三方的知识产权。设计人在工程设计时，因侵犯他人的专利权或其他知识产权所引起的责任，由设计人承担；因发包人提供的工程设计资料导致侵权的，由发包人承担责任。

4. 合同当事人双方均有权在不损害对方利益和保密约定的前提下，在自己宣传用的印刷品或其他出版物上，或申报奖项时等情形下公布有关项目的文字和图片材料。

5. 除专用合同条款另有约定外，设计人在合同签订前和签订时已确定采用的专利、专有技术的使用费应包含在签约合同价中。

（十四）违约责任

1. 发包人违约责任

（1）合同生效后，发包人因非设计人原因要求终止或解除合同，设计人未开始设计工作的，不退还发包人已付的定金或发包人按照专用合同条款的约定向设计人支付违约金；已开始设计工作的，发包人应按照设计人已完成的实际工作量计算设计费，完成工作量不足一半时，按该阶段设计费的一半支付设计费；超过一半时，按该阶段设计费的全部支付设计费。

（2）发包人未按专用合同条款约定的金额和期限向设计人支付设计费的，应按专用合同条款约定向设计人支付违约金。逾期超过 15 天时，设计人有权书面通知发包人中止设计工作。自中止设计工作之日起 15 天内发包人支付相应费用的，设计人应及时根据发包人要求恢复设计工作；自中止设计工作之日起超过 15 天后发包人支付相应费用的，设计人有权确定重新恢复设计工作的时间，且设计周期相应延长。

（3）发包人的上级或设计审批部门对设计文件不进行审批或本合同工程停建、缓建，发包人应在事件发生之日起 15 天内按本合同解除条款的约定向设计人结算并支付设计费。

（4）发包人擅自将设计人的设计文件用于本工程以外的工程或交第三方使用时，应承担相应法律责任，并应赔偿设计人因此遭受的损失。

2. 设计人违约责任

（1）合同生效后，设计人因自身原因要求终止或解除合同，设计人应按发包人已支付的定金金额双倍返还给发包人或设计人按照专用合同条款约定向发包人支付违约金。

（2）由于设计人原因，未按专用合同条款附件 3 约定的时间交付工程设计文件的，应按专用合同条款的约定向发包人支付违约金，前述违约金经双方确认后可在发包人应付设计费中扣减。

（3）设计人对工程设计文件出现的遗漏或错误负责修改或补充。由于设计人原因产生的设计问题造成工程质量事故或其他事故时，设计人除负责采取补救措施外，应当通过所投建设工程设计责任保险向发包人承担赔偿责任或者根据直接经济损失程度按专用合同条款约定向发包人支付赔偿金。

（4）由于设计人原因，工程设计文件超出发包人与设计人书面约定的主要技术指标控制值比例的，设计人应当按照专用合同条款的约定承担违约责任。

（5）设计人未经发包人同意擅自对工程设计进行分包的，发包人有权要求设计人解除未经发包人同意的设计分包合同，设计人应当按照专用合同条款的约定承担违约责任。

（十五）不可抗力

1. 不可抗力的确认

不可抗力是指合同当事人在签订合同时不可预见，在合同履行过程中不可避免且不能克服的自然灾害和社会性突发事件，如地震、海啸、瘟疫、骚乱、戒严、暴动、战争和专用合同条款中约定的其他情形。

不可抗力发生后，发包人和设计人应收集证明不可抗力发生及不可抗力造成损失的证据，并及时认真统计所造成的损失。合同当事人对是否属于不可抗力或其损失发生争议时，按争议解决条款的约定处理。

2. 不可抗力的通知

合同一方当事人遇到不可抗力事件，使其履行合同义务受到阻碍时，应立即通知合同另一方当事人，书面说明不可抗力和受阻碍的详细情况，并在合理期限内提供必要的证明。

不可抗力持续发生的，合同一方当事人应及时向合同另一方当事人提交中间报告，说明不可抗力和履行合同受阻的情况，并于不可抗力事件结束后28天内提交最终报告及有关资料。

3. 不可抗力后果的承担

不可抗力引起的后果及造成的损失由合同当事人按照法律规定及合同约定各自承担。不可抗力发生前已完成的工程设计应当按照合同约定进行支付。

不可抗力发生后，合同当事人均应采取措施尽量避免和减少损失的扩大，任何一方当事人没有采取有效措施导致损失扩大的，应对扩大的损失承担责任。

因合同一方迟延履行合同义务，在迟延履行期间遭遇不可抗力的，不免除其违约责任。

（十六）合同解除

1. 发包人与设计人协商一致，可以解除合同。

2. 有下列情形之一的，合同当事人一方或双方可以解除合同：

（1）设计人工程设计文件存在重大质量问题，经发包人催告后，在合理期限内修改后仍不能满足国家现行深度要求或不能达到合同约定的设计质量要求的，发包人可以解除合同；

（2）发包人未按合同约定支付设计费用，经设计人催告后，在30天内仍未支付的，设计人可以解除合同；

（3）暂停设计期限已连续超过180天，专用合同条款另有约定的除外；

（4）因不可抗力致使合同无法履行；

（5）因一方违约致使合同无法实际履行或实际履行已无必要；

（6）因本工程项目条件发生重大变化，使合同无法继续履行。

3. 任何一方因故需解除合同时，应提前30天书面通知对方，对合同中的遗留问题应取得一致意见并形成书面协议。

4. 合同解除后，发包人除应按约定金额及专用合同条款约定期限内向设计人支付已完工作的设计费外，应当向设计人支付由于非设计人原因合同解除导致设计人增加的设计费用，违约一方应当承担相应的违约责任。

（十七）争议解决

1. 和解

合同当事人可以就争议自行和解，自行和解达成协议的经双方签字并盖章后作为合同补充文件，双方均应遵照执行。

2. 调解

合同当事人可以就争议请求相关行政主管部门、行业协会或其他第三方进行调解，调解达成协议的，经双方签字并盖章后作为合同补充文件，双方均应遵照执行。

3. 争议评审

合同当事人在专用合同条款中约定采取争议评审方式解决争议以及评审规则，并按下列约定执行：

（1）争议评审小组的确定

合同当事人可以共同选择一名或三名争议评审员，组成争议评审小组。除专用合同条款另有约定外，合同当事人应当自合同签订后28天内，或者争议发生后14天内，选定争议评审员。

选择一名争议评审员的，由合同当事人共同确定；选择三名争议评审员的，各自选定一名，第三名成员为首席争议评审员，由合同当事人共同确定或由合同当事人委托已选定的争议评审员共同确定，或由专用合同条款约定的评审机构指定第三名首席争议评审员。

除专用合同条款另有约定外，评审所发生的费用由发包人和设计人各承担一半。

（2）争议评审小组的决定

合同当事人可在任何时间将与合同有关的任何争议共同提请争议评审小组进行评审。争议评审小组应秉持客观、公正原则，充分听取合同当事人的意见，依据相关法律、技术标准及行业惯例等，自收到争议评审申请报告后14天内作出书面决定，并说明理由。合同当事人可以在专用合同条款中对本事项另行约定。

（3）争议评审小组决定的效力

争议评审小组作出的书面决定经合同当事人签字确认后，对双方具有约束力，双方应遵照执行。

任何一方当事人不接受争议评审小组决定或不履行争议评审小组决定的，双方可选择采用其他争议解决方式。

4. 仲裁或诉讼

因合同及合同有关事项产生的争议，合同当事人可以在专用合同条款中约定以下一种方式解决争议：

（1）向约定的仲裁委员会申请仲裁；

（2）向有管辖权的人民法院起诉。

合同有关争议解决的条款独立存在，合同的变更、解除、终止、无效或者被撤销均不影响其效力。

第三节 建设工程监理合同

一、工程建设监理概述

工程建设监理是指具备监理资质的单位受发包人的委托，根据国家批准的工程项目建设文件、有关工程建设的法律文件、工程建设监理合同以及其他工程建设合同等有效文件，综合运用法律、经济、行政和技术手段对工程建设的全过程或某阶段进行监督和管理的专业性、服务性活动。工程建设监理的行为主体是具备一定资质条件的监理单位，而监理单位实施监理行为需要发包人的委托和授权。建设部和国家工商行政管理局在 2000 年 2 月联合发布了《建设工程委托监理合同（示范文本）》（GF-2000-0202），本节主要根据《建设工程委托监理合同（示范文本）》对工程建设监理合同的有关内容及问题进行阐述。

二、建设工程委托监理合同示范文本的构成

建设工程委托监理合同是指由发包人为委托和授权具备规定的监理资质的监理单位对其拟建的建设工程项目的全过程或某阶段进行监督和管理，而与监理单位签订的明确双方权利义务关系的书面协议。中华人民共和国建设部和中华人民共和国国家工商行政管理局联合发布的《建设工程委托监理合同（示范文本）》（GF-2000-0202）由三个部分构成，即：第一部分，建设工程委托监理合同；第二部分，标准条件；第三部分，专用条件。

（一）示范文本中的"建设工程委托监理合同"

1. "建设工程委托监理合同"的主要内容

"建设工程委托监理合同"是一个总协议，概括反映监理工程的概况，属于纲领性的文件。主要内容包括：委托人委托监理单位监督管理的工程名称、地点、规模、总投资概况；双方愿意履行的经约定的各项承诺，包括监理的业务范围、监理报酬的支付方式；合同文件的组成及合同的生效、签订日期；监理人、委托人的基本情况。

2. 建设工程委托监理合同文件的组成

建设工程委托监理合同文件是有助于确立工程建设监理活动过程中监理人与委托

人之间的权利义务关系并对监理人及委托人均具有法律约束力的文件构成的总体。建设工程委托监理合同文件除了上述"建设工程委托监理合同"外，还包括：

（1）监理投标书及中标通知书；

（2）合同标准条件；

（3）合同专用条件；

（4）在实施过程中双方共同签署的补充与修正文件。

建设工程委托监理合同文件中，"监理投标书及中标通知书"反映了监理人在监理过程中对于监理业务范围的承担意愿、监理报酬的支付方法及报酬确定方式、委托人选择监理人的意愿；"实施过程中双方共同签署的补充与修正文件"是指在合同履行过程中对于突发事件、专用条款中未明确的特殊情况，经双方共同商议而签订的文件，该部分同样归属于合同文件，具有合同文件所具备的法律效力。在监理合同的履行过程中，应该注意对于补充与修正文件的整理与存档。

（二）标准条件

标准条件适用于所有工程的监理业务的委托，是所有工程都应该遵守的基本条件，属于监理合同的通用条款。主要内容包括：

1.建设工程监理合同中专业词语定义；

2.监理人的责任、权利和义务；

3.委托人的责任、权利和义务；

4.合同的生效、变更与终止；

5.监理报酬的确定；

6.争议的解决；

7.其他。

（三）专用条件

专用条件是在通用条款的基础上，结合委托监理工程的项目特点、建设地点的地方法规、部门规章、专业特点等对于标准条件中的某些条款进行细化、具体化而形成的条款，或者在标准条件及其细化、具体化条款的基础上进一步签订的补充协议条款。具体内容包括：

1.针对"委托人"的特别条件；

2.关于监理费用的特别条件；

3.关于监理依据的特别条件；

4.关于监理内容的特别条件；

5.其他附加协议。

目前，我国监理单位承担的监理任务主要集中在对建设工程项目施工阶段的质量、工期、进度进行全面的监督和管理，对于建设工程项目的前期及设计阶段较少介入。按照国家对于工程建设监理制度建设的部署，设计阶段的监理工作将会得到较大的加强；而对于建设工程项目前期的监理工作也会逐步加强，由此将会导致现有建设工程委托监理合同示范文本各组成部分的内容增加，但其组成结构基本上不会发生变化。

三、建设工程委托监理合同的内容

（一）建设工程委托监理合同中专业词语的定义

在建设工程委托监理合同中，为避免在合同履行过程中发生争议，确保当事人双方更好地理解合同条款，对于一般常见的专业名词和技术名词作出了明确的定义，并规定除上下文中另有规定外，均按照这些定义确定的词语内涵、含义、范围等执行。

1. 工程、合同当事人、有关机构类词语的定义

建设工程委托监理示范文本合同中对于"工程、委托人、监理人、监理机构、总监理工程师、承包人"等工程、合同当事人、有关机构类词语的含义作出了明确的规定，其中："监理机构"是指监理人派驻本工程现场执行实施监理业务的组织；"总监理工程师"是指经委托人同意，由监理人派到监理机构全面履行本合同的全权负责人；"承包人"是指除监理人以外，委托人就工程建设有关事宜与其签订合同的其他当事人。

在标准条件和专用条件中，还规定了各类人员及组织在合同履行过程中的职责、权利、义务。因此，准确理解工程、合同当事人、有关机构类词语的含义，有助于建设工程委托监理合同的顺利履行。

2. 与监理工作内容有关的词语定义

在建设工程委托监理合同示范文本中对于工程监理的正常工作、附加工作、额外工作的含义和内容、界定作出了明确的规定，配合合同中的专用条件和附加条款，明确了合同履行过程中各种监理工作的内容、性质，从而为监理报酬的确定及追加提供了合同依据。

"工程监理的正常工作"是指双方在专用条件中约定的，有委托人委托给监理人的工作范围和内容。在合同签订过程中确定的监理报酬的固定金额部分，即是由于监理人完成了此部分的工作内容而得到的约定酬劳。

"工程监理的附加工作"包括两方面的内容，其一，指属于委托人委托工作范围以外，通过双方书面协议另外增加的工作内容；其二，指由于委托人或承包人的原因，使监理工作受到阻碍或延误，监理人增加工作量或工作持续时间而增加的工作。对于该部分的监理报酬应该按照合同中双方商定的附加工作报酬计算方法进行确认，并予以追加。

"工程监理的额外工作"是指正常工作与附加工作以外，监理人有义务必须完成的工作，或者由于非监理人的原因而暂停或终止监理业务，致使监理人必须进行的善后工作或恢复监理业务的工作。对于该部分的监理报酬同样也应该按照合同中双方商定的监理工作报酬计算方法进行确认，并予以追加。

3. 有关时间的名词的定义

在建设工程委托监理合同的履行过程中，经常会涉及合同有效期、监理费用补偿

等事项，而此类事项多数与合同规定的时间有密切关系。为避免合同纠纷的发生，在建设工程委托监理合同示范文本中对于"日、月"的含义、计算起止时间作出了明确的规定。

"日"是指任何一天的零时至第二天的零时为止的时间段。

"月"是指根据公历从一个月份的任何一天开始到下一个月相应日期的前一天的时间段。

（二）监理人的责任、权利和义务

1. 监理人的责任

（1）监理人在一定责任期内承担监理责任

所谓责任期即指建设工程委托监理合同有效期。监理人在该有效期内承担监理任务，如果由于工程建设进度的推迟造成执行监理任务的时期延长，双方应该进一步约定相应延长的该合同有效期。

（2）正确履行合同规定的监理工作的责任

监理人在责任期内应当正确履行监理义务。如果由于监理人的责任造成委托人的经济损失，应当向委托人赔偿。赔偿金额的计算方法根据合同中双方商定的计算方法确定，一般不能超过扣税后的监理报酬的总额。

（3）对委托人进行适当补偿的责任

除上述由于监理人的责任造成委托人经济损失的补偿以外，监理人还应该对于由监理人提出的并未成立的索赔要求所导致的委托人的各种费用支出给予补偿。

（4）保密的责任

在建设工程委托监理合同有效期内或合同终止后，未经过有关方面的同意，不得泄露与本工程、本合同业务有关的保密资料。此处的"有关方面"包括合同履行过程或者工程进行过程中涉及的各方当事人。

2. 监理人的权利

（1）建议权

监理人在委托人委托的工程范围内享有：选择工程总承包人的建议权，对于工程本身规模、规划及工艺设计、使用功能方面向委托人的建议权，享有对工程设计中的技术问题向设计人员提出合理化建议的权利；针对承包人的施工组织设计和技术方案向承包人提出合理建议的权利。

监理人在行使建议权的同时，尤其是对委托人以外的第三方提出建议时，必须经过委托人的认可，并以书面的形式向委托人报告。对于监理人向委托人提出书面报告的时间要求，在示范文本中的标准条件部分有明确的规定，但该时限要求可以由监理人与委托人在合同的专用条件中通过协商予以修改。

（2）认可权

监理人在委托人委托的工程范围内享有：对选择工程分包人的认可权，对承包人施工组织计划和技术方案的认可权。

（3）监督、检查和确认的权利

监理人在委托人委托的工程范围内享有：在征得委托人同意的情况下享有发布开工令、停工令和复工令的权利，对于委托工程使用的材料、施工质量及安全的检验权，对工程施工进度的检查和监督权及对实际竣工日期的确认权。

监理人在施工合同约定的工程价格范围内，享有对工程款支付的审核和签认权以及工程结算款的复核与否决权，未经总监理工程师的签字确认，委托人可以不支付工程款。

（4）组织协调的权利

监理人在委托人委托的工程范围内，以独立的身份享有调解委托人与承包人之间争议的权利；在委托人的授权下，享有对任何承包人合同规定的义务提出变更的权力；在监理过程中发现承包人人员工作不力的情况下，监理人有要求承包人调换有关人员的权力。

（5）索赔的权利

对于由于非监理人的原因导致的监理人的经济损失，有按照合同的约定向委托人提出经济赔偿的权利。

3. 监理人的义务

（1）按照合同约定妥善安排并派出监理工作所监理机构及监理人员的义务；向委托人报送委派的总监理工程师及其监理机构主要成员名单、监理规划，并按照合同约定定期向委托人报告监理工作的义务；完成建设工程委托监理合同专用条件中约定的监理工程范围内的监理业务的义务。

（2）向委托人提供与其水平相适应的咨询意见、公正维护各方面合法权益的义务。

（3）按照合同的约定移交其所使用的委托人财产的义务。

（4）在合同期内或合同终止后，未征得有关方同意，不得泄露与本工程、本合同业务有关的保密资料的义务。

（三）委托人的责任、权利和义务

1. 委托人的责任

（1）承担由于其自身违反建设工程委托监理合同约定的义务而导致的违约责任，并对由此造成的监理人的经济损失给予补偿。

（2）向监理人提供经济补偿的责任。对于由于非监理人的责任造成的监理人的经济损失，应该由委托人给予经济补偿；对于委托人提出的并未成立的索赔要求所导致的监理人的各种费用支出给予补偿。

2. 委托人的权利

（1）选择认定权

委托人享有选定工程总承包人，并与其签订合同的权利；委托人享有对工程规模、设计标准、规划设计、生产工艺设计和设计使用功能要求的认定权，以及对工程设计变更的审批权；委托人享有审核认定监理人工作建议和计划的权利。

（2）监督检查权

委托人有对监理组织机构变动的审查权利；委托人有要求监理人提供监理工作月报和监理业务范围内的专项报告的权利；委托人对于不按建设工程委托监理合同的约定履行监理职责，或者与承包人串通给委托人或者工程造成损失的监理人员，有权向监理人提出更换该监理人员的要求。

（3）索赔权

对于由于监理人的原因造成的委托人的经济损失，委托人有按照合同的约定向监理人提出经济赔偿的权利。

3. 委托人的义务

（1）在监理人开展监理业务之前向监理人支付预付款。

（2）负责与工程项目相关的所有外部协调关系，为监理工作提供外部条件。如将此项工作委托监理人完成，则应该在建设工程委托监理合同的专用条件中明确委托工作内容以及相应的报酬。

（3）应在建设工程委托监理合同约定的时间内免费向监理人提供与工程有关的为监理工作所需要的工程资料。

（4）应当在专用条款约定的时间内就监理人书面提交并要求作出决定的一切事宜作出书面决定。

（5）应当授权一名熟悉工程情况、能在规定时间内作出决定的常驻代表（在专用条款中约定），负责与监理人联系。更换常驻代表，要提前通知监理人。

（6）在不影响监理人开展监理工作的时间内向监理人提供与工程相关的供应商、协作单位、配合单位的有关资料。

（7）在与第三人签订的合同中明确授予监理人的监理权利。

（8）应免费向监理人提供办公用房、通信设施、监理人员工地住房及建设工程委托监理合同专用条件约定的设施，对监理人自备的设施给予合理的经济补偿。

（四）合同的生效、变更与终止

1. 合同的生效

委托人与监理人经过协商确定建设工程委托监理合同的相应条款内容，自委托人与监理人签字盖章之日起，监理合同即生效。

合同的有效期按照《建设工程委托监理合同（示范文本）》（GF-2000-0202）第一部分（即：建设工程委托监理合同），以及合同履行过程中的补充协议共同确定。

2. 合同的变更

（1）由于非监理人的原因导致监理工作延误的合同变更

由于委托人或承包人的原因使监理工作受到阻碍或延误，以致发生了附加工作或延长了持续时间，则监理人应该就此情况可能产生的影响及时通知委托人，以补充协议的方式延长监理业务的时间，并确定同时也有权得到附加工作的报酬。

（2）由于工程本身或者工程实施的外部环境发生变化导致监理工作内容变化的合同变更当工程实施的实际情况与合同签订时发生较大变化，致使监理人无法全部或者部分执行监理业务时，监理人应当通知委托人，以补充协议的方式变更原合同，延长该监理业务的完成时间。

3. 合同的终止

（1）合同的正常终止

监理人向委托人办理完成竣工验收或工程移交手续，承包人与委托人已签订工程保修责任书，监理人收到监理报酬尾款后，合同即终止，委托人与监理人之间的建设工程委托监理合同关系即告消灭。

（2）合同的非正常终止

监理人在应当获得监理报酬之日起三十日内仍未收到支付单据，而委托人又未对监理人提出任何书面解释时，或者已暂停执行监理业务时限超过六个月的，监理人可向委托人发出终止合同的通知，发出通知后十四日内仍未得到委托人答复，可进一步发出终止合同的通知，如果第二份通知发出后四十二日内仍未得到委托人答复，可终止合同或自行暂停或继续暂停执行全部或部分监理业务。

当委托人认为监理人无正当理由而又未履行监理义务时，可向监理人发出指明其未履行义务的通知。若委托人发出通知后二十一日内没有收到答复，可在第一个通知发出后三十五日内发出终止委托监理合同的通知，合同即行终止。

（五）合同争议的解决

因违反或终止合同而引起对方的损失和损害的赔偿，双方应当协商解决，如未能达成一致，可提交主管部门协调，如仍未能达成一致时，根据双方约定提交仲裁机关仲裁，或者向人民法院起诉。

四、关于在建设工程委托监理合同订立过程中约定专用条件内容应注意的问题

专用条件是在标准条件的基础上，结合委托监理工程的项目特点、建设地点的地方法规、部门规章、专业特点等对于标准条件中的某些条款进行细化、具体化而形成的条款，或者在标准条件及其细化、具体化条款的基础上进一步签订的补充协议条款。因此，委托人与监理人在订立建设工程委托监理合同过程中约定专用条件内容时，应注意以下几个方面的问题。

（一）关于委托人义务

一般情况下，在委托人与监理人签订建设工程委托监理合同过程中，应针对在标准条件中未作具体规定的委托人履行其主要义务的时限要求和这些义务的具体内容，在专用条件中具体、明确约定。这些主要义务除了支付监理报酬外，包括：

1. 委托人应该提供的工程资料内容以及双方商定的提供资料的时限；

2. 委托人的常驻代表安排，及向监理人免费提供的工作人员和服务人员安排；

3. 委托人向监理人提供的设施一览表，以及对监理单位自备设施的补偿协议；

4. 委托人对于监理人书面提交并要求做出答复的事宜做出书面答复的时限。

（二）关于监理报酬

委托人按照建设工程委托监理合同的约定向监理人支付监理报酬是委托人最为重要的监理合同义务，同时也是监理人最为重要的合同权利，其直接关系到监理人以及委托人的经济利益。为了使委托人充分、有效地履行该项合同义务，避免不必要的合同纠纷，委托人和监理人应在专用条件中根据合同中约定的监理范围、监理工作内容，具体、明确约定监理报酬的计算方法、支付时间与金额、支付方式。

（三）关于适用法律和监理依据

委托人和监理人应当在建设工程委托监理合同的专用条件中具体约定合同适用的法律及监理依据，包括：有关法律、法规，有关技术规范、标准，地方性法规和政策文件。

（四）关于监理范围和监理工作内容

委托人和监理人应当在建设工程委托监理合同的专用条件中具体约定监理人提供监理服务的具体范围和具体的监理工作内容。

（五）关于附加协议条款

委托人和监理人应当在建设工程委托监理合同的专用条件中针对标准条件和专用条件中尚未明确的有关事项，或者双方针对工程具体情况达成的特殊协议等，通过专用条件附加协议条款的形式具体约定。

（六）关于争议的解决方式

委托人和监理人应当在建设工程委托监理合同的专用条件中具体约定当合同在履行过程中发生争议时解决争议的具体方式，特别应当在仲裁和诉讼两种争议解决方式之间进行选择并具体约定。若合同双方约定采用仲裁作为合同争议解决的方式，还应当在专用条件中具体约定其一致选择的仲裁委员会。

五、建设工程委托监理合同的履行

（一）委托人对于建设工程委托监理合同的履行

1. 履行合同规定的委托人义务。

在监理人监理业务开始前，委托人应该向监理人提供有关监理工作所需要的外部条件和内部条件。"监理工作所需要的外部条件"指与合同规定的监理工作内容相关的外部协调单位以及外部供应资源。"监理工作所需要的内部条件"指合同规定的监理工程自身的技术资料等文件。

2. 行使合同规定的权利。

归纳起来，委托人在合同履行的过程中，可以行使对工程设计以及施工的发包权、对工程有关问题的全面的审批权、对监理人行使监理权利的监督管理权。

3. 依照《档案法》的有关规定，整理工程档案并上交有关部门存档。

在工程竣工后，委托人应该对工程建设过程中的一切资料进行系统整理和归档。对于建设工程委托监理合同履行过程中委托人与监理人所进行的一切业务活动的记录都应该在项目的执行过程中进行存档管理，以保证合同资料的完整性。

（二）监理人对于建设工程委托监理合同的履行

1. 在合同签订后，具体确定监理机构，明确监理人员的职责，特别是与委托人及承包人之间的协调关系。

2. 监理工作开始前，由监理机构人员，收集与监理工程相关的技术资料，做好监理工作实施的前期准备工作。

3. 结合监理工程的特点，制定监理规划、监理工作的实施细则和监理过程的工作准则，规范监理工作行为。

4. 完成合同规定的监理工作内容，定期向委托人提交监理工作报告。

5. 在工程开工前，向委托人提交建设监理档案资料。

6. 由监理机构完成项目监理工作的最终总结。包括向委托人提供监理工作的全面总结和建议和向监理人内部提供的监理工作总结和建议。

（三）合同争议的解决方法

在合同履行的过程中，当监理人与委托人之间出现争议时，当事人双方可以进行协商；如果协商不成，当事人双方可以将争议提交双方在合同中约定的仲裁机构进行仲裁，或者向人民法院起诉。

思考题

1. 工程咨询合同的主要类型有哪些？各种类型的主要特点是什么？

2. 工程合同应具备哪些重要条款？

3. 建设工程勘察、设计合同和建设工程委托监理合同分别应具备哪些条款？

4. 建设工程委托监理合同订立过程中约定专用条件内容时应注意哪些问题？

5. 建设工程委托监理合同的履行有何要求？

第十一章

建设工程施工合同

【本章概要】

本章重点介绍了建设工程施工合同的相关内容。通过本章的学习，使学生掌握建设工程施工合同中双方当事人应该完成的工作，掌握建设工程施工合同履行过程中的进度控制、质量控制、投资控制等相关条款等。

第一节   建设工程施工合同概述

一、建设工程施工合同的概念

建设工程施工合同是指建设单位（发包人）与施工单位（承包人）之间，为完成商定的建设工程项目的建设任务，而签订的明确双方权利义务关系的协议。建设工程施工合同是建设工程合同中最重要的一种，它与建设工程勘察合同、建设工程设计合同等合同一样是一种双务合同，其订立、履行及管理的依据是《中华人民共和国合同法》《中华人民共和国建筑法》以及其他有关法律、行政法规。建设工程施工合同的发包人和承包人是平等的民事主体，必须具有与建设工程项目的性质和等级相适应的主体资格、资质等级、营业执照和履行合同的能力。

建设工程施工合同是工程建设质量控制、进度控制、投资控制、合同管理的主要依据，是市场经济下确立建设市场主体之间权利义务关系，协调其经济、交易关系的主要根据与手段。因而，该种合同在建设工程领域具有十分重要的意义，合同双方当事人必须严格遵守。

二、建设工程施工合同的订立

（一）订立建设工程施工合同应具备的前提条件

1. 建设工程的初步设计已经批准；

2. 建设工程项目已经列入政府批准的年度建设计划；

3. 有能够满足建设工程施工需要的设计文件和有关技术资料；

4. 建设工程的建设资金和主要建筑材料、设备来源已经落实；

5. 建设工程属招标投标工程，其中标通知书已经下达。

（二）订立建设工程施工合同应当遵守的主要原则

1. 符合法律、行政法规和政策的原则。建设工程施工对经济发展、社会生活有多方面的影响。订立建设工程施工合同，必须遵守国家法律、行政法规，遵守国家的政策和建设计划等，尊重社会公德，不得扰乱社会经济秩序、损害社会公共利益。

2. 平等、自愿、公平的原则。建设工程施工合同双方当事人，都具有平等的法律地位，任何一方都不得将自己的意志强加给另一方。当事人有权决定是否订立建设工程施工合同、与谁订立建设工程施工合同和是否接受建设工程施工合同的内容，任何单位和个人不得非法干预。在确定合同当事人双方的权利义务时要合理，不能损害一方的利益，不能欺诈、胁迫和乘人之危强迫对方当事人签订不合理的条款。对于显失公平的建设工程施工合同，当事人一方有权申请人民法院或者仲裁机构予以变更或者撤销。

3. 诚实信用的原则。在订立建设工程施工合同时当事人双方应诚实，本着实事求是的精神，遵守商业道德和职业操守，不得有隐瞒、欺诈行为，不得搞不正当竞争，承担保密义务。在履行合同时，双方要守信用，严格履行合同。

（三）订立建设工程施工合同的程序

建设工程施工合同主要是通过招标投标程序订立。招标方式包括公开招标和邀请招标。

对于国家规定属工程建设项目招标范围以内的工程建设项目，其承包人都必须通过招标投标程序来确定。根据《中华人民共和国招标投标法》的规定，中标通知书发出后，中标人应当在中标通知书发出三十天内，与招标人依据招标文件、投标书等签订建设工程施工合同。签订合同的承包人必须是中标人，投标书中已确定的合同条款在签订时不得更改，合同价应与中标价相一致。如果中标人拒绝与招标人签订建设工程施工合同，则招标人将不再返还其投标保证金。如果投标保函是由银行等金融机构出具的，则投标保函出具者应当承担相应的保证责任，建设行政主管部门或其授权机构还可给予一定的行政处罚。

对于国家规定属工程建设项目招标范围以外的工程建设项目，发包人和承包人可以通过要约—承诺这一合同的一般订立程序订立建设工程施工合同。

三、建设工程施工合同文件简介

（一）《建设工程施工合同示范文本》

为贯彻《中华人民共和国建筑法》《中华人民共和国合同法》等有关工程建设施工的法律、法规，规范建设工程施工合同的订立、履行、管理，提高合同质量，减少合同纠纷，在结合我国工程建设施工的实际情况，并借鉴国际上广泛使用的土木工程施工合同示范性文本（特别是《FIDIC 土木工程施工合同条件》）的基础上，建设部、国家工商行政管理局于 1999 年 12 月 24 日颁布了《建设工程施工合同示范文本》（以下简称《施工合同文本》）。《施工合同文本》是适用于各类公用建筑、民用住宅、工业厂房、交通设施及线路、管道的施工和设备安装的合同文本。为了指导建设工程施工合同当事人的签约行为，维护合同当事人的合法权益，依据《中华人民共和国合同法》《中华人民共和国建筑法》《中华人民共和国招标投标法》以及相关法律法规，住房城乡建设部、国家工商行政管理总局对《建设工程施工合同（示范文本）》（GF-1999-0201）进行了修订，制定了《建设工程施工合同（示范文本）》（GF-2017-0201）（以下简称《施工合同文本》）。

《施工合同文本》由合同协议书、通用合同条款和专用合同条款三部分组成，并附有 11 个附件：《承包人承揽工程项目一览表》《发包人供应材料设备一览表》《工程质量保修书》《主要建设工程文件目录》《承包人用于本工程施工的机械设备表》《承包人主要施工管理人员表》《分包人主要施工管理人员表》《履约担保格式》《预付款担保格式》《支付担保格式》《暂估价一览表》。

《协议书》是《施工合同文本》中总纲性的文件。它规定了合同当事人双方最主要的权利义务，规定了组成合同的文件及合同当事人对履行合同义务的承诺，并且合同当事人应在《协议书》上签字盖章,其才具有法律效力。《协议书》的内容包括工程概况、合同工期、质量标准、签约合同价与合同价格形式、项目经理、合同文件构成、承诺等。

《通用合同条款》是根据《中华人民共和国合同法》和《中华人民共和国建筑法》等法律、行政法规对建设工程项目承发包双方的权利义务作出的规定,除双方协商一致对其中的某些条款所做的修改、补充和取消外,双方都必须履行。《通用合同条款》是将建设工程施工合同中具有共性的内容抽取出来编写的一份完整的合同文本。《通用条款》具有很强的通用性,基本适用于各类建设工程。通用合同条款共计 20 条,具体条款分别为:一般约定、发包人、承包人、监理人、工程质量、安全文明施工与环境保护、工期和进度、材料与设备、试验与检验、变更、价格调整、合同价格、计量与支付、验收和工程试车、竣工结算、缺陷责任与保修、违约、不可抗力、保险、索赔和争议解决。前述条款安排既考虑了现行法律法规对工程建设的有关要求,也考虑了建设工程施工管理的特殊需要。

《专用合同条款》是对《通用合同条款》原则性约定的细化、完善、补充、修改或另行约定的条款。合同当事人可以根据不同建设工程的特点及具体情况,通过双方的谈判、协商对相应的专用合同条款进行修改补充。《专用合同条款》与《通用合同条款》一起构成对当事人双方具有约束力的合同条款。

（二）建设工程施工合同文件的组成及解释顺序

组成建设工程施工合同的文件包括:

（1）中标通知书（如果有）;

（2）投标函及其附录（如果有）;

（3）专用合同条款及其附件;

（4）通用合同条款;

（5）技术标准和要求;

（6）图纸;

（7）已标价工程量清单或预算书;

（8）其他合同文件。

在合同订立及履行过程中形成的与合同有关的文件均构成合同文件组成部分。

上述各项合同文件包括合同当事人就该项合同文件所作出的补充和修改,属于同一类内容的文件,应以最新签署的为准。专用合同条款及其附件须经合同当事人签字或盖章。

（三）建设工程施工合同中的词语定义

为避免在建设工程施工合同履行过程中发生争议,确保当事人双方更好地理解合同条款,《施工合同文本》对于建设工程项目施工和合同履行过程中常见的专业名词和技术名词作出了明确的定义,并规定除上下文中另有规定外,均按照这些定义确定的词语内涵、含义、范围等执行。

1. 合同协议书：是指构成合同的由发包人和承包人共同签署的称为"合同协议书"的书面文件。

2. 中标通知书：是指构成合同的由发包人通知承包人中标的书面文件。

3. 投标函：是指构成合同的由承包人填写并签署的用于投标的称为"投标函"的文件。

4. 投标函附录：是指构成合同的附在投标函后的称为"投标函附录"的文件。

5. 技术标准和要求：是指构成合同的施工应当遵守的或指导施工的国家、行业或地方的技术标准和要求，以及合同约定的技术标准和要求。

6. 图纸：是指构成合同的图纸，包括由发包人按照合同约定提供或经发包人批准的设计文件、施工图、鸟瞰图及模型等，以及在合同履行过程中形成的图纸文件。图纸应当按照法律规定审查合格。

7. 已标价工程量清单：是指构成合同的由承包人按照规定的格式和要求填写并标明价格的工程量清单，包括说明和表格。

8. 预算书：是指构成合同的由承包人按照发包人规定的格式和要求编制的工程预算文件。

9. 其他合同文件：是指经合同当事人约定的与工程施工有关的具有合同约束力的文件或书面协议。合同当事人可以在专用合同条款中进行约定。

10. 发包人：是指与承包人签订合同协议书的当事人及取得该当事人资格的合法继承人。

11. 承包人：是指与发包人签订合同协议书的，具有相应工程施工承包资质的当事人及取得该当事人资格的合法继承人。

12. 监理人：是指在专用合同条款中指明的，受发包人委托按照法律规定进行工程监督管理的法人或其他组织。

13. 设计人：是指在专用合同条款中指明的，受发包人委托负责工程设计并具备相应工程设计资质的法人或其他组织。

14. 分包人：是指按照法律规定和合同约定，分包部分工程或工作，并与承包人签订分包合同的具有相应资质的法人。

15. 发包人代表：是指由发包人任命并派驻施工现场在发包人授权范围内行使发包人权利的人。

16. 项目经理：是指由承包人任命并派驻施工现场，在承包人授权范围内负责合同履行，且按照法律规定具有相应资格的项目负责人。

17. 总监理工程师：是指由监理人任命并派驻施工现场进行工程监理的总负责人。

18. 工程：是指与合同协议书中工程承包范围对应的永久工程和（或）临时工程。

19. 永久工程：是指按合同约定建造并移交给发包人的工程，包括工程设备。

20. 临时工程：是指为完成合同约定的永久工程所修建的各类临时性工程，不包括施工设备。

21. 单位工程：是指在合同协议书中指明的，具备独立施工条件并能形成独立使用功能的永久工程。

22. 工程设备：是指构成永久工程的机电设备、金属结构设备、仪器及其他类似的设备和装置。

23. 施工设备：是指为完成合同约定的各项工作所需的设备、器具和其他物品，但不包括工程设备、临时工程和材料。

24. 施工现场：是指用于工程施工的场所，以及在专用合同条款中指明作为施工场所组成部分的其他场所，包括永久占地和临时占地。

25. 临时设施：是指为完成合同约定的各项工作所服务的临时性生产和生活设施。

26. 永久占地：是指专用合同条款中指明为实施工程需永久占用的土地。

27. 临时占地：是指专用合同条款中指明为实施工程需要临时占用的土地。

28. 开工日期：包括计划开工日期和实际开工日期。计划开工日期是指合同协议书约定的开工日期；实际开工日期是指监理人按照第 7.3.2 项〔开工通知〕（施工合同文本中条款，下文同义）约定发出的符合法律规定的开工通知中载明的开工日期。

29. 竣工日期：包括计划竣工日期和实际竣工日期。计划竣工日期是指合同协议书约定的竣工日期；实际竣工日期按照第 13.2.3 项〔竣工日期〕的约定确定。

30. 工期：是指在合同协议书约定的承包人完成工程所需的期限，包括按照合同约定所作的期限变更。

31. 缺陷责任期：是指承包人按照合同约定承担缺陷修复义务，且发包人预留质量保证金的期限，自工程实际竣工日期起计算。

32. 保修期：是指承包人按照合同约定对工程承担保修责任的期限，从工程竣工验收合格之日起计算。

33. 基准日期：招标发包的工程以投标截止日前 28 天的日期为基准日期，直接发包的工程以合同签订日前 28 天的日期为基准日期。

34. 天：除特别指明外，均指日历天。合同中按天计算时间的，开始当天不计入，从次日开始计算，期限最后一天的截止时间为当天 24：00 时。

35. 签约合同价：是指发包人和承包人在合同协议书中确定的总金额，包括安全文明施工费、暂估价及暂列金额等。

36. 合同价格：是指发包人用于支付承包人按照合同约定完成承包范围内全部工作的金额，包括合同履行过程中按合同约定发生的价格变化。

37. 费用：是指为履行合同所发生的或将要发生的所有必需的开支，包括管理费和应分摊的其他费用，但不包括利润。

38. 暂估价：是指发包人在工程量清单或预算书中提供的用于支付必然发生但暂时不能确定价格的材料、工程设备的单价、专业工程以及服务工作的金额。

39. 暂列金额：是指发包人在工程量清单或预算书中暂定并包括在合同价格中的一笔款项，用于工程合同签订时尚未确定或者不可预见的所需材料、工程设备、服务的采购，施工中可能发生的工程变更、合同约定调整因素出现时的合同价格调整以及发生的索赔、现场签证确认等的费用。

40. 计日工：是指合同履行过程中，承包人完成发包人提出的零星工作或需要采用计日工计价的变更工作时，按合同中约定的单价计价的一种方式。

41. 质量保证金：是指按照第15.3款[质量保证金]约定承包人用于保证其在缺陷责任期内履行缺陷修补义务的担保。

42. 总价项目：是指在现行国家、行业以及地方的计量规则中无工程量计算规则，在已标价工程量清单或预算书中以总价或以费率形式计算的项目。

43. 书面形式：是指合同文件、信函、电报、传真等可以有形地表现所载内容的形式。

（四）建设工程施工合同文件使用的语言文字和适用法律、标准及规范

1. 语言文字：合同以中国的汉语简体文字编写、解释和说明。合同当事人在专用合同条款中约定使用两种以上语言时，汉语为优先解释和说明合同的语言。

2. 适用法律和法规：合同所称法律是指中华人民共和国法律、行政法规、部门规章，以及工程所在地的地方性法规、自治条例、单行条例和地方政府规章等。

合同当事人可以在专用合同条款中约定合同适用的其他规范性文件。

3. 适用标准、规范：

（1）适用于工程的国家标准、行业标准、工程所在地的地方性标准，以及相应的规范、规程等，合同当事人有特别要求的，应在专用合同条款中约定。

（2）发包人要求使用国外标准、规范的，发包人负责提供原文版本和中文译本，并在专用合同条款中约定提供标准规范的名称、份数和时间。

（3）发包人对工程的技术标准、功能要求高于或严于现行国家、行业或地方标准的，应当在专用合同条款中予以明确。除专用合同条款另有约定外，应视为承包人在签订合同前已充分预见前述技术标准和功能要求的复杂程度，签约合同价中已包含由此产生的费用。

（五）图纸

发包人应按照专用合同条款约定的期限、数量和内容向承包人免费提供图纸，并组织承包人、监理人和设计人进行图纸会审和设计交底。发包人至迟不得晚于开工通知载明的开工日期前14天向承包人提供图纸。因发包人未按合同约定提供图纸导致承包人费用增加和（或）工期延误的，按照因发包人原因导致工期延误的约定办理。

第二节　建设工程施工合同的控制性内容

建设工程施工合同的内容分别表述在《施工合同文本》的三个组成部分——《协

议书》《通用合同条款》《专用合同条款》以及附件中。建设工程项目施工建设过程中，进度、投资、质量是三个建设工程项目的核心目标，对于上述三个目标的控制程序、控制依据、控制方法、发包人、承包人双方的控制义务与责任以及有关的基本权利义务内容是建设工程施工合同的核心内容。为此，《施工合同文本》从建设工程施工合同当事人的一般权利和义务、进度控制条款、质量控制条款、投资控制条款四个方面，规定了建设工程施工合同的控制性内容。

一、建设工程施工合同当事人的一般权利和义务

（一）发包人的一般权利和义务

发包人应遵守法律，并办理法律规定由其办理的许可、批准或备案，包括但不限于建设用地规划许可证、建设工程规划许可证、建设工程施工许可证、施工所需临时用水、临时用电、中断道路交通、临时占用土地等许可和批准。发包人应协助承包人办理法律规定的有关施工证件和批件。

因发包人原因未能及时办理完毕前述许可、批准或备案，由发包人承担由此增加的费用和（或）延误的工期，并支付承包人合理的利润。

1. 发包人代表

发包人应在专用合同条款中明确其派驻施工现场的发包人代表的姓名、职务、联系方式及授权范围等事项。发包人代表在发包人的授权范围内，负责处理合同履行过程中与发包人有关的具体事宜。发包人代表在授权范围内的行为由发包人承担法律责任。发包人更换发包人代表的，应提前 7 天书面通知承包人。

发包人代表不能按照合同约定履行其职责及义务，并导致合同无法继续正常履行的，承包人可以要求发包人撤换发包人代表。

不属于法定必须监理的工程，监理人的职权可以由发包人代表或发包人指定的其他人员行使。

2. 发包人人员

发包人应要求在施工现场的发包人人员遵守法律及有关安全、质量、环境保护、文明施工等规定，并保障承包人免于承受因发包人人员未遵守上述要求给承包人造成的损失和责任。发包人人员包括发包人代表及其他由发包人派驻施工现场的人员。

3. 发包人的工作

（1）提供施工现场

除专用合同条款另有约定外，发包人应最迟于开工日期 7 天前向承包人移交施工现场。

（2）提供施工条件

除专用合同条款另有约定外，发包人应负责提供施工所需要的条件，包括：

1）将施工用水、电力、通信线路等施工所必需的条件接至施工现场内；

2）保证向承包人提供正常施工所需要的进入施工现场的交通条件；

3）协调处理施工现场周围地下管线和邻近建筑物、构筑物、古树名木的保护工作，并承担相关费用；

4）按照专用合同条款约定应提供的其他设施和条件。

（3）提供基础资料

发包人应当在移交施工现场前向承包人提供施工现场及工程施工所必需的毗邻区域内供水、排水、供电、供气、供热、通信、广播电视等地下管线资料，气象和水文观测资料，地质勘察资料，相邻建筑物、构筑物和地下工程等有关基础资料，并对所提供资料的真实性、准确性和完整性负责。

按照法律规定确需在开工后方能提供的基础资料，发包人应尽其努力及时地在相应工程施工前的合理期限内提供，合理期限应以不影响承包人

（4）逾期提供的责任

因发包人原因未能按合同约定及时向承包人提供施工现场、施工条件、基础资料的，由发包人承担由此增加的费用和（或）延误的工期。

（5）资金来源证明及支付担保

除专用合同条款另有约定外，发包人应在收到承包人要求提供资金来源证明的书面通知后28天内，向承包人提供能够按照合同约定支付合同价款的相应资金来源证明。

除专用合同条款另有约定外，发包人要求承包人提供履约担保的，发包人应当向承包人提供支付担保。支付担保可以采用银行保函或担保公司担保等形式，具体由合同当事人在专用合同条款中约定。

（6）支付合同价款

发包人应按合同约定向承包人及时支付合同价款。

（7）组织竣工验收

发包人应按合同约定及时组织竣工验收。

（8）现场统一管理协议

发包人应与承包人、由发包人直接发包的专业工程的承包人签订施工现场统一管理协议，明确各方的权利义务。施工现场统一管理协议作为专用合同条款的附件。

（二）承包人的一般权利和义务

1. 项目经理

（1）项目经理应为合同当事人所确认的人选，并在专用合同条款中明确项目经理的姓名、职称、注册执业证书编号、联系方式及授权范围等事项，项目经理经承包人授权后代表承包人负责履行合同。项目经理应是承包人正式聘用的员工，承包人应向发包人提交项目经理与承包人之间的劳动合同以及承包人为项目经理缴纳社会保险的有效证明。承包人不提交上述文件的，项目经理无权履行职责，发包人有权要求更换项目经理，由此增加的费用和（或）延误的工期由承包人承担。

项目经理应常驻施工现场，且每月在施工现场时间不得少于专用合同条款约定的天数。项目经理不得同时担任其他项目的项目经理。项目经理确需离开施工现场时，应事先通知监理人，并取得发包人的书面同意。项目经理的通知中应当载明临时代行其职责的人员的注册执业资格、管理经验等资料，该人员应具备履行相应职责的能力。

（2）项目经理按合同约定组织工程实施。在紧急情况下为确保施工安全和人员安全，在无法与发包人代表和总监理工程师及时取得联系时，项目经理有权采取必要的措施保证与工程有关的人身、财产和工程的安全，但应在 48 小时内向发包人代表和总监理工程师提交书面报告。

（3）承包人需要更换项目经理的，应提前 14 天书面通知发包人和监理人，并征得发包人书面同意。通知中应当载明继任项目经理的注册执业资格、管理经验等资料，继任项目经理继续履行第 3.2.1 项约定的职责。未经发包人书面同意，承包人不得擅自更换项目经理。承包人擅自更换项目经理的，应按照专用合同条款的约定承担违约责任。

（4）发包人有权书面通知承包人更换其认为不称职的项目经理，通知中应当载明要求更换的理由。承包人应在接到更换通知后 14 天内向发包人提出书面的改进报告。发包人收到改进报告后仍要求更换的，承包人应在接到第二次更换通知的 28 天内进行更换，并将新任命的项目经理的注册执业资格、管理经验等资料书面通知发包人。继任项目经理继续履行第 3.2.1 项约定的职责。承包人无正当理由拒绝更换项目经理的，应按照专用合同条款的约定承担违约责任。

（5）项目经理因特殊情况授权其下属人员履行其某项工作职责的，该下属人员应具备履行相应职责的能力，并应提前 7 天将上述人员的姓名和授权范围书面通知监理人，并征得发包人书面同意。

2. 承包人的一般义务

承包人在履行合同过程中应遵守法律和工程建设标准规范，并履行以下义务：

（1）办理法律规定应由承包人办理的许可和批准，并将办理结果书面报送发包人留存；

（2）按法律规定和合同约定完成工程，并在保修期内承担保修义务；

（3）按法律规定和合同约定采取施工安全和环境保护措施，办理工伤保险，确保工程及人员、材料、设备和设施的安全；

（4）按合同约定的工作内容和施工进度要求，编制施工组织设计和施工措施计划，并对所有施工作业和施工方法的完备性和安全可靠性负责；

（5）在进行合同约定的各项工作时，不得侵害发包人与他人使用公用道路、水源、市政管网等公共设施的权利，避免对邻近的公共设施产生干扰。承包人占用或使用他人的施工场地，影响他人作业或生活的，应承担相应责任；

（6）按照环境保护约定负责施工场地及其周边环境与生态的保护工作；

（7）按安全文明施工约定采取施工安全措施，确保工程及其人员、材料、设备和设施的安全，防止因工程施工造成的人身伤害和财产损失；

（8）将发包人按合同约定支付的各项价款专用于合同工程，且应及时支付其雇用人员工资，并及时向分包人支付合同价款；

（9）按照法律规定和合同约定编制竣工资料，完成竣工资料立卷及归档，并按专用合同条款约定的竣工资料的套数、内容、时间等要求移交发包人；

（10）应履行的其他义务。

3. 承包人人员

（1）除专用合同条款另有约定外，承包人应在接到开工通知后7天内，向监理人提交承包人项目管理机构及施工现场人员安排的报告，其内容应包括合同管理、施工、技术、材料、质量、安全、财务等主要施工管理人员名单及其岗位、注册执业资格等，以及各工种技术工人的安排情况，并同时提交主要施工管理人员与承包人之间的劳动关系证明和缴纳社会保险的有效证明。

（2）承包人派驻到施工现场的主要施工管理人员应相对稳定。施工过程中如有变动，承包人应及时向监理人提交施工现场人员变动情况的报告。承包人更换主要施工管理人员时，应提前7天书面通知监理人，并征得发包人书面同意。通知中应当载明继任人员的注册执业资格、管理经验等资料。特殊工种作业人员均应持有相应的资格证明，监理人可以随时检查。

（3）发包人对于承包人主要施工管理人员的资格或能力有异议的，承包人应提供资料证明被质疑人员有能力完成其岗位工作或不存在发包人所质疑的情形。发包人要求撤换不能按照合同约定履行职责及义务的主要施工管理人员的，承包人应当撤换。承包人无正当理由拒绝撤换的，应按照专用合同条款的约定承担违约责任。

（4）除专用合同条款另有约定外，承包人的主要施工管理人员离开施工现场每月累计不超过5天的，应报监理人同意；离开施工现场每月累计超过5天的，应通知监理人，并征得发包人书面同意。主要施工管理人员离开施工现场前应指定一名有经验的人员临时代行其职责，该人员应具备履行相应职责的资格和能力，且应征得监理人或发包人的同意。

（5）承包人擅自更换主要施工管理人员，或前述人员未经监理人或发包人同意擅自离开施工现场的，应按照专用合同条款约定承担违约责任。

4. 承包人现场查勘

承包人应对基于发包人提交的基础资料所做出的解释和推断负责，但因基础资料存在错误、遗漏导致承包人解释或推断失实的，由发包人承担责任。

承包人应对施工现场和施工条件进行查勘，并充分了解工程所在地的气象条件、交通条件、风俗习惯以及其他与完成合同工作有关的其他资料。因承包人未能充分查勘、了解前述情况或未能充分估计前述情况所可能产生后果的，承包人承担由此增加的费用和（或）延误的工期。

二、建设工程施工合同的进度控制条款

进度控制条款的作用在于促使合同当事人在合同规定的工期内完成施工任务，发包人按时做好准备工作，承包人按照施工进度计划组织施工；为工程师落实进度控制部门的人员、具体的控制任务和管理职能分工，为承包人落实具体的进度控制人员、编制合理的施工进度计划并控制其执行提供依据。

施工合同的进度控制条款可以分为施工准备阶段、施工阶段和竣工验收阶段这三个进度控制条款。

（一）施工准备阶段的进度控制条款

施工准备阶段的许多工作都对施工的开始和进度有直接的影响，包括合同当事人对合同工期的约定、承包人提交进度计划、设计图纸的提供、材料设备的采购、延期开工的处理等。

1. 施工合同工期

施工合同工期，是指建设工程从开工起到施工合同专用条款中约定的全部工程内容的完成并达到竣工验收标准所经历的总日历天数。合同当事人双方应当在开工日期前做好一切开工的准备工作，承包人则应按约定的开工日期开工。

2. 施工进度计划

承包人应按照施工组织设计约定提交详细的施工进度计划，施工进度计划的编制应当符合国家法律规定和一般工程实践惯例，施工进度计划经发包人批准后实施。施工进度计划是控制工程进度的依据，发包人和监理人有权按照施工进度计划检查工程进度情况。

施工进度计划不符合合同要求或与工程的实际进度不一致的，承包人应向监理人提交修订的施工进度计划，并附具有关措施和相关资料，由监理人报送发包人。除专用合同条款另有约定外，发包人和监理人应在收到修订的施工进度计划后 7 天内完成审核和批准或提出修改意见。发包人和监理人对承包人提交的施工进度计划的确认，不能减轻或免除承包人根据法律规定和合同约定应承担的任何责任或义务。

3. 开工及延期开工

（1）开工准备

除专用合同条款另有约定外，承包人应按照施工组织设计约定的期限，向监理人提交工程开工报审表，经监理人报发包人批准后执行。开工报审表应详细说明按施工进度计划正常施工所需的施工道路、临时设施、材料、工程设备、施工设备、施工人员等落实情况以及工程的进度安排。除专用合同条款另有约定外，合同当事人应按约定完成开工准备工作。

（2）开工通知

发包人应按照法律规定获得工程施工所需的许可。经发包人同意后，监理人发出

的开工通知应符合法律规定。监理人应在计划开工日期 7 天前向承包人发出开工通知，工期自开工通知中载明的开工日期起算。

除专用合同条款另有约定外，因发包人原因造成监理人未能在计划开工日期之日起 90 天内发出开工通知的，承包人有权提出价格调整要求，或者解除合同。发包人应当承担由此增加的费用和（或）延误的工期，并向承包人支付合理利润。

最高人民法院关于审理建设工程施工合同纠纷案件适用法律问题的解释（二）【2018 年 10 月 29 日最高人民法院审判委员会第 1751 次会议通过，自 2019 年 2 月 1 日起施行。以下简称解释（二）】第五条规定：当事人对建设工程开工日期有争议的，人民法院应当分别按照以下情形予以认定：

（1）开工日期为发包人或者监理人发出的开工通知载明的开工日期；开工通知发出后，尚不具备开工条件的，以开工条件具备的时间为开工日期；因承包人原因导致开工时间推迟的，以开工通知载明的时间为开工日期。

（2）承包人经发包人同意已经实际进场施工的，以实际进场施工时间为开工日期。

（3）发包人或者监理人未发出开工通知，亦无相关证据证明实际开工日期的，应当综合考虑开工报告、合同、施工许可证、竣工验收报告或者竣工验收备案表等载明的时间，并结合是否具备开工条件的事实，认定开工日期。

本条是对如何认定开工日期的规定。在工程工期产生争议时，各方往往对开工日期产生争议。因为开工主要是一个事实问题，因此原则上要采取实事求是的态度，即文件记载的开工日期和实际开工日期不一致的，要以实际开工日期为准。是否有施工许可证也不是认定实际开工的要件。但认定开工，从法律上看，需要现场具备开工条件。上述条文的三项规定，认定开工日期时，都要以具备开工条件为前提，第二款也不应例外。承包人进场施工时，可能并不具备开工条件，承包人进场后可能只进行一些前期的准备工作，此时不能认为已经实际开工。因此，实践中对开工日期的争议，可能主要会转化为对是否具备开工条件的争议。是否具体开工条件，当然也需要具体问题具体分析。

（二）施工阶段的进度控制条款

工程开工后，合同履行就进入施工阶段，直到工程竣工。这一阶段进度控制条款的作用是控制施工任务在施工合同规定的合同工期内完成。

1. 暂停施工

（1）发包人原因引起的暂停施工

因发包人原因引起暂停施工的，监理人经发包人同意后，应及时下达暂停施工指示。情况紧急且监理人未及时下达暂停施工指示的，按照紧急情况下的暂停施工执行。

因发包人原因引起的暂停施工，发包人应承担由此增加的费用和（或）延误的工期，并支付承包人合理的利润。

（2）承包人原因引起的暂停施工

因承包人原因引起的暂停施工，承包人应承担由此增加的费用和（或）延误的工期，且承包人在收到监理人复工指示后 84 天内仍未复工的，视为承包人违约。

（3）指示暂停施工

监理人认为有必要时，并经发包人批准后，可向承包人作出暂停施工的指示，承包人应按监理人指示暂停施工。

（4）紧急情况下的暂停施工

因紧急情况需暂停施工，且监理人未及时下达暂停施工指示的，承包人可先暂停施工，并及时通知监理人。监理人应在接到通知后 24 小时内发出指示，逾期未发出指示，视为同意承包人暂停施工。监理人不同意承包人暂停施工的，应说明理由，承包人对监理人的答复有异议，按照争议解决约定处理。

（5）暂停施工后的复工

暂停施工后，发包人和承包人应采取有效措施积极消除暂停施工的影响。在工程复工前，监理人会同发包人和承包人确定因暂停施工造成的损失，并确定工程复工条件。当工程具备复工条件时，监理人应经发包人批准后向承包人发出复工通知，承包人应按照复工通知要求复工。

承包人无故拖延和拒绝复工的，承包人承担由此增加的费用和（或）延误的工期；因发包人原因无法按时复工的，按照因发包人原因导致工期延误约定办理。

（6）暂停施工持续 56 天以上

监理人发出暂停施工指示后 56 天内未向承包人发出复工通知，除该项停工属于承包人原因引起的暂停施工及不可抗力约定的情形外，承包人可向发包人提交书面通知，要求发包人在收到书面通知后 28 天内准许已暂停施工的部分或全部工程继续施工。发包人逾期不予批准的，则承包人可以通知发包人，将工程受影响的部分视为按变更的范围的可取消工作。

暂停施工持续 84 天以上不复工的，且不属于承包人原因引起的暂停施工及不可抗力约定的情形，并影响到整个工程以及合同目的实现的，承包人有权提出价格调整要求，或者解除合同。解除合同的，按照因发包人违约解除合同执行。

（7）暂停施工期间的工程照管

暂停施工期间，承包人应负责妥善照管工程并提供安全保障，由此增加的费用由责任方承担。

（8）暂停施工的措施

暂停施工期间，发包人和承包人均应采取必要的措施确保工程质量及安全，防止因暂停施工扩大损失。

2. 工期延误

（1）因发包人原因导致工期延误

在合同履行过程中，因下列情况导致工期延误和（或）费用增加的，由发包人承担由此延误的工期和（或）增加的费用，且发包人应支付承包人合理的利润：

1）发包人未能按合同约定提供图纸或所提供图纸不符合合同约定的；

2）发包人未能按合同约定提供施工现场、施工条件、基础资料、许可、批准等开工条件的；

3）发包人提供的测量基准点、基准线和水准点及其书面资料存在错误或疏漏的；

4）发包人未能在计划开工日期之日起 7 天内同意下达开工通知的；

5）发包人未能按合同约定日期支付工程预付款、进度款或竣工结算款的；

6）监理人未按合同约定发出指示、批准等文件的；

7）专用合同条款中约定的其他情形。

因发包人原因未按计划开工日期开工的，发包人应按实际开工日期顺延竣工日期，确保实际工期不低于合同约定的工期总日历天数。因发包人原因导致工期延误需要修订施工进度计划的，按照施工进度计划的修订执行。

解释（二）第六条规定：当事人约定顺延工期应当经发包人或者监理人签证等方式确认，承包人虽未取得工期顺延的确认，但能够证明在合同约定的期限内向发包人或者监理人申请过工期顺延且顺延事由符合合同约定，承包人以此为由主张工期顺延的，人民法院应予支持。当事人约定承包人未在约定期限内提出工期顺延申请视为工期不顺延的，按照约定处理，但发包人在约定期限后同意工期顺延或者承包人提出合理抗辩的除外。

本条规定考虑到了工程实务的情况，也考虑到了合同应当有最起码的遵守。因此，本条规定，如果合同约定顺延工期需要承包人提出申请，而承包人自己不提出申请的，视为承包人放弃顺延工期。这个规定对承包人积极主张权利提出了要求，承包人不能怠于行使权利，这样也免得日后打起官司各方再对工期顺延问题执。同时，本条还规定，如果承包人提出了工期顺延申请，且工期顺延事由符合合同约定，但是发包人、监理人不置可否，没有给出书面确定的，此时视为发包人同意工期顺延。合同即便约定了必须取得发包人的书面确认，也无所谓，还是视为发包人同意顺延。因为发包人不置可否，不是诚实信用的履行合同的作为，无论是否同意顺延，都应该积极地给予答复，并说明理由。发包人怠于履行义务，那么法院就可以视为其已经同意顺延。只要承包人提出的顺延事由符合合同约定，其主张的事由与当时的真实情况是否相符合，可以不再追问。

（2）因承包人原因导致工期延误

因承包人原因造成工期延误的，可以在专用合同条款中约定逾期竣工违约金的计算方法和逾期竣工违约金的上限。承包人支付逾期竣工违约金后，不免除承包人继续完成工程及修补缺陷的义务。

（三）竣工验收阶段的进度控制条款

1.提前竣工

（1）发包人要求承包人提前竣工的，发包人应通过监理人向承包人下达提前竣工指示，承包人应向发包人和监理人提交提前竣工建议书，提前竣工建议书应包括实施的方案、缩短的时间、增加的合同价格等内容。发包人接受该提前竣工建议书的，监理人应与发包人和承包人协商采取加快工程进度的措施，并修订施工进度计划，由此增加的费用由发包人承担。承包人认为提前竣工指示无法执行的，应向监理人和发包人提出书面异议，发包人和监理人应在收到异议后7天内予以答复。任何情况下，发包人不得压缩合理工期。

（2）发包人要求承包人提前竣工，或承包人提出提前竣工的建议能够给发包人带来效益的，合同当事人可以在专用合同条款中约定提前竣工的奖励。

2.竣工日期

工程经竣工验收合格的，以承包人提交竣工验收申请报告之日为实际竣工日期，并在工程接收证书中载明；因发包人原因，未在监理人收到承包人提交的竣工验收申请报告42天内完成验收并签发工程接收证书的，以提交竣工验收申请报告的日期为实际竣工日期；工程未经竣工验收，发包人擅自使用的，以转移占有工程之日为实际竣工日期。

三、建设工程施工合同的质量控制条款

工程施工中的质量控制是合同履行中的重要环节，涉及许多方面的工作，任何一个方面工作的缺陷和疏漏，都会使工程质量无法达到预期的标准。质量控制条款可分为工程验收、材料设备供应、质量保修三方面的内容。

（一）工程验收的质量控制条款

1.工程质量标准

工程质量标准必须符合现行国家有关工程施工质量验收规范和标准的要求。有关工程质量的特殊标准或要求由合同当事人在专用合同条款中约定。

因发包人原因造成工程质量未达到合同约定标准的，由发包人承担由此增加的费用和（或）延误的工期，并支付承包人合理的利润。

因承包人原因造成工程质量未达到合同约定标准的，发包人有权要求承包人返工直至工程质量达到合同约定的标准为止，并由承包人承担由此增加的费用和（或）延误的工期。

2.质量保证措施

（1）发包人的质量管理

发包人应按照法律规定及合同约定完成与工程质量有关的各项工作。

（2）承包人的质量管理

承包人按照施工组织设计约定向发包人和监理人提交工程质量保证体系及措施文件，建立完善的质量检查制度，并提交相应的工程质量文件。对于发包人和监理人违反法律规定和合同约定的错误指示，承包人有权拒绝实施。

承包人应对施工人员进行质量教育和技术培训，定期考核施工人员的劳动技能，严格执行施工规范和操作规程。

承包人应按照法律规定和发包人的要求，对材料、工程设备以及工程的所有部位及其施工工艺进行全过程的质量检查和检验，并作详细记录，编制工程质量报表，报送监理人审查。此外，承包人还应按照法律规定和发包人的要求，进行施工现场取样试验、工程复核测量和设备性能检测，提供试验样品、提交试验报告和测量成果以及其他工作。

（3）监理人的质量检查和检验

监理人按照法律规定和发包人授权对工程的所有部位及其施工工艺、材料和工程设备进行检查和检验。承包人应为监理人的检查和检验提供方便，包括监理人到施工现场，或制造、加工地点，或合同约定的其他地方进行察看和查阅施工原始记录。监理人为此进行的检查和检验，不免除或减轻承包人按照合同约定应当承担的责任。

监理人的检查和检验不应影响施工正常进行。监理人的检查和检验影响施工正常进行的，且经检查检验不合格的，影响正常施工的费用由承包人承担，工期不予顺延；经检查检验合格的，由此增加的费用和（或）延误的工期由发包人承担。

3. 隐蔽工程检查

（1）承包人自检

承包人应当对工程隐蔽部位进行自检，并经自检确认是否具备覆盖条件。

（2）检查程序

除专用合同条款另有约定外，工程隐蔽部位经承包人自检确认具备覆盖条件的，承包人应在共同检查前48小时书面通知监理人检查，通知中应载明隐蔽检查的内容、时间和地点，并应附有自检记录和必要的检查资料。

监理人应按时到场并对隐蔽工程及其施工工艺、材料和工程设备进行检查。经监理人检查确认质量符合隐蔽要求，并在验收记录上签字后，承包人才能进行覆盖。经监理人检查质量不合格的，承包人应在监理人指示的时间内完成修复，并由监理人重新检查，由此增加的费用和（或）延误的工期由承包人承担。

除专用合同条款另有约定外，监理人不能按时进行检查的，应在检查前24小时向承包人提交书面延期要求，但延期不能超过48小时，由此导致工期延误的，工期应予以顺延。监理人未按时进行检查，也未提出延期要求的，视为隐蔽工程检查合格，承包人可自行完成覆盖工作，并作相应记录报送监理人，监理人应签字确认。监理人事后对检查记录有疑问的，可按重新检查的约定重新检查。

（3）重新检查

承包人覆盖工程隐蔽部位后，发包人或监理人对质量有疑问的，可要求承包人对已覆盖的部位进行钻孔探测或揭开重新检查，承包人应遵照执行，并在检查后重新覆盖恢复原状。经检查证明工程质量符合合同要求的，由发包人承担由此增加的费用和

（或）延误的工期，并支付承包人合理的利润；经检查证明工程质量不符合合同要求的，由此增加的费用和（或）延误的工期由承包人承担。

（4）承包人私自覆盖

承包人未通知监理人到场检查，私自将工程隐蔽部位覆盖的，监理人有权指示承包人钻孔探测或揭开检查，无论工程隐蔽部位质量是否合格，由此增加的费用和（或）延误的工期均由承包人承担。

4. 不合格工程的处理

（1）因承包人原因造成工程不合格的，发包人有权随时要求承包人采取补救措施，直至达到合同要求的质量标准，由此增加的费用和（或）延误的工期由承包人承担。无法补救的，按照第13.2.4项［拒绝接收全部或部分工程］约定执行。

（2）因发包人原因造成工程不合格的，由此增加的费用和（或）延误的工期由发包人承担，并支付承包人合理的利润。

5. 工程试车

工程需要试车的，除专用合同条款另有约定外，试车内容应与承包人承包范围相一致，试车费用由承包人承担。工程试车应按如下程序进行：

（1）具备单机无负荷试车条件，承包人组织试车，并在试车前48小时书面通知监理人，通知中应载明试车内容、时间、地点。承包人准备试车记录，发包人根据承包人要求为试车提供必要条件。试车合格的，监理人在试车记录上签字。监理人在试车合格后不在试车记录上签字，自试车结束满24小时后视为监理人已经认可试车记录，承包人可继续施工或办理竣工验收手续。

监理人不能按时参加试车，应在试车前24小时以书面形式向承包人提出延期要求，但延期不能超过48小时，由此导致工期延误的，工期应予以顺延。监理人未能在前述期限内提出延期要求，又不参加试车的，视为认可试车记录。

（2）具备无负荷联动试车条件，发包人组织试车，并在试车前48小时以书面形式通知承包人。通知中应载明试车内容、时间、地点和对承包人的要求，承包人按要求做好准备工作。试车合格，合同当事人在试车记录上签字。承包人无正当理由不参加试车的，视为认可试车记录。

（3）投料试车

如需进行投料试车的，发包人应在工程竣工验收后组织投料试车。发包人要求在工程竣工验收前进行或需要承包人配合时，应征得承包人同意，并在专用合同条款中约定有关事项。

投料试车合格的，费用由发包人承担；因承包人原因造成投料试车不合格的，承包人应按照发包人要求进行整改，由此产生的整改费用由承包人承担；非因承包人原因导致投料试车不合格的，如发包人要求承包人进行整改的，由此产生的费用由发包人承担。

（4）试车中的责任

因设计原因导致试车达不到验收要求，发包人应要求设计人修改设计，承包人按修改后的设计重新安装。发包人承担修改设计、拆除及重新安装的全部费用，工期相应顺延。因承包人原因导致试车达不到验收要求，承包人按监理人要求重新安装和试车，并承担重新安装和试车的费用，工期不予顺延。

因工程设备制造原因导致试车达不到验收要求的，由采购该工程设备的合同当事人负责重新购置或修理，承包人负责拆除和重新安装，由此增加的修理、重新购置、拆除及重新安装的费用及延误的工期由采购该工程设备的合同当事人承担。

（二）材料设备供应的质量控制条款

工程建设的材料设备供应的质量控制，是整个工程质量控制的基础。建筑材料、构配件生产及设备供应单位对其生产或者供应的产品质量负责。而材料设备的需方则应根据买卖合同的规定进行质量验收。

1. 发包人供应材料设备

发包人自行供应材料、工程设备的，应在签订合同时在专用合同条款的附件《发包人供应材料设备一览表》中明确材料、工程设备的品种、规格、型号、数量、单价、质量等级和送达地点。

承包人应提前 30 天通过监理人以书面形式通知发包人供应材料与工程设备进场。承包人按照施工进度计划的修订，约定修订施工进度计划时，需同时提交经修订后的发包人供应材料与工程设备的进场计划。

发包人应按《发包人供应材料设备一览表》约定的内容提供材料和工程设备，并向承包人提供产品合格证明及出厂证明，对其质量负责。发包人应提前 24 小时以书面形式通知承包人、监理人材料和工程设备到货时间，承包人负责材料和工程设备的清点、检验和接收。

发包人提供的材料和工程设备的规格、数量或质量不符合合同约定的，或因发包人原因导致交货日期延误或交货地点变更等情况的，按照发包人违约约定办理。

发包人供应的材料和工程设备，承包人清点后由承包人妥善保管，保管费用由发包人承担，但已标价工程量清单或预算书已经列支或专用合同条款另有约定除外。因承包人原因发生丢失毁损的，由承包人负责赔偿；监理人未通知承包人清点的，承包人不负责材料和工程设备的保管，由此导致丢失毁损的由发包人负责。

发包人供应的材料和工程设备使用前，由承包人负责检验，检验费用由发包人承担，不合格的不得使用。

发包人提供的材料或工程设备不符合合同要求的，承包人有权拒绝，并可要求发包人更换，由此增加的费用和（或）延误的工期由发包人承担，并支付承包人合理的利润。

2. 承包人采购材料设备

对于合同约定由承包人采购的材料设备，发包人不得指定生产厂家或者供应商。

（1）承包人采购的材料设备的验收

承包人根据专用条款的约定及设计和有关标准要求采购工程需要的材料设备，并提供产品合格证明。承包人在材料设备到货前 24 小时通知工程师验收。这是工程师的一项重要职责，工程师应当严格按照合同约定、有关标准进行验收。

（2）承包人采购的材料设备与要求不符时的处理

承包人采购的材料设备与设计或者标准要求不符时，工程师可以拒绝验收。由承包人按照工程师要求的时间运出施工场地，重新采购符合要求的产品，并承担由此发生的费用，由此延误的工期不予顺延。

工程师发现材料设备不符合设计或者标准要求时，应要求承包人负责修复、拆除或者重新采购，并承担发生的费用，由此造成的工期延误不予顺延。

（3）承包人使用代用材料

承包人需要使用代用材料时，须经工程师认可后方可使用，由此增减的合同价款由双方以书面形式议定。

（4）承包人采购的材料设备在使用前的检验或试验

承包人采购的材料设备在使用前，承包人应按工程师的要求进行检验或试验，不合格的不得使用，检验或试验费用由承包人承担。

（三）质量保修的质量控制条款

建设工程办理竣工验收手续后，承包人应按法律、行政法规或国家关于工程质量的有关规定，对交付发包人使用的工程在质量保修期内承担质量保修责任。

1. 质量保修书的主要内容

承包人应当在工程竣工验收之前，与发包人签订质量保修书，作为合同附件。质量保修书的主要内容包括：

（1）质量保修项目内容及范围；

（2）质量保修期；

（3）质量保修责任；

（4）质量保修金的支付方法。

2. 工程质量保修范围和内容

质量保修范围包括地基基础工程、主体结构工程、屋面防水工程和双方约定的其他土建工程，以及电气管线、上下水管线的安装工程，供热、供冷系统工程项目。工程质量保修范围是国家强制性的规定，合同当事人不能约定减少国家规定的工程质量保修范围。工程质量保修的内容由当事人在合同中约定。

3. 质量保修期

工程保修期从工程竣工验收合格之日起算，具体分部分项工程的保修期由合同当事人在专用合同条款中约定，但不得低于法定最低保修年限。在工程保修期内，承包人应当根据有关法律规定以及合同约定承担保修责任。

发包人未经竣工验收擅自使用工程的，保修期自转移占有之日起算。

合同双方可以根据国家有关规定，结合具体工程约定质量保修期，但双方的约定不得低于国家规定的最低质量保修期。《建设工程质量管理条例》和《房屋建筑工程质量保修办法》对正常使用条件下，建设工程的最低保修期限分别规定为：

（1）地基基础工程和主体结构工程为设计文件规定的该工程合理使用年限；

（2）屋面防水工程、有防水要求的卫生间、房间和外墙面的防渗漏为5年；

（3）供热与供冷系统为2个采暖期和供冷期；

（4）电气管线和给排水管道、设备安装和装修工程为2年。

4. 修复费用

保修期内，修复的费用按照以下约定处理：

（1）保修期内，因承包人原因造成工程的缺陷、损坏，承包人应负责修复，并承担修复的费用以及因工程的缺陷、损坏造成的人身伤害和财产损失；

（2）保修期内，因发包人使用不当造成工程的缺陷、损坏，可以委托承包人修复，但发包人应承担修复的费用，并支付承包人合理利润；

（3）因其他原因造成工程的缺陷、损坏，可以委托承包人修复，发包人应承担修复的费用，并支付承包人合理的利润，因工程的缺陷、损坏造成的人身伤害和财产损失由责任方承担。

5. 修复通知

在保修期内，发包人在使用过程中，发现已接收的工程存在缺陷或损坏的，应书面通知承包人予以修复，但情况紧急必须立即修复缺陷或损坏的，发包人可以口头通知承包人并在口头通知后48小时内书面确认，承包人应在专用合同条款约定的合理期限内到达工程现场并修复缺陷或损坏。

6. 未能修复

因承包人原因造成工程的缺陷或损坏，承包人拒绝维修或未能在合理期限内修复缺陷或损坏，且经发包人书面催告后仍未修复的，发包人有权自行修复或委托第三方修复，所需费用由承包人承担。但修复范围超出缺陷或损坏范围的，超出范围部分的修复费用由发包人承担。

7. 承包人出入权

在保修期内，为了修复缺陷或损坏，承包人有权出入工程现场，除情况紧急必须立即修复缺陷或损坏外，承包人应提前24小时通知发包人进场修复的时间。承包人进入工程现场前应获得发包人同意，且不应影响发包人正常的生产经营，并应遵守发包人有关保安和保密等规定。

四、建设工程施工合同的投资控制条款

投资控制条款的作用在于把建设项目投资控制在批准的投资限额以内，随时纠正

发生的偏差，按计划在工程各阶段合理使用人力、物力和财力，以取得最好的投资效益。

（一）建设工程施工合同价款及调整

1. 合同价款的约定

招标工程的合同价款由发包人承包人依据中标通知书中的中标价格在施工合同内约定。非招标工程的合同价款由发包人承包人依据工程预算书在施工合同内约定。

合同价款在施工合同内约定后，任何一方不得擅自改变。合同价款可以按照单价合同、总价合同或其他价格方式确定，采用其中哪一种由双方在专用条款内约定。发包人和承包人应在合同协议书中选择下列一种合同价格形式：

（1）单价合同

单价合同是指合同当事人约定以工程量清单及其综合单价进行合同价格计算、调整和确认的建设工程施工合同，在约定的范围内合同单价不作调整。合同当事人应在专用合同条款中约定综合单价包含的风险范围和风险费用的计算方法，并约定风险范围以外的合同价格的调整方法，其中因市场价格波动引起的调整按市场价格波动引起的调整约定执行。

（2）总价合同

总价合同是指合同当事人约定以施工图、已标价工程量清单或预算书及有关条件进行合同价格计算、调整和确认的建设工程施工合同，在约定的范围内合同总价不作调整。合同当事人应在专用合同条款中约定总价包含的风险范围和风险费用的计算方法，并约定风险范围以外的合同价格的调整方法，其中因市场价格波动引起的调整按市场价格波动引起的调整、因法律变化引起的调整按法律变化引起的调整约定执行。

（3）其他价格形式

合同当事人可在专用合同条款中约定其他合同价格形式。

2. 合同价格调整的原因

（1）市场价格波动引起的调整

除专用合同条款另有约定外，市场价格波动超过合同当事人约定的范围，合同价格应当调整。合同当事人可以在专用合同条款中约定选择以下一种方式对合同价格进行调整：

第1种方式：采用价格指数进行价格调整。

1）价格调整公式

因人工、材料和设备等价格波动影响合同价格时，根据专用合同条款中约定的数据，按以下公式计算差额并调整合同价格：

$$\Delta P = P_0\left[A + \left(B_1 \times \frac{F_{t1}}{F_{01}} + B_2 \times \frac{F_{t2}}{F_{02}} + B_3 \times \frac{F_{t3}}{F_{03}} + A + B_n \times \frac{F_{tn}}{F_{0n}}\right) - 1\right]$$

式中　　　　　　ΔP——需调整的价格差额；

P_0——约定的付款证书中承包人应得到的已完成工程量的金额。此项金额应不包括价格调整、不计质量保证金的扣留和支付、预付款的支付和扣回。约定的变更及其他金额已按现行价格计价的，也不计在内；

A——定值权重（即不调部分的权重）；

B_1，B_2，B_3，$\cdots$，B_n——各可调因子的变值权重（即可调部分的权重），为各可调因子在签约合同价中所占的比例；

F_{t1}，F_{t2}，$F_{t3,}$，$\cdots$，F_{tn}——各可调因子的现行价格指数，指约定的付款证书相关周期最后一天的前42天的各可调因子的价格指数；

F_{01}，F_{02}，F_{03}，$\cdots$，F_{0n}——各可调因子的基本价格指数，指基准日期的各可调因子的价格指数。

以上价格调整公式中的各可调因子、定值和变值权重，以及基本价格指数及其来源在投标函附录价格指数和权重表中约定，非招标订立的合同，由合同当事人在专用合同条款中约定。价格指数应首先采用工程造价管理机构发布的价格指数，无前述价格指数时，可采用工程造价管理机构发布的价格代替。

2）暂时确定调整差额

在计算调整差额时无现行价格指数的，合同当事人同意暂用前次价格指数计算。实际价格指数有调整的，合同当事人进行相应调整。

3）权重的调整

因变更导致合同约定的权重不合理时，按照第4.4款〔商定或确定〕执行。

4）因承包人原因工期延误后的价格调整

因承包人原因未按期竣工的，对合同约定的竣工日期后继续施工的工程，在使用价格调整公式时，应采用计划竣工日期与实际竣工日期的两个价格指数中较低的一个作为现行价格指数。

第2种方式：采用造价信息进行价格调整。

合同履行期间，因人工、材料、工程设备和机械台班价格波动影响合同价格时，人工、机械使用费按照国家或省、自治区、直辖市建设行政管理部门、行业建设管理部门或其授权的工程造价管理机构发布的人工、机械使用费系数进行调整；需要进行价格调整的材料，其单价和采购数量应由发包人审批，发包人确认需调整的材料单价及数量，作为调整合同价格的依据。

1）人工单价发生变化且符合省级或行业建设主管部门发布的人工费调整规定，合同当事人应按省级或行业建设主管部门或其授权的工程造价管理机构发布的人工费等文件调整合同价格，但承包人对人工费或人工单价的报价高于发布价格的除外。

2）材料、工程设备价格变化的价款调整按照发包人提供的基准价格，按以下风险范围规定执行：

①承包人在已标价工程量清单或预算书中载明材料单价低于基准价格的：除专用合同条款另有约定外，合同履行期间材料单价涨幅以基准价格为基础超过 5% 时，或材料单价跌幅以在已标价工程量清单或预算书中载明材料单价为基础超过 5% 时，其超过部分据实调整。

②承包人在已标价工程量清单或预算书中载明材料单价高于基准价格的：除专用合同条款另有约定外，合同履行期间材料单价跌幅以基准价格为基础超过 5% 时，材料单价涨幅以在已标价工程量清单或预算书中载明材料单价为基础超过 5% 时，其超过部分据实调整。

③承包人在已标价工程量清单或预算书中载明材料单价等于基准价格的：除专用合同条款另有约定外，合同履行期间材料单价涨跌幅以基准价格为基础超过 ±5% 时，其超过部分据实调整。

④承包人应在采购材料前将采购数量和新的材料单价报发包人核对，发包人确认用于工程时，发包人应确认采购材料的数量和单价。发包人在收到承包人报送的确认资料后 5 天内不予答复的视为认可，作为调整合同价格的依据。未经发包人事先核对，承包人自行采购材料的，发包人有权不予调整合同价格。发包人同意的，可以调整合同价格。

前述基准价格是指由发包人在招标文件或专用合同条款中给定的材料、工程设备的价格，该价格原则上应当按照省级或行业建设主管部门或其授权的工程造价管理机构发布的信息价编制。

3）施工机械台班单价或施工机械使用费发生变化超过省级或行业建设主管部门或其授权的工程造价管理机构规定的范围时，按规定调整合同价格。

第 3 种方式：专用合同条款约定的其他方式。

（2）法律变化引起的调整

基准日期后，法律变化导致承包人在合同履行过程中所需要的费用发生除市场价格波动引起的调整约定以外的增加时，由发包人承担由此增加的费用；减少时，应从合同价格中予以扣减。基准日期后，因法律变化造成工期延误时，工期应予以顺延。

因法律变化引起的合同价格和工期调整，合同当事人无法达成一致的，由总监理工程师按商定或确定的约定处理。

因承包人原因造成工期延误，在工期延误期间出现法律变化的，由此增加的费用和（或）延误的工期由承包人承担。

（二）工程预付款

1. 预付款的支付

预付款的支付按照专用合同条款约定执行，但至迟应在开工通知载明的开工日期 7 天前支付。预付款应当用于材料、工程设备、施工设备的采购及修建临时工程、组织施工队伍进场等。

除专用合同条款另有约定外，预付款在进度付款中同比例扣回。在颁发工程接收证书前，提前解除合同的，尚未扣完的预付款应与合同价款一并结算。

发包人逾期支付预付款超过7天的，承包人有权向发包人发出要求预付的催告通知，发包人收到通知后7天内仍未支付的，承包人有权暂停施工，并按发包人违约的情形执行。

2. 预付款担保

发包人要求承包人提供预付款担保的，承包人应在发包人支付预付款7天前提供预付款担保，专用合同条款另有约定除外。预付款担保可采用银行保函、担保公司担保等形式，具体由合同当事人在专用合同条款中约定。在预付款完全扣回之前，承包人应保证预付款担保持续有效。

发包人在工程款中逐期扣回预付款后，预付款担保额度应相应减少，但剩余的预付款担保金额不得低于未被扣回的预付款金额。

（三）工程款（进度款）

1. 工程量的计量

（1）计量原则

工程量计量按照合同约定的工程量计算规则、图纸及变更指示等进行计量。工程量计算规则应以相关的国家标准、行业标准等为依据，由合同当事人在专用合同条款中约定。

（2）计量周期

除专用合同条款另有约定外，工程量的计量按月进行。

（3）单价合同的计量

除专用合同条款另有约定外，单价合同的计量按照本项约定执行：

1）承包人应于每月25日向监理人报送上月20日～当月19日已完成的工程量报告，并附具进度付款申请单、已完成工程量报表和有关资料。

2）监理人应在收到承包人提交的工程量报告后7天内完成对承包人提交的工程量报表的审核并报送发包人，以确定当月实际完成的工程量。监理人对工程量有异议的，有权要求承包人进行共同复核或抽样复测。承包人应协助监理人进行复核或抽样复测，并按监理人要求提供补充计量资料。承包人未按监理人要求参加复核或抽样复测的，监理人复核或修正的工程量视为承包人实际完成的工程量。

3）监理人未在收到承包人提交的工程量报表后的7天内完成审核的，承包人报送的工程量报告中的工程量视为承包人实际完成的工程量，据此计算工程价款。

（4）总价合同的计量

除专用合同条款另有约定外，按月计量支付的总价合同，按照本项约定执行：

1）承包人应于每月25日向监理人报送上月20日～当月19日已完成的工程量报告，并附具进度付款申请单、已完成工程量报表和有关资料。

2）监理人应在收到承包人提交的工程量报告后 7 天内完成对承包人提交的工程量报表的审核并报送发包人，以确定当月实际完成的工程量。监理人对工程量有异议的，有权要求承包人进行共同复核或抽样复测。承包人应协助监理人进行复核或抽样复测并按监理人要求提供补充计量资料。承包人未按监理人要求参加复核或抽样复测的，监理人审核或修正的工程量视为承包人实际完成的工程量。

3）监理人未在收到承包人提交的工程量报表后的 7 天内完成复核的，承包人提交的工程量报告中的工程量视为承包人实际完成的工程量。

（5）总价合同采用支付分解表计量支付的，可以按照总价合同的计量约定进行计量，但合同价款按照支付分解表进行支付。

（6）其他价格形式合同的计量

合同当事人可在专用合同条款中约定其他价格形式合同的计量方式和程序。

2. 工程款（进度款）支付

（1）付款周期

除专用合同条款另有约定外，付款周期应按照计量周期的约定与计量周期保持一致。

（2）进度付款申请单的编制

除专用合同条款另有约定外，进度付款申请单应包括下列内容：

1）截至本次付款周期已完成工作对应的金额；

2）根据变更应增加和扣减的变更金额；

3）根据预付款约定应支付的预付款和扣减的返还预付款；

4）根据质量保证金约定应扣减的质量保证金；

5）根据索赔应增加和扣减的索赔金额；

6）对已签发的进度款支付证书中出现错误的修正，应在本次进度付款中支付或扣除的金额；

7）根据合同约定应增加和扣减的其他金额。

（3）进度付款申请单的提交

1）单价合同进度付款申请单的提交

单价合同的进度付款申请单，按照第 12.3.3 项［单价合同的计量］约定的时间按月向监理人提交，并附上已完成工程量报表和有关资料。单价合同中的总价项目按月进行支付分解，并汇总列入当期进度付款申请单。

2）总价合同进度付款申请单的提交

总价合同按月计量支付的，承包人按照第 12.3.4 项［总价合同的计量］约定的时间按月向监理人提交进度付款申请单，并附上已完成工程量报表和有关资料。

总价合同按支付分解表支付的，承包人应按照第 12.4.6 项［支付分解表］及第 12.4.2 项［进度付款申请单的编制］的约定向监理人提交进度付款申请单。

3）其他价格形式合同的进度付款申请单的提交

合同当事人可在专用合同条款中约定其他价格形式合同的进度付款申请单的编制和提交程序。

（4）进度款审核和支付

1）除专用合同条款另有约定外，监理人应在收到承包人进度付款申请单以及相关资料后 7 天内完成审查并报送发包人，发包人应在收到后 7 天内完成审批并签发进度款支付证书。发包人逾期未完成审查且未提出异议的，视为已签发进度款支付证书。

发包人和监理人对承包人的进度付款申请单有异议的，有权要求承包人修正和提供补充资料，承包人应提交修正后的进度付款申请单。监理人应在收到承包人修正后的进度付款申请单及相关资料后 7 天内完成审查并报送发包人，发包人应在收到监理人报送的进度付款申请单及相关资料后 7 天内，向承包人签发无异议部分的临时进度款支付证书。存在争议的部分，按照第 20 条〔争议解决〕的约定处理。

2）除专用合同条款另有约定外，发包人应在进度款支付证书或临时进度款支付证书签发后 14 天内完成支付，发包人逾期支付进度款的，应按照中国人民银行发布的同期同类贷款基准利率支付违约金。

3）发包人签发进度款支付证书或临时进度款支付证书，不表明发包人已同意、批准或接受了承包人完成的相应部分的工作。

（5）进度付款的修正

在对已签发的进度款支付证书进行阶段汇总和复核中发现错误、遗漏或重复的，发包人和承包人均有权提出修正申请。经发包人和承包人同意的修正，应在下期进度付款中支付或扣除。

（6）支付分解表

1）支付分解表的编制要求

①支付分解表中所列的每期付款金额，应为进度付款申请单的编制的估算金额；

②实际进度与施工进度计划不一致的，合同当事人可按照商定或确定修改支付分解表；

③不采用支付分解表的，承包人应向发包人和监理人提交按季度编制的支付估算分解表，用于支付参考。

2）总价合同支付分解表的编制与审批

①除专用合同条款另有约定外，承包人应根据第 7.2 款〔施工进度计划〕约定的施工进度计划、签约合同价和工程量等因素对总价合同按月进行分解，编制支付分解表。承包人应当在收到监理人和发包人批准的施工进度计划后 7 天内，将支付分解表及编制支付分解表的支持性资料报送监理人。

②监理人应在收到支付分解表后 7 天内完成审核并报送发包人。发包人应在收到经监理人审核的支付分解表后 7 天内完成审批，经发包人批准的支付分解表为有约束

力的支付分解表。

③发包人逾期未完成支付分解表审查的，也未及时要求承包人进行修正和提供补充资料的，则承包人提交的支付分解表视为已经获得发包人批准。

3）单价合同的总价项目支付分解表的编制与审批

除专用合同条款另有约定外，单价合同的总价项目，由承包人根据施工进度计划和总价项目的总价构成、费用性质、计划发生时间和相应工程量等因素按月进行分解，形成支付分解表，其编制与审批参照总价合同支付分解表的编制与审批执行。

（四）变更价款的确定

1. 变更的范围

除专用合同条款另有约定外，合同履行过程中发生以下情形的，应按照本条约定进行变更：

（1）增加或减少合同中任何工作，或追加额外的工作；

（2）取消合同中任何工作，但转由他人实施的工作除外；

（3）改变合同中任何工作的质量标准或其他特性；

（4）改变工程的基线、标高、位置和尺寸；

（5）改变工程的时间安排或实施顺序。

2. 变更权

发包人和监理人均可以提出变更。变更指示均通过监理人发出，监理人发出变更指示前应征得发包人同意。承包人收到经发包人签认的变更指示后，方可实施变更。未经许可，承包人不得擅自对工程的任何部分进行变更。

涉及设计变更的，应由设计人提供变更后的图纸和说明。如变更超过原设计标准或批准的建设规模时，发包人应及时办理规划、设计变更等审批手续。

3. 变更程序

（1）发包人提出变更

发包人提出变更的，应通过监理人向承包人发出变更指示，变更指示应说明计划变更的工程范围和变更的内容。

（2）监理人提出变更建议

监理人提出变更建议的，需要向发包人以书面形式提出变更计划，说明计划变更工程范围和变更的内容、理由，以及实施该变更对合同价格和工期的影响。发包人同意变更的，由监理人向承包人发出变更指示。发包人不同意变更的，监理人无权擅自发出变更指示。

（3）变更执行

承包人收到监理人下达的变更指示后，认为不能执行，应立即提出不能执行该变更指示的理由。承包人认为可以执行变更的，应当书面说明实施该变更指示对合同价格和工期的影响，且合同当事人应当按照变更估价约定确定变更估价。

4. 变更估价

（1）变更估价原则

除专用合同条款另有约定外，变更估价按照本款约定处理：

1）已标价工程量清单或预算书有相同项目的，按照相同项目单价认定；

2）已标价工程量清单或预算书中无相同项目，但有类似项目的，参照类似项目的单价认定；

3）变更导致实际完成的变更工程量与已标价工程量清单或预算书中列明的该项目工程量的变化幅度超过 15% 的，或已标价工程量清单或预算书中无相同项目及类似项目单价的，按照合理的成本与利润构成的原则，由合同当事人按照商定或确定变更工作的单价。

（2）变更估价程序

承包人应在收到变更指示后 14 天内，向监理人提交变更估价申请。监理人应在收到承包人提交的变更估价申请后 7 天内审查完毕并报送发包人，监理人对变更估价申请有异议，通知承包人修改后重新提交。发包人应在承包人提交变更估价申请后 14 天内审批完毕。发包人逾期未完成审批或未提出异议的，视为认可承包人提交的变更估价申请。

因变更引起的价格调整应计入最近一期的进度款中支付。

5. 承包人的合理化建议

承包人提出合理化建议的，应向监理人提交合理化建议说明，说明建议的内容和理由，以及实施该建议对合同价格和工期的影响。

除专用合同条款另有约定外，监理人应在收到承包人提交的合理化建议后 7 天内审查完毕并报送发包人，发现其中存在技术上的缺陷，应通知承包人修改。发包人应在收到监理人报送的合理化建议后 7 天内审批完毕。合理化建议经发包人批准的，监理人应及时发出变更指示，由此引起的合同价格调整按照变更估价约定执行。发包人不同意变更的，监理人应书面通知承包人。

合理化建议降低了合同价格或者提高了工程经济效益的，发包人可对承包人给予奖励，奖励的方法和金额在专用合同条款中约定。

6. 变更引起的工期调整

因变更引起工期变化的，合同当事人均可要求调整合同工期，由合同当事人按照商定或确定并参考工程所在地的工期定额标准确定增减工期天数。

7. 暂估价

暂估价专业分包工程、服务、材料和工程设备的明细由合同当事人在专用合同条款中约定。

（1）依法必须招标的暂估价项目

对于依法必须招标的暂估价项目，采取以下第 1 种方式确定。合同当事人也可以在专用合同条款中选择其他招标方式。

第1种方式：对于依法必须招标的暂估价项目，由承包人招标，对该暂估价项目的确认和批准按照以下约定执行：

1）承包人应当根据施工进度计划，在招标工作启动前14天将招标方案通过监理人报送发包人审查，发包人应当在收到承包人报送的招标方案后7天内批准或提出修改意见。承包人应当按照经过发包人批准的招标方案开展招标工作；

2）承包人应当根据施工进度计划，提前14天将招标文件通过监理人报送发包人审批，发包人应当在收到承包人报送的相关文件后7天内完成审批或提出修改意见；发包人有权确定招标控制价并按照法律规定参加评标；

3）承包人与供应商、分包人在签订暂估价合同前，应当提前7天将确定的中标候选供应商或中标候选分包人的资料报送发包人，发包人应在收到资料后3天内与承包人共同确定中标人；承包人应当在签订合同后7天内，将暂估价合同副本报送发包人留存。

第2种方式：对于依法必须招标的暂估价项目，由发包人和承包人共同招标确定暂估价供应商或分包人的，承包人应按照施工进度计划，在招标工作启动前14天通知发包人，并提交暂估价招标方案和工作分工。发包人应在收到后7天内确认。确定中标人后，由发包人、承包人与中标人共同签订暂估价合同。

（2）不属于依法必须招标的暂估价项目

除专用合同条款另有约定外，对于不属于依法必须招标的暂估价项目，采取以下第1种方式确定：

第1种方式：对于不属于依法必须招标的暂估价项目，按本项约定确认和批准：

1）承包人应根据施工进度计划，在签订暂估价项目的采购合同、分包合同前28天向监理人提出书面申请。监理人应当在收到申请后3天内报送发包人，发包人应当在收到申请后14天内给予批准或提出修改意见，发包人逾期未予批准或提出修改意见的，视为该书面申请已获得同意；

2）发包人认为承包人确定的供应商、分包人无法满足工程质量或合同要求的，发包人可以要求承包人重新确定暂估价项目的供应商、分包人；

3）承包人应当在签订暂估价合同后7天内，将暂估价合同副本报送发包人留存。

第2种方式：承包人按照依法必须招标的暂估价项目约定的第1种方式确定暂估价项目。

第3种方式：承包人直接实施的暂估价项目

承包人具备实施暂估价项目的资格和条件的，经发包人和承包人协商一致后，可由承包人自行实施暂估价项目，合同当事人可以在专用合同条款约定具体事项。

（3）因发包人原因导致暂估价合同订立和履行迟延的，由此增加的费用和（或）延误的工期由发包人承担，并支付承包人合理的利润。因承包人原因导致暂估价合同订立和履行迟延的，由此增加的费用和（或）延误的工期由承包人承担。

8. 暂列金额

暂列金额应按照发包人的要求使用，发包人的要求应通过监理人发出。合同当事人可以在专用合同条款中协商确定有关事项。

9. 计日工

需要采用计日工方式的，经发包人同意后，由监理人通知承包人以计日工计价方式实施相应的工作，其价款按列入已标价工程量清单或预算书中的计日工计价项目及其单价进行计算；已标价工程量清单或预算书中无相应的计日工单价的，按照合理的成本与利润构成的原则，由合同当事人按照商定或确定变更工作的单价。

采用计日工计价的任何一项工作，承包人应在该项工作实施过程中，每天提交以下报表和有关凭证报送监理人审查：

（1）工作名称、内容和数量；

（2）投入该工作的所有人员的姓名、专业、工种、级别和耗用工时；

（3）投入该工作的材料类别和数量；

（4）投入该工作的施工设备型号、台数和耗用台时；

（5）其他有关资料和凭证。

计日工由承包人汇总后，列入最近一期进度付款申请单，由监理人审查并经发包人批准后列入进度付款。

（五）施工中涉及的其他费用

1. 安全文明施工方面的费用

安全文明施工费由发包人承担，发包人不得以任何形式扣减该部分费用。因基准日期后合同所适用的法律或政府有关规定发生变化，增加的安全文明施工费由发包人承担。

承包人经发包人同意采取合同约定以外的安全措施所产生的费用，由发包人承担。未经发包人同意的，如果该措施避免了发包人的损失，则发包人在避免损失的额度内承担该措施费。如果该措施避免了承包人的损失，由承包人承担该措施费。

除专用合同条款另有约定外，发包人应在开工后28天内预付安全文明施工费总额的50%，其余部分与进度款同期支付。发包人逾期支付安全文明施工费超过7天的，承包人有权向发包人发出要求预付的催告通知，发包人收到通知后7天内仍未支付的，承包人有权暂停施工，并按发包人违约的情形执行。

承包人对安全文明施工费应专款专用，承包人应在财务账目中单独列项备查，不得挪作他用，否则发包人有权责令其限期改正；逾期未改正的，可以责令其暂停施工，由此增加的费用和（或）延误的工期由承包人承担。

2. 化石、文物

在施工现场发掘的所有文物、古迹以及具有地质研究或考古价值的其他遗迹、化石、钱币或物品属于国家所有。一旦发现上述文物，承包人应采取合理有效的保护措施，防止任何人员移动或损坏上述物品，并立即报告有关政府行政管理部门，同时通知监理人。

发包人、监理人和承包人应按有关政府行政管理部门要求采取妥善的保护措施，由此增加的费用和（或）延误的工期由发包人承担。

承包人发现文物后不及时报告或隐瞒不报，致使文物丢失或损坏的，应赔偿损失，并承担相应的法律责任。

（六）竣工结算

1. 竣工结算申请

除专用合同条款另有约定外，承包人应在工程竣工验收合格后 28 天内向发包人和监理人提交竣工结算申请单，并提交完整的结算资料，有关竣工结算申请单的资料清单和份数等要求由合同当事人在专用合同条款中约定。

除专用合同条款另有约定外，竣工结算申请单应包括以下内容：

（1）竣工结算合同价格；

（2）发包人已支付承包人的款项；

（3）应扣留的质量保证金；

（4）发包人应支付承包人的合同价款。

2. 竣工结算审核

（1）除专用合同条款另有约定外，监理人应在收到竣工结算申请单后 14 天内完成核查并报送发包人。发包人应在收到监理人提交的经审核的竣工结算申请单后 14 天内完成审核，并由监理人向承包人签发经发包人签认的竣工付款证书。监理人或发包人对竣工结算申请单有异议的，有权要求承包人进行修正和提供补充资料，承包人应提交修正后的竣工结算申请单。

发包人在收到承包人提交竣工结算申请书后 28 天未完成审核且未提出异议的，视为发包人认可承包人提交的竣工结算申请单，并自发包人收到承包人提交的竣工结算申请单后第 29 天起视为已签发竣工付款证书。

（2）除专用合同条款另有约定外，发包人应在签发竣工付款证书后的 14 天内，完成对承包人的竣工付款。发包人逾期支付的，按照中国人民银行发布的同期同类贷款基准利率支付违约金；逾期支付超过 56 天的，按照中国人民银行发布的同期同类贷款基准利率的两倍支付违约金。

（3）承包人对发包人签认的竣工付款证书有异议的，对于有异议部分应在收到发包人签认的竣工付款证书后 7 天内提出异议，并由合同当事人按照专用合同条款的约定进行复核，或按照争议解决约定处理。对于无异议部分，发包人应签发临时竣工付款证书，并完成付款；承包人逾期未提出异议的，视为认可发包人的审核结果。

（4）除专用合同条款另有约定外，合同价款应支付至承包人的账户。

3. 甩项竣工协议

发包人要求甩项竣工的，合同当事人应签订甩项竣工协议。在甩项竣工协议中应明确，合同当事人按照竣工结算申请及竣工结算审核的约定，对已完合格工程进行结算，并支付相应合同价款。

4. 最终结清

（1）最终结清申请单

1）除专用合同条款另有约定外，承包人应在缺陷责任期终止证书颁发后 7 天内，按专用合同条款约定的份数向发包人提交最终结清申请单，并提供相关证明材料。

除专用合同条款另有约定外，最终结清申请单应列明质量保证金、应扣除的质量保证金、缺陷责任期内发生的增减费用。

2）发包人对最终结清申请单内容有异议的，有权要求承包人进行修正和提供补充资料，承包人应向发包人提交修正后的最终结清申请单。

（2）最终结清证书和支付

1）除专用合同条款另有约定外，发包人应在收到承包人提交的最终结清申请单后 14 天内完成审批并向承包人颁发最终结清证书。发包人逾期未完成审核，又未提出修改意见的，视为发包人同意承包人提交的最终结清申请单，且自发包人收到承包人提交的最终结清申请单后 15 天起视为已颁发最终结清证书。

2）除专用合同条款另有约定外，发包人应在颁发最终结清证书后 7 天内完成支付。发包人逾期支付的，按照中国人民银行发布的同期同类贷款基准利率支付违约金；逾期支付超过 56 天的，按照中国人民银行发布的同期同类贷款基准利率的两倍支付违约金。

3）承包人对发包人颁发的最终结清证书有异议的，按争议解决的约定办理。

（七）质量保证金

经合同当事人协商一致扣留质量保证金的，应在专用合同条款中予以明确。

在工程项目竣工前，承包人已经提供履约担保的，发包人不得同时预留工程质量保证金。

1. 承包人提供质量保证金的方式

承包人提供质量保证金有以下三种方式：

（1）质量保证金保函；

（2）相应比例的工程款；

（3）双方约定的其他扣留方式。

除专用合同条款另有约定外，质量保证金原则上采用上述第（1）种方式。

2. 质量保证金的扣留

质量保证金的扣留有以下三种方式：

（1）在支付工程进度款时逐次扣留，在此情形下，质量保证金的计算基数不包括预付款的支付、扣回以及价格调整的金额；

（2）工程竣工结算时一次性扣留质量保证金；

（3）双方约定的其他扣留方式。

除专用合同条款另有约定外，质量保证金的扣留原则上采用上述第（1）种方式。

发包人累计扣留的质量保证金不得超过工程价款结算总额的3%，如承包人在发包人签发竣工付款证书后28天内提交质量保证金保函，发包人应同时退还扣留的作为质量保证金的工程价款；保函金额不得超过工程价款总额的3%。

发包人在退还质量保证金的同时按照中国人民银行发布的同期同类贷款基准利率支付利息。

3. 质量保证金的退还

缺陷责任期内，承包人认真履行合同约定的责任，到期后，承包人可向发包人申请返还保证金。

发包人在接到承包人返还保证金申请后，应于14天内会同承包人按照合同约定的内容进行核实。如无异议，发包人应当按照约定将保证金返还给承包人。对返还期限没有约定或者约定不明确的，发包人应当在核实后14天内将保证金返还承包人，逾期未返还的，依法承担违约责任。发包人在接到承包人返还保证金申请后14天内不予答复，经催告后14天内仍不予答复，视同认可承包人的返还保证金申请。

解释（二）第八条规定：有下列情形之一，承包人请求发包人返还工程质量保证金的，人民法院应予支持：①当事人约定的工程质量保证金返还期限届满。②当事人未约定工程质量保证金返还期限的，自建设工程通过竣工验收之日起满二年。③因发包人原因建设工程未按约定期限进行竣工验收的，自承包人提交工程竣工验收报告九十日后起当事人约定的工程质量保证金返还期限届满；当事人未约定工程质量保证金返还期限的，自承包人提交工程竣工验收报告九十日后起满二年。发包人返还工程质量保证金后，不影响承包人根据合同约定或者法律规定履行工程保修义务。

（八）承包人工程价款的优先受偿权

《民法典》第八百零七条规定，发包人未按照约定支付价款的，承包人可以催告发包人在合理期限内支付价款。发包人逾期不支付的，除按照建设工程的性质不宜折价、拍卖的以外，承包人可以与发包人协议将该工程折价，也可以申请人民法院将工程依法拍卖。建设工程的价款就该工程折价或拍卖的价款优先受偿。

解释（二）第十七条规定：与发包人订立建设工程施工合同的承包人，根据合同法第二百八十六条规定请求其承建工程的价款就工程折价或者拍卖的价款优先受偿的，人民法院应予支持。本条规定与发包人订立施工合同的承包人可以主张优先受偿权，其余的实际施工人被排除在工程款优先权之外。

解释（二）第十八条规定：装饰装修工程的承包人，请求装饰装修工程价款就该装饰装修工程折价或者拍卖的价款优先受偿的，人民法院应予支持，但装饰装修工程的发包人不是该建筑物的所有权人的除外。本条规定，装饰装修工程的工程款也适用优先受偿权，这个在目前的司法实践中已经得到了普遍的确认。理论上讲，行使优先权的范围，以装饰装修工程的价值为限，即行使优先权时，虽然是拍卖建筑物，但仅对卖得的价款中对应于装饰装修工程的部分优先受偿。如何确定装饰装修部分对应的价款，还要具体问题具体分析。本条同时规定如果装饰装修工程的发包人不是建筑物的所有权人，则不可以主张优先权。这样规定也是必然的，因为建筑物不属于发包人所有，承包人无法主张卖掉建筑物变价受偿，装饰装修工程依附于建筑物，又不可能单独出售，此时承包人确实无法实现优先受偿权。

解释（二）第十九条规定：建设工程质量合格，承包人请求其承建工程的价款就工程折价或者拍卖的价款优先受偿的，人民法院应予支持。本条规定行使建设工程优先受偿权，要求建设工程质量合格。如果工程质量不合格的，不能行使优先受偿权。这也属于当然之理。《解释一》第三条规定，工程质量不合格时，应该先修复，修复后质量合格的，要支付价款，无法修复的，无需支付价款。工程款优先权本身不是独立的债权，是对应于工程款债权的一个优先受偿的属性，只有能主张工程款时，才有优先受偿权适用的余地。工程不合格时，工程款都没有支付的余地，自然没有优先受偿权。同时，也应明白，工程质量不合格，就是危及人身安全的，工程是不能使用的，只能拆除，此时法院也不会把工程拍卖变价。

解释（二）第二十条规定：未竣工的建设工程质量合格，承包人请求其承建工程的价款就其承建工程部分折价或者拍卖的价款优先受偿的，人民法院应予支持。本条规定没有竣工的工程，只要质量是合格的，承包人也可以主张优先受偿权。工程没有竣工，承包人即退出工程，后续可能发生两种结果，一种是工程烂尾了，一种是工程由其他承包人续建了。工程烂尾了，那么对烂尾的工程也可以进行拍卖，承包人就拍卖所得优先受偿。工程被其他人续建了，那么承包人针对已经完成的工程主张优先权时，需要拍卖整个建筑物，但承包人只能对卖得价款中，对应自己承建的那部分的变价款优先受偿。

解释（二）第二十一条规定：承包人建设工程价款优先受偿的范围依照国务院有关行政主管部门关于建设工程价款范围的规定确定。承包人就逾期支付建设工程价款的利息、违约金、损害赔偿金等主张优先受偿的，人民法院不予支持。本条是对可以主张优先权的工程款范围的规定。最高法院原《优先受偿权解释》第三条规定，承包人支出的人工报酬、材料费等实际支出可以主张优先受偿，但违约损失不能主张。目前的司法实践中，一般认为承包人的利润也是可以主张优先受偿的。承包人的工程价款，分为直接费、间接费、利润和税金，对于这四项费用，承包人都是可以主张优先受偿的。这四项费用综合起来，其实也就是建设工程施工合同中约定的工程价款。

解释（二）第二十二条规定：承包人行使建设工程价款优先受偿权的期限为六个月，自发包人应当给付建设工程价款之日起算。

本条是对工程款优先权起算点的规定。自承包人可以主张工程款之日开始起算优先权。

第三节   建设工程施工合同的管理性内容

在建设工程施工合同的履行过程中，承发包双方不可避免会发生矛盾和纠纷，也会发生一些涉及第三方的情况与客观的意外情况，因此需要工商行政管理机关、建设行政主管机关、金融机构，以及承发包双方、监理单位依据法律和行政法规、规章制度，采取法律的、行政的手段，对施工合同的履行进行有效的组织、指导、协调及监督，以保护施工合同当事人的合法权益，解决施工合同纠纷，防止和制裁违法行为，保证施工合同的公平、公正、充分、有效地履行。《施工合同文本》针对性地对上述建设工程施工合同履行过程中涉及的有关问题作了相应的具体规定。

一、不可抗力、保险和担保

（一）不可抗力

1. 不可抗力的确认

不可抗力是指合同当事人在签订合同时不可预见，在合同履行过程中不可避免且不能克服的自然灾害和社会性突发事件，如地震、海啸、瘟疫、骚乱、戒严、暴动、战争和专用合同条款中约定的其他情形。

不可抗力发生后，发包人和承包人应收集证明不可抗力发生及不可抗力造成损失的证据，并及时认真统计所造成的损失。合同当事人对是否属于不可抗力或其损失的意见不一致的，由监理人按商定或确定的约定处理。发生争议时，按争议解决的约定处理。

2. 不可抗力的通知

合同一方当事人遇到不可抗力事件，使其履行合同义务受到阻碍时，应立即通知合同另一方当事人和监理人，书面说明不可抗力和受阻碍的详细情况，并提供必要的证明。

不可抗力持续发生的，合同一方当事人应及时向合同另一方当事人和监理人提交中间报告，说明不可抗力和履行合同受阻的情况，并于不可抗力事件结束后28天内提交最终报告及有关资料。

3. 不可抗力后果的承担

（1）不可抗力引起的后果及造成的损失由合同当事人按照法律规定及合同约定各自承担。不可抗力发生前已完成的工程应当按照合同约定进行计量支付。

（2）不可抗力导致的人员伤亡、财产损失、费用增加和（或）工期延误等后果，由合同当事人按以下原则承担：

1）永久工程、已运至施工现场的材料和工程设备的损坏，以及因工程损坏造成的第三人人员伤亡和财产损失由发包人承担；

2）承包人施工设备的损坏由承包人承担；

3）发包人和承包人承担各自人员伤亡和财产的损失；

4）因不可抗力影响承包人履行合同约定的义务，已经引起或将引起工期延误的，应当顺延工期，由此导致承包人停工的费用损失由发包人和承包人合理分担，停工期间必须支付的工人工资由发包人承担；

5）因不可抗力引起或将引起工期延误，发包人要求赶工的，由此增加的赶工费用由发包人承担；

6）承包人在停工期间按照发包人要求照管、清理和修复工程的费用由发包人承担。

不可抗力发生后，合同当事人均应采取措施尽量避免和减少损失的扩大，任何一方当事人没有采取有效措施导致损失扩大的，应对扩大的损失承担责任。

因合同一方迟延履行合同义务，在迟延履行期间遭遇不可抗力的，不免除其违约责任。

4. 因不可抗力解除合同

因不可抗力导致合同无法履行连续超过 84 天或累计超过 140 天的，发包人和承包人均有权解除合同。合同解除后，由双方当事人按照商定或确定发包人应支付的款项，该款项包括：

（1）合同解除前承包人已完成工作的价款；

（2）承包人为工程订购的并已交付给承包人，或承包人有责任接受交付的材料、工程设备和其他物品的价款；

（3）发包人要求承包人退货或解除订货合同而产生的费用，或因不能退货或解除合同而产生的损失；

（4）承包人撤离施工现场以及遣散承包人人员的费用；

（5）按照合同约定在合同解除前应支付给承包人的其他款项；

（6）扣减承包人按照合同约定应向发包人支付的款项；

（7）双方商定或确定的其他款项。

除专用合同条款另有约定外，合同解除后，发包人应在商定或确定上述款项后 28 天内完成上述款项的支付。

（二）保险

1. 工程保险

除专用合同条款另有约定外，发包人应投保建筑工程一切险或安装工程一切险；发包人委托承包人投保的，因投保产生的保险费和其他相关费用由发包人承担。

2. 工伤保险

（1）发包人应依照法律规定参加工伤保险，并为在施工现场的全部员工办理工伤保险，缴纳工伤保险费，并要求监理人及由发包人为履行合同聘请的第三方依法参加工伤保险。

（2）承包人应依照法律规定参加工伤保险，并为其履行合同的全部员工办理工伤保险，缴纳工伤保险费，并要求分包人及由承包人为履行合同聘请的第三方依法参加工伤保险。

3. 其他保险

发包人和承包人可以为其施工现场的全部人员办理意外伤害保险并支付保险费，包括其员工及为履行合同聘请的第三方的人员，具体事项由合同当事人在专用合同条款约定。

除专用合同条款另有约定外，承包人应为其施工设备等办理财产保险。

4. 持续保险

合同当事人应与保险人保持联系，使保险人能够随时了解工程实施中的变动，并确保按保险合同条款要求持续保险。

5. 保险凭证

合同当事人应及时向另一方当事人提交其已投保的各项保险的凭证和保险单复印件。

6. 未按约定投保的补救

（1）发包人未按合同约定办理保险，或未能使保险持续有效的，则承包人可代为办理，所需费用由发包人承担。发包人未按合同约定办理保险，导致未能得到足额赔偿的，由发包人负责补足。

（2）承包人未按合同约定办理保险，或未能使保险持续有效的，则发包人可代为办理，所需费用由承包人承担。承包人未按合同约定办理保险，导致未能得到足额赔偿的，由承包人负责补足。

7. 通知义务

除专用合同条款另有约定外，发包人变更除工伤保险之外的保险合同时，应事先征得承包人同意，并通知监理人；承包人变更除工伤保险之外的保险合同时，应事先征得发包人同意，并通知监理人。

保险事故发生时，投保人应按照保险合同规定的条件和期限及时向保险人报告。发包人和承包人应当在知道保险事故发生后及时通知对方。

二、工程分包

（一）分包的一般约定

承包人不得将其承包的全部工程转包给第三人，或将其承包的全部工程肢解后以分包的名义转包给第三人。承包人不得将工程主体结构、关键性工作及专用合同条款中禁止分包的专业工程分包给第三人，主体结构、关键性工作的范围由合同当事人按照法律规定在专用合同条款中予以明确。

承包人不得以劳务分包的名义转包或违法分包工程。

（二）分包的确定

承包人应按专用合同条款的约定进行分包，确定分包人。已标价工程量清单或预算书中给定暂估价的专业工程，按照第10.7款［暂估价］确定分包人。按照合同约定进行分包的，承包人应确保分包人具有相应的资质和能力。工程分包不减轻或免除承包人的责任和义务，承包人和分包人就分包工程向发包人承担连带责任。除合同另有约定外，承包人应在分包合同签订后 7 天内向发包人和监理人提交分包合同副本。

（三）分包管理

承包人应向监理人提交分包人的主要施工管理人员表，并对分包人的施工人员进行实名制管理，包括但不限于进出场管理、登记造册以及各种证照的办理。

（四）分包合同价款

1.除专用合同条款另有约定外，分包合同价款由承包人与分包人结算，未经承包人同意，发包人不得向分包人支付分包工程价款；

2.生效法律文书要求发包人向分包人支付分包合同价款的，发包人有权从应付承包人工程款中扣除该部分款项。

（五）分包合同权益的转让

分包人在分包合同项下的义务持续到缺陷责任期届满以后的，发包人有权在缺陷责任期届满前，要求承包人将其在分包合同项下的权益转让给发包人，承包人应当转让。除转让合同另有约定外，转让合同生效后，由分包人向发包人履行义务。

三、违约责任

（一）发包人违约

1.发包人违约的情形

在合同履行过程中发生的下列情形，属于发包人违约：

（1）因发包人原因未能在计划开工日期前 7 天内下达开工通知的；

（2）因发包人原因未能按合同约定支付合同价款的；

（3）发包人违反变更的范围约定，自行实施被取消的工作或转由他人实施的；

（4）发包人提供的材料、工程设备的规格、数量或质量不符合合同约定，或因发包人原因导致交货日期延误或交货地点变更等情况的；

（5）因发包人违反合同约定造成暂停施工的；

（6）发包人无正当理由没有在约定期限内发出复工指示，导致承包人无法复工的；

（7）发包人明确表示或者以其行为表明不履行合同主要义务的；

（8）发包人未能按照合同约定履行其他义务的。

发包人发生除本项第（7）目以外的违约情况时，承包人可向发包人发出通知，要求发包人采取有效措施纠正违约行为。发包人收到承包人通知后 28 天内仍不纠正违约行为的，承包人有权暂停相应部位工程施工，并通知监理人。

2.发包人违约的责任

发包人应承担因其违约给承包人增加的费用和（或）延误的工期，并支付承包人合理的利润。此外，合同当事人可在专用合同条款中另行约定发包人违约责任的承担方式和计算方法。

3. 因发包人违约解除合同

除专用合同条款另有约定外，承包人按发包人违约的情形约定暂停施工满28天后，发包人仍不纠正其违约行为并致使合同目的不能实现的，或出现发包人违约的情形第（7）目约定的违约情况，承包人有权解除合同，发包人应承担由此增加的费用，并支付承包人合理的利润。

4. 因发包人违约解除合同后的付款

承包人按照本款约定解除合同的，发包人应在解除合同后28天内支付下列款项，并解除履约担保：

（1）合同解除前所完成工作的价款；

（2）承包人为工程施工订购并已付款的材料、工程设备和其他物品的价款；

（3）承包人撤离施工现场以及遣散承包人人员的款项；

（4）按照合同约定在合同解除前应支付的违约金；

（5）按照合同约定应当支付给承包人的其他款项；

（6）按照合同约定应退还的质量保证金；

（7）因解除合同给承包人造成的损失。

合同当事人未能就解除合同后的结清达成一致的，按照争议解决的约定处理。

承包人应妥善做好已完工程和与工程有关的已购材料、工程设备的保护和移交工作，并将施工设备和人员撤出施工现场，发包人应为承包人撤出提供必要条件。

（二）承包人违约

1. 承包人违约的情形

在合同履行过程中发生的下列情形，属于承包人违约：

（1）承包人违反合同约定进行转包或违法分包的；

（2）承包人违反合同约定采购和使用不合格的材料和工程设备的；

（3）因承包人原因导致工程质量不符合合同要求的；

（4）承包人违反材料与设备专用要求的约定，未经批准，私自将已按照合同约定进入施工现场的材料或设备撤离施工现场的；

（5）承包人未能按施工进度计划及时完成合同约定的工作，造成工期延误的；

（6）承包人在缺陷责任期及保修期内，未能在合理期限对工程缺陷进行修复，或拒绝按发包人要求进行修复的；

（7）承包人明确表示或者以其行为表明不履行合同主要义务的；

（8）承包人未能按照合同约定履行其他义务的。

承包人发生除本项第（7）目约定以外的其他违约情况时，监理人可向承包人发出整改通知，要求其在指定的期限内改正。

2. 承包人违约的责任

承包人应承担因其违约行为而增加的费用和（或）延误的工期。此外，合同当事人可在专用合同条款中另行约定承包人违约责任的承担方式和计算方法。

3. 因承包人违约解除合同

除专用合同条款另有约定外，出现承包人违约的情形第（7）目约定的违约情况时，或监理人发出整改通知后，承包人在指定的合理期限内仍不纠正违约行为并致使合同目的不能实现的，发包人有权解除合同。合同解除后，因继续完成工程的需要，发包人有权使用承包人在施工现场的材料、设备、临时工程、承包人文件和由承包人或以其名义编制的其他文件，合同当事人应在专用合同条款约定相应费用的承担方式。发包人继续使用的行为不免除或减轻承包人应承担的违约责任。

4. 因承包人违约解除合同后的处理

因承包人原因导致合同解除的，则合同当事人应在合同解除后28天内完成估价、付款和清算，并按以下约定执行：

（1）合同解除后，按定商定或确定承包人实际完成工作对应的合同价款，以及承包人已提供的材料、工程设备、施工设备和临时工程等的价值；

（2）合同解除后，承包人应支付的违约金；

（3）合同解除后，因解除合同给发包人造成的损失；

（4）合同解除后，承包人应按照发包人要求和监理人的指示完成现场的清理和撤离；

（5）发包人和承包人应在合同解除后进行清算，出具最终结清付款证书，结清全部款项。

因承包人违约解除合同的，发包人有权暂停对承包人的付款，查清各项付款和已扣款项。发包人和承包人未能就合同解除后的清算和款项支付达成一致的，按照第20条［争议解决］的约定处理。

5. 采购合同权益转让

因承包人违约解除合同的，发包人有权要求承包人将其为实施合同而签订的材料和设备的采购合同的权益转让给发包人，承包人应在收到解除合同通知后14天内，协助发包人与采购合同的供应商达成相关的转让协议。

（三）第三人造成的违约

在履行合同过程中，一方当事人因第三人的原因造成违约的，应当向对方当事人承担违约责任。一方当事人和第三人之间的纠纷，依照法律规定或者按照约定解决。

四、合同争议的解决

（一）和解

合同当事人可以就争议自行和解，自行和解达成协议的经双方签字并盖章后作为合同补充文件，双方均应遵照执行。

（二）调解

合同当事人可以就争议请求建设行政主管部门、行业协会或其他第三方进行调解，调解达成协议的，经双方签字并盖章后作为合同补充文件，双方均应遵照执行。

（三）争议评审

合同当事人在专用合同条款中约定采取争议评审方式解决争议以及评审规则，并按下列约定执行：

1. 争议评审小组的确定

合同当事人可以共同选择一名或三名争议评审员，组成争议评审小组。除专用合同条款另有约定外，合同当事人应当自合同签订后 28 天内，或者争议发生后 14 天内，选定争议评审员。

选择一名争议评审员的，由合同当事人共同确定；选择三名争议评审员的，各自选定一名，第三名成员为首席争议评审员，由合同当事人共同确定或由合同当事人委托已选定的争议评审员共同确定，或由专用合同条款约定的评审机构指定第三名首席争议评审员。

除专用合同条款另有约定外，评审员报酬由发包人和承包人各承担一半。

2. 争议评审小组的决定

合同当事人可在任何时间将与合同有关的任何争议共同提请争议评审小组进行评审。争议评审小组应秉持客观、公正原则，充分听取合同当事人的意见，依据相关法律、规范、标准、案例经验及商业惯例等，自收到争议评审申请报告后 14 天内作出书面决定，并说明理由。合同当事人可以在专用合同条款中对本项事项另行约定。

3. 争议评审小组决定的效力

争议评审小组作出的书面决定经合同当事人签字确认后，对双方具有约束力，双方应遵照执行。

任何一方当事人不接受争议评审小组决定或不履行争议评审小组决定的，双方可选择采用其他争议解决方式。

（四）仲裁或诉讼

因合同及合同有关事项产生的争议，合同当事人可以在专用合同条款中约定以下一种方式解决争议：

（1）向约定的仲裁委员会申请仲裁；

（2）向有管辖权的人民法院起诉。

（五）争议解决条款效力

合同有关争议解决的条款独立存在，合同的变更、解除、终止、无效或者被撤销均不影响其效力。

五、索赔

（一）承包人的索赔

根据合同约定，承包人认为有权得到追加付款和（或）延长工期的，应按以下程序向发包人提出索赔：

1. 承包人应在知道或应当知道索赔事件发生后 28 天内，向监理人递交索赔意向通知书，并说明发生索赔事件的事由；承包人未在前述 28 天内发出索赔意向通知书的，丧失要求追加付款和（或）延长工期的权利；

2. 承包人应在发出索赔意向通知书后 28 天内，向监理人正式递交索赔报告；索赔报告应详细说明索赔理由以及要求追加的付款金额和（或）延长的工期，并附必要的记录和证明材料；

3. 索赔事件具有持续影响的，承包人应按合理时间间隔继续递交延续索赔通知，说明持续影响的实际情况和记录，列出累计的追加付款金额和（或）工期延长天数；

4. 在索赔事件影响结束后 28 天内，承包人应向监理人递交最终索赔报告，说明最终要求索赔的追加付款金额和（或）延长的工期，并附必要的记录和证明材料。

（二）对承包人索赔的处理

对承包人索赔的处理如下：

1. 监理人应在收到索赔报告后 14 天内完成审查并报送发包人。监理人对索赔报告存在异议的，有权要求承包人提交全部原始记录副本；

2. 发包人应在监理人收到索赔报告或有关索赔的进一步证明材料后的 28 天内，由监理人向承包人出具经发包人签认的索赔处理结果。发包人逾期答复的，则视为认可承包人的索赔要求；

3. 承包人接受索赔处理结果的，索赔款项在当期进度款中进行支付；承包人不接受索赔处理结果的，按照争议解决约定处理。

（三）发包人的索赔

根据合同约定，发包人认为有权得到赔付金额和（或）延长缺陷责任期的，监理人应向承包人发出通知并附有详细的证明。

发包人应在知道或应当知道索赔事件发生后 28 天内通过监理人向承包人提出索赔意向通知书，发包人未在前述 28 天内发出索赔意向通知书的，丧失要求赔付金额和（或）延长缺陷责任期的权利。发包人应在发出索赔意向通知书后 28 天内，通过监理人向承包人正式递交索赔报告。

（四）对发包人索赔的处理

对发包人索赔的处理如下：

1. 承包人收到发包人提交的索赔报告后，应及时审查索赔报告的内容、查验发包人证明材料；

2. 承包人应在收到索赔报告或有关索赔的进一步证明材料后 28 天内，将索赔处理结果答复发包人。如果承包人未在上述期限内作出答复，则视为对发包人索赔要求的认可；

3. 承包人接受索赔处理结果的，发包人可从应支付给承包人的合同价款中扣除赔付的金额或延长缺陷责任期；发包人不接受索赔处理结果的，按争议解决约定处理。

（五）提出索赔的期限

1. 承包人按竣工结算审核约定接收竣工付款证书后，应被视为已无权再提出在工程接收证书颁发前所发生的任何索赔。

2. 承包人按最终结清提交的最终结清申请单中，只限于提出工程接收证书颁发后发生的索赔。提出索赔的期限自接受最终结清证书时终止。

思考题

1. 订立建设工程施工合同应具备哪些前提条件？

2. 建设工程施工合同文件由哪些部分构成？建设工程施工合同文件的优先解释顺序如何？

3. 建设工程施工合同的履行控制性内容包括哪些？

4. 建设工程施工合同变更合同价款的确定方法有哪几种？变更合同价款的程序是什么？

5. 建设工程施工合同中对于不可抗力发生后合同当事人双方的责任分担是如何规定的？

第十二章
建设工程施工合同索赔管理

【本章概要】

本章重点介绍了施工索赔的概念、条件、程序等内容。通过本章的学习，使学生掌握施工索赔的种类、程序及索赔的计算方法等。

第一节　索赔的起因和种类

一、索赔的概念

索赔，顾名思义是索取补偿。具体而言，索赔是指在合同的履行过程中，合同一方因对方不履行或未能正确履行合同所规定的义务或者未能实践承诺的合同条件实现而遭受损失后，向对方提出的补偿要求。理论上讲，索赔是双向的，合同当事人中任何一方均有权向对方提出索赔。在建设工程施工合同履行过程中，承包人可以向发包人索赔，发包人也可以向承包人提出索赔。但在建设工程施工合同履行过程中，由于发包人向承包人提出的索赔处理起来较容易（一般可通过扣拨工程款、没收履约保证金等来实现），而承包人对发包人的索赔范围较广，工作量大，处理起来也很困难，因此，通常将承包人对发包人的索赔作为索赔管理的重点和主要对象。通常所讲的索赔，如未特别指明，是指承包人对发包人的索赔。

建设工程施工合同索赔是承包人在建设工程施工合同实施过程中根据合同及法律规定，对并非由于自己的过错（包括故意和过失），并且属于应由发包人承担责任的情况所造成的实际损失，凭有关证据向发包人提出请求给予补偿的要求，包括要求经济补偿和工期延长两种情况。实际损失是以合同标准为基础进行计算的；若合同中没有相应的标准，则以合理标准为基础进行计算。实际损失可能表现为成本的增加、工期的延误和利润的损失等。应特别强调的是，索赔仅仅是承包人对其实际损失或额外费用请求给予补偿的一种要求，对发包人不具有任何惩罚的性质。

索赔具有如下本质特征：索赔是要求给予补偿的权利主张；索赔的依据是合同文件及适用法律的规定；承包人没有过错；这种情况的责任应由发包人（包括其代理人，如工程师）承担；与合同标准相比较，已经发生实际损失，包括工期和经济损失；必须有切实的证据。

二、索赔的起因

与其他行业相比，建筑业是一个索赔多发的行业。这是由建筑产品、建筑生产过程、建筑产品市场经营方式决定的。在现代建设工程承包中，特别在国际承包工程中，索赔经常发生，而且索赔额很大。这主要是由如下几方面原因造成的：

1.现代建设工程项目的特点是工程量大、投资多、结构复杂、技术和质量要求高、工期长。工程本身和工程的环境有许多不确定性，它们在工程实施中会有很大变化。最常见的有：地质条件的变化、建筑市场和建材市场的变化、货币的贬值、城建和环保部门对工程新的建议和要求或干涉、自然条件的变化等。它们形成对工程实施的内外部干扰，直接影响工程设计和计划，进而影响工期和成本。

2.建设工程施工合同在工程开始前签订，是基于对未来情况的预测。对如此复杂的工程和环境，合同不可能对所有的问题作出预见和规定，不可能对所有的工程作出准确的说明。建设工程施工合同条件越来越复杂，合同中难免有考虑不周的条款、缺陷和不足之处，如措辞不当、说明不清楚、有二义性，技术设计也可能有许多错误。这会导致在合同实施中双方对责任、义务和权力的争执。而这一切往往都与工期、成本、价格相联系。

3. 发包人要求的变化导致大量的工程变更。如，建筑的功能、形式、质量标准、实施方式和过程、工程量、工程质量的变化；发包人管理的疏忽、未履行或未正确履行他的合同责任。而合同工期和价格是以发包人招标文件确定的要求为依据，同时以发包人不干扰承包人实施过程、发包人圆满履行他的合同责任为前提的。

4. 工程参加单位多，各方面技术和经济关系错综复杂，互相联系又互相影响。各方面技术和经济责任的界面常常很难明确划分。在实际工作中，管理上的失误是不可避免的。但一方失误不仅会造成自己的损失，而且会殃及其他合作者，影响整个工程的实施。当然，在总体上，应按合同原则平等对待各方利益，坚持"谁过失，谁赔偿"。索赔是受损失者的正当权利。

5. 合同双方对合同理解的差异造成工程实施中行为的失调，造成工程管理失误。由于合同文件十分复杂，数量多，分析困难，再加上双方的立场、角度不同，会造成对合同权利和义务的范围、界限的划定理解不一致，造成合同争执。

合同确定的工期和价格是相对于投标时的合同条件、工程环境和实施方案，即"合同状态"。由于上述这些内部的和外部的干扰因素引起"合同状态"中某些因素的变化，打破了"合同状态"，造成工期延长和额外费用的增加。由于这些增量没有包括在原合同工期和价格中，或承包人不能通过原合同价格获得补偿，则产生索赔要求。

三、索赔的分类

从不同的角度，按不同的标准，索赔有不同的分类方法。

（一）按照干扰事件的性质分类

按照干扰事件的性质，索赔可以分为：

1. 工期拖延索赔

由于发包人未能按合同规定提供施工条件，如未及时交付设计图纸、技术资料、场地、道路等；或非承包人原因发包人指令停止工程实施；或其他不可抗力因素作用等原因，造成工程中断，或工程进度放慢，使工期拖延，承包人对此提出索赔。

2. 不可预见的外部障碍或条件索赔

如果在施工期间，承包人在现场遇到一个有经验的承包人通常不能预见到的外界障碍或条件，例如地质与预计的（发包人提供的地质资料）不同，出现未预见到的岩石、淤泥或地下水等。

3. 工程变更索赔

由于发包人或工程师指令修改设计、增加或减少工程量、增加或删除部分工程、修改实施计划、变更施工次序，造成工期延长和费用损失，承包人对此提出索赔。

4. 工程终止索赔

由于某种原因，如不可抗力因素影响、发包人违约，使工程被迫在竣工前停止实施，并不再继续进行，使承包人蒙受经济损失，因此提出索赔。

5. 其他索赔

如货币贬值、汇率变化、物价和工资上涨、政策法令变化、发包人推迟支付工程款等原因引起的索赔。

（二）按索赔要求分类

按索赔要求，索赔可分为：

1. 工期索赔，即要求发包人延长工期，推迟竣工日期。

2. 费用索赔，即要求发包人补偿费用损失，调整合同价格。

（三）按索赔的起因分类

索赔的起因是指引起索赔事件的原因，通常有如下几类：

1. 发包人违约，包括发包人和监理工程师没有履行合同责任，没有正确地行使合同赋予的权力，工程管理失误，不按合同支付工程款等。

2. 合同错误，如合同条文不全、错误、矛盾、有二义性，设计图纸、技术规范错误等。

3. 合同变更，如双方签订新的变更协议、备忘录、修正案，发包人下达工程变更指令等。

4. 工程环境变化，包括法律、市场物价、货币兑换率、自然条件的变化等。

5. 不可抗力因素，如恶劣的气候条件、地震、洪水、战争状态、禁运等。

（四）按索赔所依据的理由分类

1. 合同内索赔。即索赔以合同条文作为依据，发生了合同规定给承包人以补偿的干扰事件，承包人根据合同规定提出索赔要求。这是最常见的索赔。

2. 合同外索赔。指工程过程中发生的干扰事件的性质已经超过合同范围。在合同中找不出具体的依据，一般必须根据适用于合同关系的法律解决索赔问题。例如工程过程中发生重大的民事侵权行为造成承包人损失。

3. 道义索赔。承包人索赔没有合同理由，例如对于干扰事件发包人没有违约，发包人不应承担责任。可能是由于承包人失误（如报价失误、环境调查失误等），或发生承包人应负责的风险而造成承包人重大的损失。这将极大地影响承包人的财务能力、履约积极性、履约能力甚至危及承包企业的生存。承包人提出要求，希望发包人从道义，或从工程整体利益的角度给予一定的补偿。

（五）按索赔的处理方式分类

按索赔的处理方式和处理时间，索赔又可分为：

1. 单项索赔

单项索赔是针对某一干扰事件提出的。索赔的处理是在合同实施过程中，干扰事件发生时，或发生后立即进行。它由合同管理人员处理，并在合同规定的索赔有效期内向业主提交索赔意向书和索赔报告。

2. 总索赔

总索赔又叫一揽子索赔或综合索赔。这是在国际工程中经常采用的索赔处理和解决方法。一般在工程竣工前，承包人将工程过程中未解决的单项索赔集中起来，提出一份总索赔报告。合同双方在工程交付前或交付后进行最终谈判，以一揽子方案解决索赔问题。

第二节　常见的索赔内容

一、因合同文件引起的索赔

与建设工程施工合同相关的图纸、工程量表及其他附件等，常因疏忽、错误而招致索赔，大概有以下几种：

（一）有关合同文件的组成问题引起索赔

合同通常在招标文件中早已拟就，签订合同时一般不修改，而把投标前后的来往澄清函件等写进合同补遗文件或会谈纪要中去，并作为合同的一部分。那么就应当说明："在正式合同签字以后，各种来往文件均不再有效"。但有时，由于发包人方的疏忽，并未整理任何合同补遗或会谈纪要，也未宣布往来信函是否失效，这就容易引起双方争执而导致索赔。例如，发包人在发出的投标信中讲明了"接受承包人的投标书和标价"。如果承包人在投标书中说明采用当地生产供应的钢材，在实际的施工过程中，因当地钢材质量不合格被工程师拒绝或其他原因，不得不使用进口钢材时，理应向发包人索要价差补偿。尽管发包人可以"不允许附带条件的投标"等为由拒绝补偿，但终因其明确地接受了投标书和报价条件（使用当地钢材）而无法拒绝补偿。

（二）关于合同文件有效性引起的索赔

有些承包人认为接到授标意向书后，签订合同已不成问题，匆忙进行各项准备工作。后因发包人原因而取消合同，承包人想根据意向书索赔损失，结果往往徒劳无效。例如某工程的发包人在投标的意向书中写明：愿意授标给该承包人，由于正式签订合同尚需适当等待，因此建议，如果承包人愿意的话，可随时使用场地，开始场地准备工作和订购自己需要及早订货的材料。承包人接此意向书后立即着手准备并通知了发包人。岂料事隔一两个月发包人突然通知说此工程不再建设，还要求承包人立即拆除工房、运走设备并恢复原地貌。承包人提出一份因准备工程和订货损失的清单，向发包人索赔终止工程的损失。发包人拒绝任何赔偿并指出：授标意向书仅只是一种意向而已，并非合同；意向书中的"可以使用场地、开始准备、订购材料"等也不过是一种建议。其中，可使用场地只是一种许诺，并非场地的正式移交等。承包人实际上无法获得任何赔偿，至多有可能得到有同情心的发包人的道义赔偿，即"额外支付"。

因此，在正式签订合同前，承包人即着手各项实际准备工作，其风险只能由承包人自己承担。

（三）因图纸或工程量表中的错误而索赔

图纸和工程量表的错误有时是难免的，如发现这类错误，且由于改正这些错误而使费用增加，承包人应有权进行索赔。例如某工程招标图上，某部位混凝土为 A1 级，而工程量表上则为 B1 级，A1 级比 B1 级每立方米多用 50~70kg 水泥。报价是按工程量表计算的。如按图施工则成本增加。这类矛盾现象时有发生。施工合同通常有"优先顺序"的条款，工程量表应优先于图纸。可在会议上询问监理工程师，工程师指出应按图施工，并记入会议记录，则可据此索赔。但这类错误导致的索赔对于咨询工程师并不是光彩的事情，有时工程师会同意采用变通的办法解决，将工程量表该价号的单价不变，加大工程量以弥补承包人的损失，在正常的中期结算中解决。

另有一种是纯粹的工程量错误。例如，某项挖方工程实际是 $1500m^3$，而工程量表打字错误为 $150m^3$。经查询，工程师承认了工程量表的错误，可补偿 $1500-150=1350m^3$ 的损失。承包人提出，工程量相差十倍，施工方法必须改变，因此要求改变价号的单价。通常会遭到工程师拒绝，其理由是对于工程量表中已有项目，仅有量的变更，则单价不允许改变。

二、有关工程施工的索赔

（一）地质条件变化引起的索赔

勘察设计单位在初步设计前所做的地质勘察工作普遍不够，他们明知此点，一方面要求承包人在开工后进行补充勘探，另一方面在合同条件中常常写明，承包人承认已检查和考察现场及其周围环境，在提交投标书前确认现场的形式和性质，包括地表以下条件、水文和气象条件等，甚至规定承包人不得因误解和误释这些资料而提出任何索赔。许多招标文件将发包人提供的地质资料定为参考性资料，承包人应根据自己的判断和调查来计算自己的报价。

这等于把他的工作粗糙可能导致的风险全部推给了承包人。

如果承包人遇到他认为并非一个有经验的承包人所能预见到的自然条件或人为的障碍，应立即通知工程师并抄送给发包人。如工程师也认为这种自然条件或人为障碍确是'并非一个有经验的承包人所能预见的'，则工程师应予证明，给承包人延长一段工期，支付承包人由于该情况发生而所付出的额外费用。

上述两条并存，经常引起双方各执一词的争论。但有时，承包人发现情况后立即通知工程师，请他对地质条件变化提出意见，或请他签发修改原设计的通知，或在会议记录上写下他的决定，为以后的索赔提供了依据，可能会使工程师同意适当补偿。经验表明，并不是任何地质条件的变化都可以通过索赔得到补偿，还要看合同条件的规定和在施工中承包人怎样取得工程师的事先同意。

（二）工程中人为障碍引起的索赔

如果开挖中发现有地下构筑物或文物（不论是否有考古价值），只要是图纸上未标明的，应立即报告工程师到场检查并商定处理方案，由此导致的费用增加，应给予补偿。

（三）增减工程量的索赔

在单价合同中，以实际完成的工程量来计算付款，允许有增减，不涉及索赔。对于总价合同，如该总价是基于发包人提供的工程量表计算而得出的总价，其增加部分发包人应给予补偿，特别是工程师指示增加的工程，凭其下达的命令，口头指示作为记录请其确认，应予补偿。减量的很难得到补偿。但也有例外：如由于某种原因，发包人指令将部分工程转给另外的承包人去做，则原承包人可提出索赔，要求赔偿由于工程量减少而使承包人损失预计的管理费和利润（投标时这些费用是分摊到总工程量中的每个单项中去的）；如原承包人已对该被削减的工程内容做了准备工作，也应索赔准备工作费用的损失。

（四）各种额外的试验和检查费用偿付

工程师有权要求对承包人的材料进行多次抽样试验，或对已施工的工程进行部分拆卸或挖开检查。但是，对于并非合同技术说明中规定的试验，以及对于本来合格的施工和材料在拆卸或挖开检查后证明确实符合合同要求，则承包人可提出由发包人偿付这些检查费用和修复费用，以及由此引起的其他损失（工期延迟、窝工等）进行赔偿。

（五）工程质量要求的变更引起的索赔

如果工程师出于某种原因（工程需要或有意刁难）迫使承包人使用比标书文件规定的标准更高的材料或更高的工程质量和试验要求，承包人应要求其下达变更命令，以便引用工程变更条款要求发包人进行补偿或重新核定新的单价。如工程师拒绝或拖延下达变更命令时，承包人应及时提出论据和进行索赔的权利主张。

如因承包人的违约而下达的变更命令，引起的费用应由承包人自己承担。

（六）关于变更命令有效期引起索赔或拒绝

工程师有下达变更命令的权力，只要是在合同限定的范围内，且其补偿费用或价格调整是按合同文件合理确定，承包人应当而且可能是乐意接受和执行的。遗憾的是，许多合同除了规定变更增减量占总工作量（以金额计）的比例外，在变更内容和时间上却无明确的限制，这就很容易导致争端。

（七）指定分包商违约或延误造成的索赔

一些合同条件中一般都有关于指定分包人的规定。FIDIC 合同条件第 59 条对指定分包人的定义、责任、付款等作了详细的规定。由于指定分包人是发包人通过另外的招标或其他方式确定的分包商，并将这些分包商纳入总承包人管理之下，因此可能会产生各种矛盾。有些指定的分包人可能在获得分包合同时与发包人已达成某些契约，而这些契约同总承包人对他自己的分包商间的契约关系有某些不同之处。这样，总承包人感到不好制约指定的分包人。例如，关于付款问题，总承包人通常规定只有在他从发包人那里获得工程付款若干天后才给分包商付款，而指定的分包商可能在其另外的投标条件中规定了不同的付款条件；关于进度问题，指定的分包人不能与总承包人的进度相协调。此外，还可能有关于工期、拖期罚款、保留金、维修缺陷责任期等等方面的问题。发包人在确定指定分包人时未同主包商总承包人协商达成一致意见，从而产生差异和矛盾。只要这些差异和矛盾能构成为合理的反对理由，总承包人就可以拒绝接受指定的分包人为其分包商。或者，发包人、总承包人和指定的分包人将花费很多时间来商定妥协方案。这种拒绝或妥协的反复磋商也许会造成工期的延误，总承包人有权就此进行索赔（包括延误工期、窝工等待等损失）。

（八）其他有关施工的索赔

施工过程中，还可能出现其他问题，难以全部概括，可根据实际情况进行索赔。如由工程师负责分批提供施工详图的延误；或由承包人提供施工详图（包括计算书）交工程师审批后方能施工，由于审批拖延所造成的延误，已影响到网络计划中的关键节点，承包人可进行工期索赔、延误导致的窝工损失以及后来工程师下令追赶进度的"赶工费"等进行索赔。如果合同中无明文规定，而工程师对承包人的施工顺序、施工方法进行不合理的干预，并正式下令要求承包人执行，承包人可就这种干预引起的费用增加进行索赔。因为按照国际惯例，承包人有权采取可以满足合同进度和质量要求的最为经济的施工顺序和方法，如果工程师不是建议而是以命令的方式干预施工，他理应承担由此增加的费用损失。

至于意外风险、特殊风险、停工等情况，合同中一般均有规定，兹不赘述。

三、关于价款方面的索赔

关于价款方面，索赔工作主要涉及价格、货币、支付方式及时间三个方面的内容。

（一）关于价格调整方面的索赔

这是争执最多、计算较难的索赔，也最常见。大致包括拟定新价号、物价上涨的调价款、"损失"索赔计算等三种类型的价格调整。

1. 商定新价格

属于工程变更或工程量表中遗漏的工作常出现要商定新价号的情况。比如合同中的地下工程，工程量表中一律用普通硅酸盐水泥。因地下水矿化度较高，需用抗硫酸盐水泥。如果量小，为省去商量新价号所需的繁琐且时间长的报批手续，双方可采用通融办法（套用类似价号、适当给予补偿）解决，不提索赔。如果工程量大，且双方意见相去甚远无法"通融"，只好商定新价号去报批，打"持久战"。工程师通常主张利用原有价号，将普通硅酸盐水泥价格改换为抗硫酸盐水泥价格即可。承包人则主张因属新的工程内容，应采用计日工中的人工费、设备费，另加材料费、管理费、利润等进行计算。价格显然高于前者。

2. 物价上涨调价款

FIDIC 合同条件和国际工程施工合同中通常都有因劳务价格和材料价格上涨的进行价格调整的条款,且有简单系数法的计算公式。要求在投标文件中报出"起始"价格,施工时每月中期付款结算单中要附当月（或上一个月）的"现实"价格,按公式计算。当然还要附上发包人认可的、权威部门提供的资料（正式刊物或官方证明）予以支持才行。这项工作细致而繁琐。

3. "损失"的索赔计算

明显的材料损失较易计算,而窝工损失常常很难取得一致意见。承包人主张设备闲置、人员窝工应按计日工价格和窝工时间进行计算,而工程师则认为设备按折旧费,工人可以转做其他工作,最多也只考虑生产效率降低,计算一部分效率损失,且只按成本费计算,不包括利润等。

所有关于价格方面的索赔,都需要有工程、物资、财务各方人员共同计算,并提出足够的单证和现场记录,否则很难成功。

（二）关于货币贬值和严重经济失调导致的索赔

一般合同为按承包人投标时的要求支付除当地货币外还有一种或几种外币,同时还规定了各种货币所占比例及固定兑换率（FIDIC 通用合同条件第71条、第72条）。某些合同中可能有货币贬值补偿条款。但这种贬值只限于当地政府或中央银行宣布的贬值时才给予补偿。而实际上尽管当地货币在市场上已明显贬值,政府却从不宣布贬值,哪怕是中央银行的指导汇率发生明显贬值,也只称之为"市场浮动"而不予补偿。在工程所在地经济严重失调,除物价波动外,政府采取调整工资、增加税收等强制性措施如使承包人加大了支出。承包人可引用合同中有关条款进行索赔。

（三）拖延支付工程款的索赔

合同中应有支付工程款的时间限制及延付款计息的利率。承包人应据此规定,在每次中期付款申请单中将以前拖欠款及其利息单独列出,促请发包人支付。对于严重拖欠应付款可能导致承包人资金周转困难而影响工程进度,应及时申明这属于发包人违约行为,可能产生中止合同的严重后果,并严肃提出索赔。

对于发包人和工程师无理进行的罚款,除要求及时发还外,应在适当时候提出索赔利息的要求。

四、关于工期的索赔

工期的索赔包括延长工期和要求偿付由于延误造成的损失两方面的内容。有时这两种索赔是分开的。例如,由于特定恶劣气候、罢工等要求延长工期,但不能赔偿损失;有些延误并不影响关键程序施工而得不到延展工期的承诺,但承包人如果有证据证明延误造成的损失,就可以获得损失的补偿。有时两种索赔可能混在一起,既可要求延展工期，又可获得其损失的赔偿。

（一）关于延展工期的索赔

这里单指要求延展工期（损失索赔另行讨论），大致可从如下方面寻找理由：

1. 发包人拖延提交合格的、可以直接进行施工的现场；

2. 有记录可查的恶劣气候影响；

3. 工程师对材料、图纸和施工工序质量认可的拖延，而且这种拖延影响了关键程序线路上施工；

4. 工程的变更，特别是工程数量增加较多，或工程的变更引起施工程序被打乱；

5. 由于某一地区战争或其他意外风险造成海运、港口卸货积压，致使订货材料不能及时运到工地；

6. 人力不可抗拒灾害引起工程损坏和修复；

7. 现场工程师对合格工程要求拆除或剥开部分工程检查，造成时间表被打乱，影响后面的工程进展；

8. 发包人和工程师要求的临时性中止工程；

9. 其他干扰，例如，附近地区道路中断、其他承包人的干扰、现场不可预见的自然条件的变化等。

以上一些原因要求延展工期，只要承包人能提出合理的证据，一般可以获得工程师及发包人的同意，有的还可索赔损失。但是，有些延误工期可能是多种原因相互重叠造成的，或者说，某一原因造成工程延误期间，又发生了影响工程进展的其他原因。例如，在恶劣气候条件下不能施工，此时，又正逢附近地区道路中断而使砂石、水泥等不能运入现场，也影响施工，因此，这两者要求延展工期的天数不能叠加在一起。从另一方面来考虑，要想将所有影响工期的重叠因素逐项调查清楚，也是十分困难的。所以，在工期索赔中只能比较粗略地划分原因和影响天数。另外，承包人还要特别强调，哪些因素所造成的影响是属于关键程序线路的，应当顺延工期才能使工程得以竣工。如能实事求是地分析，一般较易获得工程师和发包人的认可。

（二）由于延误产生损失的索赔

以上提出的工期延展索赔中，凡既不属于发包人的原因，也不属于承包人的原因导致的拖期，例如恶劣气候影响、意外风险造成海运或港口卸货等原因而影响材料不能及时运到现场、罢工等引起的拖期，有可能获得展期，但一般不能获得费用赔偿。上述其他各种情况条件下的延期，只要承包人能提出合理证据来说明其具体损失数字，并经过工程师和计量人员核实，一般可以索赔其损失。通常，这些损失的内容组成包括以下几部分：

1. 劳力损失。通常不允许用投标书中的工日价计算，只能按劳务的成本计算。所谓成本当然包括工资、奖金、差旅费用、各种工人应缴纳的法定费用和补贴、施工人员的各类保险金和税金等。

2. 施工设备。如系租赁的设备窝工，一般按实际租金和调进调出费的分摊等计算；如系承包人自有设备，则按折旧率算（通常约为租赁费率的 2/3 左右）。发包人和工程师不会同意按台班费计算，因台班费中包括了设备使用费在内。

3. 材料。延误时间较短者很少计算延误导致的损失，如延误较长时间，可能会涉及库存费用和特殊交货费用等。

4. 分包费用。大致也包括上述劳力、施工设备、材料库存费用损失等。

5. 现场管理附加费。一般可以计算，但如果仅对部分工人窝工损失索赔时，因其他工程仍然在进行施工，可能不予计算此项费用。

6. 总部管理费。由于延误损失而将总部管理费按比例加上去的做法，通常会遭到工程师的拒绝。如确有发生，工程师会要求承包人提供具体计算及证明，但一般很难提供由于某一部分工程延误而导致总部费用损失的确切计算和证明资料。

7. 利润。由于利润通常是包括在每项实施的工程内容的价格之内的，而延误工期并未影响削减某些项目的实施，而导致利润减少。因此，工程师很难同意在延误损失的赔偿数额中加进任何利润的损失。

8. 利息。如延误时间较长，承包人周转资金的收回也将大大推迟，利息负担肯定将加重，这笔损失可根据具体情况列入延误损失之中。

（三）赶工费用的索赔

一项工程遇到某些意外情况或工程变更而必须延展工期，但发包人由于自己的原因（例如，该工程已出售给买主，需按协议时间移交给买主），坚持不予延期。这就迫使承包人要加班赶工来完成工程，从而将导致成本增加。承包人可以要求工程延误使现场管理附加费用增加的损失，及要求补偿赶工措施费用（加班工资、新增设备租赁和使用费、分包的额外成本等）。如果发包人拒绝合理的展期，则构成明显的发包人违约。如果发包人希望按原定日期完成，可同承包人另签补充协议：一方面补偿其合理的损失，同时增加赶工费，使工程按原合同限期完成。

五、不可抗力引起的索赔

（一）重大自然灾害的损失索赔

由重大自然灾害造成的损失应向承保的保险公司索赔。在许多合同中承包人以发包人和承包人共同的名义投保工程一切险，这种索赔可同发包人一起进行。特别是在部分工程业已移交给发包人，且发包人对部分完成的工程已付款的项目，这些灾害损失中可能包括了发包人的财产损失在内，更应同发包人一起向保险公司索赔。此外，承包人还可要求发包人顺延工期。如果灾害损失特别严重，承包人还应声明，不放弃由于清除灾害后果而暂时停工而不得不对合同价格作合理调整的主张。

（二）其他不可抗力的引起的索赔

许多合同对不可抗力有明确的定义或者说明，除了上述重大自然灾害外，一般是指战争、敌对行动、入侵、敌人的行为、核污染及冲击波破坏、叛乱、革命、暴动、军事政变或篡权、内战等。由这类风险产生的后果是严重的。许多合同都规定：承包人不仅对由此造成工程、发包人或第三方的财产破坏和损失及人身伤亡均不承担责任，而且发包人应保护和保障承包人不受上述不可抗力后果的损害，并免于承担由此而引起的与之有关的一切索赔、诉讼及其费用。相反，承包人还应当可以得到由此损害引起的任何永久性工程及其材料的付款及合理的利润，以及一切修复费用及重建费用。这些费用还可包括由上述不可抗力而导致的费用增加。如果由不可抗力而导致合同终止，承包人除可获得应付的一切工程款和上面的损失费用外，还可获得施工设备撤离费和人员遣返费，及根据合同条款规定向发包人索赔其可能得到的一切合理偿付。

六、工程暂停、中止合同的索赔

（一）施工过程中，工程师有权下令暂停工程或任何部分工程，只要这种暂停命令并非承包人违约或其他意外风险造成的，承包人不仅可以得到要求工期延展的权利，而且可以就其停工损失获得合理的额外费用补偿，可参照本节中"关于工期的索赔"部分所述内容进行计算和索赔。但应特别注意"索赔时限"，即承包人必须在工程师发出命令后的 28 天内向工程师提交提出索赔要求的书面通知，否则过期无效。

（二）中止合同和暂停工程的意义是不同的。有些中止的合同是由于意外风险造成的损害十分严重，在双方无法控制的情况下，任何一方因受阻而不能履行其合同义务，不得不中止合同。这种中止合同可以通过双方讨论作出合理安排，承包人应得到合理的偿付。

另一种中止合同是"错误"引起的中止，例如发包人认为承包人不能履约而中止合同，甚至从工地驱逐该承包人。对于这种中止合同导致的后果，除要进行索赔外，有较大可能要卷入诉讼，承包人应求助于律师并按法律程序解决争端。

七、综合索赔

综合索赔一般出现在工程后期，特别是在进行完工结算与最终结算期间。本来，索赔应在施工过程中陆续提出，但由于双方意见不一致或忙于施工，而未能及时逐项解决。还有人担心在施工时提索赔可能"刺激"对方，招致刁难影响进度，想在竣工时一起提出。到了工程后期，承包人发现自己的财务不能平衡，甚至由于工程拖期被罚款严重，回顾检查才发现索赔成了一个十分突出的问题，过去许多单项索赔尚未最后解决，以后还陆续发生一些相互关联的新问题，这就不得不进行一项综合的索赔工程。

综合索赔实质上是将许多单项索赔加以分类、综合整理其影响的索赔，有些相互关联的搭接的问题可以结合在一起通盘考虑其影响。比如工程拖期的原因，它们相互影响，搭接在一起，可能改变施工程序；可能引起工作相互不协调造成分包商损失的索赔；也可能使工作效率下降，甚至造成破坏性影响。有些单项索赔如孤立地处理，可能不会涉及财务损失问题（如增大周转资金利息等），如综合其他因素，才能发现它们对财务损失的严重影响。基于上述原因，综合索赔往往是所有涉及索赔的工程项目不可缺少的重要步骤。

　　要通过实例来剖析综合索赔是很困难的。因为它往往需要数百页文件材料来描述其细节。中国冶金建设公司和中国建筑工程总公司在我国香港的某供水管道工程中进行了一项成功的综合索赔，文件达数册，包括各种证据材料，诸如涉及的图纸、图表、进度计划、有关合同条款的引用、双方往来信函和工程变更命令、会议纪要、施工记录、财务报表以及原始票据等旁证材料。现扼要介绍综合索赔的基本做法。

　　（一）综合索赔应有一份给现场工程师的致函。致函中应写清楚：在整个工程执行过程中，承包人已多次通知了有权获得额外付款的事项，但其中只有一部分获得了处理。在工程结束阶段，除了应将所有遗留下来的问题加以澄清和处理外，还有一些新的问题应当加以处理。为此，特提出本索赔报告。

　　致函应列出一份总的索赔条目表，并就每一条目编写详细的说明材料。还应写明，承包人有权要求工程师立即予以重视，并在一定时间内进行审查和答复。如有必要，承包人乐意进一步提供详细资料，并准备按时参加工程师安排的会议，专门讨论每一索赔条目的内容。

　　（二）索赔报告应编号。每一条目要写明其索赔内容的名称，使阅读人从名称就能较清楚地了解主要内容。每一条目还应列出索赔额外费用的金额，最后应有索赔总金额。

　　（三）每一项索赔应附单独的说明资料，包括事实经过、索赔根据（引用合同条款说明本项索赔是承包人的权利）、索赔金额、计算依据（可列出各项损失费用的计算公式和原始数据，还可列表格算出劳力、设备。材料和工地杂费等直接费用损失以及现场管理费。总部管理费和利润等附加损失等）、申辩资料（对本项索赔往来信件中工程师拒绝的论点进行必要的申辩和解释）、附件资料（包括工地的记录、往来信件、工程师过去的承诺、图纸和照片等）。

　　（四）带有综合性质的索赔，可以单独列出条目。例如工期延展，除涉及需补偿费用的延展工期天数外，还应加上不发生补偿费用的延展工期天数（如恶劣气候影响、罢工等），综合两者计算总工期索赔延展天数。关于各种干扰使生产率下降也可单独列条目索赔。这种索赔是指直接损失之外引起的间接损失，例如由于额外工程的增加，或工程师指示暂停工程，或工程师对工序检查的拖延等，都可能打破承包人原有施工程序、方法和设备使用安排，也影响技术工人不得不临时去做非技术工作，从而使生产效率明显下降，由此发生实际损失。

　　这种索赔很难逐项计算，可用投标报价中的工效计算与受多种干扰影响后的实际工效进行对比，求出其降低百分比系数计算。另外，由于所有索赔内容引起的财务损失，也可单列条目。

八、财务费用补偿的索赔

这里所说的对财务费用的损失要求补偿，是指各种原因使承包人财务开支增大而导致的贷款利息等财务费用。

（一）如果额外工程占用的工期很长，且该部分工程价值与总的合同价的比值也很高，那么承包人为此垫付的财务费用也较大，计算这笔财务费用的方法是：（工程变更中额外工程费用＋附加为此额外工程的准备工作费用）× 此额外工程占用工期 × 超支利率。而超支利率可以先求出原工程合同价中的财务费用（利息和其他财务费等）与原合同价的比值，除以原工期（月数），再乘 12（因一年为 12 个月），再除以 2（表示透支从零到合同值的平均数），即可求得年利率。

至于根据 FIDIC 合同条件第 52 条，当变更费用超过"有效合同价"15%时，工程师、发包人和承包人三方应协商确定原合同价的增加值是属于另一类索赔问题。

（二）除上述额外工程之外，由于发包人原因（如迟发、迟批图纸，通知暂停工程等）造成的严重延展期，也会产生财务费用。此项费用可以用索赔总金额扣除业已计及利息的索赔额后乘以上述平均透支利率和本项涉及的延展工期，即为本项财务费用损失的索赔金额。以上两项索赔，只要承包人在发生额外工程和发包人原因导致工期延展时能及时通知工程师，并说明如不及时付款将会进一步导致财务费用，那么就意味着工程师业已知悉可能发生财务费用的信息。以后如果工期索赔成立，则上述财务费用损失索赔也会成立。当然，透支利率的计算基数、方法和延展工期的划分等双方仍会有争论，但只要这项索赔在理论上站得住脚，具体算法分歧是不难协商解决的。

如果索赔的讨论久拖不决，承包人还会继续发生费用，这一点要及时提示工程师和发包人，以促使他们早日支付索赔金额。如果拖延支付索赔款，延付期的利率应当不是由上面所述的平均透支利率，而应当属于债务利率了。这一部分"债务"的财务费用一般不属于合约范围内的事，有时只能求助于法律程序（仲裁和诉讼）来解决。

在所有索赔案例中，对财务费用的补偿要求往往占相当大的比重。首先要极力争取获得实质性索赔金额的成立和确认，而后才谈得上财务费用损失的补偿。实质性的索赔大都是根据合同条款和实际发生的事件产生的费用补偿，比较容易计算和找到合理的索偿因由；而财务费用索赔是实质性索赔金额引发产生的损失费用的补偿，这需要承包人认真地拿出有说服力的计算依据和耐心地说服和讨论，才能获得对方的谅解和确认。

第三节 索赔程序和方法

一、索赔工作的步骤和一般程序

索赔工作一般有以下五个步骤：书面提出索赔要求；报送索赔资料；会议协商解

决；谋求中间人调解；提交仲裁或诉讼。承包人和发包人都应力争通过友好协商的办法解决，不要轻易诉诸仲裁或诉讼。

（一）提出索赔要求

当出现索赔事项时，在现场先与工程师磋商，如果不能达成妥协方案，承包人应审慎地检查自己索赔要求的合理性，然后决定是否提出索赔要求。按照 FIDIC 合同条款，书面的索赔通知书，应在索赔事项发生后的 28 天以内，向工程师正式提出，并抄送发包人；逾期报告，将遭发包人和工程师的拒绝。

索赔通知书一般都很简单，仅说明索赔事项的名称，根据相应的合同条款，提出自己的索赔要求。至于索赔金额或应延长工期的天数，以及有关的证据资料等，可稍后再报。

（二）报送索赔资料

在索赔通知书发出后的二十八天内，或者经工程师同意的合理时间内，应报出索赔的正式书面报告。索赔证据资料应尽可能地完备（不可"留一手"待谈判时再抛出来）、计算准确，符合合同条款，有说服力。要简明扼要，着重说明事实，切忌用刺激和不尊重对方的语言。不要随意指责对方不遵守合同。文字清晰、婉转并富有逻辑性。

索赔报告要一事一报（同类型的可以合并在一起），不要将不同性质的索赔混在一起。

（三）会议协商解决

索赔报告送出后，不能坐等其书面答复，最好约定时间向工程师和发包人进行细致的解释和会谈，可能要经过多次正式会谈和私下会晤才能相互沟通和达成谅解。要有耐心和毅力，并认真倾听对方拒绝补偿的依据，在考虑其某些合理因素的情况下，坚持原则，并作出合理让步，以求问题的解决。

（四）谋求中间人调解

在双方直接谈判没能取得一致解决意见时，为争取通过友好协商办法解决索赔争端，可邀请中间人进行调解。有些调解是非正式的，例如通过有影响的人物（发包人的上层机构、官方人士或社会名流等）或中间媒介人物（双方的朋友、中间介绍人、佣金代理人等）进行幕前幕后调解。也有些调解是正式性质的，例如在双方同意的基础上共同委托专门的调解人进行调解，调解人可以是当地的工程师协会或承包人协会、商会等机构。这种调解要举行一些听证会和调查研究，而后提出调解方案，如双方同意则可达成协议并由双方签字和解。

（五）仲裁与诉讼

对于那些确实涉及重大经济利益而又无法用其他协商和调解办法解决的索赔问题，遂变成为双方难以调和的争端，只能依靠法律程序解决。在正式采取法律程序解决之前，一般可以先通过自己的律师给对方发出正式索赔函件，此函件最好通过当地公证部门登记确认，以表示诉诸法律程序的前奏。这种通过律师致函属于"警告"性质，多次警告而无法和解（例如，由双方的律师商讨仍无结果），则只能根据合同中"争端的解决"条款提交仲裁或司法程序。

二、索赔报告的编制方法

（一）索赔报告的内容

索赔报告书的质量和水平对索赔成败关系极为密切。对于重大的索赔事项，有必要聘请合同法专家或技术权威人士担任咨询，有背景的资深人士参与活动，才能保证索赔成功。索赔报告的具体内容随索赔事项的性质和特点有所不同，但大致由四个部分组成。

1. 总述部分

概要论述索赔事项发生的日期和过程；承包人为该索赔事项付出的努力和附加开支；承包人的具体索赔要求。

2. 论证部分

论证部分是索赔报告的关键部分，其目的是说明自己有索赔权，是索赔能否成立的关键。立论的基础是合同文件并参照所在国法律。要善于在合同条款、技术规程、工程量表、往来函件中寻找索赔的法律依据，使索赔要求建立在合同、法律的基础上。如有类似情况索赔成功的具体事例，无论是发生在工程所在国的或其他国际工程项目上的，都可作为例证提出。

论证部分在写法上要按索赔事项发生、发展、处理的过程叙述，使发包人历史地、逻辑地了解事项的始末及承包人在处理索赔事项上作出的努力、付出的代价。论述时应指明所引证资料的名称及编号，便于查阅。应客观地描述事实，避免用抱怨、夸张甚至刺激、指责的用词，以免使发包人或监理工程师反感、怀疑。

3. 索赔款项（或工期）计算部分

如果说合同论证部分的任务是解决索赔权能否成立，则款项计算是为解决能得多少款项。前者定性，后者定量。

在写法上先写出计价结果（索赔总金额），然后再分条论述各部分的计算过程，引证的资料应有编号、名称。计算时切忌用笼统的计价方法和不实的开支款项，勿给人以漫天要价的印象。

4. 证据部分

要注意引用的每个证据的效力或可信程度，对重要的证据资料最好附以文字说明，或附以确认件。例如，对一个重要的电话记录或对方的口头命令，仅附上承包人自己的记录是不够有力的，最好附以经过对方签字的记录；或附上当时发给对方要求确认该电话记录或口头命令的函件，即使对方未复函确认或修改，亦说明责任在对方，按惯例应理解为他已默认。

证据选择可根据索赔内容的需要而定，例如，工程所在国的重大政治、经济、自然灾害的正式报道（罢工、动乱、地震、飓风、异常天气、税收、海关新规定、汇率变化、涉外经济法、工资和物价定期报道等）；施工现场记录及报表、往来信函及照片摄像等；工程项目的财务和物资的记录、报表等。根据合同论证、索赔款额计算中提出的问题，从上述证据清单中选用必要的材料，统一编号列入。

（二）索赔的计算方法

1. 工期索赔的计算方法

实际上，由于建设工程技术复杂、规模大、工期长，多种原因引起的延误常常交织在一起，在计算一个或多个延误引起的工期索赔时，通常可采用如下三种分析方法：

（1）网络分析方法

网络分析方法通过分析延误发生前后网络计划，对比两种工期计算结果，计算索赔值。 分析的基本思路为：假设工程施工一直按原网络计划确定的施工顺序和工期进行。现发生了一个或多个延误，使网络中的某个或某些活动受到影响，如延长持续时间，或活动之间逻辑关系变化，或增加新的活动。将这些活动受影响后的持续时间代入网络中，重新进行网络分析，得到一新工期。则新工期与原工期之差即为延误对总工期的影响，即为工期索赔值。通常，如果延误在关键线路上，则该延误引起的持续时间的延长即为总工期的延长值。如果该延误在非关键线路上，受影响后仍在非关键线路上，则该延误对工期无影响，故不能提出工期索赔。

这种考虑延误影响后的网络计划又作为新的实施计划，如果有新的延误发生，则在此基础上可进行新一轮分析，提出新的工期索赔。这样在工程实施过程中进度计划是动态的、不断地被调整。而延误引起的工期索赔也可以随之同步进行。

（2）比例分析法

在实际工程中，延误事件常常仅影响某些单项工程、单位工程或分部分项工程的工期，要分析它们对总工期的影响，可以采用更为简单的比例分析方法。

1）以合同价所占比例计算

总工期索赔值＝附加工程或新增工程量价格工程总价 / 工程造价 × 原合同总工期

例如，某工程合同总价 380 万元，总工期 15 个月。现发包人指令增加附加工程的价格为 76 万元，则承包人提出：

总工期索赔值 =76 万 /380 万 × 15 个月 =3 个月

2）按单项工程工期拖延的平均值计算

（3）其他方法

在实际工程中，工期的补偿天数确定方法是多样的，例如在延误发生前由双方商讨，在变更协议或其他附加协议中直接确定补偿天数；或按实际工期延长记录确定补偿天数等。

2. 费用索赔计算

（1）总费用法

总费用法又称总成本法，就是计算出该项工程的总费用，再从这个已实际开支的总费用中减去投标报价时的估算费用，即为要求补偿的索赔费用额。总费用法并不十分科学，但仍被经常采用，原因是对于某些索赔事件，难于精确地确定它们导致的各项费用增加额。一般认为在具备以下条件时采用总费用法是合理的：

1）已开支的实际总费用经过审核，认为是比较合理的；

2）承包人的原始标价是比较合理的；

3）费用的增加是由于对方原因造成的，其中没有承包人管理不善的责任；

4）由于该项索赔事件的性质以及现场记录的不足，难于采用更精确的计算方法。

（2）分项法

1）人工费

人工费索赔包括额外雇佣劳务人员、加班工作、工资上涨、人员闲置和劳动生产率降低等费用。对于额外雇佣劳务人员和加班工作，用投标时的人工单价乘以工时数即可。对于人员闲置费用，一般折算为人工单价的0.75。工资上涨是指由于工程变更，使承包人的大量人力资源的使用从前期推到后期，而后期工资水平上调，因此应得到相应的补偿。有时工程师指令进行计日工作，则人工费按计日工作表中的人工单价计算。对于劳动生产率降低导致的人工费索赔，一般可用如下方法计算：

A. 实际成本和预算成本比较法。这种方法是对受干扰影响的工作的实际成本与合同中的预算成本进行比较，索赔其差额。这种方法需要有正确合理的估价体系和详细的施工记录。如某工程的现场混凝土模板制作，原计划$1858m^2$，估计人工工时为2000，直接人工成本32000美元。因发包人未及时提供现场施工的场地占有权，使承包人被迫在雨季进行该项工作，实际人工工时2400，人工成本为38000美元，使承包人造成生产率降低的损失为6400美元。这种索赔，只要预算成本和实际成本计算合理，成本的增加确属发包人的原因，其索赔成功的把握性是很大的。

B. 正常施工期与受影响施工期比较法。这种方法是承包人的正常施工受到干扰，生产率下降，通过比较正常条件下的生产率和干扰状态下的生产率，得出生产率降低值，以此为基础进行索赔。

2）材料费

材料费索赔包括材料耗用量增加和材料单位成本增加两方面。追加额外工作，变更工作性质，改变施工方法等，都可能造成材料用量的增加或使用不同的材料。材料单位成本增加的原因包括材料价格上涨，手续费增加，运输费用增加（运距加长，二次倒运等），仓储保管费增加等。

材料费索赔需要提供精确的数据和充分的证据。

3）施工机械费

机械费索赔包括增加台班量、机械闲置或工作效率降低、台班费率上涨等费用。

台班费率按照有关定额和标准手册取值。对于工作效率降低，可参考劳动生产率降低的人工费索赔的计算方法。台班量的计算数据来自机械使用记录。对于租赁的机械，取费标准按租赁合同计算。

对于机械闲置费,有两种计算方法。一是按公布的行业标准租赁费率进行折减计算,二是按定额标准的计算方法,一般建议将其中的不变费用和可变费用分别扣除一定的百分比进行计算。

对于工程师指令进行计日工作的,按计日工作表中的费率计算。

4）管理费

管理费包括现场管理费（工地管理费）和总部管理费（公司管理费、上级管理费）两部分。现场管理费指某单个合同实施服务的费用,如临时设施或通信费、办公费、现场管理人员和办公室人员的工资等。总部管理费是指为承包人上级部门服务的,不直接归属于某个工程的管理费用,如公司总部职员工资、办公楼折旧、通讯费、广告费等。

①现场管理费索赔计算

现场管理费索赔值 = 索赔的直接成本费用 × 现场管理费率

现场管理费率的确定可选用下面的方法：合同百分比法,即管理费比率在合同中规定；行业平均水平法,即采用公开认可的行业标准费率；原始估价法,即采用承包报价时确定的费率；历史数据法,即采用以往相似工程的管理费率。

②总部管理费索赔计算

总部管理费与现场管理费相比,数额较为固定,一般仅在工程延期和工程范围变更时才允许索赔总部管理费。目前国际上应用得最多的总部管理费索赔的计算方法是埃尺利（Eichealy）公式。该公式有适用于工程延期索赔和工程直接成本索赔的两种形式。

对于已获延期索赔的 Eichealy 公式为：

A. 延期的合同应分摊的管理费（A）=（被延期合同原价 / 同期公司所有合同实际价之和）× 同期公司总计划管理费；

B. 单位时间（日或周）管理费率（B）=（A）/ 计划合同工期（日或周）；

C. 管理费索赔值（C）=（B）× 延期时间（日或周）。

对于已获工程直接成本索赔的 Eichealy 形式的公式为：

A. 被索赔合同应分摊管理费（A_1）= 被索赔合同原计划直接成本 / 同期所有合同实际直接成本总和 × 同期公司计划管理费总和；

B. 每元直接成本包含的总部管理费用（B_1）=（A_1）/ 被索赔合同原计划直接成本；

C. 应索赔总部管理费（C_1）=（B_1）× 工程直接成本索赔值。

5）融资成本、利润与机会利润损失

融资成本又称资金成本,即取得和使用资金所付出的代价,其中最主要的是支付资金供应者的利息。由于承包人只有在索赔事件处理完结后的一段时间内才能得到其索赔的金额,所以承包人往往需从银行贷款或以自有资金垫付,这就产生了融资成本问题,主要表现在额外贷款利息的支出和自有资金的机会损失。在以下情况中,可以索赔利息：

①发包人推迟支付工程款和保留金，这种金额的利息通常以合同约定的利率计算。

②承包人借款或动用自有资金来弥补合法索赔事项所引起的现金流量缺口。在这种情况下，可以参照有关金融机构的利率标准，或者假定把这些资金用于其他工程承包可得到的收益来计算索赔金额，后者实际上是机会利润损失的计算。

利润是完成一定工程量的报酬，因此在工程量增加时可索赔利润。不同的国家和地区对利润的理解和规定有所不同，有的将利润归入总部管理费中，则不能单独索赔利润。机会利润损失是由于工程延期或合同终止而使承包人失去承揽其他工程的机会而造成的损失。在某些国家和地区是可以索赔机会利润损失的。

三、索赔工作应注意的几个问题

（一）索赔应是贯彻工程始终的经常性工作

许多承包人，因对索赔缺乏足够认识，往往在开始时并不重视，等到发现不能得到应得到的偿付时才匆忙研究索赔问题，不是因索赔时限已过，就是因平时不注意积累资料、仓促上阵、汇集的证据不具有说服力，索赔难以成功。因此，应在执行合同之初即成立索赔和合同管理小组，并置于项目经理的直接领导和管理之下，在工程执行的全过程中做大量的、经常性的工作。

1. 在投标、议标和签订合同阶段，应当非常细致地研究合同条件。除研究通用条款外，更应注意研究特殊条款，特别是关于合同范围、义务、付款、工程变更、违约及罚款、发包人违约、索赔时限和争端解决等条款，在形成正式合同过程中的一切要约和反要约或争论等，都应当得出双方确认的一致结论并写进合同补遗中。在合同条件方面的一切口头承诺都是没有法律效力的。承包人方的声明和要求，特别是那些重要的额外要求，在没有得到发包人方正式书面确认前就着手执行工程，可能被误认为承包方已放弃了自己的声明和要求，最多也只能被看作是某种权利的单方性保留而已。承包人对此应有充分的认识。

2. 及时索赔。在每月申报工程进度款时，应同时申报额外费用补偿要求，即使不被批准而从进度款中被剔除，也应再次书面申述理由并保留今后索赔权利。对于一时还不可能提出全面和正确计算数据的索赔事项，也应当讲明某项工程内容将发生额外费用，将在适当时提出详细计算资料供工程师审核。

3. 积累一切可能涉及索赔论证的资料是合同和索赔管理小组的重要任务。对于同工程师、发包人研究一切技术问题、进度问题和其他重大问题的会议，应做好文字记录，并争取与会者签字作为正式文档资料。即使未能取得各方签字，也应当编号、标明日期和发送单位，作为正式会议纪要发给与会者和单位，并应有收件人的签收手续。

4. 建立严密的施工记录，记工卡片，工程日进度记录，每日（分、小时）的气象记录，工程进展照片，工程验收记录，返工修改记录，材料入库、化验、使用记录，实验报告，以及往来函件编号、归档记录制度，还应有相应的财务会计和成本核算记载，物资采购单证等，这些均是计算索赔金额和必要的索赔论证资料。

5. 工程技术、施工管理、物资供应、财务会计人员之间建立密切联系制度，经常在一起研究索赔和额外费用补偿等问题。各部门草拟的有关索赔或承诺责任的对外信函，在发出前应进行审核、会签，以保证信函在内容上前后协调一致。

6. 关于转包和分包人，应当在分包合同中写明总包合同条款对分包人的约束力，特别是有关违约罚款和各种责任条款。并要求他们提供相应的各类保函和保险单。对于分包人要求的索赔应认真分析，属于发包人原因造成的损失，要加上总承包人自己的管理费用和附加额外开支后报送工程师，申请赔偿或索取额外补偿。对于指定分包人违约造成的各项损失或延误工期，应及时报告工程师研究处理，承包人有权因指定分包人违约造成的延误要求延展工期，甚至有权拒绝接受该指定分包人。

7. 应加强与常年法律顾问和律师的联系。不要在发生纠葛时才请教律师，而应经常同他们探讨和审定合同和重要往来信件、文稿，以保证所有重要文件在法律上的正确性和无懈可击。

8. 应注意索赔提出的时限问题以及正确掌握提出索赔的时机。有的索赔，如工程暂停、意外风险损失等，在合同文件中有时限规定，应严格遵守。还有一些索赔，如工程的修改变更、自然条件的变化等，条款中虽未提到索赔时限，但有的合同条款明确规定"应尽快通知发包人及其现场工程师"，特别是那些需要在现场调查和估计价格的索赔，只有及时通知现场工程师和发包人才有可能获得确认。承包人如果总担心影响与工程师和发包人的关系，有意将索赔拖到工程结束时才正式提出，极可能事与愿违。

9. 索赔要一事一议，争取将容易解决的索赔问题尽早尽快地在现场解决，既保全工程师的"面子"、承包人又得到合理补偿的变通妥协方案，更容易被双方所接受。

（二）编写索赔报告时应注意的几个问题

1. 内容要符合实际，以事实为基础，不虚构扩大，使审阅者看后的第一印象是觉得合情合理，不会立即拒绝。

2. 论据坚实充分，有说服力。

3. 计算无误，不该计入的费用决不列入。不给人以弄虚作假、漫天要价的感觉，而要给人留下严肃认真的印象。

4. 内容充实、条理清晰、有逻辑性。

（三）关于索赔人员的选择

1. 因索赔问题涉及的层面广泛，要求通晓合同与法律、商务、工程技术知识，所以索赔人员除具备上述知识外，还应有一定的外语水平和工程承包的实际经验，其个人品格也十分重要。仅靠"扯皮吵架"或"硬磨软缠"就可搞索赔的想法都是不正确的。索赔人员应当头脑冷静、思维敏捷、处事公正，性格刚毅而有耐心，坚持以理服人。

承包人在安排索赔人员时，常常从那些具有现场工程监理经验的人员中选聘，或者委托专门从事工程索赔的咨询公司为其索赔代理人。

2. 索赔谈判小组宜精干而强有力，包括合同专家、法律顾问以及本工程项目的技术人员。他们必须熟悉工程情况、合同的主要条款和索赔文件的详细内容。

谈判组长的作用关系重大，他的知识和经验直接关系到谈判的成果，有相当的权威和责任。但在一般情况下，谈判组长往往不是、也没有必要由最终决策者（承包人经理）担任。因为如果一开始就让最终决策者出面谈判，他的承诺都要兑现而没有回旋余地，而对方并非决策者，可用"请示上级"进行周旋，承包方则处于不利境地。当然，在事务性索赔谈判基本达成一致意见后，或遇到关键问题需领导决策时，双方的决策者是应该出面确认和签字的。

3. 谈判中应注意：

（1）应严格按照合同条款的规定进行争议，以理服人，不拿自己观点强加于人；

（2）坚持原则，又有灵活性，并留有余地；

（3）谈判前做好准备，对要达到的目标做到心中有数；

（4）认真听取并善于采纳对方合理意见，在坚持原则下寻求双方都可接受的妥协方案；

（5）要有耐心，不首先退出会谈，不率先宣布谈判破裂；

（6）会上谈判与会下加强公关活动相结合。

四、索赔成功的关键

（一）建好工程项目

只有按合同规定搞好工程进度和质量，遇到特殊情况时能及时采取措施完成工作，才能取得发包人的理解和信任，为索赔奠定基础。相反，如果承包人不抓工程进度和质量，只求索赔，即使损失再大，索赔要求可能有理，也难以成功。

（二）搞好合同管理

只有熟悉合同条件，搞好施工管理，才能知道如何去索赔，掌握大量有说服力的证据，编好索赔文件，使索赔建立在证据充分、翔实、合情合理而难以反驳的基础上。

（三）注意谈判的策略和技巧也是索赔成功的关键之一

第四节　反索赔

一、反索赔的概念

索赔应是双方面的。在建设工程项目实施过程中，发包人与承包人之间，总承包人和分包人之间，合伙人之间，承包人与材料和设备供应人之间都可能有双向的索赔与反索赔。例如承包人向发包人提出索赔，则发包人反索赔；同时发包人又可能向承包人提出索赔，则承包人必须反索赔；而监理工程师一方面通过圆满地工作防止索赔事件的发生，另一方面又必须妥善地解决合同双方的各种索赔与反索赔问题。按照通常的习惯，我们把承包人向发包人提出的补偿要求称为索赔，把发包人向承包人提出的反补偿要求称为反索赔。索赔和反索赔是进攻和防守的关系。在合同实施过程中，合同双方都要进行合同管理，都在寻找索赔机会。一旦干扰事件发生，都在企图推卸自己的合同责任，都在企图进行索赔。

发包人的反索赔具有以下特点：首先是发包人反过来向承包人的索赔发生频率要低得多，原因是工程发包人在工程建设期间，本身的责任重大，除了要向承包人按期付款，提供施工现场用地和协调管理工程的责任外，还要承担许多社会环境、自然条件等方面的风险，且这些风险是发包人所不能主观控制的，因而发包人要扣留承包人在现场的材料设备；承包人违约时提取履约保函金额等发生的几率很少。其次是在反索赔时，发包人处于主动的有利地位，发包人在经监理工程师证明承包人违约后，可以直接从应付工程款中扣回款项，或从银行保函中得以补偿。

二、反索赔的内容

常见的发包人反索赔及具体内容主要有以下五种：

（一）工程质量缺陷反索赔

在建设工程施工合同中都严格规定了工程质量标准及严格细致的技术规范和要求。因为工程质量的好坏直接与发包人的利益和工程的效益紧密相关。发包人只承担直接负责设计所造成的质量问题，监理工程师虽然对承包人的设计、施工方法、施工工艺工序以及对材料进行过批准、监督、检查，但只是间接责任，并不能因此免除或减轻承包人对工程质量应负的责任。在工程施工过程中，若承包人所使用的材料或设备不符合合同规定，或工程质量不符合施工技术规范和验收规范的要求，或出现缺陷而未在缺陷责任期满之前完成修复工作，发包人均有权追究承包人的责任，并提出由承包人所造成的工程质量缺陷所带来的经济损失的反索赔。另外，发包人向承包人提出工程质量缺陷的反索赔要求时，往往不仅仅包括工程缺陷所产生的直接经济损失，也包括该缺陷带来的间接经济损失。

常见的工程质量缺陷表现为：

1.由承包人负责设计的部分永久工程和细部构造，虽然经过监理工程师的复核和审查批准，仍出现了质量缺陷或事故；

2.承包人的临时工程或模板支架设计安排不当，造成了施工后的永久工程的缺陷，如悬臂浇筑混凝土施工的连续梁，由于挂篮设计强度及稳定性不够,造成梁段下挠严重,致使跨中无法合拢；

3.承包人使用的工程材料和机械设备等不符合合同规定和质量要求，从而使工程质量产生缺陷；

4. 承包人施工的分项分部工程，由于施工工艺或方法问题，造成严重开裂、下挠、倾斜等缺陷；

5. 承包人没有完成按照合同条件规定的工作或隐含的工作，如对工程的保护和照管，安全及环境保护等。

（二）拖延工期反索赔

依据建设工程施工合同规定，承包人必须在合同规定的时间内完成工程的施工任务。如果由于承包人的原因造成不可原谅的完工日期拖延，影响到发包人对该工程的使用和运营生产计划，从而给发包人带来了经济损失，此项发包人的索赔，并不是发包人对承包人的违约罚款，而只是发包人要求承包人补偿拖期完工给发包人造成的经济损失。承包人则应按签订合同时双方约定的赔偿金额以及拖延时间长短向发包人支付这种赔偿金，而不再需要去寻找和提供实际损失的证据去详细计算。在有些情况下，拖期损失赔偿金若按该工程项目合同价的一定比例计算，如果在整个工程完工之前，监理工程师已经对一部分工程颁发了移交证书，则对整个工程所计算的延误赔偿金数量应给予适当地减少。

（三）合同担保的反索赔

合同担保是建设工程项目承包活动中的不可缺少部分，担保人要承诺在其委托人不适当履约的情况下代替委托人来承担赔偿责任或原合同所规定的权利与义务。在土木工程项目承包施工活动中，常见的经济担保有：预付款担保和履约担保等。

1. 预付款担保反索赔。预付款是指在合同规定开工前或工程价款支付之前，由发包人预付给承包人的款项。预付款的实质是发包人向承包人发放的无息贷款。对预付款的偿还，一般是由发包人在应支付给承包人的工程进度款中直接扣还。为了保证承包人偿还发包人的预付款，施工合同中都规定承包人必须对预付款提供等额的经济担保。若承包人不能按期归还预付款，发包人就可以从相应的担保款额中取得补偿，这实际上是发包人向承包人的反索赔。

2. 履约担保反索赔。履约担保是承包人和担保方为了发包人的利益不受损害而作的一种承诺，担保承包人按施工合同所规定的条件进行工程施工。履约担保有银行担保和担保公司担保的方法，以银行担保较常见，担保金额一般为合同价的 10%~20%，担保期限为工程竣工期或缺陷责任期满。

当承包人违约或不能履行施工合同时，持有履约担保文件的发包人，可以很方便地在承包人的担保人的银行中取得金钱补偿。

（四）发包人其他损失的反索赔

依据合同规定，除了上述发包人的反索赔外，当发包人在受到其他由于承包人原因造成的经济损失时，发包人仍可提出反索赔要求。比如：由于承包人的原因，在运输施工设备或大型预制构件时，损坏了旧有的道路或桥梁；承包人的工程保险失效，给发包人造成的损失等。

三、索赔防范

（一）发包人方面预防和减少承包人索赔事件的发生

发包人方是建设工程施工合同的主导方，关键问题的决策要由发包人掌握。有经验的发包人总是预先采取措施防止索赔的发生，还善于针对承包人提出的索赔为自己辩护，以减少责任。此外，发包人还经常主动提出反索赔，以抵消、反击承包人提出的索赔。在实际工程中，发包人方面可采取的措施如下：

1. 增加限制索赔的合同条款

发包人最常用的方式是通过对某些常用合同条件的修改，增加一些限制索赔条款，以减少责任，将工程中的风险转移到承包人一方，防止可能产生的索赔。由于招标文件和合同条件一般由发包人准备并提供，发包人往往聘请有经验的法律专家和工程咨询顾问起草合同，并在合同中加入限制索赔条款，如：发包人对招标文件中的地质资料和试验数据的准确性不负责任，要求承包人自己进行勘察和试验；发包人对不利的自然条件引起的工程延误的经济损失不承担责任等。

应该明确，当发包人将某些风险转移到承包人一方后，虽然减少了索赔，提高建设成本的确定性，但承包人在投标报价中必然会考虑这一风险因素，长期来看，会使承包人报价提高，发包人的工程建设成本增大。因此，发包人往往在合同中规定，同意补偿有经验的承包人无法预见的不利的现场条件给承包人造成的额外成本开支，并调整工期，而不补偿利润，这样，从长期来看，可降低承包人的报价，减少发包人的工程成本。

2. 提高招标文件的质量

发包人可通过作好招标前的准备工作，提高招标文件的质量，委托技术力量强的咨询公司准备招标文件，以提高规范和图纸的质量，减少设计错误和缺陷，防止漏项，并减少规范和图纸的矛盾和冲突，避免承包人由此而提出的索赔。

发包人还可通过咨询公司，提高招标文件中工程量表中的工程数量的准确性，防止承包人提出的因实际工程量变化过大引起合同总价的变化超过合同规定的限度而产生的要求调整合同价格的索赔。

3. 全面履行合同规定的义务

发包人要做好合同规定的工程施工前期准备工作（如，按时移交无障碍物的工地、支付预付款、移交图纸），并按时履行合同规定的义务（如，按时向承包人提供应由发包人提供的设备、材料等，协助承包人办理劳动卡、居住证），防止和减少由于发包人的延误或违约而引起的索赔。

发包人对自身的失误，通常及时采取补救措施，以减少承包人的损失，防止损失扩大出现重大索赔问题。

4. 改变建设工程承包方式和合同形式

在传统的建设工程项目承包过程中，发包人常常采用施工合同，由发包人委托设计单位提供图纸，并委托工程师对项目实施过程进行管理，承包人只负责按照发包人提供的图纸和规范施工。在这种承包方式中，往往由于图纸变更和规范缺陷产生大量索赔。因此，近些年来在英、美等一些国家，发包人为了减少索赔、增加建设项目成本的确定性、减少风险，往往将设计和施工一并委托一家承包人总承包，由承包人对设计和施工质量负责，达到预防和减少索赔、控制工程建设成本的目的。

5. 建立索赔信号系统

发包人预防并减少索赔的一个有效办法，就是尽早发现索赔征兆与信号，及时采取准备措施，有针对性地做好详细记录，以便提出索赔与反索赔，避免延误索赔时机，使索赔权利受到限制。常见的索赔信号有：合同文件含糊不清；承包人的投标报价过低或工程出现亏损；工程中变更频繁，或工程变更通知单对工程范围规定不详等。通过对这些索赔信号的分析辨识，发现其产生的原因，并预测其产生的后果，防止并减少工程索赔，为索赔和反索赔提供依据。

（二）承包人方面预防和减少发包人反索赔事件的发生

依据合同条件规定，为了维护承包人应得的经济利益，赋予了承包人的索赔权利，所以承包人是索赔事件的发起者。但是，为了承包人自身的利益和信誉，承包人应慎重使用自己的权利。一方面要建好工程，加强合同管理和成本管理，控制好工程进度，预防发包人的反索赔；另一方面要善于申报和处理索赔事项，尽量减少索赔的数量，并实事求是地进行索赔。一般地讲，承包人在预防和减少索赔与反索赔方面，可以采取的措施如下：

1. 严肃认真地对待投标报价

在每项工程招标投标与报价过程中，承包人都应仔细研究招标文件，全面细致地进行施工现场查勘，认真地进行投标估算，正确地决定报价。切不可疏忽大意进行报价，或者为了中标，故意压低标价，企图在中标后靠索赔弥补赢利，这样在投标时即留下冒险和亏损的根子，在工程施工过程中，千方百计去寻找索赔的机会。实际上这种索赔很难成功，并往往会影响承包人的经济效益和承包信誉。

2. 注意签订合同时的协商与谈判

承包人在中标以后，在与发包人正式签订合同的谈判过程中，应对建设工程施工合同中存在的疑问进行澄清，并对重大工程风险问题，提出来与发包人协商谈判，以修改合同中不适当的地方。特别是对于建设工程施工合同的特殊条款，若不允许索赔，付款无限制期限，无利息等，都要据理力争，促成对这些合同条款的修改，以"合同谈判纪要"的形式写成书面内容，作为本合同文件的有效组成部分。这样，对合同中的问题都补充为明文条款，也可预防和避免施工中不必要的索赔争端。

3. 加强施工质量管理

承包人应严格按照合同文件中规定的设计、施工技术标准和规范进行工作，并注意按设计图施工，对原材料到各工艺工序严格把关，推行全面的质量管理，尽量避免和消除工程质量事故的缺陷，则可避免发包人对施工缺陷的反索赔事项发生。

4. 加强施工进度计划与控制

承包人应尽力做好施工组织与管理，从各个方面保证施工进度计划的实现，防止由于承包人自身管理不善造成的工程进度拖延。若由于发包人或其他客观原因造成工程进度延误，承包人应及时申报延期索赔申请，以获得合理的工期延长，预防和减少发包人的因"拖期竣工的赔偿金"的反索赔。

5. 注意发包人不得随意变更工程及扩大工程范围

承包人应注意发包人不能随意扩大工程范围。另外，所有的工程变更都必须有书面的工程变更指令，以便对变更工程进行计价。若发包人或监理工程师下达了口头变更指令，要求承包人执行变更工作，承包人可以予以书面记录，并请发包人或监理工程师签字确认，若监理工程师不愿确认，承包人可以不执行该变更工程，以免得不到应有的经济补偿。

6. 加强工程成本的核算与控制

承包人的工程成本管理工作是保证实现施工经济效益的关键工作，也是避免和减少索赔与反索赔工作的关键所在。承包人自身要加强工程成本核算，严格控制工程开支，使施工成本不超过投标报价时的成本计划，当成本中某项直接费的支出款额超过计划成本时，要立即进行分析，查清原因，若属于自己方面原因，要对成本进行分指标分工艺工序控制；若属于发包人方原因或其他客观原因，就要熟悉施工单价调整方法，熟悉和掌握索赔款具体计价的方法，采用实际工程成本法、总费用法或修正的总费用法等，使索赔款额的计算比较符合实际，切不可抬高过多，反而导致索赔失败或发包人的反索赔发生。

四、反索赔步骤

在接到对方索赔报告后，就应着手进行分析、反驳。反索赔与索赔有相似的处理过程，但也有其特殊性。

（一）合同总体分析

反索赔同样是以合同作为法律，作为反驳的理由和根据。合同分析的目的是分析、评价对方索赔要求的理由和依据。在合同中找出对对方不利、对自方有利的合同条文，以构成对对方索赔要求否定的理由。合同总体分析的重点是与对方索赔报告中提出的问题有关的合同条款，通常有：合同的法律基础；合同的组成及其合同变更情况；合同规定的工程范围和承包人责任；工程变更的补偿条件、范围和方法；合同价格，工期的调整条件、范围和方法，以及对方应承担的风险；违约责任；争执的解决方法等。

（二）事态调查

反索赔仍然基于事实基础之上，以事实为根据。这个事实必须有我方对合同实施过程跟踪和监督的结果，即各种实际工程资料作为证据，用以对照索赔报告所描述的事情经过和所附证据。通过调查可以确定干扰事件的起因，事件经过，持续时间，影响范围等真实的详细的情况。在此应收集整理所有与反索赔相关的工程资料。

（三）三种状态分析

在事态调查和收集、整理工程资料的基础上进行合同状态、可能状态、实际状态分析。通过三种状态的分析可以达到：

1.全面地评价合同与合同实际状况，评价双方合同责任的完成情况。

2.对对方有理由提出索赔的部分进行总概括。分析出对方有理由提出索赔的干扰事件有哪些，索赔的大约值或最高值。

3.对对方的失误和风险范围进行具体指认，这样在谈判中有攻击点。

4.针对对方的失误作进一步分析，以准备向对方提出索赔。这样在反索赔中同时使用索赔手段。国外的承包人和发包人在进行反索赔时，特别注意寻找向对方索赔的机会。

（四）对索赔报告进行全面分析，对索赔要求、索赔理由进行逐条分析评价分析评价索赔报告，可以通过索赔分析评价表进行。其中，分别列出对方索赔报告中的干扰事件、索赔理由、索赔要求，提出我方的反驳理由、证据、处理意见或对策等。

（五）起草并向对方递交反索赔报告

反索赔报告也是正规的法律文件。在调解或仲裁中，对方的索赔报告和我方的反索赔报告应一起递交调解人或仲裁人。反索赔报告的基本要求与索赔报告相似。通常反索赔报告的主要内容有：

1.合同总体分析简述。

2.合同实施情况简述和评价。这里重点针对对方索赔报告中的问题和干扰事件，叙述事实情况，应包括前述三种状态的分析结果，对双方合同责任完成情况和工程施工情况作评价。目标是推卸自己对对方索赔报告中提出的干扰事件的合同责任。

3.反驳对方索赔要求。按具体的干扰事件，逐条反驳对方的索赔要求，详细叙述自己的反索赔理由和证据，全部或部分地否定对方的索赔要求。

4.提出索赔。对经合同分析和三种状态分析得出的对方违约责任，提出我方的索赔要求。对此，有不同的处理方法。通常，可以在本反索赔报告中提出索赔，也可另外出具我方的索赔报告。

5.总结。对反索赔作全面总结，通常包括如下内容：

（1）对合同总体分析做简要概括；

（2）对合同实施情况做简要概括；

（3）对对方索赔报告做总评价；

（4）对我方提出的索赔做概括；

（5）双方要求，即索赔和反索赔最终分析结果比较；

（6）提出解决意见；

（7）附各种证据。即本反索赔报告中所述的事件经过、理由、计算基础、计算过程和计算结果等证明材料。

五、反驳索赔报告

对于索赔报告的反驳，通常可从以下几个方面着手：

（一）索赔事件的真实性

对于对方提出的索赔事件，应从两方面核实其真实性：一是对方的证据，如果对方提出的证据不充分，可要求其补充证据，或否定这一索赔事件；二是我方的记录，如果索赔报告中的论述与我方关于工程记录不符，可向其提出质疑，或否定索赔报告。

（二）索赔事件责任分析

认真分析索赔事件的起因，澄清责任。以下五种情况可构成对索赔报告的反驳：

1. 索赔事件是由索赔方责任造成的，如管理不善，疏忽大意，未正确理解合同文件内容等；

2. 此事件应视作合同风险，且合同中未规定此风险由我方承担；

3. 此事件责任在第三方，不应由我方负责赔偿；

4. 双方都有责任，应按责任大小分摊损失；

5. 索赔事件发生以后，对方未采取积极有效的措施以降低损失。

（三）索赔依据分析

对于合同内索赔，可以指出对方所引用的条款不适用于此索赔事件，或者找出可为己方开脱责任的条款，以驳倒对方的索赔依据。对于合同外索赔，可以指出对方索赔依据不足，或者错解了合同文件的原意，或者按合同条件的某些内容，不应由己方负责此类事件的赔偿。

另外，可以根据相关法律法规，利用其中对自己有利的条文，来反驳对方的索赔。

（四）索赔事件的影响分析

分析索赔事件对工期和费用是否产生影响以及影响的程度，这直接决定着索赔值的计算。对于工期的影响，可分析网络计划图，通过每一工作的时差分析来确定是否存在工期索赔。通过分析施工状态，可以得出索赔事件对费用的影响。例如发包人未按时交付图纸，造成工程拖期，而承包人并未按合同规定的时间安排人员和机械，因此工期应予顺延，但不存在相应的各种闲置费。

（五）索赔证据分析

索赔证据不足、不当或片面，都可以导致索赔不成立。索赔事件的证据不足，对索赔事件的成立可提出质疑。对索赔事件产生的影响证据不当，则不能计入相应部分的索赔值。仅出示对自己有利的片面的证据，将构成对索赔的全部或部分的否定。

（六）索赔值审核

索赔值的审核工作量大，涉及的资料和证据多，需要花费许多时间和精力。审核的重点在于：

1. 数据的准确性。对索赔报告中的各种计算基础数据均须进行核对，如工程量增加的实际土方量，人员出勤情况，机械台班使用量，各种价格指数等。

2. 计算方法的合理性。不同的计算方法得出的结果会有很大出入。应尽可能选择最科学、最精确的计算方法。对某些重大索赔事件的计算，其方法往往需双方协商确定。

3. 是否有重复计算。索赔的重复计算可能存在于单项索赔与一揽子索赔之间，相关的索赔报告之间，以及各费用项目的计算中。索赔的重复计算包括工期和费用两方面，应认真比较核对，剔除重复索赔。

思考题

1. 索赔的起因和类型主要有哪些？

2. 建设工程合同履行过程中常见的索赔有哪些？其主要内容是什么？

3. 索赔的一般程序是什么？

4. 索赔报告的主要内容包括哪些？

5. 费用索赔中可索赔的费用包括哪些？各项可索赔费用的索赔条件是什么？

6. 索赔工作过程中应注意哪些问题？

7. 反索赔的主要内容包括哪些？

8. 业主应如何防范索赔？

9. 反索赔包括哪些步骤？

10. 反索赔报告应包括哪些内容？

第十三章

工程建设相关合同

【本章概要】

通过本章的学习，使学生了解、熟悉与工程建设相关的合同：国有土地使用权出让和转让合同、房屋征收补偿合同、建设工程保险合同、建设工程担保合同等。

第一节　国有土地使用权出让和转让合同

一、土地使用权出让合同概述

（一）土地使用权出让

1.土地使用权出让的概念

土地使用权出让是指国家将国有土地使用权（以下简称土地使用权）在一定年限内出让给土地使用者，由土地使用者向国家支付土地使用权出让金的行为。

2.土地使用权出让的法律性质

土地使用权通过出让方式转让，反映了土地使用权的商品性质，首先应当是一种民事行为，但是，土地使用权出让还体现了行政行为性质，这是因为：

（1）从土地使用权出让的主体看，一方是土地管理机关，另一方是土地使用者。

（2）从双方的权利关系看，是管理与被管理的关系，与平等主体的民事法律关系有本质的不同。土地管理机关作为土地使用权出让人，其行政管理者的身份没有改变，也不能改变，其活动仍然是行政活动。

（3）从土地使用权出让的目的看，这是为了实现国家的土地政策，取得最佳土地效益，而不是为土地管理机关自身的利益，这与一般的经营行为有根本不同。

3.土地使用权出让的方式

根据《中华人民共和国城市房地产管理法》（以下简称《城市房地产管理法》）的规定，土地使用权出让的方式可以采取拍卖、招标或者双方协议的方式。商业、旅游、娱乐和豪华住宅用地，有条件的，必须采取拍卖、招标方式；没有条件，不能采取拍卖、招标方式的，可以采取双方协议的方式。采取双方协议出让土地使用权的，出让金不能低于按国家规定所确定的最低价。但是，无论采取哪种签约方式，最终都应当签订书面土地使用权出让合同。

（二）土地使用权出让合同的概念和特征

土地使用权出让合同是指国家与法人、其他组织及公民达成的有关土地使用权转让给法人、其他组织及公民，法人、其他组织和公民向国家支付土地使用权出让金的合同。与其他合同相比，土地使用权出让合同具有以下几个特征：

1.土地使用权出让合同主体

土地使用权出让合同的主体之一特定，出让人必须是国家有权出让国有土地使用权的人民政府土地行政主管部门。《房地产管理法》规定，土地使用权出让合同由市、县人民政府土地管理部门与土地使用者签订。

2.土地使用权出让合同客体

土地使用权出让合同的客体是国有土地使用权，而不是土地所有权。《中华人民共和国土地管理法》（以下简称《土地管理法》）第八条明确规定，城市市区的土地属于国家所有。国家是城市土地的惟一所有者，土地所有权（国有和集体所有）不能像一般商品那样进行转移。属于集体所有的土地，不得自行出让土地使用权；如果确需出让，应该先由所在地政府征用为国有土地，然后才能出让土地使用权。

3. 土地使用权出让合同内容

土地使用权出让合同在内容上接近一般的民事合同：

（1）平等、自愿、有偿也是土地使用权出让合同应当遵循的原则，《城镇国有土地使用权出让和转让暂行条例》第十一条规定："土地使用权出让合同应当按照平等、自愿、有偿的原则，由市、县人民政府土地管理部门（以下简称出让方）与土地使用者签订。"

（2）从形式上看，土地使用权出让合同也具备一般民事合同的内容，包括合同主体、合同标的、合同期限、土地费用及支付方式、违约责任、合同的变更和解除、合同纠纷的解决方式等条款。

但是，由于土地使用权出让具有行政行为的特性，土地使用权出让合同的很多条款不是双方合意的结果，而是由有关法律、法规的强制性规定组成的，因此双方在履行合同的时候，必须掌握国家有关土地使用权出让的法律、法规，不能违反强制性规定，否则将可能导致合同无效。

（三）土地使用权出让合同的分类

1. 宗地出让合同

宗地出让合同，也称项目用地出让合同，是出让方将土地使用权出让给土地使用者，土地使用者按照使用规定支付出让金的协议。宗地出让合同的特征如下：

（1）宗地出让合同的标的是土地使用权，不是土地所有权。

（2）出让方为代表国家行使出让权的市、县级土地管理部门，受让方为国内外的公司、企业、其他组织和个人。

（3）取得土地使用权主要以自用为主，不得用于转让、出租等土地经营活动。

（4）出让的地块有明确具体的用途。

（5）土地受让方取得土地使用权虽然以自用为主，但仍享有转让、出租和抵押土地使用权和经营公用事业的权利；但是转让、出租、抵押的前提必须是受让方在转让部分或全部企业资产时，才能转让土地使用权。经营公用事业的权利是指受让方自己建设的公用设施在用不完的情况下，向宗地外围提供经营权。

2. 划拨土地使用权补办出让合同

划拨土地使用权补办出让合同，是指通过划拨取得土地使用权的经济组织和个人，为了将划拨用地上的建筑物和划拨用地用于转让、出租和抵押等经营活动，与出让方（市、县级土地管理部门）再补签的土地使用权出让合同。划拨土地使用权补办出让合同的特征如下：

（1）合同的标的是土地使用权，不是土地所有权。

（2）合同的出让方为代表国家行使出让权的市、县级土地管理部门，受让方为取得土地使用权的单位和个人。

（3）以划拨方式取得土地使用权的，转让房地产时，应当按照国务院规定，报有批准权的人民政府审批。有批准权的人民政府准予转让的，应当由受让方办理土地使用权出让手续，并依照国家有关规定缴纳土地使用权出让金。

（4）合同中出让的土地使用权与受让方房产使用范围内未出让的土地使用权为一体，系公有、不可分割。受让方在出售（出让、抵押）自己的房产时，同时也就转让了其出售（出让、抵押）的房产所占面积相同的土地使用权。

（5）出售（出让、抵押）房产使用范围内的土地，受让方必须按原来划拨土地时批准的用途使用。

（四）土地使用权出让的报批手续

国有土地使用权出让，要根据有关法律的规定办理报批手续。其报批的程序和报批的文件主要是：

1. 报批手续

（1）市、县土地管理部门根据出让计划对土地使用出让的地块、用途、年限和其他条件，会同城市规划和建设管理部门、房产管理部门共同拟定方案，报同级人民政府审核。

（2）按出让土地使用权批准权限，经上级土地管理部门审查后，报人民政府批准。

（3）经政府批准后，由市、县土地管理部门与土地使用者正式签订土地使用权出让合同，在土地使用者支付全部土地使用权出让金后，依法办理土地使用权登记手续，核发土地使用证。

2. 报批时需提交的文件

（1）土地使用权呈报表；

（2）出让地块的地理位置图和规划设计图；

（3）征地、拆迁补偿安置方案或有关协议；

（4）土地使用条件；

（5）土地使用权出让合同（草案）；

（6）人民政府或有关部门的文件或意见；

（7）土地管理部门的审查意见。

出让土地使用权采取协议方式和用于吸收外商投资进行成片土地综合开发经营的，还需附经批准的建设项目设计任务书（可行性研究报告）和企业批准证书副本。

土地使用权依法批准出让后，市、县土地管理部门须向上级土地管理部门填报《出让国有土地使用权备案表》，同时向批准出让的人民政府土地管理部门填报正式签订的《土地使用权出让合同》副本和出让地块登记卡复印件。

二、土地使用权出让合同的主要内容

土地使用权出让合同内容即是指明确合同当事人双方权利义务的各项条款。为了规范国有建设土地使用权出让合同管理，2008年，原国土资源部、原国家工商行政管理局颁布了《国有建设用地使用权出让合同》示范文本（GF-2008-2601）。该示范文本由合同正文和附件1（出让宗地界址图）、附件2（出让宗地竖向界限）、附件3（市县政府规划管理部门确定的宗地规划条件）组成，其中合同正文共九章四十六条，分别规定了总则，出让土地的交付与出让价款的缴纳，土地开发建设与利用，国有建设用地使用权转让、出租、抵押，期限届满，不可抗力，违约责任，适用法律及争议解决，附则等内容。

根据《城市房地产管理法》《土地管理法》《城镇国有土地使用权出让和转让暂行条例》等有关法律法规的规定，结合示范文本，国有建设用地使用权出让合同的内容包括以下条款：

（一）总则

1. 合同当事人双方

合同主体是指土地使用权出让合同中的出让方和受让方。出让方是县级以上人民政府土地管理部门，受让方是土地使用者。根据国务院《关于出让国有土地使用权批准权限的通知》，

国有土地使用权出让审批权限是不同的，具体如下：

（1）出让耕地1000亩以上，其他土地2000亩以上的，由国务院批准；

（2）出让耕地3亩以下，其他土地10亩以下的，由县级人民政府批准；

（3）省辖市、自治州人民政府的批准权限，由省、自治区人民代表大会常务委员会决定。

2. 出让人授权声明

出让人根据法律的授权出让土地使用权，出让土地的所有权属中华人民共和国，国家对其拥有宪法和法律授予的司法管辖权、行政管理权以及其他按中华人民共和国法律规定由国家行使的权力和因社会公众利益所必需的权益。地下资源、埋藏物和市政公用设施均不属于土地使用权出让范围。

（二）出让土地的交付与出让价款的缴纳

1. 出让人出让给受让人的宗地的位置、宗地编号、宗地总面积（大小写）、宗地四至及界址点坐标（应当在附件《出让宗地界址图》中详细标明）。

2. 宗地的用途。宗地的用途直接关系到土地使用权出让最高年限，应当填写清楚。双方应当根据《城镇地籍调查规程》规定的土地二级分类填写，如居住用地，工业用地，教育、科技、文化、卫生、体育用地，商业、旅游、游乐用地，综合或者其他用地等。其中，综合用地的，应注明各类具体用途及其所占的面积比例。

3. 双方约定出让人将出让宗地交付给受让人的日期，以及出让方在交付土地时该宗地应达到的土地条件：

（1）达到场地平整和周围基础设施_____通，即_____通。

（2）周围基础设施达到_____通，即_____通，但场地尚未拆迁和平整，建筑物和其他地上物状况如下：_____。

（3）现状土地条件。

土地条件按照双方实际约定选择和填写。属于原划拨土地使用权补办出让手续的，选择第（3）款；属于待开发建设的用地，应根据出让人承诺交地时的土地开发程度选择第（1）款或第（2）款，出让人承诺交付土地时完成拆迁和场地平整的，选择第（1）款，并注明地上待拆迁的建筑物和其他地上物面积等状况，基础设施条件按双方约定填写"七通""三通"等，并具体说明基础设施内容，如"通路""通电""通水"等。

4. 出让方和受让方应在合同中明确土地使用权出让的年限，但是这种年限的约定不得违反《房地产管理法》关于土地使用权出让最高年限的法律规定，即：

（1）居住用地70年；

（2）工业用地50年；

（3）教育、科技、文化、卫生、体育用地50年；

（4）商业、旅游、娱乐用地40年；

（5）综合用地或其他用地50年。

双方约定合同项下的土地使用权出让年限，应当自出让方向受让方实际交付土地之日起算，但是属于原划拨土地使用权补办出让手续的，出让年限自合同签订之日起算。

5. 合同项下宗地的土地使用权出让金金额。应当同时填写每平方米价格（大小写）和总额（大小写）。

6. 定金条款。合同双方应当约定，合同经双方签字后一定时间内，受让人须向出让人交付一定数额的定金（大小写）作为履行合同，定金抵作土地使用权出让金。

7. 土地使用权出让金支付方式的规定中，合同双方可以约定土地使用权出让金一次性付清或分期支付。选择分期支付的，应当明确约定每期支付的日期和具体数额，受让人在支付第二期及以后各期土地出让金时，按照银行同期贷款利率向出让人支付相应的利息。但是，根据《城镇国有土地使用权出让和转让暂行条例》第14条的规定，土地使用者应当在签订土地使用权出让合同后60日内，支付全部土地使用权出让金。

（三）土地开发建设与利用

1. 在约定的合同签订后的时间内，当事人双方应依附件《出让宗地界址图》所标示坐标实地验明各界址点界桩，受让人应妥善保护土地界桩，不得擅自改动，界桩遭受破坏或移动时，受让人应立即向出让人提出书面报告，申请复界测量，恢复界桩。

2. 受让人在本合同项下宗地范围内新建建筑物的，应符合对下列内容的要求：

（1）主体建筑物性质；

（2）附属建筑物性质；

（3）建筑容积率；

（4）建筑密度；

（5）建筑限高；

（6）绿地比例；

（7）其他土地利用要求。

3. 如果受让人同意在本合同项下宗地范围内一并修建某些工程，并在建后无偿移交给政府，双方应对这些工程加以明确约定。

4. 双方应明确约定受让人动工建设的日期（如××日之前）。不能按期开工建设的，应提前 30 日向出让人提出延建申请，但延建时间最长不得超过一年。

5. 受让人在受让宗地内进行建设时，有关用水、用气、污水及其他设施同宗地外主管线、用电变电站接口和引入工程应按有关规定输入。受让人同意政府为公用事业需要而敷设的各种管道与管线进山、通过、穿越受让宗地。

6. 受让人在按本合同约定支付全部土地使用权出让金之日起 30 日内，应持本合同和土地使用权出让金支付凭证，按规定向出让人申请办理土地登记，领取《国有土地使用证》，取得出让土地使用权。出让人应在受理土地登记申请之日起 30 日内，依法为受让人办理出让土地使用权登记，颁发《国有土地使用证》。

7. 受让人必须依法合理利用土地，其在受让宗地上的一切活动，不得损害或者破坏周围环境和设施，使国家或他人遭受损失的受让人应负责赔偿。

8. 在出让期限内，受让人必须按照土地使用权出让合同规定的土地用途和土地使用条件利用土地，需要变更土地用途和土地使用条件的，必须依法办理有关批准手续，并向出让人申请，取得出让人同意，签订土地使用权出让合同变更协议或者重新签订土地使用权出让合同，相应调整土地使用权出让金，办理土地变更登记。

9. 政府保留对合同项下宗地的城市规划调整权，原土地利用规划如有修改，该宗地已有的建筑物不受影响，但在使用期限内该宗地建筑物、附着物改建、翻建、重建或期限届满申请续期时，必须按届时有效的规划执行。

10. 出让人对受让人依法取得的土地使用权，在合同约定的使用年限届满前不收回；在特殊情况下，根据社会公共利益需要提前收回土地使用权的，出让人应当依照法定程序报批，并根据收回时地上建筑物、其他附着物的价值和剩余年期土地使用权价格给予受让人相应的补偿。

（四）国有建设用地使用权转让、出租、抵押

1. 受让人按照合同约定已经支付全部土地使用出让金，领取《国有土地使用证》，取得出让土地使用权后，有权将本合同项下的全部或部分土地使用权转让、出租、抵押，但首次转让（包括出售、交换和赠与）剩余年期土地使用权时，应当经出让人认定符合下列条件之一：

（1）属于房屋建设工程的，按照本合同约定进行投资开发，完成开发投资总额的 25% 以上；

（2）属于成片开发土地的，按照本合同约定进行投资开发，形成工业用地或其他建设用地条件。

2. 土地使用权转让、抵押双方应当签订书面转让、抵押合同；土地使用权出租期限超过六个月的，出租人和承租人也应当签订书面出租合同。土地使用权的转让、抵押及出租合同，不得违背国家法律、法规和本合同的规定。

3. 土地使用权转让，土地使用权出让合同和登记文件中载明的权利、义务随之转移，转让后，其土地使用权的使用年限为合同约定的使用年限减去已经使用年限后的剩余年限。合同项下的全部或部分土地使用权出租后，合同和登记文件中载明的权利、义务仍由受让人承担。

4. 土地使用权转让、出租、抵押，地上建筑物、其他附着物随之转让、出租、抵押；土地使用权随之转让、出租、抵押。

5. 土地使用权转让、出租、抵押的，转让、出租、抵押双方应在相应的合同签订之日起 30 日内，持本合同和相应的转让、出租、抵押合同及《国有土地使用证》，到土地行政主管部门申请办理土地登记。

（五）期限届满

根据《城市房地产管理法》《城镇国有土地使用权出让和转让暂行条例》等法律、法规的有关规定，双方应当在合同中明确土地使用权终止时双方的权利和义务。

1. 合同约定的使用年限届满，土地使用者需要继续使用合同项下宗地的，应当最迟于届满前一年向出让人提交续期申请书，除根据社会公共利益需要收回本合同项下土地的，出让人应当予以批准。出让人同意续期的，受让人应当依法办理有偿用地手续，与出让人重新签订土地有偿使用合同，支付土地有偿使用费。

2. 土地出让期限届满，受让人没有提出续期申请或者虽申请续期未获批准的，受让人应当交回《国有土地使用证》，出让人代表国家收回土地使用权，并依照规定办理土地使用权注销登记。

3. 土地出让期限届满，受让人未申请续期的合同项下土地使用权和地上建筑物及其他附着物由出让人代表国家无偿收回，受让人应当保持地上建筑物、其他附着物的正常使用功能，不得人为破坏，地上建筑物、其他附着物失去使用功能的，出让人可要求受让人移动或拆除地上建筑物、其他附着物，恢复场地平整。

4. 土地出让期限届满，受让人提出续期申请而出让人根据国家有关规定没有批准续期的，土地使用权由出让人代表国家无偿收回，但对于地上建筑物及其他附着物，出让人应当根据收回时地上建筑物，其他附着物的残余价值给予受让人相应补偿。

（六）不可抗力

根据《民法典》，不可抗力是指不能预见、不能避免并不能克服的客观情况。不可抗力同样可以成为土地出让合同的免责事由。

1. 任何一方对由于不可抗力造成的部分或全部不能履行本合同不负责任，但应在条件允许下采取一切必要的补救措施以减少因不可抗力造成的损失。当事人迟延履行后发生不可抗力的，不能免除责任。

2.遇有不可抗力的一方，应当及时将事件的情况以信件、电报、电传、传真等书面形式通知另一方（双方应约定清楚什么是"及时"，如若干小时以内），并且在事件发生合理时间内（同样应明确约定"合理时间"，如若干天以内）向另一方提交合同不能履行或部分不能履行或需要延期履行理由的报告。当事人不履行上述通知和证明义务的，不能免责。

（七）违约责任

1.受让人必须按照合同约定，按时支付土地使用权出让金。如果受让人不能按时支付土地使用权出让金的，自滞纳之日起，每日按双方约定的金额（如迟延支付款项的一定比例）向出让人缴纳滞纳金，延期付款超过60日，经出让人催交后仍不能支付国有建设用地使用权出让价款的，出让人有权解除合同，收回土地，受让人无权要求返还定金，出让人并可请求受让人赔偿因违约造成的其他损失。

2.受让人按合同约定支付土地使用权出让金的，出让人必须按照合同约定，按时提供出让土地。由于出让人未按时提供出让土地而致使受让人对本合同项下宗地占有延期的，每延期一日，出让人应当按约定的金额（如受让人已经支付的土地使用权出让金的一定比例）向受让人给付违约金。出让人延期交付土地超过60日的，经受让人催交后仍不能交付土地的，受让人有权解除合同，出让人应当双倍返还定金，并退还已经支付土地使用权出让金的其他部分，受让人并可请求出让人赔偿因违约造成的其他损失。

3.受让人应当按照合同约定进行开发建设，超过合同约定的动工开发日期满一年未动工开发的，出让人可以向受让人征收相当于土地使用权出让金20%以下的土地闲置费；满两年未动工开发的，出让人可以无偿收回土地使用权；但因不可抗力或者政府、政府有关部门的行为或者动工开发必需的前期工作造成开发迟延的除外。

4.出让人交付的土地未能达到合同约定的土地条件的，应视为违约。受让人有权要求出让人按照规定的条件履行义务，并且赔偿延误履行而给受让人造成的直接损失。

（八）争议解决

土地使用权合同虽然具有行政合同的性质，但是仍应遵守平等、自愿、有偿的民事原则，双方的争议也不应当是《仲裁法》第二条第二款规定的依法应当由行政机关处理的行政争议，而是应当属于平等主体的公民、法人和其他组织之间发生的合同纠纷和其他财产权益纠纷，是可以仲裁的。

因此，当合同双方发生争议时，应当先协商解决。协商解决不成的，当事人可以根据《仲裁法》申请仲裁，或根据《民事诉讼法》起诉。争议的方式可以由双方约定，关于仲裁和民事诉讼的内容，这里不再赘述。

（九）附则

1.合同生效方式

（1）合同项下宗地出让方案业已经有权人民政府批准,合同自双方签订之日起生效。

（2）合同项下宗地出让方案尚需经有权人民政府批准，合同自该有权人民政府批准之日起生效。

有权人民政府的名称应当填写清楚。

2.合同双方应当约定合同份数，以及出让人、受让人各自持有的份数。每份合同应当具有同等法律效力。

3.确定并填写合同和附件的页数，以免遗漏。合同及附件如以不同语言文字书写，应当以中文书写的为准。

4.本合同的金额、面积等项应当同时以大、小写表示，大小写数额应当一致，不一致的，以大写为准。

5.双方确认并填写合同签订的时间和地点。

6.合同未尽事宜，可由双方约定后作为合同附件，与本合同具有同等法律效力。

三、土地使用权转让合同

（一）土地使用权转让

土地使用权转让是指取得土地使用权的土地权利人依法将土地使用权再转移的行为，包括出售、交换和赠与，它是土地使用权作为商品经营的二级市场，是我国地产市场的重要组成部分。

与属于行政行为的土地使用权出让行为不同的是，土地使用权转让行为属于民事行为。而且，土地使用权出让是土地使用权从国家土地所有权中产生出来而成为一项独立民事权利的行为，土地使用权转让应是在该权利成为一项独立民事权利之后，权利的享有者依法将它转让给其他公民或法人的行为。土地使用权转让具有如下法律特征：

1.土地使用权转让的是权利。土地使用权转让法律关系中的客体是土地使用权这种权利。这种权利具有财产性，也是以财产转让的规则进入流转领域，但是，这种转让权以土地使用权为限，不能超越土地使用权的权利范围，土地所有权人仍然是国家。

2.土地使用权的转让是法定不动产的转让，必须依法办理变更登记。土地使用权是法定不动产，其转让必须为要式行为，即土地使用权取得人依法定程序向土地管理部门申请变更登记，转让行为才发生法律效力，否则，属于非法转让，不产生预期的法律效力。

3.土地使用权转让的是既设定权利，当事人不能扩张权利内容。土地使用权是一种特殊的商品，其权利的具体内容，只能符合国家土地管理部门和土地使用权取得人订立的出让合同。未经国家土地管理部门同意变更、续展，土地使用权转让法律关系双方当事人不能自行扩大权利范围，即使扩大了权利范围，也是无效的。

（二）土地使用权转让的具体法律要求

1.土地使用权转让人必须是土地使用权的合法享有人。土地使用权的享有人应持有国家土地管理部门颁发的国有土地使用证。土地使用权受让人必须是我国法律允许享有国有土地使用权的人。

2.依土地使用权出让合同的约定,转让方已经支付了全部土地使用权出让金,并按约定进行了投资开发,属于房屋建设工程的,完成开发投资总额 25%以上;属于成片开发土地的,形成工业用地或者其他建设用地条件。

3.通过转让取得土地使用权,其土地使用权的使用年限为土地使用权出让合同约定的使用年限减去原土地使用者已经使用年限的剩余年限。

4.受让人欲改变原土地使用权出让合同约定的土地用途的,必须经原出让方和城市规划行政主管部门的同意。

5.转让土地使用权时,其地上建筑物、其他附着物、其使用范围内的土地使用权也随之转让。但无论是转让土地使用权,还是地上建筑物、其他附着物,均须依法办理过户登记。

转让土地使用权,应依法向国家交纳相应的税费。

转让土地使用权的价格明显低于市场价格时,市、县人民政府有优先购买权。

6.受让人应履行转让方依土地使用权出让合同应尽而未尽的义务。

（三）土地使用权转让合同

土地使用权转让合同是指土地使用权享有人将土地使用权转让给其他公民法或者法人,作为受让方的公民或法人向转让方支付相应价款的合同。土地使用权转让合同具有如下法律特征:

1.土地使用权转让合同的标的是土地使用权,不是土地的所有权。

2.合同双方当事人是在我国注册登记的法人单位、其他经济组织和个人。

3.土地使用权在规定的期限内可以多次转让,但无论转让给谁,政府的土地管理部门和土地使用者关系仍是出让关系。

4.土地使用权进行转让时,其地上的建筑物、其他附着物所有权也随之转让。

5.土地使用权分割转让,该地块上的建筑物、其他附着物的所有权也随之转让时,须经县级以上土地管理部门和房产部门批准,并办理过户手续。

6.土地使用权转让后,再受让方如果要改变原土地使用权出让合同规定的土地用途,要与土地管理部门重新签订土地使用权出让合同。

（四）土地使用权转让合同的主要内容

土地使用权转让形式有出售、交换和赠与三种。

1.土地使用权出售合同。土地使用权出售合同是指土地使用者将土地使用权在一定期限内转让给买受方,买受方为此支付转让价款的合同。

土地使用权出售合同的主要条款有:

（1）双方当事人名称;

（2）出售使用土地的位置、面积;

（3）出售土地使用权年限；

（4）土地使用权售价标准及支付方式；

（5）土地增值费标准及支付方式；

（6）土地用途；

（7）违约责任；

（8）解决纠纷的方式；

（9）其他约定事项；

（10）合同订立的时间、地点；

（11）双方当事人的开户银行；

（12）双方当事人的盖章或者签字和双方当事人的法定代表人的盖章或者签字；

（13）原土地使用权使用条件。

在土地使用权出售合同履行过程中，无论土地使用权转让合同中的条款如何订立，合同当事人均不得违背自己应当承担的主要义务，一般来讲，转让方应承担的主要义务有：

（1）交付土地使用权，包括将土地的直接占有转移给受让人及到国家土地管理部门办理权利过户手续。

（2）保证受让方享有土地使用权的义务，转让方负有义务消除妨碍受让方权利实现的障碍因素（如在土地使用权上设置有抵押、出租等情况），否则，受让方不能真正享有完整的土地使用权。

（3）对土地的瑕疵负担保义务，即转让方应保证交付给受让方的土地是依法或依约可以合法转让的土地。否则，由此而造成的损失，应由转让方承担。

受让方也在土地使用权转让合同履行过程中承担着与转让方所承担义务相应的义务，主要包括：

（1）支付价款的义务。受让方只有切实履行支付价款的义务，转让方的权利才能得到切实保障和实现。

（2）接受交付土地使用权的义务。受让方必须依照法律规定或合同约定，按期接受转让方将土地交付给受让方直接占有，并且按期办理过户手续，而且，受让方还负有义务承担接受交付而必须支付的费用和税收。

2. 土地使用权交换合同。土地使用权交换合同是指双方当事人为相互交换各自土地使用权而达成的明确双方权利义务关系的协议。土地使用权交换合同的主要条款有：

（1）双方当事人名称；

（2）各自交换使用权土地的位置、面积，建筑物、附着物的面积、数量；

（3）各自交换使用权土地上的建筑物及附着物的价值；

（4）各自交换土地使用权的年限；

（5）双方交换使用权土地上的建筑物、其他附着物差价补偿办法；

（6）土地增值费标准及交付方式；

（7）土地用途；

（8）违约责任；

（9）解决纠纷方式；

（10）合同订立的时间、地点；

（11）双方当事人开户银行；

（12）双方当事人的盖章或者签字和双方当事人的法定代表人的盖章或者签字；

（13）双方原土地使用权的使用条件。

3. 土地使用权赠与合同。土地使用权赠与合同是指一方当事人（赠与人）为将自己的土地使用权无偿地赠送给另一方当事人（受赠人）而与其达成的明确双方权利义务关系的协议。

土地使用权赠与合同的主要条款包括：

（1）双方当事人名称；

（2）赠与使用权土地的位置、面积；

（3）赠与使用权土地上的建筑物和其他附着物；

（4）受赠人负担的义务；

（5）土地增值费的标准及支付方式；

（6）土地用途；

（7）违约责任；

（8）解决纠纷的方式；

（9）合同订立的时间、地点；

（10）双方当事人的开户银行；

（11）双方当事人的盖章或者签字和双方当事人的法定代表人的盖章或者签字；

（12）原土地使用权的使用条件。

四、土地使用权租赁合同

（一）土地使用权租赁

土地使用权租赁是指土地使用权人将土地使用权连同地上建筑物、其他附着物一并租赁给承租人使用，由承租人向土地使用权人支付租金的行为。土地使用权租赁的本质特点是在不改变权利人权利的条件下，将土地有偿地交付给承租人使用。土地使用权人出租土地使用权只有满足法律、法规规定的条件，其出租行为才具备法律效力。这些条件具体包括：

1. 出租的土地使用权人依法取得了土地使用权；

2. 要改变出租土地用途的，须经过一定的法定程序进行变更登记并获得原批准出让土地的土地管理部门的同意；

3. 土地使用权的租期不得超过出租人获得的土地使用权的剩余年限；

4. 出租土地使用权时，地上建筑物、其他附着物一并租赁给承租人使用，由承租人向出租人交付租金；

5. 土地使用权出租应当办理登记手续。

（二）土地使用权租赁合同的概念和特征

土地使用权租赁合同是指土地使用权人与承租人订立的，由土地使用权人将土地使用权及其附着物租赁给承租人使用，由承租人交付租金的合同。土地使用权出租合同具有如下法律特征：

1. 土地使用权租赁合同的标的是在合同约定的租赁期限内土地的实际占有及使用权，而不是作为独立权利的土地使用权，更不是土地所有权。

2. 土地使用权租赁合同是双务合同、诺成合同、要式合同。

3. 土地租赁合同中的承租人的法律地位具有特殊性。依"买卖不破租赁"的法律原则，当出租的土地使用权发生转让时，新的土地使用权人也必须遵守承租人与出租人原已签订的土地租赁合同。

4. 出租的土地必须是法律允许出租其使用权的土地。

（三）土地使用权租赁合同的主要内容

土地使用权租赁合同的主要内容包括：

1. 标的。土地使用权租赁合同的标的是土地的实际使用权，包括明确的土地面积大小，所处的地理位置、四至的界限、周围的环境、地上建筑物和其他附着物状况等。

2. 租金。租金可因地块、地方不同而有差别。

3. 租期。土地使用权租赁的最长期限不得超过土地使用权出让合同规定的出租期限减去土地使用权受让人已经使用年限后的剩余年限。

4. 租赁期间对地块的维护责任。

5. 基本建设条件。租赁合同不得违反土地使用权出让合同所规定的建设条件和土地使用规划，如需改变，也应先获得批准。

6. 违约责任条款。

土地使用权租赁合同中的主要内容应明确合同双方当事人的主要义务，具体包括：

1. 出租人的主要义务：

（1）依照约定将土地提供给承租人占有使用并依法办理土地使用权租赁登记手续；

（2）出租土地的有关费用应由出租人承担；

（3）保证出租土地在租赁期内不被剥夺，否则，应承担赔偿责任；

（4）出租人转让土地使用权时，不得损害承租人的合法利益。

2. 承租人的主要义务：

（1）依约向出租人交付租金；

（2）依约使用土地，未经出租人同意，不得擅自改变地块的自然状况；

（3）未经出租人同意，承租人不得将土地转租他人；

（4）租赁期满，及时交还土地。

第二节 房屋征收补偿合同

国有土地上房屋征收与工程建设活动密切相关，是工程建设活动的前置性工作，对建设项目的实施影响甚大。征收进度符合施工要求也是建设单位向工程所在地县级以上建设主管部门申请领取施工许可证的法定条件之一。同时，《城市房地产开发经营管理条例》（2019 年 3 月 24 日国务院令第 710 号）也把项目拆迁补偿、安置要求作为土地使用权出让或者划拨的依据之一。

国有土地上房屋征收工作的核心是对被征收人的补偿安置，双方的权利义务应当在房屋征收补偿合同中约定，并遵守相关法律法规的规定。为了规范国有土地上房屋征收与补偿活动，维护公共利益，保障被征收房屋所有权人的合法权益，2011 年 1 月 19 日，国务院颁布了《国有土地上房屋征收与补偿条例》，取代了原来实施的《城市房屋拆迁管理条例》。

一、房屋征收法律关系当事人

房屋征收法律关系当事人是房屋征收法律关系的权利义务主体，即征收人和被征收人。

市、县级人民政府负责本行政区域的房屋征收与补偿工作。市、县级人民政府确定的房屋征收部门（以下称房屋征收部门）组织实施本行政区域的房屋征收与补偿工作。

市、县级人民政府有关部门应当依照本条例的规定和本级人民政府规定的职责分工，互相配合，保障房屋征收与补偿工作的顺利进行。

同时，房屋征收部门可以委托房屋征收实施单位，承担房屋征收与补偿的具体工作。房屋征收实施单位不得以营利为目的。房屋征收部门对房屋征收实施单位在委托范围内实施的房屋征收与补偿行为负责监督，并对其行为后果承担法律责任。

二、征收依据

为了保障国家安全、促进国民经济和社会发展等公共利益的需要，有下列情形之一，确需要征收房屋的，由市、县级人民政府作出房屋征收决定：

（1）国防和外交的需要；

（2）由政府组织实施的能源、交通、水利等基础设施建设的需要；

（3）由政府组织实施的科技、教育、文化、卫生、体育、环境和资源保护、防灾减灾、文物保护、社会福利、市政公用等公共事业的需要；

（4）由政府组织实施的保障性安居工程建设的需要；

（5）由政府依照城乡规划法有关规定组织实施的对危房集中、基础设施落后等地段进行旧城区改建的需要；

（6）法律、行政法规规定的其他公共利益的需要。

与此同时，依照上述规定，确需征收房屋的各项建设活动，应当符合国民经济和社会发展规划、土地利用总体规划、城乡规划和专项规划。保障性安居工程建设、旧城区改建，应当纳入市、县级国民经济和社会发展年度计划。制定国民经济和社会发展规划、土地利用总体规划、城乡规划和专项规划，应当广泛征求社会公众意见，经过科学论证。

三、征收决定

1. 征收方案

房屋征收部门拟定征收补偿方案，报市、县级人民政府。市、县级人民政府应当组织有关部门对征收补偿方案进行论证并予以公布，征求公众意见。征求意见期限不得少于30日。市、县级人民政府应当将征求意见情况和根据公众意见修改的情况及时公布。

因旧城区改建需要征收房屋，多数被征收人认为征收补偿方案不符合本条例规定的，市、县级人民政府应当组织由被征收人和公众代表参加的听证会，并根据听证会情况修改方案。

2. 征收调查与禁止性要求

房屋征收部门应当对房屋征收范围内房屋的权属、区位、用途、建筑面积等情况组织调查登记，被征收人应当予以配合。调查结果应当在房屋征收范围内向被征收人公布。

房屋征收范围确定后，不得在房屋征收范围内实施新建、扩建、改建房屋和改变房屋用途等不当增加补偿费用的行为；违反规定实施的，不予补偿。

房屋征收部门应当将前款所列事项书面通知有关部门暂停办理相关手续。暂停办理相关手续的书面通知应当载明暂停期限。暂停期限最长不得超过1年。

3. 风险评估、公告与权利救济

市、县级人民政府作出房屋征收决定前，应当按照有关规定进行社会稳定风险评估；房屋征收决定涉及被征收人数量较多的，应当经政府常务会议讨论决定。作出房屋征收决定前，征收补偿费用应当足额到位、专户存储、专款专用。

市、县级人民政府作出房屋征收决定后应当及时公告。公告应当载明征收补偿方案和行政复议、行政诉讼权利等事项。市、县级人民政府及房屋征收部门应当做好房屋征收与补偿的宣传、解释工作。房屋被依法征收的，国有土地使用权同时收回。

被征收人对市、县级人民政府作出的房屋征收决定不服的，可以依法申请行政复议，也可以依法提起行政诉讼。

四、征收补偿

1. 补偿内容

作出房屋征收决定的市、县级人民政府对被征收人给予的补偿包括：

（1）被征收房屋价值的补偿；

（2）因征收房屋造成的搬迁、临时安置的补偿；

（3）因征收房屋造成的停产停业损失的补偿。

市、县级人民政府应当制定补助和奖励办法，对被征收人给予补助和奖励。

2. 被征收房屋价值的确定

对被征收房屋价值的补偿，不得低于房屋征收决定公告之日被征收房屋类似房地产的市场价格。被征收房屋的价值，由具有相应资质的房地产价格评估机构按照房屋征收评估办法评估确定。

对评估确定的被征收房屋价值有异议的，可以向房地产价格评估机构申请复核评估。对复核结果有异议的，可以向房地产价格评估专家委员会申请鉴定。

房地产价格评估机构由被征收人协商选定；协商不成的，通过多数决定、随机选定等方式确定，具体办法由省、自治区、直辖市制定。

房地产价格评估机构应当独立、客观、公正地开展房屋征收评估工作，任何单位和个人不得干预。

3. 补偿方式

被征收人可以选择货币补偿，也可以选择房屋产权调换。

（1）被征收人选择房屋产权调换的，市、县级人民政府应当提供用于产权调换的房屋，并与被征收人计算、结清被征收房屋价值与用于产权调换房屋价值的差价。

因旧城区改建征收个人住宅，被征收人选择在改建地段进行房屋产权调换的，作出房屋征收决定的市、县级人民政府应当提供改建地段或者就近地段的房屋。

（2）因征收房屋造成搬迁的，房屋征收部门应当向被征收人支付搬迁费；选择房屋产权调换的，产权调换房屋交付前，房屋征收部门应当向被征收人支付临时安置费或者提供周转用房。

（3）对因征收房屋造成停产停业损失的补偿，根据房屋被征收前的效益、停产停业期限等因素确定。具体办法由省、自治区、直辖市制定。

（4）市、县级人民政府作出房屋征收决定前，应当组织有关部门依法对征收范围内未经登记的建筑进行调查、认定和处理。对认定为合法建筑和未超过批准期限的临时建筑的，应当给予补偿；对认定为违法建筑和超过批准期限的临时建筑的，不予补偿。

4. 订立补偿协议

房屋征收部门与被征收人依照本条例的规定，就补偿方式、补偿金额和支付期限、用于产权调换房屋的地点和面积、搬迁费、临时安置费或者周转用房、停产停业损失、搬迁期限、过渡方式和过渡期限等事项，订立补偿协议。

补偿协议订立后，一方当事人不履行补偿协议约定的义务的，另一方当事人可以依法提起诉讼。

房屋征收部门与被征收人在征收补偿方案确定的签约期限内达不成补偿协议，或者被征收房屋所有权人不明确的，由房屋征收部门报请作出房屋征收决定的市、县级人民政府依照本条例的规定，按照征收补偿方案作出补偿决定，并在房屋征收范围内予以公告。

被征收人对补偿决定不服的，可以依法申请行政复议，也可以依法提起行政诉讼。

5. 搬迁

实施房屋征收应当先补偿、后搬迁。

作出房屋征收决定的市、县级人民政府对被征收人给予补偿后，被征收人应当在补偿协议约定或者补偿决定确定的搬迁期限内完成搬迁。

任何单位和个人不得采取暴力、威胁或者违反规定中断供水、供热、供气、供电和道路通行等非法方式迫使被征收人搬迁。禁止建设单位参与搬迁活动。

被征收人在法定期限内不申请行政复议或者不提起行政诉讼，在补偿决定规定的期限内又不搬迁的，由作出房屋征收决定的市、县级人民政府依法申请人民法院强制执行。

强制执行申请书应当附具补偿金额和专户存储账号、产权调换房屋和周转用房的地点和面积等材料。

第三节　建设工程保险合同

一、建设工程保险概述

（一）建设工程保险的概念

建设工程保险，是指发包人或者承包人为了建设工程项目顺利完成而对工程建设中可能产生的人身伤害或财产损失，而向保险公司投保以化解风险的行为。发包人或承包人与保险公司订立的保险合同，即为建设工程保险合同。

（二）建设工程的各种风险

建设工程一般都具有投资规模大、建设周期长、技术要求复杂、涉及面广等特点。正是由于这些特点，使得建筑业成为一种高风险的行业。工程建设领域的风险主要有以下几方面：

1. 建筑风险。指工程建设中由于人为的或自然的原因，而影响建设工程顺利完成的风险，包括设计失误、工艺不善、原材料缺陷、施工人员伤亡、第三者财产的损毁或人身伤亡、自然灾害等。

2. 市场风险。与发达国家和地区的建筑市场相比，我国的建筑市场发展的还很不成熟。不成熟的市场带来的一个突出的问题是信用，发包人是否能够保证按期支付工程款，承包人是否能够保证质量、按期完工，对于建设工程施工合同双方当事人都是未知的，这是市场所带来的风险。

3. 政治风险。稳定的政治环境，会对工程建设产生有利的影响，反之，将会给市场主体带来顾虑和阻力，加大工程建设的风险。

4. 法律风险。一般涉外工程承包合同中，都会有"法律变更"或"新法适用"的条款。两个国家关于建筑、外汇管理、税收管理、公司制度等方面的法律、法规和规章的颁布和修订都将直接影响到建筑市场各方的权利义务，从而进一步影响其根本利益。现在，我国的建筑市场主体也愈发关注法律规定对其自身的影响。

（三）建设工程保险的作用

对上述种种风险，如不采取有效措施加以防范，不仅会大大影响工程建设项目的顺利进行，而且可能使有关当事人遭受巨大的损失，甚至破产。因此，在工程建设领域开展工程保险，是防范建设工程风险的必然要求。建设工程保险的作用体现在预防风险和补偿风险损失两方面：

1. 预防风险

引进建设工程保险意味着将保险公司引进工程建设领域。保险公司从商业利益角度出发，为了减轻或避免风险的产生，必将对工程的施工、设备的安装进行必要的监督，并针对投保的项目、投保人的自治、信誉进行全面的审查和监督，从而有效的减少和避免风险的发生，这是在风险产生之前对风险进行预防的一种措施。

2. 补偿风险损失

在保险事故发生后，保险公司积极理赔，使投保人由此而产生的损失和费用降至最低，这又是一种在风险发生后对风险损失进行补偿的机制。

这种预防风险和补偿风险损失相结合的保险机制，能够有效地保证建设工程项目的顺利进行。

（四）国内外实施建设工程保险的情况

工程保险按是否具有强制性分为两大类：强制保险和自愿保险。强制保险系工程所在国政府以法规明文规定承包人必须办理的保险。自愿保险是承包人根据自身利益的需要，自愿购买的保险，这种保险虽非强行规定，但对承包人转移风险很有必要。

1. 国内方面

我国对于建设工程保险的有关规定很薄弱，尤其是在强制性保险方面。除《建筑法》规定建筑施工企业必须为从事危险作业的职工办理意外伤害保险属强制保险外，《建设工程施工合同示范文本》第四十条也规定了保险内容。但是，该条款的规定不够详细，缺乏操作性，再加上示范文本强制性不够，工程保险在实际操作中会大打折扣。

2. 国际方面

强制性工程保险是一种国际惯例。在英国，未投保工程险的建设项目将无法获得银行的贷款，因为对于贷款银行来说，未投保工程险的建设项目，一旦发生损失或意外风险，银行的贷款安全将无法保证。另外，法国还规定了十年责任险，作为承包人的强制性义务，要求承包人在工程验收前必须向政府指定的保险公司投保，否则工程不予验收。

2017 年修订的 FIDIC 土木工程施工合同条件的通用条件中，有关工程保险的条款有 20.1 工程和承包人设备的保险、21.2 保险范围、21.4 保险不包括的项目、23.1 第三方保险（包括发包人的财产）、23.2 保险的最低数额、23.3 交叉责任、24.2 人员的事故保险、25.1 保险证据和条款、25.2 保险的完备性、25.3 对承包人未办保险的补救办法、25.4 遵守保险单的条件，这些条款详尽的规定了工程保险的内容。NEC 合同条件把保险列入了核心条款，AIA 工程施工合同通用条款也详尽地规定了 11.1 承包人职责内保险、11.2 发包人的责任险、11.3 项目管理防护责任险、11.4 财产保险等工程保险条款。

除了通过标准合同文本来规定工程中的保险要求外，市场机制的作用客观上使发包人和承包人必须投保工程保险。支付对于工程投资来说少量的工程保险费，在风险频繁的工程建设中，一旦遇到事故或意外损失，就能够获得明确的保障，这种国际上通过长期实践积累的消减风险的方法，我们应当充分借鉴。

（五）建设工程保险的种类

除强制保险与自愿保险的分类方式外，《中华人民共和国保险法》（以下简称《保险法》）把保险种类分为人身保险和财产保险。自该法施行以来，在工程建设方面，我国已尝试过人身保险中的意外伤害保险、财产保险中的建筑工程一切险和安装工程一切险。《保险法》第九十一条第一款第一项规定："财产保险业务，包括财产损失保险、责任保险、信用保险等保险业务。"

1. 意外伤害险

意外伤害险，是指被保险人在保险有效期间，因遭遇非本意的、外来的、突然的意外事故，致使其身体蒙受伤害而残疾或死亡时，保险人依照合同规定给付保险金的保险。《建筑法》第四十八条规定："建筑施工企业必须为从事危险作业的职工办理意外伤害保险，支付保险费。"

2. 建筑工程一切险及安装工程一切险

建筑工程一切险及安装工程一切险是以建筑或安装工程中的各种财产和第三者的经济赔偿责任为保险标的的保险。这两类保险的特殊性在于保险公司可以在一份保单内对所有参加该项工程的有关各方都给予所需要的保障，换言之，即在工程进行期间，对这项工程承担一定风险的有关各方，均可作为被保险人之一。

建筑工程险一般都同时承保建筑工程第三者责任险，即指在该工程的保险期内，因发生意外事故所造成的依法应由被保险人负责的工地上及邻近地区的第三者的人身伤亡、疾病、财产损失，以及被保险人因此所支出的费用。本节将在后面重点对建筑工程一切险及安装工程一切险进行介绍。

3. 职业责任险

职业责任险是指承保专业技术人员因工作疏忽、过失所造成的合同一方或他人的人身伤害或财产损失的经济赔偿责任的保险。建设工程标的额巨大、风险因素多，建筑事故造成损害往往数额巨大，而责任主体的偿付能力相对有限，这就有必要借助保险来转移职业责任风险。在工程建设领域，这类保险对勘察、设计、监理单位尤为重要。

4. 信用保险

信用保险是以在商品赊销和信用放款中的债务人的信用作为保险标的，在债务人未能履行债务而使债权人遭致损失时，由保险人向被保险人即债权人提供风险保障的保险。信用保险是随着商业信用、银行信用的普遍化以及道德风险的频繁而产生的，在工程建设领域得到越来越广泛的应用。

二、建筑工程一切险

建筑工程一切险承保各类民用、工业和公用事业建筑工程项目，包括道路、水坝、桥梁、港埠等在建造过程中因自然灾害或意外事故而引起的一切损失。

建筑工程一切险往往还加保第三者责任险，即保险人在承保某建筑工程的同时，还对该工程在保险期限内因发生意外事故造成的依法应由被保险人负责的工地及邻近地区的第三者的人身伤亡、疾病或财产损失，以及被保险人因此而支付的诉讼费用和事先经保险人书面同意支付的其他费用负赔偿责任。

（一）建筑工程一切险的投保人与被保险人

1. 建筑工程一切险的投保人

根据《保险法》，投保人是指与保险人订立保险合同，并按照保险合同负有支付保险费义务的人。

建筑工程一切险多数由承包人负责投保，如果承包人因故未办理或拒不办理投保或拒不投保，发包人可代为投保，费用由承包人负担。如果总承包人未曾对分包工程购买保险的话，负责该分包工程的分包商也应办理其承担的分包任务的保险。

2. 建筑工程一切险的被保险人

被保险人是指其财产或者人身受保险合同保障，享有保险金请求权的人，投保人可以为被保险人。

在工程保险中，除投保人外，保险公司可以在一张保险单上对所有参加该项工程的有关各方都给予所需的保险。即：凡在工程进行期间，对这项工程承担一定风险的有关各方，均可作为被保险人。

建筑工程一切险的被保险人可以包括：

（1）发包人；

（2）总承包人；

（3）分包商；

（4）发包人聘用的监理工程师；

（5）与工程有密切关系的单位或个人，如贷款银行或投资人等。

凡有一方以上被保险人存在时，均须由投保人负责交纳保险费，并应及时通知保险公司有关保险标的在保险期内的任何变动。

由于建设工程的被保险人不止一家，而且各家被保险人各为其本身的权益以及义务而向保险公司投保。为了避免相互之间追偿责任，大部分保险单都加贴共保交叉责任条款。根据这一条款，每一被保险人如同各自有一张单独的保单，其责任部分的损失就可以获得相应赔偿。如果各个被保险人发生相互之间的责任事故，每一责任的被保险人都可以在保单项下获得赔偿。这样，这些事故造成的损失，都可以由出保单的公司负责赔偿。无须根据责任在相互之间进行追偿。

（二）建筑工程一切险的承保范围

1. 建筑工程险适用范围

建筑工程一切险适用于所有房屋工程和公共工程，尤其是：

（1）住宅、商业用房、医院、学校、剧院；

（2）工业厂房、电站；

（3）公路、铁路、飞机场；

（4）桥梁、船闸、大坝、隧道、排灌工程、水渠及港埠等。

2. 建筑工程一切险承保的内容

（1）工程本身。指由总承包人和分包商为履行合同而实施的全部工程。包括：预备工程，如土方、水准测量；临时工程，如引水、保护堤；全部存放于工地，为施工所必需的材料。

包括安装工程的建设项目，如果建筑部分占主导地位的话，也就是说，如果机器、设施或钢结构的价格及安装费用低于整个工程造价的50%，亦应投保建筑工程一切险。如果安装费用高于工程造价的50%，则应投保安装工程一切险。

（2）施工用设施和设备。包括活动房、存料库、配料棚、搅拌站、脚手架，水电供应及其他类似设施。

（3）施工机具。包括大型陆上运输和施工机械、吊车及不能在公路上行驶的工地用车辆，不管这些机具属承包人所有还是其租赁物资。

（4）场地清理费。这是指在发生灾害事故后场地上产生了大量的残砾，为清理工地现场而必须支付的一笔费用。

（5）第三者责任。系指在保险期内，对因工程意外事故造成的、依法应由被保险人负责的工地上及邻近地区的第三者人身伤亡、疾病或财产损失，以及被保险人因此而支付的诉讼费用和事先经保险公司书面同意支付的其他费用等赔偿责任。但是，被保险人的职工的人身伤亡和财产损失应予除外（属于意外伤害保险）。

（6）工地内现有的建筑物。指不在承保的工程范围内的、所有人或承包人所有的工地内已有的建筑物或财产。

（7）由被保险人看管或监护的停放于工地的财产。

3. 建筑工程一切险承保危险与损害

建筑工程一切险承保的危险与损害涉及面很广，凡保险单中列举的除外情况之外的一切事故损失全在保险范围内，尤其是下述原因造成的损失：

（1）火灾、爆炸、雷击、飞机坠毁及灭火或其他救助所造成的损失；

（2）海啸、洪水、潮水、水灾、地震、暴雨、风暴、雪崩、山崩、冻灾、冰雹及其他自然灾害；

（3）一般性盗窃和抢劫；

（4）由于工人、技术人员缺乏经验、疏忽、过失、恶意行为或无能力等导致的施工拙劣而造成的损失；

（5）其他意外事件。

建筑材料在工地范围内的运输过程中遭受的损失和破坏，以及施工设备和机具在装卸时发生的损失等亦可纳入工程险的承保范围。

（三）建筑工程一切险的除外责任

按照国际惯例，属于除外的情况通常有以下诸种：

1. 由于军事行动、战争或其他类似事件，以及罢工、骚动、民众运动或当局命令停工等情况造成的损失（有些国家规定投保罢工骚乱险）；

2. 因被保险人的严重失职或蓄意破坏而造成的损失；

3. 因原子核裂变而造成的损失；

4. 由于合同罚款及其他非实质性损失；

5. 因施工机具本身原因即无外界原因情况下造成的损失（但因这些损失而导致的建筑事故则不属除外情况）；

6. 因设计错误（结构缺陷）而造成的损失；

7. 因纠正或修复工程差错（例如，因使用有缺陷或非标准材料而导致的差错）而增加的支出。

（四）建筑工程一切险的保险期和保险金额

1. 建筑工程一切险的保险期

建筑工程一切险自工程开工之日或在开工之前工程用料卸放于工地之日开始生效，两者以先发生者为准。开工日包括打地基在内（如果地基亦在保险范围内）。施工机具保险自其卸放于工地之日起生效。

保险终止日应为工程竣工验收之日或者保险单上列出的终止日。同样，两者也以先发生者为准。实践中，建筑工程一切险的保险终止常有三种情况：

（1）保险标的工程中有一部分先验收或投入使用，则自该验收或投入使用日起，自动终止该部分的保险责任，但保险单中应注明这种部分保险责任自动终止条款。

（2）含安装工程项目的建筑工程一切险的保险单，通常要规定试车期，一般为一个月。

（3）工程验收后一般还有一个质量保修期，《建设工程质量管理条例》对最低保修期限作出了规定。大多数情况下，建筑工程一切险的承保期可以包括为期一年的质量保证期（不超过质量保修期），但需增缴一定的保险费。质量保证期的保险合同自工程临时验收或投入使用之日起生效，直到规定的保证期满终止。

2. 建筑工程一切险的保险金额

保险金额是指保险人承担赔偿或者给付保险金责任的最高限额。保险金额不得超过保险标的的保险价值，超过保险价值的，超过的部分无效。

建筑工程一切险的保险金额按照不同的保险标的确定：

（1）工程造价。即建成该项工程的总价值，包括设计费、建筑所需材料设备费、施工费（人工费和施工设备费）、运杂费、保险费、税款以及其他有关费用在内。如有临时工程，还应注明临时工程部分的保险金额。

（2）施工机具和设备及临时工程。这些物资一般是承包人的财产，其价值不包括在承包工程合同的价格中，应另列专项投保。这类物资的投保金额一般按重置价值，即按重新换置同一牌号、型号、规格、性能或类似型号、规格、性能的机器、设备及装置的价格，包括出厂价、运费、关税、安装费及其他必要的费用计算重置价值。

（3）安装工程项目。建筑工程一切险范围内承保的安装工程，一般是附带部分。其保险金额一般不超过整个工程项目保险金额的20%。如果保险金额超过20%，则应按安装工程费率计算保险费。如超过50%，则应按安装工程险另行投保。

（4）场地清理费。按工程的具体情况由保险公司与投保人协商确定。场地残物的清理不仅限于合同标的工程，而且包括工程的邻近地区和发包人的原有财产存放区。场地清理的保险金额一般不超过工程总保额的5%（大型工程）或10%（中、小工程）。

（5）第三者责任险的投保金额。根据在工程期间万一发生意外事故时，对工地现场和邻近地区的第三者可能造成的最大损害情况确定。

（五）建筑工程一切险的免赔额

工程保险还有一个特点，就是保险公司要求投保人根据其不同的损失，自负一定的责任。这笔由被保险人承担的损失额称为免赔额。工程本身的免赔额为保险金额的0.5%~2%；施工机具设备等的免赔额为保险金额的5%；第三者责任险中财产损失的免赔额为每次事故赔偿限额的1%~2%，但人身伤害没有免赔额。

保险人向被保险人支付为修复保险标的遭受损失所需的费用时，必须扣除免赔额。支付的赔偿额极限相当于保险总额，但不超过保险合同中规定的每次事故的保险极限之和或整个保险期内发生的全部事故的总保险极限。

（六）建筑工程一切险的保险费率

建筑工程一切险的保险费率通常要根据风险的大小确定。它由五个分项费率组成：

1. 建筑工程一切险的保险费率的组成

（1）发包人提供的物料及项目、安装工程项目、场地清理费、工地内现存的建筑物、发包人或承包人在工地的其他财产等为一个总的费率，规定整个工期一次性费率。

（2）施工用机器、装置及设备为单独的年度费率，因为它们流动性大，一般为短期使用，旧机器多，损耗大，小事故多。因此，此项费率高于第（1）项费率。如保期不足一年，按短期费率计收保费。

（3）第三者责任险费率，按整个工期一次性费率计取。

（4）保证性费率，按整个工期一次性费率计取。

（5）各种附加保障增收费率或保费，也按整个工期一次性费率计取。

对于大型复杂的工程项目，可根据上述分类分别开具费率；对于一般性的工程项目，为方便起见，也可将上述（1）、（3）、（4）、（5）项合并成整个工程的平均一次性费率。对于上述第（2）项，在任何情况下都必须单独以年费率为基础开价承保，不得与总的平均一次性费率混在一起。

2. 建筑工程一切险的保险费率的制定依据

建筑工程一切险没有固定的费率表，其具体费率系根据以下因素结合参考费率表制定：

（1）风险性质（气候影响和地质构造数据，如地震、洪水或水灾等）；

（2）工程本身的危险程度、工程的性质及建筑高度、工程的技术特征及所用的材料、工程的建造方法等；

（3）工地及邻近地区的自然地理条件，有无特别危险源存在；

（4）巨灾的可能性，最大可能损失程度及工地现场管理和安全条件；

（5）工期（包括试车期）的长短及施工季节，保证期长短及其责任的大小；

（6）承包人及其他与工程有直接关系的各方的资信、技术水平及经验；

（7）同类工程及以往的损失记录；

（8）免赔额的高低及特种危险的赔偿限额。

工程保险往往有免赔额和赔偿限额的规定。这是对被保险人自己应负责任的规定。如果免赔额高、赔偿限额低，则意味着被保险人承担的责任大，则保险费率就应相应降低；如果免赔额低、赔偿限额高，则保险费率应相应提高。

3. 保险费的交纳

建筑工程一切险因保险期较长，保费数额大，可分期交纳保费，但出单后必须立即交纳第一期保费，而最后一笔保费必须在工程完工前半年交清。

如果在保险期内工程不能完工，保险可以展延，不过投保人须交纳补充保险费。延展期的补充保险费只能在原始保险单规定的逾期日前几天确定，以便保险人能及时准确地了解各种情况。

（七）签订建筑工程一切险保险合同的要点

1. 注意事项

办理建筑工程一切险必须注意以下事项：

（1）一般不宜使用委托人，应当由承包人亲自办理。

（2）建筑工程的名称一定要填写合同中指定的全称，不得缩写；地点一定要填写工程的详细地址及范围，因为保险公司对工地以外的损失如无特别加批是不予负责的。

（3）要写明保险期、试车期或质量保证期。

（4）保险金额、免赔额、费率、保费均应根据保险价值具体确定。工程结束以后根据工程最终建造价调整保额。若最终价额超过原始价额 ±5%，应出具批单调整，原费率按日比例增加或退还。

2. 提交材料

投保建筑工程一切险应提交以下文件：

（1）投保单；

（2）工程施工合同；

（3）承包金额明细表；

（4）工程设计文件；

（5）工程进度表；

（6）工地地质报告；

（7）施工平面图。

3. 承包人的现场查看记录

承保人在了解并掌握上述资料的基础上，应向投保人或其设计人了解核实，并对以下重点环节作出现场查勘记录：

（1）工地的位置，包括地势及周围环境，例如邻近建筑物及人口分布状况，是否溯江、河、湖及道路和运输条件等；

（2）安装项目及设备情况；

（3）工地内有无现成建筑物或其他财产及其位置、状况等；

（4）储存物资的库场状况、位置、运输距离及方式等；

（5）工地的管理状况及安全保卫措施，例如，防水、防火、防盗措施等。

4. 协商确定承保内容

承保人应与投保人进一步协商以明确以下承保内容：

（1）建筑工程项目及其总金额；

（2）物资损失部分的免赔额及特种危险赔偿限额；

（3）是否投保安装项目及其名称、价值和试车期等；

（4）是否投保施工机具设备及其种类、使用时间、重置价值等；

（5）是否投保场地清理费及现成建筑物及其保额；

（6）是否加保维修期保险及期限长短和责任范围；

（7）是否投保第三者责任险及其赔偿限额和免赔额；

（8）是否需要一些特别保障及条件、费率等。

三、安装工程一切险

（一）安装工程一切险的概念和特点

1. 安装工程一切险的概念

安装工程一切险属于技术险种，其目的在于为各种机器的安装及钢结构工程的实施提供尽可能全面的专门保险。

由于工业化在世界范围内取得的进展，安装工程一切险在经济生活中占据着越来越重要的位置。目前，在国际工程承包领域，工程发包人都要求承包人投保安装工程一切险，在很多国家和地区，这种险是强制性的。

安装工程一切险主要适用于安装各种工厂用的机器、设备、储油罐、钢结构、起重机、吊车以及包含机械工程因素的各种建设工程。

2. 安装工程一切险的特点

安装工程一切险与建筑工程一切险有着重要的区别：

（1）建筑工程保险的标的从开工以后逐步增加，保险额也逐步提高，而安装工程一切险的保险标的一开始就存放于工地，保险公司一开始就承担着全部货价的风险，风险比较集中。在机器安装好之后，试车、考核所带来的危险以及在试车过程中发生机器损坏的危险是相当大的，这些危险在建筑工程险部分是没有的。

（2）在一般情况下，自然灾害造成建筑工程一切险的保险标的损失的可能性较大，而安装工程一切险的保险标的多数是建筑物内安装及设备（石化、桥梁、钢结构建筑物等除外），受自然灾害（洪水、台风、暴雨等）损失的可能性较小，受人为事故损失的可能性较大，这就要督促被保险人加强现场安全操作管理，严格执行安全操作规程。

（3）安装工程在交接前必须经过试车考核，而在试车期内，任何潜在的因素都可能造成损失，损失率要占安装工期内的总损失的一半以上。由于风险集中，试车期的安装工程一切险的保险费率通常占整个工期的保费的 1/3 左右，而且对旧机器设备不承担赔付责任。

总的来讲，安装工程一切险的风险较大，保险费率也要高于建筑工程一切险。

（二）安装工程一切险的投保人与被保险人

和建筑工程一切险一样，安装工程一切险应由承包人投保，发包人只是在承包人未投保的情况下代其投保，费用由承包人承担。承包人办理了投保手续并交纳了保费后即成为被保险人。安装工程一切险的被保险人除承包人外还包括：

（1）发包人；

（2）制造商或供应商；

（3）技术咨询顾问；

（4）安装工程的信贷机构；

（5）待安装构件的买受人等。

（三）安装工程一切险的责任范围及除外责任

1. 安装工程一切险的保险标的

（1）安装的机器及安装费，包括安装工程合同内要安装的机器、设备、装置、物料、基础工程（如地基、座基等）以及为安装工程所需的各种临时设施（如水电、照明、通信设备等）等。

（2）安装工程使用的承包人的机器、设备。

（3）附带投保的土木建筑工程项目，指厂房、仓库、办公楼、宿舍、码头、桥梁等。这些项目一般不在安装合同以内，但可在安装险内附带投保：如果土木建筑工程项目不超过总价的20%，整个项目按安装工程一切险投保；介于20%和50%之间，该部分项目按建筑工程一切险投保；若超过50%，整个项目按建筑工程一切险投保。

安装工程一切险也可以根据投保人的要求附加第三者责任险，这与建筑工程一切险是相同的。

2. 安装工程一切险承保的危险和损失

安装工程一切险承保的危险和损害除包括建筑工程一切险中规定的内容外，还包括：

（1）短路、过电压、电弧所造成的损失；

（2）超压、压力不足和离心力引起的断裂所造成的损失；

（3）其他意外事故，如因进入异物或因安装地点的运输而引起的意外事件等。

3. 安装工程一切险的除外责任

安装工程一切险的除外情况主要有以下几种：

（1）由结构、材料或在车间制作方面的错误导致的损失；

（2）因被保险人或其派遣人员蓄意破坏或欺诈行为而造成的损失；

（3）因功力或效益不足而遭致合同罚款或其他非实质性损失；

（4）由战争或其他类似事件，民众运动或因当局命令而造成的损失；

（5）因罢工和骚乱而造成的损失（但有些国家却不视为除外情况）；

（6）由原子核裂化或核辐射造成的损失等。

（四）安装工程一切险的保险期限

1. 安装工程一切险的保险责任的开始和终止

安装工程一切险的保险责任，自投保工程的动工日（如果包括土建任务的话）或第一批被保险项目卸至施工地点时（以先发生为准）即行开始。其保险责任的终止日可以是安装完毕验收通过之日或保险物所列明的终止日，这两个日期同样以先发生者为准。安装工程一切险的保险责任也可以展延至为期一年的维修期满。

在征得保险人同意后，安装工程一切险的保险期限可以延长，但应在保险单上加批并增收保费。

2. 试车考核期

安装工程一切险的保险期内，一般应包括一个试车考核期。考核期的长短应根据工程合同上的规定来决定。对考核期的保险责任一般不超过 3 个月，若超过 3 个月，应另行加收费用。安装工程一切险对于旧机器设备不负考核期的保险责任，也不承担其维修期的保险责任。如果同一张保险单同时还承保其他新的项目，则保险单仅对新设备的保险责任有效。

3. 关于安装工程一切险的保险期限应注意的问题实践中，关于安装工程一切险的保险期限应当注意以下几点：

（1）部分工程验收移交或实际投入使用。这种情况下，保险责任自验收移交或投入使用之日即行终止，但保单上须有相应的附加条款或批文。

（2）试车考核期的保险责任期（一般定为 3 个月），系指连续时间，而不是断续累计时间。

（3）维修期应从实际完工验收或投入使用之日起算，不能机械地按合同规定的竣工日起算。

（五）安装工程一切险的保险金额的组成

安装工程一切险的保险金额包括物质损失和第三者责任两大部分。

如果投保的安装工程包括土建部分，其保额应为安装完成时的总价值（包括运费、安装费、关税等）；若不包括土建部分，则设备购货合同价和安装合同价加各种费用之和为保额；安装建筑用机器、设备、装置应按安装价值确定保额。通常对物质标的部分的保额先按安装工程完工时的估定总价值暂定，到工程完工时再根据最后建成价格调整。第三者责任的赔偿限额按危险程度由保险双方商定。

（六）安装工程一切险的保险额的具体确定办法

1. 安装工程项目

安装工程项目，是安装工程一切险的主要保险项目，包括被安装的机器设备、装置、物料、基础工程（地基、机座）以及工程所需的各种临时设施如水、电、照明、通信等。安装工程一切险的承保标的大致有三种类型：

（1）新建工厂、矿山或某一车间生产线安装的成套设备；

（2）单独的大型机械装置，如发电机组、锅炉、巨型吊车、传送装置的组装工程；

（3）各种钢结构建筑物，例如储油罐、桥梁、电视发射塔之类的安装和管道、电缆敷设等。

安装工程项目的保险金额视承包方式而定：

（1）采用总承包方式，保险金额为该项目的合同总价；

（2）由发包人引进设备，承包人负责安装并培训，保险金额为 CIF 价加国内运费和保险费及关税、安装费（人工、材料）、可能的专利、人员培训及备品、备件等费用的总和。

2. 土木建筑工程项目

土木建筑工程项目指新建、扩建厂矿必须有的工程项目，如厂房、仓库、道路、水塔、办公楼、宿舍等。其保险金额应为该工程项目建成的价格，包括勘察设计费、人工费、机械费、材料费、运保杂费、税款及其他相关费用。如果这些项目已包括在一揽子施工合同价内，不必另行投保，但应加以说明。

3. 场地清理费

指发生承保危险所致的损失后为清理工地现场所支付的费用。此项费用的保额由被保险人自定并单独投保，不包括在合同价内。大型工程的场地清理费一般不超过总价的 5%，小型工程一般不超过 10%。

4. 工程发包人或承包人在工地上的其他财产

指上述三项以外的可保标的，大致包括安装施工用机具设备、工地内现存财产、其他可保财产。

（1）施工机具设备一般不包括在承包工程合同价内，因此列入本项投保。这项保险金额应按重置价值，即重新换置同一型号、同种性能规格或类似性能规格和型号的机器、设备的价格，包括出厂价、运费、关税、机具本身的安装费及其他必要的费用在内。

（2）工地内现成财产指不包括在承包工程范围内，工程发包人或承包人所有的或其保管的工地内已有的建筑物或财产。这笔保险金额可由保险双方商订，但最高不得超过该项现存财产的实际价值。

（3）其他可保财产指不能包括在上述四项范围之内的可保财产，其保险金额由双方商定。

以上四项保额之和即构成物质损失总保险金额。

5. 第三者责任险的保险金额

第三者责任部分的赔偿限额应根据责任风险大小的具体情况来考虑，没有统一的规定，通常有两种情况：

（1）只规定每次事故赔偿限额，不分项，也无累计限额；

（2）先规定每次事故中各分项限额，各项相加构成每次事故的总限额，最后算出并规定一个保险期内的累计赔偿限额。

当风险不大时，可采用第一种办法；当风险较大时，则应当采用第二种。

四、建设工程保险的理赔

保险作用的充分发挥具体落实在理赔上。理赔是指保险的赔偿处理，它是被保险人享受保险权益和保险人履行承保责任的具体体现。理赔是发挥保险作用的重要体现，因为通过理赔可以使灾害损失得到经济补偿，有利于恢复生产和安定生活。理赔又是加强防灾措施的依据，因为在理赔过程中，还能够从中发现问题，总结经验教训，作为今后防灾防损的参考。

（一）建筑工程一切险

1. 责任期间和责任范围

承保建筑工程一切险的保险公司的责任期间在保险单中都有明确规定，通常为自投保工程动工或被保险物品被卸至建筑工地时起，直至建筑工程经验收时终止。保险的最晚终止期应不超过保单中所列明的终止日期。保险期间如需扩展，必须事先获得保险公司同意。建筑工程一切险的责任范围如前所述。

2. 赔偿条件及争议仲裁

（1）索赔时必须提供必要的有效证明，作为索赔的依据。证明文件应能证明索赔对象及索赔人的索赔资格；证明索赔理由能够成立且属于理赔人的责任范围和责任期间。通常情况下，这些证明文件为保单、工程施工合同、事故照片及事故检验人的鉴定报告和各具体险别的保单中所规定的证明文件。

（2）保险公司的赔款以恢复投保项目受损前的状态为限，受损项目的残值应予扣除。

（3）赔款可以现金支付，也可以重置受损项目或予以修理代替之。总赔款金额不得超过保单规定的保险金额。

（4）一个项目同时由多家保险公司承保，则理赔的保险公司仅负责按比例分担赔偿的责任。

如果被保险人因索赔事宜同保险公司发生争议，通常情况下先进行协商解决，如果协商达不成协议，可申请仲裁或向法院提出诉讼。通常情况下，仲裁与诉讼应在被告方所在地。如果事先另有协议，则按协议处理。

3. 第三者责任险的赔偿

建筑工程一切险中还包括一项附加条款，第三者责任险。

第三者责任险的责任期间与一切险一样。不过，其责任范围仅限于赔偿保险标的工程的工地及邻近地区的第三者因工程实施而蒙受人身伤亡、疾病或财产损失等项责任，这些损失必须是依法应由被保险人负责。这一责任范围还包括赔偿被保险人因此而支付的诉讼费用和事先经保险人书面同意支付的其他费用，但不能超过保单列明的赔偿限额。

（二）安装工程一切险

安装工程一切险的责任范围与建筑工程一切险基本一样，只是增加了对安装工程常碰到的电气事故（如超负荷、超电压、碰线、电弧、走电、短路、大气放电等）造成的损失负赔偿责任。另外，由于承包人的安装人员因技术不善引起的事故也可成为向保险公司索赔的理由。

在免赔责任方面，除建筑工程一切险中所提及事项外，安装工程一切险的免赔责任还包括免赔由电气事故所造成的电气设备或电气用具本身的损失。

关于责任期间，原则上也是规定自投保工程动工之日起直至工程验收之日终止。

但是，如果合同中有试车、考核规定，则试车、考核阶段应以保单中规定的期限为准。如果被保险项目本身是旧产品，则试车开始时，责任即告终止。安装工程一切险的最晚终止期应不超过保单中所列明的终止日期。若需扩展期间，必须事先获得保险公司的书面同意。

安装工程一切险的索赔条件及出现争议时的仲裁地点同建筑工程一切险一样。

安装工程一切险也有一项附加条款，安装工程第三者责任险，其具体内容及索赔事项与建设工程第三者责任险一样，故不赘述。

第四节　建设工程担保合同

一、建设工程担保概述

（一）建设工程担保的概念

工程建设是一项风险巨大的事业，建设工程合同当事人一方为确保自身在合同中的权利能够充分、有效地实现，并同时约束合同当事人另一方依照合同约定充分地履行约定的合同义务，往往要求合同另一方当事人提供可靠的担保，以有效维护自身在建设工程合同中的权利。这种担保即为建设工程担保（以下简称为工程担保），因此而签订的担保合同，即为建设工程担保合同。

（二）工程担保的种类

工程担保的种类有很多种，承包人在投标和履行合同过程中一般要提交四种工程担保：

投标保证担保、承包人履约担保、预付款归还担保、发包人履约担保。

1. 投标保证担保。该种担保主要用于建设工程项目的招标投标过程中。投标保证担保要确保投标人按照招标文件（投标须知）的规定进行投标，投标人保证其中标后对其投标书中规定的责任不得撤销或者反悔并将与招标人签订建设工程合同及提供发包人所要求的履约担保、预付款归还担保。

2. 承包人履约担保。该项担保的目的在于保护发包人的合法权益，促使承包人履行合同约定的义务，及时、有效地完成工程项目建设。一旦承包人违约，担保人要代为履约或者赔偿发包人的损失。

3. 预付款归还担保。该种担保的目的在于保证承包人能够按合同规定进行施工，偿还发包人已支付的全部预付款。

4. 发包人履约担保。该种担保的目的在于保护承包人的合法权益，促使发包人履行合同约定的支付工程价款的义务。一旦发包人违约，担保人要代为履约或者赔偿承包人损失。

《房屋建筑和市政基础设施工程施工招标投标管理办法》第四十七条规定："招标文件要求中标人提交履约担保的，中标人应当提交。招标人应当同时向中标人提供工程款支付担保。"

发包人履约担保的作用在于，通过对发包人资信状况进行严格审查并落实各项反担保措施，确保工程价款及时支付到位；一旦发包人违约，担保人将代为履约。上述对发包人履约担保的规定，对解决我国建筑市场上工程价款拖欠现象具有特殊重要的意义。

除上述四种担保外，还有一种质量责任担保，该项担保是为了保证承包人在工程竣工后的一定时期内（缺陷责任期），负责工程质量的保修和维护。这种担保一般可包括在履约担保当中。

此外，在国际工程承包中，还有诸如临时进口设备税收担保、免税工程进口物资税收担保等工程担保形式。

（三）工程担保与工程保险的区别和联系

工程担保的担保人，可以为银行、保险公司或专业的工程担保公司。这与《保险法》规定的工程保险人只能为保险公司有着根本的不同。除此之外，两者的区别还表现在以下几方面：

1. 风险对象不同

工程担保面对的是"人祸"，即建设工程合同当事人的违约行为及其有关责任；工程保险面对多是"天灾"，即意外事件、自然灾害等。

2. 风险管理方式不同

工程保险合同是在投保人和保险人之间签订的，风险转移给了保险人。工程担保合同的当事人有三方：债务人（担保委托人）、债权人和担保人。债权人是享受工程担保合同中权利的人。当债务人违约使债权人遭受经济损失时，债权人有权从担保人处获得补偿。这与工程保险存在明显区别。保险是谁投保谁受益，而工程担保中的债务人（担保委托人）并不从工程担保合同中受益。最重要的在于，债务人并未通过工程担保合同将风险最终转移给担保人，最终风险的承担者仍是债务人自己。

3. 风险责任不同

依据担保法的规定，债务人对担保人为其向债权人支付的任何赔偿，有返还给担保人的义务；而依据保险法的规定，保险人赔付后是不能向投保人追偿的。

4. 限制条件不同

工程保险一般不存在太多限制，选择范围相对较大，只要投保人愿意，一般都可以被保险。工程担保则不同，它必须通过资信审查评估等手段选择有资格的担保委托人。因此，在发达国家，能够轻松地拿到保函，是有信誉、有实力的象征。也正因为这样，通过保证担保可以建立一种严格的建设市场准入制度。

必须指出的是，尽管工程担保和工程保险有着根本区别，但在工程建设实践中，确是常常在一起为工程建设发挥着保驾护航的重要作用。工程担保和保险是国际市场惯用的制度，我国工程担保和工程保险制度还处于探索、建设时期。1998年建设部将建立工程担保和工程保险制度作为体制改革的重要内容，同年7月，我国首家专业化

工程保证担保公司　长安保证担保公司挂牌成立。目前，该公司已与中国人民保险公司、国家开发银行、中国民生银行、华夏银行等多家单位展开合作，并已为国家大剧院、广州白云国际机场、中关村科技园区开发建设以及港口、国家粮库等一批重点工程提供了投标保证担保、承包人履约担保、预付款归还担保和发包人履约担保（发包人工程价款支付担保）等担保产品。

（四）工程担保的作用

工程担保的作用，集中体现在规范建设市场行为、提高从业者素质上。目前，在我国建设市场中，市场主体履约意识薄弱，信誉观念淡薄，行为不规范，工程转包、挂靠、垫资施工、拖欠工程款、偷工减料、掺杂使假、以次充好的现象屡见不鲜，工程质量、安全事故时有发生，严重制约了建筑业的健康发展，单纯依靠行政手段已不能解决问题。而工程担保这种全新的经济手段，能让实力强、信誉好的担保人愿意为其担保或承保的建筑企业扩大市场份额，而令那些实力弱、信誉差、工程担保人不愿意替其担保的建筑企业缩减市场份额，进而将其逐出建设市场。显然，工程担保较之一般的行政手段优势明显，这种经济调整手段的作用在于通过一定的途径建立一种"守信者得到酬偿，失信者受到惩罚"的机制。

工程建设管理的最终目标是保证工程质量和施工安全，保证工程建设的顺利完成。工程担保可为上述目标的实现提供更加有力的保障，进而提高整个建设行业的管理水平。

二、投标保证担保

投标保证担保，或称投标保证金，属于投标文件中可以规定的内容的重要组成部分。所谓投标保证金，是指投标人向招标人出具的，以一定金额表示的投标责任担保。该种担保要确保投标人按照招标文件的规定进行投标，投标人保证其中标后对其投标书中规定的责任不得撤销或者反悔并将与招标人签订建设工程合同及提供发包人所要求的履约担保、预付款归还担保。否则，招标人将对投标保证金予以没收。从国外通行的做法看，投标保证金的数额一般为投标价的 2% 左右。投标保证金的形式有很多种，通常的做法有如下几种：

（1）交付现金。

（2）支票。支票是指出票人签发的，委托办理支票存款业务的银行或其他金融机构在见票时无条件支付确定的金额给收款人或者持票人的票据。其过程一般是投标人开出支票，向付款银行申请保证付款，由银行在票面打"保付"字样后，将支付票面所载金额，即保付金额从出票人（投标人）的存款账上划出，另行立专户存储，以备随时支付。经银行保付的支票可以保证持票人一定能够收到款项。

（3）银行汇票。银行汇票是一种汇款凭证，由银行开出，交汇款人寄给异地收款人，异地收款人再凭银行汇票在当地银行兑汇款。

（4）不可撤销信用证。不可撤销信用证是付款人申请由银行出的保证付款的凭证。由付款人银行向收款人银行发出函件，也由该行本身或者授权另一家银行，在符合规定的条件下，把一定款项付给函中指定的人。需要说明的是，该信用证开出后，在有限期内不得随意撤销。

（5）银行保函。银行保函是由投标人申请银行开立的保证函，保证投标人在中标之前不撤销投标，中标后应当履行招标文件和中标人的投标文件规定的义务。如果投标人违反规定，开立保证函银行将担保赔偿招标人的损失。

（6）投标保证书。由保险公司或者担保公司出具投标保证书。投标保证书由担保人单独签署或者由投标人和担保人共同签署的承担支付一定金额的书面保证。

在这六种形式的投标保证金中，银行保函和投标保证书是最常用的。

三、履约担保

履约担保，是指招标人（未来的建设工程合同的发包人）在招标文件中规定的要求中标的投标人（即未来的建设工程合同的承包人）提交的保证履行合同义务的担保。履行担保一般有三种形式：银行履约保函、履约担保书和保留金。

1. 银行履约保函

银行履约保函是由商业银行开具的担保证明，通常为合同金额的10%左右。银行保函分为有条件的银行保函和无条件的银行保函。

（1）有条件的银行保函

有条件的银行保函是在承包人没有履行建设工程合同约定的义务或者履行义务不符合建设工程合同的约定时，由发包人或者工程师出具证明说明情况，并由担保人对已履行的合同部分和未履行的合同部分加以鉴定，确认后才能兑付的银行保函，由发包人得到保函中约定的款项。国内建筑行业通常偏向于这种形式的保函。

（2）无条件的银行保函

无条件的银行保函是在承包人没有履行建设工程合同约定的义务或者履行义务不符合建设工程合同的约定时，发包人或者工程师不需要出具任何证明，就有权要求担保银行按照保函约定兑付相应款项，此种情形下，担保银行有义务及时支付。

2. 履约担保书

履约担保书是由担保公司或者保险公司开具的担保证明。当承包人在履行合同中违约时，开具履约担保书的担保公司或者保险公司将代替承包人履行合同或者承担赔偿损失责任。履约担保书的担保金额一般为建设工程合同价格的30%~50%。

3. 保留金

保留金是指在发包人或者工程师根据建设工程合同的约定，每次支付工程进度款时扣除一定数目的款项，作为承包人完成其修补缺陷义务的保证担保形式。保留金一般为每次工程进度款的10%，但总额一般应限制在合同总价款的5%（通常最高不得超过 10%）。一般在工程移交时，发包人（工程师）将保留金的一半支付给承包人；质量保修期（或"缺陷责任期"）满时，将剩下的一半支付给承包人。

需要说明的是，履约担保金额的大小取决于建设工程项目的类型与规模，但必须保证承包人违约时，发包人不受损失。在投标须知中，招标人要规定使用哪一种形式的履约担保。

中标人应当按照招标文件中的规定提交履约担保。否则，招标人有权将建设工程合同授予其他投标人，并有权没收中标人的投标保证金。

四、预付款归还担保

建设工程合同签订以后，发包人应支付给承包人一定比例的预付款，一般为建设工程合同价格的 10%，但需由承包人的开户银行向发包人出具预付款归还担保。其目的在于保证承包人能够按合同规定进行施工，偿还发包人已支付的全部预付款。如果承包人中途毁约，中止工程施工，使发包人不能在规定期限内从应付工程款中扣除、收回全部预付款，则发包人作为该种担保的受益人有权凭预付款归还担保向银行索赔该担保约定的担保金额作为补偿。预付款归还担保的担保金额通常与发包人支付的预付款是等值的。预付款一般逐月从应付给承包人的工程价款中扣除，预付款归还担保的担保金额也相应逐月减少。承包人在施工期间，应当定期从发包人处取得同意该担保的担保金额减少的文件，并送交担保银行确认。承包人还清全部预付款后，发包人应退还预付款归还担保给承包人，承包人将其退回担保银行注销，解除担保银行的担保责任。

预付款归还担保也可以采用其他担保形式，但银行出具的预付款归还保函是最常见的形式。

思考题

1. 土地使用权出让合同的主要类型和主要内容包括哪些？

2. 土地使用权转让合同的主要内容包括哪些？

3. 土地使用权租赁应具备哪些条件？土地使用权租赁合同应包括哪些内容？

4. 房屋征收法律关系当事人包括哪些？房屋征收补偿合同应包括哪些内容？

5. 建设工程保险的种类有哪些？

6. 建筑工程一切险的被保险人包括哪些？建设工程一切险的承包范围和承包的风险危险与损害种类是什么？

7. 工程担保的种类有哪些？

8. 工程担保与工程保险的联系与区别是什么？

9. 什么是履约担保？履约担保包括哪些具体类型？各种类型的具体特点是什么？

10. 保留金的担保作用如何体现？

第十四章

国际工程施工合同

【本章概要】

通过本章的学习，使学生了解、熟悉国际工程的概念、内容、建设程序、承包管理模式等，熟悉国际工程施工合同的几种常见的示范文本，并掌握国际工程施工合同争议的解决方式。

第一节　国际工程施工合同概述

一、国际工程承包的概念和特点

（一）国际工程的概念和内容

国际工程是一个在其咨询、融资、采购、承包、管理以及培训等各个阶段，参与者来自不同的国家，并且按照国际通行的工程项目管理模式进行管理的建设工程项目。

1. 国际工程包含国内和国外两个市场

国际工程既包括我国公司在海外参与投资和建设的各种建设工程项目，又包括国际组织和国外的公司到中国来投资和建设的各种建设工程项目。我国加入 WTO 之后，我国的建筑市场会更加对外开放，国内和国外两个建筑市场将趋向统一，中国承包商会更广泛和深入地参与国际建筑市场的竞争。

2. 国际工程服务包括工程咨询和工程承包两大行业

（1）工程咨询：包括对工程项目前期的投资机会研究、预可行性研究、可行性研究、项目评估、勘测、设计、招标文件编制、监理、管理、后评价等。国际工程咨询是以高水平的智力劳动为主的行业，一般都是为建设单位—发包人一方服务的，也可应承包商聘请为其进行提供诸如施工管理、成本管理等工程咨询服务。

（2）工程承包：包括对工程项目进行投标、施工、设备采购及安装调试、分包、提供劳务等。按照发包人的要求，有时也进行施工图设计和部分永久工程的设计。目前，针对国际建筑市场上的大型项目，正在出现一些新的工程承包模式，如将设计—建造统一交由一家公司去完成的"设计—施工一体化"工程承包模式。又如"交钥匙"承包模式，即将建设工程项目咨询的部分内容和施工、设备采购、安装一并交由一家承包商完成。此外，其他一些新的工程承包模式还在不断出现。

（二）国际工程承包的特点

与国内工程承包相比，国际工程承包的特点主要表现在以下几方面：

1. 合同主体的国际性

合同的当事人各方属于不同国别，可能导致合同将受到一国以上的不同法律制度的制约。这种制约不仅有法律程序方面的，而且更多的是法律实体方面的，而且牵涉的法律范围极广，诸如《招标投标法》《建筑法》《公司法》《民法典》《劳动法》《投资法》《金融法》《外汇管制法》《社会保险法》《税法》《外贸法》等。

如果工程所在国家的法律体系比较健全和完备，而且合同中有明确的法律适用条款，有关合同问题就比较好处理。但许多发展中国家的法律并不完备，还有许多是不成文的行业习惯做法，以及并未明示"有约束力"的国际惯例。为此，作为国际工程承包商除了应当聘请工程项目所在地工程承包方面有经验的律师或者法律顾问外，还必须在签订合同时，澄清各项涉及法律和惯例的重大问题。

对于大型和复杂的国际工程项目，其承包商可能来自许多国家。例如，工程项目所在国、总承包商的注册国，还有贷款金融机构、咨询设计、设备供货和安装、各类专业工程分包商以及劳务分包商等可能都属于不同的国家，有多个不同的合同来规定他们之间的合同法律关系。所有这些合同不一定都适用工程项目所在国法律，特别是解决他们之间的争议并不一定都是采取仲裁程序或者司法程序，也不可能在同一仲裁地点和机构对争议进行仲裁，或者同一个有专属管辖权的法院处理争议。合同主体的国际性这一特征使国际工程承包的法律关系问题变得极为复杂和难以处理。

2. 货币和支付方式的多样性

这一特点和国内工程有着明显的不同。国际工程承包肯定要使用多种货币，包括承包商要使用部分其国内货币来支付其国内应缴纳的费用和总部开支；要使用工程项目所在国的货币支付当地费用；还要使用多种外汇（对工程项目所在国和承包商的总部注册国而言，都属于外汇的第三国货币）用以支付材料、设备采购费用和国际工程施工合同价款等。国际工程承包的支付方式除了现金和支票支付手段外，还有银行信用证、国际托收、银行汇付等不同方式。由于发包人支付的货币和承包商实际使用的货币的不同，而且是在整个漫长的工期内按陆续完成的工程内容逐步支付，这就使承包商时刻处于货币汇率浮动和利率变化的复杂国际金融环境中。不熟悉或者不善于审度和分析国际金融形势变化的承包商，即使其施工技术和能力很强，也可能因处理国际金融财务不当而不能充分确保其国际工程承包收益。

3. 国际政治、经济影响因素的权重明显增大

除了工程本身的合同义务和权利外，国际工程项目可能受到国际政治和经济形势的变化影响较多。例如，某些国家对于承包商实行地区和国别的限制或者歧视性政策；还有些国家的项目受到国际资金来源的制约，可能因为国际政治、经济形势变动影响（例如，制裁、禁运等）而中止；至于因工程所在国的政治形势变化（例如，内乱、战争、派别斗争等）而使工程中断的情况更非鲜见。国际承包商不能仅关心其承包的工程本身的问题，而应当密切关注工程所在国及其周围地区，乃至国际大环境的变化和影响，采取必要的防范风险的应变措施。

4. 规范标准庞杂，差异甚大

国际工程都要求采用在国际上被广泛接受的技术标准、规范和各种规程。国际工程承包的合同文件通常为两大组成部分：一是针对商务和法律方面的文件，它们主要是规定各方的权利、义务和责任；二是针对技术方面的细节，不仅包括工程的内容和范围，还要规定其工程、设备、材料和工艺各方面技术要求，这一部分包括图纸和详细的技术说明书。各个国家可能都有其自己国内适用的标准、规范和规程，但一项国际工程如果不在合同中强行规定统一的标准、规范和规程，就可能导致合同履行过程中因有关的标准、规范和规程之间互不协调而使合同当事人双方争议不断。承包商进

入国际建筑市场就必须熟悉国际常用的各种技术标准和规范，并使自己的施工技术和管理适应国际标准、规范和有关惯例的要求。这样还不够，因为有些发展中国家经常使用一部分当地并不完善的"暂行规定"。为此，承包商还应当收集和了解当地的一些习惯做法，使自己能适应当地的惯用规程。

二、国际工程施工合同的概念和特点

（一）国际工程施工合同的概念

国际工程施工合同是指不同国家的发包人和承包商之间为了完成特定的建设工程项目而签订的明确双方权利义务关系的协议。由于国际工程是跨国的经济活动，因而国际工程施工合同远比一般国内的合同复杂。

（二）国际工程施工合同的特点

1. 国际工程合同及其管理是国际工程项目管理的核心。国际工程从前期准备（指编制招标文件）、招标投标、谈判、修改、签订到实施都是国际工程中十分重要的环节。对于这些环节合同当事人任何一方都不能粗心大意，只有订立一个好的合同才能保证项目的顺利实施。

2. 国际工程施工合同文件内容庞杂，包括合同协议书、投标书、中标函、合同条件、技术规范、图纸、工程量表及合同履行过程中产生的各种变更协议、补充协议等。

3. 国际工程合同订立和履行时间较长。一个合同履行期限短则 1~2 年，长则 20~30 年（如 BOT 项目）。因而合同中的任何一方都必须十分重视合同的订立和履行，依靠合同来保护自己的权益。

4. 国际工程承、发包在国际上已有上百年历史，经过不断地总结经验，在国际上已经有了一批比较完善的合同范本，并且广泛采用，同时，这些合同范本还在不断地修订和完善。订立国际工程施工合同时，合同当事人应注意选择适合国际工程建设项目需要和当事人要求的合同文本。

5. 每个工程项目都有各自的特点，"项目"本身就是不重复的、一次性的活动，国际工程项目由于处于不同的国家和地区、不同的工程类型、不同的资金条件、不同的合同计价模式和管理模式、不同的发包人和工程师、不同的承包商，因而可以说每个项目都是不相同的。

因此，国际工程施工合同之间存在极大的差异性。

6. 国际工程施工合同所涉及的相关合同关系极其复杂。一个国际工程项目的建设往往是集技术、经济、管理、法律、组织等多种活动为一体的综合性活动，实施一个国际工程项目除主合同、国际工程施工合同外，还可能需要签订多个合同，如融资贷款合同、工程保险和担保合同、各类货物采购合同、分包合同、劳务合同、联营体合同、技术转让合同、设备租赁合同等。其他合同均是围绕主合同、为主合同服务的，但每一个合同的订立、履行和管理都会对主合同的履行产生影响。

三、国际工程施工合同的有关各方

（一）发包人（Owner）

发包人是工程项目的提出者、组织论证立项者、投资决策者、资金筹集者、项目实施的组织者，也是项目的产权所有者，并负责项目生产、经营和偿还贷款。发包人机构可以是政府部门、社会法人、国有企业、股份公司、私人公司以及个人。

发包人的性质影响到项目实施的各个方面，许多国家制定了专门的规定以约束公共部门发包人的行为，尤其是工程采购方面，相对而言，私营发包人在决策时有更多的自由。

英文中 Employer（雇主）、Client（委托人）、Promoter（发起人，创办人）在国际工程施工合同中均可理解为发包人，开发房地产的发包人称为发展商（Developer）。

（二）承包商（Contractor）

承包商通常指承担工程项目施工及设备采购的公司、个人和他们的联合体。通常发包人会将一个工程合同分为若干独立的合同，并分别与几个承包商签订合同。直接与发包人签订工程施工合同的都称为承包商，如果一家公司与发包人签订合同将整个工程的施工建设内容承包下来则称为总承包商（General Contractor，Main Contractor，Prime Contractor）。

（三）建筑师／工程师（Architect ／ Engineer）

建筑师／工程师指在工程项目建设的不同领域和阶段负责工程咨询或者工程设计的专业公司和专业人员。在不同的国家，建筑师／工程师在工程项目建设的不同领域和阶段的工作中担任的角色可能不一致，如在英国，建筑师负责建筑设计，而工程师则负责土木工程的结构设计。在美国也大体相似，建筑师在概念设计阶段负责项目的总体规划、布置、综合性能要求和外观方面的设计，而结构工程师和设备工程师则具体完成有关设计以保证建筑物的安全。但是在工程项目管理中，建筑师或工程师担任的角色和承担的责任是近似的。在各国不同的合同条件中可能称该角色为建筑师，或工程师，或咨询工程师。各国均有严格的建筑师／工程师的资格认证及注册制度，作为专业人员必须通过相应专业协会的资格认证，而有关公司或事务所必须在政府有关部门注册。

建筑师／工程师提供的服务内容很广泛，一般包括：项目的调查、规划与可行性研究、工程各阶段的设计、工程监理、参与竣工验收、试车和培训、项目后评价以及各类专题咨询。在国外对建筑师／工程师的职业道德和行为准则都有很高的要求，主要包括：努力提高专业水平，使用自己的才能为委托人提供高质量的服务；按照法律和合同处理问题；保持独立和公正；不得接受发包人支付的酬金之外的任何报酬，特别是不得与承包商、制造商、供应商有业务合伙和经济关系；禁止不正当竞争；为委托人保密等。

（四）分包商（Subcontractor）

分包商是指那些直接与承包商签订合同，分担一部分承包商与发包人签订的合同中的工程项目建设任务的公司。发包人和工程师不直接管理分包商，他们对分包商的工作有要求时，一般通过承包商处理。

国外有许多专业承包商和小型承包商，专业承包商在某些领域有特长，在成本、质量、工期控制等方面有优势。数量上占优势的是大批小承包商。如在英国，大多数小公司人数在 15 人以下，而占总数不足 1% 的大公司却承包工程总量的 70%，宏观看来，大小并存、专业分工的局面有利于提高工程项目建设的效率。专业承包商和小承包商在大工程中都是分包商的角色。

指定分包商（Nominated Subcontractor）是发包人在招标文件中或在开工后指定的分包商或者供应商，指定分包商仍应与承包商签订分包合同。

（五）供应商（Suppliers）

供应商是指为工程实施提供工程设备、材料和建筑机械的公司和个人。一般供应商不参与工程的施工，但是有一些设备供应商由于设备安装要求比较高，往往既承担供货，又承担安装和调试工作，如电梯、大型发电机组等。

供应商既可以与发包人直接签订供货合同，也可以直接与承包商或者分包商签订供货合同，具体情形视合同类型而定。

（六）工料测量师（Quantity Surveyor）

工料测量师是英国、英联邦国家以及我国香港对工程经济管理人员的称谓，在美国叫造价工程师（Cost Engineer）或成本咨询工程师（Cost Consultant），在日本叫建筑测量师（Building Surveyor）。

工料测量师的主要任务是为委托人（Client）（一般是发包人，也可以是承包商）进行工程造价管理，协助委托人将工程成本控制在预定目标之内。工料测量师既可以受雇于发包人，协助发包人编制工程的成本计划和选择适宜的合同类型，在招标阶段编制工程量表及计算标底，也可在工程实施阶段进行支付控制，以至编制竣工决算报表。工料测量师受雇于承包商时可为承包商估算工程量，确定投标报价或在工程实施阶段进行工程造价管理。

第二节　国际工程的建设程序和管理模式

一、国际工程的建设程序

鉴于工程建设任务内容日益复杂，花费在一项工程建设中的资金数额巨大，为确保工程建设具有较好的经济效益和社会效益，各个国家都通过法律或者法规形式规定适合该国需要的工程建设程序。尽管各国的具体规定可能存在差异，但一般来说，国际工程建设的基本程序都是类似的。国际工程承包商应当熟悉工程项目所在国的工程建设程序，以便在工程项目所在国依法进行工程建设活动和工程建设相关活动。

（一）投资前期准备

主要进行各种调查和研究，以便作出合适的投资决策，包括：

1. 投资机会研究阶段

对一个具体项目进行投资机会研究，其任务是通过初步的调查研究，探讨建设这个项目的必要性和可能性。这一阶段的成果，可以是一份研究报告，也可能是一份简明的投资建议书。过去承包商认为投资机会研究是政府部门、企业家或者咨询公司的事情，因而很少介入这项活动。而当前的情况已大为改变，越来越多的承包商，特别是那些综合型的商社和大型集团公司经常花费较多的时间、精力和金钱参与投资机会研究。他们主动地进行某一项目的投资机会研究，然后提出多种项目设想方案，或者做出投资建议书，提交给有意在这一方面投资的企业家，以引起企业家的兴趣。如果企业家对其建议作出积极反应，他们就可能被邀请进一步做可行性研究；如果深入一步的研究能证明这个项目在经济上是有利和可行的，在技术上是合理和可能的，企业家就可能下决心投资建设这个项目，而该综合商社、大型集团公司或者承包商就可能获得该项目的实施合同。这种由承包商的工程公司进行项目投资机会研究，形成投资建议以促进投资者响应，并最终获得这个项目的施工合同的事例，在国际工程承包市场是很常见的。例如，经常列为世界最大的国际承包商前茅的贝克特尔公司和福陆·丹尼尔公司等采用这种方式曾获得数十亿美元的大型工程。

2. 可行性研究阶段

为作出正确的投资决定，一般都要对项目建设进行可行性研究。有些大型的或复杂的项目，可能要分三个层次进行可行性研究。即可行性初步研究（Preliminary Feasibility Study），又称之预可行性研究；辅助研究（Auxiliary Study），或称之为专题性研究；以及可行性研究（Feasibility Study），又称之为详细研究或最后可行性研究。

可行性研究是对建设项目进行全面的技术经济论证，为投资决策提供较为扎实的依据。为此，可行性研究报告应当回答有关项目建设的全部问题，包括市场、原料、建设规模、生产工艺和主要设备、工程内容和初步计划、财务预算、资金筹集、经济评价等，还可能要求进行多方案比较分析。

可行性研究一般都委托专门的咨询公司进行，也可以由承担工程项目全面、全过程建设任务的工程承包商进行这项工作。但是，用国际金融机构贷款的工程项目（例如世界银行或亚洲发展银行的贷款项目），一般是不允许由同一家公司既承担可行性研究又承担施工建设的。

3. 投资决策

由投资者根据前述可行性研究的结论，在落实资金、技术和原料来源以及市场等情况后作出投资决定，并安排进入实施的计划。

（二）工程项目的实施

除由投资者（发包人）办理各种批准手续和建立筹备、管理机构外，工程项目的实施通常包括：

1. 咨询设计阶段

针对具体项目进行详细的地形测量、工程和水文地质勘探，以及工程设计，并编制招标文件。国际工程的设计通常由咨询公司编制概念设计（Conceptual Design 或称 Idea Design）和基本设计（Basic Design）。基本设计的深度至少可达到进行工程招标、投标的要求；即投标者可据以核算各子项工程的工程量和计算其价格，可进行设备和主要材料的询价和采购。至于详细的施工图纸，各国的做法并不完全一致。有些国家的咨询公司提供的招标图纸即已达到施工详图的深度，可以据以施工；而另一些国家的咨询公司提供的招标图纸仅有主要图纸和基本尺寸，应由承包商自己绘制详图，并交工程师或转交咨询设计师审批合格才能施工。

招标文件编制可以由承担咨询设计的咨询公司进行，也可以由工程发包人组织包括设计师、估算师和法律专家的专门小组共同编写。

咨询公司的选择可以通过招标方式或者直接聘请方式进行。选择咨询设计公司主要是要审查其经验和能力，而不是以其报价（咨询设计费用）和公司财务状况来决定取舍。对于专业性很强的工业项目，只有专门从事该类工业项目的专业性咨询公司才有希望获得咨询设计合同。

许多国际金融机构或组织，例如世界银行、地区性发展银行和联合国工业发展组织（UNIDO）等都有业经该机构审查和登记注册的各国的专业设计咨询公司名单，可以通过这些机构取得帮助，以便聘请资质条件合格的设计咨询单位。

2. 招标和投标阶段

这是工程项目实施过程中的一种传统的工程项目采购方式。发包人通过招标来选择最优的工程实施者 承包商；而承包商则通过投标竞争来获得工程施工合同。

对于一项复杂的大型工程项目，既可以采取一次性的招标投标，选择总承包商，也可以采取多次招标投标，分别选择土木建筑工程、机电设备供应和安装工程以及各项专业工程的承包商。

3. 合同订立阶段

在进行招标投标之后，经过评审选定中标的承包商，还要由发包人或者其合法授权的代表与承包商通过正式谈判，最后签订工程施工合同。合同的种类很多，究竟签订何种合同，通常在招标文件中确定。

4. 施工阶段

这是工程实施过程中占用时间最长、管理内容最为具体和繁重，及实际花费大量资金的阶段。其主要任务是，承包商根据签订的各类合同，组织劳务、材料和施工机具设备，在工程师的监督、管理和协调下进行具体工程项目的施工建设工作，保证工程按计划进度和质量要求完成，按时验收和移交，并负责在缺陷责任期内的维修。

（三）生产和运营

项目的建设完成后，都要进行验收和移交；如果是生产性的建设项目，还要进行设备性能的试验和试生产。对于土木工程和专业工程承包商，要在规定的缺陷责任期（通常是 1~2 年）内完成维修缺陷任务。

二、国际工程的承包管理模式

工程项目建设无论是对各国政府或者是对私营机构都是一笔巨大的投资，提高工程项目管理的水平，可以创造巨大的经济效益，因而多年来各国政府、私营机构及一些国际组织都对工程项目的承包管理模式和方法进行不断地研究、创新和完善。

（一）通用的承包管理模式

这种承包管理模式在国际上最为通用，世界银行、亚洲开发银行贷款的工程项目和采用国际咨询工程师联合会（FIDIC）土木工程施工合同条件的工程项目均采用这种模式。这种模式由发包人委托建筑师和咨询工程师进行前期的各项有关工作，待工程项目评估立项后再进行设计。在设计阶段进行施工招标文件准备，然后通过招标选择承包商。发包人和承包商订立工程施工合同，有关工程部位的分包和设备、材料的采购一般都由承包商与分包商和供应商单独订立合同并组织实施。发包人单位一般指派发包人代表（可由本单位选派，或由其他公司聘用）与咨询方和承包商联系，负责有关的项目管理工作，但在国外大部分工程项目实施阶段的有关管理工作均授权建筑师／咨询工程师进行。建筑师／咨询工程师（以下用建筑师／工程师）和承包商没有合同关系，但承担发包人委托的管理和协调工作。

这种承包模式的优点在于：由于这种模式长期的、广泛的在世界各地采用，因而管理方法较成熟，各方对有关程序熟悉；发包人可自由选择咨询设计人员，对设计要求可控制；可自由选择监理人员监理工程；可采用各方均熟悉的标准合同文本，有利于合同管理、风险管理和工程造价控制。

这种承包模式的缺点在于：项目周期较长；发包人管理费较高，前期投入较高；变更时容易引起较多的索赔。

（二）工程管理总承包模式（CM 模式）

这种模式又称阶段发包方式（Phased Construction Method）或快速跟踪方式（Fast Track Method），这是近年来在国外广泛流行的一种承包管理模式，这种模式与过去那种设计图纸全部完成之后才进行招标的传统的连续建设模式不同，其特点为：

1. 由发包人和发包人委托的 CM 经理与建筑师组成一个联合小组共同负责组织和管理工程的规划、设计和施工，但 CM 经理对设计的管理是协调作用。在进行工程项目的总体规划、布局和设计时，要考虑到控制工程项目的总投资，在主体设计方案确定后，随着设计工作的进展，完成一部分分项工程的设计后，即对这一部分分项工程组织进行招标，发包给一家承包商，由发包人直接就每个分项工程与承包商签订工程施工合同。

2. 要挑选精明强干，懂工程、懂经济、懂管理的人才来担任 CM 经理。他负责工程的监督、协调及管理工作，在施工阶段的主要任务是定期与承包商会晤，对成本、质量和进度进行监督，并预测和监控成本和进度的变化。发包人与各个承包商、设计单位、设备供应商、安装单位、运输单位签订合同，是合同关系。发包人与 CM 经理、建筑师之间也是合同关系，而发包人任命的 CM 经理与各个施工、设计、设备供应、安装、运输等承包商之间则是业务上的管理和协调关系。

3. CM 模式的最大优点即是可以缩短工程从规划、设计到竣工的周期，节约建设投资，减少投资风险，可以比较早地取得收益。即一方面整个工程可以提前投产，另一方面减少了由于通货膨胀等不利因素造成的影响。例如购买土地从事房地产业，用此方式可以节省投资贷款的利息，由于设计时可听取 CM 经理的建议，可以预先考虑施工因素，运用价值工程以节省投资。设计一部分，招标一部分并及时施工，因而设计变更较少。这种方式的缺点是分项招标可能导致承包费用较高，因而要做好分析比较，研究项目分项的多少，选定一个最优的结合点。

（三）设计—建造（Design Build）与"交钥匙"（Turnkey）工程模式

设计—建造模式是一种简练的工程项目承包管理模式，发包人只需选定一家公司负责项目的设计和施工。这种模式在投标时和订合同时是以总价合同为基础的，设计建造总承包商对整个工程项目的成本负责。承包商首先选择一家咨询设计公司进行设计，然后采用竞争性招标投标方式选择分包商，当然也可以利用本公司的设计和施工力量完成一部分工程。近年来这种模式在国外比较流行，主要由于可以对分包采用阶段发包方式，因而工程项目可以提早投产；同时由于设计与施工可以比较紧密地搭接，发包人能从包干报价费用和时间方面的节约以及承包商对整个工程承担责任得到好处。这种承包模式的缺点主要是：发包人无法参与建筑师／工程师的选择；发包人对最终设计和细节的控制能力降低，工程设计可能会受施工者的利益影响。

在国际上，对"交钥匙"还没有公认的定义。"交钥匙"模式可以说是具有特殊含义的设计—建造方式，即承包商为发包人提供包括项目融资、土地购买、设计、施工、设备采购、安装和调试直至竣工移交的全套工程服务。

（四）BOT 模式

BOT（Build Operate Transfer）即建造—运营—移交模式。这种模式是 20 世纪 80 年代在国外兴起的依靠国外私人资本进行基础设施建设项目的融资和建造的工程项目承包管理方式，或者说是国有基础设施建设项目的民营化经营管理模式。它是指东道国政府开放本国基础设施建设和运营市场，吸收国外资金，授给项目公司以特许权，由该公司负责融资和组织建设，建成后负责运营及偿还贷款。在特许期满时将工程移交给东道国政府。

在世界上还有多种由 BOT 演变出来的类似的模式：

BOOT（Build-Own-Operate-Transfer）建设—拥有—运营—移交；

BOO（Build-Own-Operate）建设—拥有—运营；

BOS（Build-Operate-Sell）建设—运营—出售；

ROT（Rehabilitate-OPerate-Transfer）修复—运营—移交等。

这些模式的基本原则、思路和结构与 BOT 并无实质差别。BOT 模式的运作程序如下：

1. 项目的提出与招标

拟采用 BOT 模式建设的基础设施项目，大型项目由中央政府部门审批，一般项目均由地方政府审批，往往委托一家咨询公司对项目进行了初步的可行性研究，随后，颁布特许意向，准备招标文件，公开招标。BOT 模式的招标程序与一般项目招标程序相同，包括资格预审、招标、评标和通知中标。

2. 项目发起人组织投标

发起人往往是强有力的咨询公司和大型的工程公司的联合体，它们申请资格预审并在通过资格预审后购买招标文件进行投标。BOT 项目的投标显然要比一般工程项目的投标复杂得多，需要对 BOT 项目进行深入的技术和财务的可行性分析，才有可能向政府提出有关实施方案。BOT 项目的资金一般来自两个方面：一方面是项目公司股东的股本金，大约占整个资金的 10%~30%；余下的 90%~70% 则向金融机构融资，因而事先要与金融机构接洽，使自己的实施方案，特别是融资方案得到金融机构的认可，才可正式递交投标书。在这个过程中，项目发起人常常要聘用各种专业咨询机构（包括法律、金融、财会等）协助编制投标文件，要花费一大笔投标费用。

3. 成立项目公司，签署各种合同与协议

中标的项目发起人往往就是项目公司的组织者。项目公司参与各方一般包括项目发起人、大型承包商、设备材料供应商、东道国国营企业等。在国外有时当地政府也入股。此外，还有一些不直接参加项目公司经营管理的独立股东，如保险公司、金融机构等。我国目前在 BOT 试点阶段，国家计委规定：一律以外方独资模式组建项目公司。

项目发起人一般要提供组建项目公司的可行性报告，经过股东讨论，签订股东协议和公司章程，同时向当地政府工商管理和税收部门注册。

项目发起人首先和政府谈判、草签特许权协议，然后组建项目公司，完成融资交割，最后项目公司与政府正式签署特许权协议。然后项目公司与各个参与方谈判签订工程施工总承包合同、运营养护合同、保险合同、工程监理合同和各类专业咨询合同等，有时需独立签订设备供货合同。

4. 项目建设和运营

这一阶段项目公司主要任务是委托工程监理公司对总承包商的工作进行监理，保证项目的顺利实施和资金支付。有的工程（如发电厂、高速公路等），在完成一部分之后即可交由运营公司开始运营，以早日回收资金。同时，还要组建综合性的开发公司进行综合项目开发服务以便从多方面赢利。

在项目部分或全部投入运营后，即应按照原定协议优先向金融机构归还贷款和利息。同时也考虑向股东分红。

5. 项目移交

在特许期满之前，应做好必要的维修以及资产评估等工作，以便按时将 BOT 项目移交政府运行。政府可以仍旧聘用原有的运营公司或另组运营公司来经营、管理项目。

第三节　国际工程施工合同的示范文本

一、FIDIC 颁布的系列合同条件

FIDIC 是"国际咨询工程师联合会"法文的缩写。该组织在每个国家或地区只吸收一个独立的咨询工程师协会作为团体会员，至今已有 60 多个发达国家和发展中国家或地区的成员，因此它是国际上最具有权威性的咨询工程师组织。中国工程咨询协会已于 1996 年代表我国正式加入 FIDIC 组织。

为了规范国际工程咨询和工程项目承包活动，FIDIC 先后发表过很多重要的管理性文件和标准化的合同示范文本，目前这些合同示范文本已成为国际工程界公认的标准化合同并已发展成为国际工程承包惯例。有适用于工程项目施工承包的《土木工程施工合同条件》（俗称"红皮书"）、《设计—建造与交钥匙合同条件》（俗称"桔皮书"）、《电气与机械工程合同条件》（俗称"黄皮书"）和《土木工程施工分包合同条件》以及适用于工程咨询的《发包人－咨询工程师标准服务协议书》（俗称"白皮书"）。

近年来，由于国际上工程建设规模不断扩大，国际工程项目承包管理模式呈现出多样化发展趋势，FIDIC 于 1999 年 9 月又出版了四本新版合同条件，即《施工合同条件》《生产设备和设计—施工合同条件》《设计采购施工（EPC）/ 交钥匙工程合同条件》以及《简明合同格式》。

上述这些合同文件不仅被 FIDIC 成员国广泛采用，而且世界银行、亚洲开发银行、非洲开发银行等金融机构也要求在其贷款建设的土木工程项目实施过程中使用以 FIDIC《土木工程施工合同条件》为基础订立合同，编制合同文件。这些合同示范文本不仅适用于国际工程项目，而且稍加修改后同样适用于国内工程项目，我国有关部委编制的适用于大型工程项目施工的合同示范文本都以 FIDIC 编制的合同条件为蓝本。

（一）土木工程施工合同条件

《土木工程施工合同条件》是 FIDIC 最早编制并颁布的合同示范文本，也是其他几个 FIDIC 合同条件的基础。该文本适用于发包人（或发包人委托第三人）提供设计的工程项目施工承包，采用单价合同计价模式（也允许其中部分工作采用总价合同计价模式），是广泛应用于土木建筑工程施工承包、设备安装承包的标准化的合同示范文本。土木工程施工合同条件的主要特点表现为，以竞争性招标投标方式选择承包商，合同

履行过程中采用以工程师为核心的工程项目管理模式。

（二）电气与机械工程合同条件

《电气与机械工程合同条件》适用于大型工程项目的电气与机械工程设备的制造和施工安装，承包工作范围包括设备的制造、运送、安装和保修几个阶段。该合同条件是在土木工程施工合同条件基础上编制的，针对相同情况制定的条款与土木工程施工合同条件的相应条款、规定完全一致。该合同条件与土木工程施工合同条件的区别主要表现为：一是该合同条件涉及的风险的因素较少，但实施阶段管理程序较为复杂，因此其条目少但款数多；二是工程价款支付管理程序与责任划分基于总价合同计价模式。该合同条件一般适用于大型工程项目中的安装工程。

（三）设计—建造与交钥匙合同条件

FIDIC 编制的《设计—建造与交钥匙工程合同条件》是适用于总承包的合同示范文本，承包工作内容包括：设计、设备采购、施工、物资供应、安装、调试、保修。这种承包模式可以减少设计与施工之间的脱节或矛盾，而且有利于节约投资。该合同示范文本是基于不可调价的总价承包模式编制的。土建施工和设备安装部分的责任，基本上套用土木工程施工合同条件和电气与机械工程合同条件的相关规定。该合同示范文本既可以用于单一合同工程项目承包合同，也可以用作多合同工程项目中的一个合同，如由承包商负责提供工程项目的各项设备、单项构筑物或整套设施的工程承包合同。

（四）土木工程施工分包合同条件

FIDIC 编制的《土木工程施工分包合同条件》是与《土木工程施工合同条件》配套使用的分包合同示范文本。该合同示范文本可用于承包商与其选定的分包商，或者与发包人选定的指定分包商签订的工程分包合同。其特点是：土木工程施工分包合同的内容应与土木工程施工主合同中有关分包工程部分的权利义务的约定一致。

二、ICE 颁布的合同条件

英国土木工程师学会（ICE）是设于英国的国际性组织，拥有包括从专业土木工程师到学生在内的会员 8 万多名，其中 1/5 在英国以外的 140 多个国家和地区，ICE 是根据英国法律具有注册资格的教育、学术研究与资质评定的团体。创立于 1818 年的 ICE，已经成为世界公认的学术中心、资质评定组织及专业代表机构。ICE 出版的合同条件目前在国际上亦得到广泛的应用。

英国土木工程师学会在土木工程建设合同方面具有很高的权威性。它编制的土木工程合同条件在土木工程界有着广泛的应用。除了 ICE 外，还有英国咨询工程师协会（ACE）、土木工程承包商联合会（FCEC）等参与制定的 ICE 各类合同条件。

（一）ICE 施工合同条件

ICE 施工合同条件属于单价合同格式，同 FIDIC 施工合同条件一样是以实际完成的工程量和投标书中的单价来控制工程项目的总造价。ICE 也为设计—建造模式制定了专门的合同条件。同 ICE 施工合同条件配套使用的还有一份《ICE 分包合同标准格式》，作为总承包商与分包商签订工程分包合同时采用的合同示范文本。

与 FIDIC 施工合同相比，ICE 施工合同条件最大的不同在于其有关指定分包商的规定。其有关指定分包商的规定如下：

1. 指定的分包商是指按照合同或工程师的命令，由承包商雇佣的分包商。工程师指定的分包商实施的工程或采购的金额通常在暂定金额内支付。

2. 工程师有权选定分包商作为指定分包商，但这种指定不是强制性的。如承包商可以以正当理由拒绝与指定分包商签订分包合同，很多分包商也可能拒绝签订合同。

3. 如果指定分包商在合同实施过程中出现失误，承包商可以根据合同的规定终止分包合同。在此情况下，工程师应该选择下列方式之一进行处理：

（1）重新选定另一名分包商。

（2）对存在问题的工程、材料、服务等项目进行变更。

（3）将相应的项目交给发包人雇佣的其他人员实施，但这种转让不能影响承包商负责。该部分工作时所应得到的利润。

（4）要求承包商推荐分包商并向工程师提交报价。

（5）由承包商负责进行该部分工作。

4. 承包商应对指定分包商的工作负责，同时指定分包商也保证其行为不给承包商造成任何损失。如果因指定分包商工作失误，承包商认为可以根据终止合同条款终止分包合同，则承包商应征得工程师的书面同意。如果工程师不予批准，则工程师应发出指令补偿因指定分包商行为引起的经济损失并顺延工期。在工程师批准终止合同后，承包商应采取措施防止损失的扩大，但如果上述终止合同的行为给承包商带来了额外支出，发包人应给承包商以适当补偿。

（二）NEC 合同条件

1. NEC 合同的产生

随着社会和经济的发展，建筑业活动变得日趋复杂，工程类型的界定也越来越难以定义。英国现行的标准工程合同条件已不能满足发包人多样化的要求，也不便于对工程进行良好的管理和各方共同协作。同时，原有标准合同文本并不能解决工程建设过程中频繁的争议和有效避免由此产生的不利影响。为此，英国不断发展的建筑业呼吁一种适用于工程施工的一般合同形式。

1985 年 9 月，英国土木工程师学会批准并开始编制新工程合同（NEC），"对土木工程设计和施工的合同策略进行基本回顾，以便进行良好的实践"，1991 年 1 月出版了征求意见版，1993 年 3 月正式出版新工程合同（NEC）第一版，1995 年出版了第二版，采纳"符合现代合同原则"的建议。

2. NEC 合同的内容及结构

NEC 系列合同包括：

（1）工程施工合同（the Engineering and Construction Contract），用于发包人和总承包商之间的主合同，也被用于总包管理的一揽子合同；

（2）工程施工分包合同（the Engineering and Construction Subcontract），用于总承包商与分包商之间的合同；

（3）专业服务合同（The Professional Services Contract），用于发包人与项目管理人、监理人、设计人、测量师、律师、社区关系咨询师等之间的合同；

（4）裁决人合同（The Adjudicator's Contract），用于指定裁决人解决任何 NEC 合同项下的争议的合同。

其中，工程施工合同包括：

（1）核心条款，共分为九个部分，是所有合同共有的条款。

（2）主要选项，针对六种不同的计价方式设置，任一特定的合同应该选择并且只应选择一个主要选项。

（3）次要选项，在选定合同中当事人可根据需要选用部分条款或全部条款，或根本就不选用。

（4）成本组成表，不随合同变化而变化的对成本组成项目进行全面定义，从而避免因计价方式不同、计量方式差异而导致的不确定性。

（5）附录，用来完善合同。

而工程资料、场地资料、认可的施工进度计划、履约保函等因上述（1）~（5）部分引用而成为构成合同的组成部分。这些组成部分和上述（1）~（5）部分共同构成了一份完整的合同，其中（1）、（2）、（3）即通常所称的合同条件。

核心条款分成九个部分：①总则；②承包商的义务；③工期；④检测与缺陷；⑤付款；⑥补偿事件；⑦所有权；⑧风险和保险；⑨争端和合同解除。无论选择何种计价方式，NEC 的核心条款均是通用。

主要选择条款亦即计价方式选择。NEC 工程施工合同规定了六种计价方式：

（1）含分项工程表的报价合同。分项工程的总价固定，承包商承担价格风险和数量风险。

（2）含工程量清单的报价合同。分项工程的总价固定，承包商承担价格风险、发包人承担数量风险。

（3）含分项工量表的目标合同。按分项工程总价确定目标总价，价格风险和数量风险由双方按约分担。

（4）含工程量清单的目标合同。按分项工程单价确定目标总价，数量风险由发包人承担，价格风险由双方按约分担。

（5）成本补偿合同。承包商风险小，其获取相对固定间接费而不关心实际成本的控制。

（6）管理合同。承包商本人不必亲自施工，但其风险也小。

以上计价方式的不同主要是因为考虑到了设计的深度、工期的紧迫性、发包人风险分担的意愿的不同。

3. NEC 的主要特点

NEC 可用于包括土木、电气、机械和房屋建筑在内的传统类型的工程或施工，也可用于承包商负有一部分、全部设计职责及没有设计职责的工程。NEC 提供目前所有正常使用的合同类型，例如要承包商报价的竞争招标、目标合同、成本补偿合同和管理合同选择，它可在英国使用，但也很容易适于在其他国家使用。该特点是通过如下方面来实现的：①所有合同中使用的核心条款和六种主要计价方式的选择，可使发包人选择最适合某具体合同的付款机制；②次要选项与主要选项的任何组合，如对通货膨胀、保留金的价格调整等；③承包商可能设计的范围从 0~100%；④可能的分包程度从 0~100%；⑤可使用合同数据表，形成具体合同的特定数据；⑥在合同条件中省略了特殊领域的特别条款和技术性条款，而将这些条款放入工程信息。

NEC 虽然是一份法律文件，但用常用语言书写，易于被母语为非英语的人员理解并翻译成其他语言。NEC 尽量使用常用词，无冗长的句子，仅在保险部分保留了少量法律用语。NEC 的安排和结构能帮助人们熟悉其内容，更重要的是，NEC 对参与各方的行为有准确的定义，以使在谁做什么和如何做等方面的争议减少。该特点是通过以下方面实现的：①使用简单语言、简短句子和避免使用法律术语；②合同使用现在时描述人的行为；③结构简单和条款编码系统，易于理解条款；④提供程序流程图；⑤条款数目少且相互独立；⑥尽量不使用模糊用词，避免歧义。

促进良好管理可能是 NEC 最重要的特征。每个程序都专门设计，使其实施有助于工程的有效管理。NEC 是基于这样一种认识：参与各方有远见、相互合作的管理能在工程内部减少风险。该特点是通过以下方面来实现的：①允许发包人确定最佳的计价方式；②项目经理、监理工程师的管理作用简单、精确；③明确分摊风险；④补偿事件的评估程序是基于对实际成本和工期的预测结果，发包人能根据自己兴趣选择解决途径，而承包商不在乎选择；⑤早期警告程序，承包商和项目经理都有责任互相警告和合作；⑥鼓励当事人合作管理中发挥自己应有的作用。

三、世界银行 SBD 中的合同条款

1995 年 1 月，世界银行对其"采购指南"进行了修改，出版了新版"采购指南"。随后世界银行根据新"指南"编写了"标准招标采购文件（SBD）"，并要求其借款国在世行项目采购中必须使用 SBD。考虑到我国的具体情况和采购管理经验，有必要根据中国特有的情况对世行的 SBD 建议补充。经与世行充分协商，世行同意财政部继续修订和保留中国的范本，但要求其主要内容与 SBD 保持一致。

根据财政部的规定，从 1996 年 7 月 1 日起，我国所有世行贷款项目中每次货物和土建工程的国际和国内竞争性招标，必须使用财政部统一编制的相应的范本作为招标文件。

（一）土建工程国内招标文本中的合同条款

土建工程国内招标文本摒弃了老范本（1991 年）中过于复杂的 FIDIC 条款，代之以比较简单易懂、更具操作性的合同条款。合同条款分为通用条款和专用条款，合同通用条款分为 5 部分 63 条，分别为：

1. 总则。包括定义、解释、语言和法律、项目监理的决定、授权、通讯、分包、其他承包人、人员、发包人和承包人的风险、发包人的风险、承包人的风险、保险、现场调查报告、保障、对合同专用条款的疑问、承包人实施工程、按预定竣工日期完成工程、项目监理的批准、安全和环境保护、意外发现、现场的占用、进入现场、指示、争端、争端的解决程序、调解员小组成员的更换等 27 条。

2. 工期控制。包括进度计划、预计竣工日期的延长、加快进度、项目监理命令延缓、管理会议、提前通报等 6 条。

3. 质量控制。包括鉴别缺陷、试验、对缺陷的修正、未修正的缺陷等 4 条。

4. 费用控制。包括工程量清单、工程量的变化、变更、对变更的支付、先进需求估算、支付证书、支付、补偿事件、税收、价格调整、保留金、误期补偿费、预付款、保证金、计日工、暂定金额、修理费等 17 条。

5. 完成合同。包括竣工、接收、最终账目、运行和维修手册、终止合同、合同终止时的支付、财产、合同失效、世界银行停止贷款或信贷等 9 条。

（二）土建工程国际招标文本中的合同条款

土建工程国际招标文本中的合同条款也分为通用条款和专用条款两部分。通用合同条款采用的是 FIDIC 土木工程合同条件（第四版）的通用条件。专用条款分成两部分：第一部分是标准专用合同条款，由财政部编制，不可更改；第二部分是合同特殊条款，由发包人或者招标公司根据项目情况自行编制。FIDIC 土木工程合同条件（第四版）的通用条件在前面已经作过简要介绍，这里仅就标准专用合同条款作简要介绍。

标准专用条款是对通用条款的补充，包括以下内容：定义和解释（银行、中国的含义等），工程师和工程师代表，转让和分包，合同文件，一般义务，劳力，材料、设备和工艺，开工和延误，缺陷责任，变更、增加和省略，计量，证书与支付，补救措施，特殊风险，争议处理，通知，发包人违约，费用和法规的变更，货币和汇率的变更。

以上部分均与通用条件的 72 条相对应，下面 73~83 条是额外的补充，包括：税，非法支付，发包人终止合同，合格性限制，连带责任及其他。

四、JCT 合同条件

在英联邦国家普遍适用的建筑合同是 JCT 系列。JCT 是英国建筑业多个专业组织的联合会，它包括英国皇家建筑师学会（RIBA）、皇家注册测量师学会（RICS）、地区市政协会（Association of District Councils）以及咨询工程师协会（ACE）。该联合会自

1931 年成立以来孜孜不倦于私人和公共建筑的标准合同文本的制订与不断更新。其中，最重要的文件是标准建筑合同，最新的 1998 年版合同在 1980 年版的基础上作了大量的修改和增补。在 JCT 标准文本中建筑师负责工程的设计、工程量的确定和对整个合同的实施进行管理与协调。

JCT 系列的标准合同门类齐全，具体分成九个类别：

（1）标准建筑合同的不同形式（The Standard Form of Building Contract in Variants）。按照地方政府或私人投资、带工程量清单、不带工程量清单、带近似的工程量清单分为六种标准合同文本。

（2）承包人带设计的合同（Standard Form with Contractor's Design（CD98））。

（3）固定总价合同（Fixed Fee Form of Prime Cost Contract（1987））。

（4）总包标准合同（Standard Form of Prime Contract（1992））。

（5）营造中间合同 Intermediate Form of Building Contract（IFC84）。

（6）小型工程合同（Agreement for Minor Works（MW80））。

（7）管理施工合同（Management Contract（MC87））。

（8）单价合同（JCT Measured Form Contract）。

（9）分包合同标准文本（Standard Form of Sub contract），包括招标、投标文件、分包特别条件、指定分包等不同情况所用的文本。

五、AIA 系列合同条件

美国建筑师学会（AIA）制定发布的合同条件主要用于私营的房屋建筑工程，在美国影响很大。该学会针对不同的工程项目承包管理模式及不同的合同类型出版了多种形式的合同示范文本。AIA 为包括 CM 模式在内的各种工程项目管理模式专门制定了各种合同示范文本和协议书格式。AIA 文件中包括 A、B、C、D、F、G 等系列：

A 系列，用于发包人与承包商的标准示范合同，不仅包括合同条件，还包括资质报表，各类担保的标准格式等。

B 系列，用于发包人与建筑师之间的标准示范合同，其中包括专门用于建筑设计、装修工程等特定情况的标准合同文件。

C 系列，用于建筑师与专业咨询人员之间的标准示范合同。

D 系列，建筑师行业内部使用的示范合同。

F 系列，财务管理报表。

G 系列，建筑师企业及项目管理中使用的示范合同。

AIA 系列合同条件的核心是"通用条件"（A201 等）。采用不同的工程项目管理，不同的计价方式时，只需选用不同的"协议书格式"与"通用条件"结合。AIA 合同文件的计价式主要有总价、成本补偿合同及最高限定价格法。由于小型工程情况比较简单，AIA 专门编制用于小型项目的合同条件。

六、EDF 合同文本

欧洲发展基金会（EDF）针对国际上使用该基金建造的土木工程项目，也编制了一套工程施工的合同条件，因此称为 EDF 合同条件。EDF 合同条件的原始版本和现行的最新版本编制的法律依据，是法国的法律以及行文管理法规，属于大陆法系的合同条款。EDF 合同条件包括以下几个附件：

（1）工程、供货和服务合同的通用规则，包括参与项目建设的原则与条件，投标者须知、中标的原则和条件。

（2）工程合同通用条件。

（3）供货合同通用条件。

（4）服务合同通用条件。

（5）调解与仲裁程序规则。

EDF 合同条件的一个特点是，设在接受 EDF 贷款的国家中的 EDF 驻当地代表会，往往会介入来解决 EDF 贷款工程项目的发包人（发包方）与承包方之间发生的争议。这样，EDF 的非正式调解纠纷的作用事实上已成为这类合同的一个内容。结果，对不属于 EDF 贷款范围的工程项目，就不能使用 EDF 合同条件。在英国加入欧洲共同体后，如处理英、法两国对施工合同的不同做法，也是一个难题。这些情况都限制了 EDF 合同条件的应用。

第四节　国际工程施工合同争议的解决

一、概述

国际工程因工期长、参与方众多、合同内容复杂，技术、商务以及法律等问题交织在一起，极易产生各种合同争议，特别是当涉及各方的利益和风险分配时，合同争议的解决更为复杂和困难。选择适当的解决方式，及时解决合同争议，不仅关系到维护当事人的合法权益和避免损失的扩大，对合同双方今后的可能的各种合作也会产生直接的影响。

在国际工程承包中争议的解决有多种方式，它们是：

（一）协商

有时也称为友好解决，这是通过争议的各方当事人直接谈判和友好协商，得出双方互谅互让的争议解决方案。

（二）调解

通过争议各方都尊重和信赖的调解人士或者从事调解的组织或机构协助，达成相互妥协的和解方案。

（三）组织争议评审委员会（Dispute Review Board，DRB）解决争议

这是在国际工程施工合同争议的处理实践中出现和受到重视的一种新的争议解决方式，世界银行已决定在其贷款的建设项目中广泛采用。

（四）仲裁

这是一种最常见的解决合同争议的法律程序。只要双方有仲裁协议，或者在合同中有相应的仲裁条款，争议各方均有权提请有管辖权的仲裁机构或按事先约定的仲裁庭组成规则组成仲裁庭对争议作出裁决。仲裁裁决是终局的，对争议各方均有约束力。

（五）诉讼

这是一种正式的司法程序，即通过有管辖权的法院进行审理和依法作出判决。

在上述几种解决争议的方式中，前两种方式，即协商和调解方式，不属于法律程序，它们不受法律制约，是一种非对抗性的处理争议方法。后两种，即仲裁和诉讼，属于正式的法律程序，仲裁和诉讼中依法作出的裁决和判决可在国家法律的保护下得到强制执行，它们是一种对抗性的处理争议的方法。至于其余的两种，即由争议评审委员会进行的评审程序，是介于前述两者之间的非正式的解决争议方法。

在国际工程施工合同中，应当明确规定解决争议的方式，但不限于只选择一种方式，也可以选择两种甚至两种以上的方式。在选择两种或两种以上的方式时，应当明确规定采用这些解决争议方式的顺序以及其相互关系。例如，合同中可规定：如果双方出现争议，应当先通过友好协商，力争谈判解决争议；如谈判未能达成一致意见，则应提交仲裁，仲裁裁决是终局的，对争议双方均有约束力；同时，对仲裁还应有专门条款详加规定。

二、协商和调解

通过谈判和调解解决国际工程承包中的争议，都是非对抗性处理争议的良好方式，这样做可以避免破坏承包商和工程发包人之间的商业关系。即使承包商对采取司法程序解决争议有胜诉的把握，多数仍是不愿意贸然提交诉讼的。聪明的承包商懂得，要想在一个国家长久立足，不能随意采取强硬方式，否则可能使自己无法在这个国家生存。能够通过协商或者借助调解人的中间调停使争议获得解决，不仅可以节省大量用于某些法律程序的费用和时间，还不致伤害双方的感情，甚至还能表现双方愿意今后继续合作的良好气氛。

（一）协商

协商，是争议当事人，依据有关的法律规定和合同约定，在互谅互让的基础上，经过谈判或磋商，自愿对争议事项达成一致意见，从而解决合同争议的一种办法。协商应以合法、自愿和平等为原则。协商特点在于无须第三者的介入，简便易行，能及时解决争议，并有利于双方的协作和合同的继续履行。但由于协商必须以双方自愿为前提，因此，当双方分歧严重，及一方或双方不愿协商解决争议时，此种方式往往受到局限。

　　FIDIC《土木工程施工合同条件》将协商（友好解决）规定为争端提交仲裁前的必经程序，同时强调工程师解决争议的权力。FIDIC《土木工程施工合同条件》（第四版）第六十七条规定：对于发包人和承包商之间的争议，包括对工程师的意见的任何争议，都应当先以书面形式提交工程师决定；只有在工程师作出决定后，任何一方对其决定不满意，才可以发出提交仲裁的意向，并在实际提交仲裁之前，设法通过友好协商解决争议。这种程序性的规定完全体现了尊重工程师的权力。因此，承包商要想合理和有效地解决争议，不应当忽视这些程序性的合同规定，以免被视为不遵守合同行为。

　　（二）调解

　　调解，是争议当事人在第三方调解人的主持下，通过其劝说引导，在互谅互让的基础上自愿达成协议，以解决合同争议的一种方法。调解的原则也是以合法、自愿和平等为原则。

　　调解人可以是自然人临时组成的调解委员会或调解小组；也可以是较有声望的社会团体或组织，例如商会、工程师协会、律师协会等；还有就是专门的调解机构。有些国家或国际组织设有专门进行排解经济纠纷的调解中心，例如国际商会和斯德哥尔摩的商会以及中国国际商会（中国国际贸易促进委员会）均有进行合同纠纷调解的专门机构，并有其调解程序和规则。由于国际工程施工合同的复杂性和技术争论问题较多，调解人除具有公正和独立的声誉外，应当具有专业知识和经验，并有合同和法律知识。在调解委员会或调解小组中最好既有工程专家又有法律人士参加。

　　调解应根据一定的调解规则进行，但目前还没有统一的国际通用的调解规则。许多国际组织附设有调解管理机构的，通常有自己的调解规则。联合国大会于 1980 年 12 月 4 日通过的 35/52 决议中推荐，在国际商事关系中发生争议且当事人寻求调解方式友好解决他们的争议时，可使用联合国国际贸易法委员会（United Nations Commissionon International Trade Law, UNCITRAL）的调解规则。许多国际组织的调解管理机构调解规则关于程序的一般规定包括：

　　（1）调解规则的适用；

　　（2）调解员的确定；

　　（3）调解管理机构的行政管理方面的协助；

　　（4）调解会议地点；

　　（5）调解程序的开始；

　　（6）调解程序开始后的调解方式；

　　（7）解决争议的协议；

　　（8）调解程序的终止；

　　（9）调解费用；

　　（10）保密等。

三、通过争议评审委员会（DRB）解决合同争议

争议评审委员会（以下简称 DRB）处理争议是一种在工程承包的实践活动中出现、总结和发展起来的新的解决争议方式，其特点是能在合同履行过程中随时排除纠纷和解决争议。争议评审委员会处理承包工程争议的方式是 20 世纪 70 年代在美国的隧道工程中发展起来并取得了巨大成功。为有效应用 DRB 处理合同争议，世界银行已修改其贷款工程《采购指南》的某些规定。过去世界银行贷款的项目适用国际咨询工程师联合会（FIDIC）的合同条件中规定的"以工程师为核心的争议解决模式"，现在世界银行决定对该争议解决模式进行修改，明确规定合同总价超过 5000 万美元的工程项目应当采用 DRB 方式解决争议，而合同总价小于 5000 万美元的工程项目则可以选择 DRB 方式或者"争议评审专家"（Disputes Review Expert，DRE）方式解决争议，并提供了这两种形式的基本程序。

（一）DRB 或 DRE 的基本程序

1. 采用 DRB 方式解决争议的协议或者合同条款

首先要由发包人和承包商共同在其施工合同条款或单独的专项协议中明确采用 DRB 或者 DRE 的方式解决争议。合同条款和协议中还要特别写明这种解决争议的范围、评审委员会成员的人数和产生办法、DRB 或 DRE 方式与监理工程师处理争议以及仲裁或诉讼处理争议的关系等。通常 DRB 或 DRE 处理争议的建议是咨询性的，它并不替代合同中规定的工程师对争议处理的程序，更不排除争议方因不满意 DRB 或 DRE 的建议而诉诸仲裁或诉讼。世界银行关于 DRB 的新规定中，写明争议一方在收到 DRB 的处理争议建议后 14 天之内应当通知各方其不接受该建议而拟诉诸仲裁的意向，否则该建议被认为是终局的，对争议双方有约束力；无论该建议是否变为终局的和有约束力的，该建议应当成为仲裁或诉讼程序中处理与该建议有关的争议问题的可采纳的证据。

2. DRB 或 DRE 成员的选定

通常 DRB 有 3 名成员（大型项目可以有 5 名或以上成员），争议双方各指定一名，并经双方相互确认，而后由该两名相互确认的 DRB 成员共同推荐第三名成员，并经争议双方批准，该第三名成员将作为 DRB 的主席。应当规定 DRB 成员的基本条件，例如应当是具有与本工程同类项目的管理经验，并有较好的解释合同能力的技术专家；应当是与本工程任何一方没有受雇和财务关系，并没有股份或财务利益的人士；还应当是从未实质上参与过本工程项目的活动，并与争议任何一方没有任何协议或承诺的人士。在 DRB 的成员选定中，还应规定时间限制，如果任何一方未能按时指定成员，或者未能及时批准对方指定的成员及共同指定的第三名成时，应当规定由谁或者某一机构在何时代为指定成员。

3. DRB 成员被指定后应签署接受指定的声明

该声明应表示同意接受担任该项目的 DRB 成员，并保证与合同双方没有任何受雇

和财务往来及任何利益和承诺关系，愿意按规定保密和秉着公正与独立的原则处理双方争议。如果是在工程施工合同签订之后才确定采用 DRB 方式处理争议，则可由发包人、承包商和 DRB 成员共同签订一份 DRB 三方协议。这种协议可以就 DRB 的工作范围、处理争议的工作程序、三方的责任、DRB 开始和结束工作的时间、报酬与支付、协议的中止、DRB 成员的更换、DRB 的建议书的形式和采纳以及本三方协议的争议解决等作出明确规定。

4. DRB 的一般工作程序

通常是双方的争议先由双方共同协商解决，或提交监理工程师决定。只有在双方协商不能达成一致，或者其中一方对工程师的决定不同意时，可以在某一规定时间内提交给 DRB 处理。在一方向 DRB 提交争议处理请求时，应相应地通知对方；DRB 将决定举行听证会，或者可以在 DRB 定期访问现场期间举行听证会；通常听证会在工程现场举行，在此之前双方应向 DRB 的每位成员提交书面文件和证据材料；听证会一般不做正式记录和录音、录像，但给争议双方充分的时间陈述和提出证据材料或者书面声明；DRB 成员在听证期间不得就争议各方的是非曲直发表任何观点；随后 DRB 成员将秘密进行讨论，直到形成处理争议的建议，建议以书面提出并由 DRB 成员签字；如果 DRB 成员中有少数不同意见者。可以附一份少数成员的意见，但最好是尽力达成一致性的意见，以利各方执行；书面建议应分发给争议双方。

5. DRB 定期访问现场和定期现场会议

为使 DRB 成员了解工程施工和进展情况，并使工程进展过程中发生的争议得到及时处理，或者对潜在的争议提出可能的避免方法，一般都规定 DRB 成员应定期访问现场（例如，每个季度一次）。在访问期间，DRB 成员将由发包人和承包商的双方代表陪同参观工程的各部位，并召开圆桌会议，听取上次会议以来的工程进展和存在问题的各方说明，听取各方对潜在争议的预测及其解决的建议。如果必要，可指定一方整理定期会议纪要供各方修改和定稿，并分发给三方备存。定期访问期间，DRB 成员不得接受任何一方的单独咨询。如趁定期访问期间处理已发生的争议，则按工作程序另外安排听证会议。

（二）对争议评审委员会解决争议方式的评价

在业已采用 DRB 处理争议方式的项目中，建设主管部门、发包人、承包商和贷款金融机构等各方面的反映都是良好的，甚至极为称赞。归纳起来，认为 DRB 方式具有以下优点：

1. 它特别适合于工程项目施工合同

因为 DRB 可以在工程施工期间直接在工程现场处理大量常见争议，避免了争议的拖延解决而导致工期延误；也可防止由于争议的积累而使之扩大和更为复杂化。

2. 技术专家的参与，处理方案符合实际

由于 DRB 成员都是具有工程施工和管理经验的技术专家，比起将争议交给仲裁或诉讼中的法律专家、律师和法官仅凭法律条款去处理复杂的技术问题，更令人放心，即其处理结果可能更符合实际，并有利于执行。

3. 节省时间，解决争议便捷

由于 DRB 成员定期到现场考察工程情况，他们对争议起因和争议引起的后果了解得更为清楚，无须大量准备文字材料和费尽口舌向仲裁庭或法院解释和陈述；DRB 的决策很快，可以节省很多时间。

4. DRB 方式的成本比仲裁和诉讼的费用低

不仅总费用较少，而且所花费用是由争议双方平均分摊的，而在仲裁或诉讼中，则任何一方都有可能承担双方为处理争议而花费的一切费用的风险。

5. 并不妨碍再进行仲裁或诉讼

即使 DRB 的建议不具有终局性和约束力，或者一方不满意而不接受该建议，仍然可以再诉诸仲裁或诉讼。

鉴于 DRB 处理争议方式有以上十分突出的优点，相信它在国际工程承包中将得到广泛的采用。

四、仲裁

通过仲裁（这里一般指国际商事仲裁）程序解决争议是国际工程承包中采用较多的一种合同争议解决方式。在 FIDIC 的土木工程施工合同条件中，以及世界银行和许多国际金融组织贷款工程项目的招标文件中，都推荐采用仲裁程序作为最终解决争议的方式，这是由于仲裁程序比较适合于处理工程合同特别是工程施工合同争议。

（一）仲裁的法律效力

许多国家通过立法赋予了仲裁的法律地位，使依法仲裁的结果得到国家法律的承认和保护。联合国曾于 1958 年制订了《承认及执行外国仲裁裁决公约》，现已有 80 多个国家和地区正式承认这项公约，这就使国际商事仲裁在该公约签字国家间获得了执行的法律保障。也有一些国家虽然没有参加上述国际公约，但他们与某些国家签订了双边或多边协定或条约，相互承认对方国家的仲裁裁决的有效性，这些国家也会给予与之有条约约束的外国的仲裁裁决以法律保障。如果被申请承认和执行仲裁裁决的国家不是上述国际公约的签字国，又与作出裁决的国家没有双边或多边条约或协定制约，那么可以通过国家之间的司法协助，或者通过外交途径请求对方国家政府有关当局协助，或者可以直接向对方国家法院起诉，通过司法审理程序来获得执行。

我国已于 1987 年 4 月 22 日正式加入了《承认及执行外国仲裁裁决公约》，我国涉外仲裁机构目前有两家，即中国国际经济贸易仲裁委员会和中国海事仲裁委员会，它们作出的裁决在上述公约签字国可获得法律保障。到目前为止，我国涉外仲裁裁决在国内和海外国家和地区的执行情况是良好的。

（二）仲裁机构的选择

在国际工程承包中，发包人一般要求在工程所在国的仲裁机构仲裁；而承包商则希望在承包商总部所在国家的仲裁机构仲裁，常见的妥协方案是，在第三国仲裁或者在被申请人的国家仲裁。在选择第三国仲裁时，应当注意：

（1）该国仲裁机构是否有处理国际仲裁案件的能力和条件；

（2）该机构是否有专门的仲裁规则，该规则是否适合于本项目争议情况，以及该机构能否接受采用争议双方共同指定的规则（例如，联合国国际贸易法委员会仲裁规则等）；

（3）该机构的地点应当适宜，特别是对争议双方人员出入境以及该机构人员到争议发生地调查均不应有任何限制；

（4）该机构的规则对仲裁员的指定有何规定，应当注意有何限制；

（5）其他方面的条件，包括服务是否完备，交通是否方便，收费是否合理等。

（三）推荐的仲裁协议条款

鉴于仲裁协议是约束双方处理其争议的重要文件，又是仲裁机构管辖、审理和裁决的依据，因此，必须条文具体和完整、语言简洁和明确，决不可模棱两可和含混不清，否则，将引起管辖权的混乱，甚至严重影响裁决的执行，甚至当争议一方提交仲裁时，立即引起对方的抗辩，而使仲裁尚未正式开始即可能流产。为避免这种情况的发生，许多国际仲裁机构都拟定了"推荐性条款"，供各方当事人在拟定仲裁协议时参考。下面选编几种推荐条款供参考：

1. 中国国际经济贸易仲裁委员会（China International Economic and Trade Arbltration Commission，CIETAC）推荐的仲裁条款

"凡因执行本合同所发生的与本合同有关的一切争议，如双方协商不能解决，应提交中国国际经济贸易仲裁委员会根据其仲裁规则进行仲裁，仲裁地点在北京（或写明在上海或深圳），仲裁裁决是终局的，对双方均具有约束力。仲裁费用除仲裁庭另有规定外，由败诉方负担。"如双方事先议定是在被诉方所在国的仲裁机构仲裁，或者在第三国的仲裁机构仲裁，则将上述条款中的仲裁机构名称和仲裁地点作相应修改。

2. 斯德哥尔摩商会仲裁院（Arbitration Institute of the Stockholm Chamber of Commerce，AI-SCC）推荐的仲裁条款

"任何有关本协议的争议，应最终根据斯德哥尔摩商会仲裁院的仲裁规则进行仲裁解决。"斯德哥尔摩商会仲裁院的仲裁，也可以适用联合国国际贸易法委员会仲裁规则（UNCITRAL Arbitration Rules）；该仲裁院没有仲裁员名单，当事人双方可各自任意指定一名仲裁员与仲裁院主席指定的首席仲裁员组成仲裁庭审理案件；仲裁院对于仲裁地点、语文和适用法律均可由争议双方约定，因此在上述推荐条款中可以由当事双方事先在仲裁条款中作出特别约定。

3. 国际商会国际仲裁院（the ICC International Court of Arbitration）推荐的仲裁条款

"有关本合同所发生的一切争议应根据国际商会国际仲裁院的仲裁规则由一名（或X名）仲裁员仲裁解决。"国际商会的仲裁规则与斯德哥尔摩商会的规则在许多方面相似，

除首席仲裁员或独任仲裁员由商会的仲裁院指定外，可由争议双方各自选定仲裁员；仲裁地点和语文也可由争议双方约定。

4. 伦敦国际仲裁院（London Court of International Arbitration，LCIA）推荐的仲裁条款

"由本合同所产生的与本合同有关的任何争议，包括该合同的成立、效力和修正均应提交或最终根据伦敦国际仲裁院的仲裁规则仲裁解决，该规则应视为包括在本条款之中。"伦敦国际仲裁院也可尊重争议双方在协议中约定适用联合国际贸易法委员会仲裁规则，仲裁员也可由当事人指定，或者委托仲裁院主席指定，甚至当事人还可约定由其他指定机构指定仲裁员，包括法律。关于仲裁地点和语文等均尊重争议双方的事先约定，否则仲裁院将予以确定。

五、诉讼

（一）诉讼的一般规定

如果争议各方既不能通过谈判、调解和公断等方式解决其争议，双方事先或产生争议之后又不同意提交仲裁作为最后解决争议的方式，那么，该争议不得不通过司法程序来解决，即向法院起诉，由法院作出判决。

有些国际工程施工合同的争议解决条款，明确写明了通过当地法院解决争议，也有一些合同并未写明争议解决方式，那么，争议的任何一方均可向有管辖权的法院起诉，该法院可以根据其本身的管辖权限决定是否受理该案，或者转由其他有权管辖的法院受理。

法院对诉讼案件的管辖具有强制性，只要该国法律规定可以管辖的工程合同争议案件，法院可以受理案件，并通过规定的方式通知被诉人应诉和出庭受审。被诉方如果置之不理，其后果由被诉人自负。

被诉方如果在该受理的法院所在国有财产者，法院可以根据申诉方的请求对该项财产实行保全，在法院终审判决后，法院可以接受申诉方的请求予以强制执行；如果被诉人败诉，而被执行人在该国没有财产，并不执行法院的判决，请求执行的胜诉方可以直接向有管辖权的外国法院申请承认和执行，也可以由作出判决的法院依据国际条约规定，或者按照互惠原则请求外国法院承认和执行。

诉讼的当事人是不能选定审判员的，而是由法院根据其职权指定的法官或组成合议庭审理案件。许多国家的法院设有经济案件审判庭审理工程承包合同等类型的经济合同争议案件。法院对诉讼案件的审理一般都是公开进行的，因此，采用诉讼这一司法程序处理工程合同争议，不利于保守当事人的商业秘密，也不利于维护当事人的商业信誉。

许多国家的法律制度规定：法院审理案件采用两审终审制或者三审终审制，即初等法院、中等法院和高等法院三级审理。如果合同争议当事人对低一级的法院作出的

判决不服，可以再向高一级上诉，直至终审判决。

（二）采用诉讼方式解决争议应注意的问题

有些国家没有处理涉外经济合同争议的仲裁机构，或者该国对仲裁裁决没有法律保障，而合同当事人又不愿意接受外国仲裁裁决，因而宁可在合同中规定用诉讼方式解决争议，并利用本国的国际司法规则确定合同适用本国法律，使自己可能处于有利的地位。应当指出，如果承包商不熟悉该国的各项适用于合同的实体法，是有一定风险的，应当聘请当地有资格的律师为法律顾问，以弥补自己对当地法律知识缺乏的不足。由于国际工程合同特别是国际工程施工合同的争议涉及大量技术性较强的问题，最好是对诉讼解决争议方式作出一定限制。例如在合同中写明，将涉及技术性的争议交由双方共同指定的专家处理，可以在诉讼程序之前加进 DRB 或者 DRE 解决争议方式。

如果合同中没有指定对争议作出判决有效的法院，可能会有两个以上的法院有资格对各方争议作出判决（例如，合同当事人一方在某地法院提起诉讼，而另一方则在其他地方的法院提起诉讼）。这样可能作出不同的判决，而引起判决最终结果的不确切性，从而造成判决执行的困难。解决这个问题的方法是在合同中就司法程序解决争议列入一项专属管辖权条款，即责成当事各方将他们因合同引起的争议提交给某一指定法院审理和判决。

当选择法院并赋予专属管辖权时，应当事先搞清楚该法院是否有资格判决将提交给它的此类国际经济争议，以及该法院所作出的判决在当事各方的国家内能否得到法律保障的执行。当确定采用诉讼解决争议时，应当了解受理案件法院所在国家法律规定中某些强制性措施，例如拘传、拘留、罚款、冻结资产、没收、驱逐出境等，以及法律规定中允许采取的某种抗辩、抵制、反诉、上诉等保护自身权益的措施，以防不测和保护自己。

思考题

1. 国际工程承包的主要特点是什么？

2. 国际工程承包合同的主要特点是什么？

3. 国际工程承包合同的有关各方包括哪些？各方从哪些方面及如何对国际工程承包合同产生影响？

4. 国际工程的承包管理模式包括哪几种？各种承包管理模式的特点和优缺点是什么？

5. 国际工程承包合同的示范文本包括哪几个系列？各个系列的主要特点是什么？

6. 国际工程承包合同争议解决方式中的 DRB 和 DRE 的基本程序是什么？

第十五章

FIDIC 土木工程施工合同条件

【本章概要】

通过本章的学习，使学生了解、熟悉 FIDIC 土木工程施工合同条件的构成、施工合同当事人的权利和义务，涉及费用管理、进度控制、质量控制等相关条款。

第一节　FIDIC 合同条件简介

一、FIDIC 简介

FIDIC 是指国际咨询工程师联合会（Federation Internationledes Inginieurs-Conseils），它是由该联合会的法文名称字头组成的缩写词。1913 年，欧洲四个国家的咨询工程师协会组成了 FIDIC。经过 90 年的发展，该联合会已拥有 80 多个代表不同国家和地区的咨询工程师专业团体会员国（它的会员在每个国家只有一个），是被世界银行认可的国际咨询服务机构，总部设立在瑞士洛桑。中国工程咨询协会代表我国于 1996 年 10 月加入该组织。

FIDIC 下属有四个地区成员协会：FIDIC 亚洲及太平洋地区成员协会（ASPAC）、FIDIC 欧洲共同体成员协会（CEDIC）、FIDIC 非洲成员协会集团（CAMA）和 FIDIC 北欧成员协会集团（RINORD）。FIDIC 还下设许多专业委员会，主要的有发包人咨询工程师关系委员会（CCRC）、土木工程合同委员会（CECC）、电器机械合同委员会（EMLC）及职业责任委员会（PLC）等。FIDIC 专业委员会编制了许多标准合同条件，如：FIDIC 土木工程施工合同条件、FIDIC 电器和机械工程合同条件等。我们在本章中要介绍的是 FIDIC 合同条件即指 FIDIC 土木工程施工合同条件。

FIDIC 合同条件在世界上应用很广，不仅为 FIDIC 成员国采用，世界银行、亚洲开发银行等国际金融机构的招标采购样本也常常采用。

二、FIDIC 土木工程施工合同条件的发展过程

由于国际工程建设的飞速发展，工程建设的规模扩大、风险增加，对当事人的权利义务应有更明确详细的约定，这给当事人签订合同时再作约定带来了困难。在客观上，国际工程界需要一种标准的合同示范文本，能在工程项目建设中普遍适用或者稍作修改即可适用。而标准的合同示范文本在工程的费用、进度、质量、当事人的权利义务方面都有明确而详细的规定。FIDIC 合同条件正是顺应这一要求而产生的。FIDIC 编制了多个合同条件，以 1999 年最新出版的合同示范文本系列为例，其包括以下四种新的合同示范文本：

（1）施工合同条件（Conditions of Contract for Construction）；

（2）生产设备和设计—施工合同条件（Conditions of Contract for Plant and Design-Build）；

（3）设计采购施工（EPC）/交钥匙工程合同条件（Conditions of Contract for EPC/Turnkey projects）；

（4）简明合同格式（Short Form of Contract）。

在 FIDIC 编制的合同示范文本中，以土木工程施工合同条件影响最大，应用最广。

而 1999 年出版的施工合同条件是从 FIDIC 土木工程施工合同条件发展而来的。在本章的以下内容中，如果没有特别指明，FIDIC 合同条件仅指 FIDIC 土木工程施工合同条件。

1957 年，FIDIC 与欧洲建筑工程联合会（FIEC）一起在英国土木工程师协会（ICE）编写的《标准合同条件》（ICE Conditions）基础上，制定了 FIDIC 土木工程施工合同条件第一版。

第一版主要沿用英国的传统做法和法律体系。1969 年 FIDIC 出版了第二版 FIDIC 土木工程施工合同条件，第二版没有修改第一版的内容，只是增加了适用于疏浚工程的特殊条件。1977 年第三版 FIDIC 土木工程施工合同条件出版，对第二版作了较大修改，同时出版了《土木工程合同文件注释》。1987 年 FIDIC 土木工程施工合同条件第四版出版，1988 年又出版了第四版订正版。第四版出版后，为指导应用，FIDIC 又于 1989 年出版了一本更加详细的《土木工程合同条件应用指南》。经过修订，1999 年又出版了 FIDIC 施工合同条件（1999 年第一版）。本章以介绍 FIDIC 土木工程施工合同条件第四版的内容为主。

FIDIC 土木工程施工合同条件得到了美国总承包商协会（FIFG）、中美洲建筑工程联合会（FIIC）、亚洲及西太平洋承包商协会国际联合会（IFAWPCA）的批准，由这些机构推荐作为土建工程实行国际招标时通用的合同条件。

三、FIDIC 土木工程施工合同条件的构成

FIDIC 土木工程施工合同条件由通用条件和专用条件两部分构成，且附有合同协议书、投标函和争端仲裁协议书。

（一）FIDIC 土木工程施工合同条件中的通用条件

FIDIC 通用条件是固定不变的，工程建设项目只要是属于房屋建筑或者工程的施工，如：工民建工程、水电工程、路桥工程、港口工程等建设项目，都可适用。由于通用条件是可以适用于所有土木工程的，条款也非常具体而明确。因此，当我们脱离具体工程从宏观的角度讲 FIDIC 土木工程施工合同条件的内容时，仅指 FIDIC 土木工程施工合同条件中的通用条件。FIDIC 土木工程施工合同条件中的通用条件可以大致划分为涉及权利义务的条款、涉及费用管理的条款、涉及工程进度控制的条款、涉及质量控制的条款和涉及法规性的条款等五大部分。这种划分只能是大致的，因此有相当多的条款很难准确地将其划入某一部分，可能它同时涉及费用管理、工程进度控制等几个方面的内容。但上述划分是为了使 FIDIC 土木工程施工合同条件具有一定的系统性，而从条款的功能、作用等方面作的一个初步归纳。

（二）FIDIC 土木工程施工合同条件中的专用条件

FIDIC 在编制土木工程施工合同条件时，对土木工程施工的具体情况作了充分而详尽的考察，从中归纳出大量内容具体详尽且适用于所有土木工程施工合同的合同条款，

组成了通用条件。但仅有这些是不够的，具体到某一工程项目，有些条款应进一步明确，有些条款还必须考虑工程的具体特点和所在地区的情况予以必要的变动。FIDIC 土木工程施工合同条件中的专用条件就是为了实现这一目的。专用条件与通用条件一起构成了决定一个具体工程施工合同各方的权利义务及对工程施工的具体要求的合同条款部分。

FIDIC 土木工程施工合同条件中的专用条件中的条款的出现可起因于以下原因：

第一，在通用条件的措辞中专门要求在专用条件中包含进一步信息，如果没有这些信息，合同条件则不完整。

第二，在通用条件中说到在专用条件中可能包含有补充材料的地方。但如果没有这些补充条件，合同条件仍不失其完整性。

第三，工程类型、环境或所在地区要求必须增加的条款。

第四，工程所在国法律或特殊环境要求通用条件所含条款有所变更。此类变更是这样进行的：在专用条件中说明通用条件的某条或某条的一部分予以删除，并根据具体情况给出适用的替代条款，或者条款之一部分。

四、FIDIC 土木工程施工合同条件的具体应用

（一）FIDIC 土木工程施工合同条件适用的工程类别

FIDIC 土木工程施工合同条件适用于房屋建筑和各种工程，其中包括工业与民用建筑工程、疏浚工程、土壤改善工程、道桥工程、水利工程、港口工程等。

（二）FIDIC 土木工程施工合同条件适用的合同性质

FIDIC 土木工程施工合同条件在传统上主要适用于国际工程施工合同。但对 FIDIC 土木工程施工合同条件进行适当修改后，同样适用于国内工程施工合同。

（三）应用 FIDIC 土木工程施工合同条件的前提

FIDIC 土木工程施工合同条件注重发包人、承包商、工程师三方的关系协调，强调工程师（我国称为监理工程师）在项目管理中的作用。在土木工程施工中应用 FIDIC 土木工程施工合同条件应具备以下前提：①通过竞争性招标确定承包商；②委托工程师对工程施工进行监理；③按照单价合同方式编制招标文件（但也可以有些子项采用包干方式）。

五、FIDIC 土木工程施工合同条件中合同文件的组成及优先次序

在 FIDIC 土木工程施工合同条件下，合同文件除合同条件外，还包括其他对发包人、承包方都有约束力的文件。构成合同的这些文件应该是互相说明、互相补充的，但是这些文件有时会产生冲突或含义不清。此时，应由工程师进行解释，其解释应按构成合同文件的如下先后次序进行：①合同协议书；②中标函；③投标书；④合同条件第二部分（专用条件）；⑤合同条件第一部分（通用条件）；⑥规范；⑦图纸；⑧标价的

工程量表。

（一）合同协议书（The Contract Agreement）

合同协议书有发包人和承包商的签字，有对合同文件组成的约定，是使合同文件对发包人和承包商产生约束力的法律形式和手续。

（二）中标函（The Letter of Acceptance）

中标函是由决标人向中标的承包商发出的中标通知。它的内容很简单，除明确中标的承包商外，还明确项目名称、中标标价、工期、质量等事项。

（三）投标书（The Tender）

这是由承包商提交的对其具有法律约束力的参加投标的文件。其主要内容是投标报价，同时保证按合同条件、规范、图纸、工程量表及附件要求，实施并完成招标工程并修补其任何缺陷；保证中标后，在接到工程师开工令后尽可能快地开工，并在招标附件中规定的时间内完成合同中规定的全部工程。

（四）合同条件第二部分（Part II of These Conditions）

这部分即 FIDIC 土木工程施工合同条件中的专用条件部分，它的效力高于通用条件部分，其有可能对通用条件进行修改、补充或者删节。

（五）合同条件第一部分（Part I of These Conditions）

这部分即 FIDIC 土木工程施工合同条件中的通用条件，其内容若与专用条件冲突，应以专用条件为准。

（六）规范（Specifications）

这是指对工程范围、特征、功能和质量的要求和施工方法、技术要求的说明书，对承包商提供的材料的质量和工艺标准，样品和试验，施工顺序和时间安排等都要作出明确规定。一般技术规范还包括计量支付方法的规定。

规范是招标文件中的重要组成部分。编写规范时可引用某一通用的外国规范，但一定要结合本工程的具体环境和要求来选用，同时往往还需要由咨询工程师再编制一部分具体适用于本工程的技术要求和规定列入规范。

（七）图纸（Drawings）

图纸也是招标文件的重要组成部分，是投标者在拟定施工方案、确定施工方法以至提出替代方案、计算投标报价等必不可少的资料。这对合同当事人双方都有约束力，因而也是合同的重要组成部分。

图纸的种类是比较多的，既有设计图，也有施工图。虽然设计图在招标时完成，在实践中，常常在工程实施过程中对图纸进行修改和补充。这些修改、补充的图纸均须经工程师签字后正式下达，才能作为施工及结算的依据。另外，招标时提供的地质钻孔柱状图、探坑展视图等地质、水文图纸也是投标者的参考资料。

（八）标价的工程量表（Bill of Quantities）

工程量表就是对合同规定要实施的工程的全部项目和内容按工程部位、性质等列在一个表内。标价的工程量表是由招标者和投标者共同完成的。作为招标文件的工程量表标有工程的每一类目或分项工程的名称、估计数量以及单位，但留出单价和合价的空格，这些空格由投标者填写。投标者填入单价和合价后的工程量表称为"标价的工程量表"，是投标文件的重要组成部分。

工程量表一般包括前言、工作项目、计日工表和总计表。

工程量表的项目划分和章节序号应与技术规范的章节相对应。在工程量表中划分项目应做到简单明了，具有高度的概括性，同时又不漏掉项目和应该计价的内容。

计日工也称散工或按日计工，它是指在工程实施过程中，发包人有一些临时性的或新增加的项目需按计日（或计时）使用人工、材料或施工机械时，应按承包商投标时在劳务、材料、施工机械等计日工表中填写的费率计价。

第二节 FIDIC 土木工程施工合同当事人的权利、义务

FIDIC 土木工程施工合同条件中涉及权利义务的条款主要包括发包人的权利与义务、工程师的权力与职责、承包商的权利与义务等内容。

一、发包人的权利与义务

发包人是指在专用条件中指定的当事人以及取得此当事人资格的合法继承人，但除非承包商同意，不指此当事人的任何受让人。发包人是建设工程项目的所有人，也是合同的当事人，在合同的履行过程中享有大量的权利并承担相应的义务。

（一）发包人的权利

1. 发包人有权批准或否决承包商将合同转让给他人。施工合同的签订意味着发包人对承包商的信任，承包商无权擅自将合同转让给他人。即使承包商转让的是合同中的一部分好处或利益，如选择分包商，也必须经发包人同意。因为这种转让行为可能损害发包人的权益。

2. 发包人有权将工程的部分项目或者工作内容的实施发包给指定的分包商。指定分包商是指发包人或工程师指定、选定或批准完成某一项工作内容的施工或材料设备的供应工作的承包商。指定分包商一般拥有某项专业技术和设备，有其独特的施工方法，善于完成某项专业工程项目。指定分包商虽由发包人或工程师指定，但他仍是分包商，他不与发包人签订合同，而是与承包商签订工程分包合同。这样做是为了便于施工中的管理与协调。

3. 承包商违约时发包人有权采取补救措施。第一，施工期间出现的质量事故，如果承包商无力修复；或者工程师考虑工程安全，要求承包商紧急修复，而承包商不愿或不能立即进行修复。此时，发包人有权雇用其他人完成修复工作，所支付的费用从承包商处扣回。第二，承包商未按合同要求进行投保并保持其有效，或者承包商在开

工前未向发包人提供说明已按合同要求投保并生效的证明。则发包人有权办理合同中规定的承包商应当办理而未办理的投保。发包人代替承包商办理投保的一切费用均由承包商承担。第三，承包商未能在指定的时间将有缺陷的材料、工程设备及拆除的工程运出现场。此时发包人有权雇用他人执行工程师的指令承担此类工作，由此产生的一切费用均由承包商承担。

4. 承包商构成合同规定的违约事件时，发包人有权终止合同。在发生下述事件后，发包人有权向承包商发出终止合同的书面通知，终止对承包商的雇用：

（1）承包商宣告破产、停业清理或解体，或由于其他情况失去偿付能力；

（2）承包商未经发包人同意转让合同；

（3）承包商已经否认合同有效；

（4）承包商未按合同规定开工；

（5）承包商拖延工期，而又无视工程师的指示，拒不采取加快施工的措施；

（6）承包商无视工程师事先的书面警告，反而固执地或公然地忽视履行合同所规定的义务。

在发出终止合同的书面通知 14 天后，在不解除承包商履行合同的义务与责任的条件下，发包人可以进驻施工现场。发包人可以自己完成该工程，或雇用其他承包商完成该工程。发包人或其他承包商为了完成该工程，有权使用他们认为合适的承包商的设备、临时工程和材料。

（二）发包人的义务

1. 发包人应在合理的时间内向承包商提供施工场地。发包人应随时给予承包商占有现场各部分的范围及占用各部分的顺序。发包人提供的施工场地应能够使承包商根据工程进度计划开始并进行施工。因此，在工程师发出开工通知书的同时，发包人应使承包商根据合同中对于工程施工顺序的要求占有所需部分现场（包括应由发包人提供的通道）。

2. 发包人应在合理的时间内向承包商提供图纸和有关辅助资料。在承包商提交投标书之前，发包人应向承包商提供根据有关该项工程的勘察所取得的水文及地表以下的资料。开工后，随着工程进度的进展，发包人应随时提供施工图纸。特别是工程变更时，更应避免因图纸提供不及时而影响施工进度。

3. 发包人应按合同规定的时间向承包商付款。FIDIC 土木工程施工合同条件对发包人向承包商付款有很多具体的规定。在工程师签发任何临时支付证书、最终支付证书后，发包人应按合同规定的期限，向承包商付款。如果发包人没有在规定的时间内付款，则发包人应按照标书附件规定的利率，从应付日期起计算利息付给承包商。

4. 发包人应在缺陷责任期内负责照管工程现场。颁发移交证书后，在缺陷责任期内的现场照管由发包人负责。如果工程师为永久工程的某一部分工程颁发了移交证书，则这一部分的照管责任随之转移给发包人。

5. 发包人应协助承包商做好有关工作。发包人这方面的协助义务是多方面的，如协助承包商办理设备海关手续、协助承包商获得政府对设备再出口许可。

（三）发包人应承担的风险

以下风险应由发包人承担：

（1）战争、敌对行动（不论宣战与否）、入侵、外敌行动；

（2）叛乱、革命、暴动或军事政变、篡夺政权、内战等；

（3）由于任何有危险性物质所引起的离子辐射或放射性污染；

（4）以音速或超音速飞行的飞机或其他飞行装置产生的压力波；

（5）暴乱、骚乱或混乱，但对于完全局限在承包商或其分包商雇用人员中间且是由于从事本工程而引起的此类事件除外；

（6）由于发包人提前使用或占用任何永久工程的区段或部分而造成的损失或损害；

（7）因工程设计不当而造成的损失或损害，而这类设计又不是由承包商提供或由承包商负责的；

（8）一个有经验的承包商通常无法预测和防范的任何自然力的作用。

发生上述事件，发包人应承担风险，如这已包括在合同规定的有关保险条款中，凡投保的风险，发包人将不再承担任何费用方面的责任和义务。如果在风险事件发生之前就已被工程师认定是不合格的工程，对该部分损失发包人也不承担风险责任。

二、工程师的权力与职责

工程师由发包人任命，与发包人签订咨询服务委托协议书，根据工程施工合同的规定，对工程的质量、进度和费用进行控制和监督，以保证工程项目的建设能满足合同的要求。如果发包人准备替换工程师，必须提前不少于 42 天发出通知以征得承包商的同意。如果要求工程师在行使某种权力之前需要获得发包人批准，则必须在合同专用条件中加以限制。

（一）工程师的权力

1. 工程师在质量管理方面的权力。

第一，对现场材料及设备有检查和控制的权力。对工程所需要的材料和设备，工程师随时有权检查。对不合格的材料、设备，工程师有权拒收。承包商的所有设备、临时工程和材料，一经运至现场，未经工程师同意，不得再运出现场。

第二，有权监督承包商的施工。监督承包商的施工，是工程师最主要的工作。一旦发现施工质量不合格，工程师有权指令承包商进行改正或停工。

第三，对已完工程有确认或拒收的权力。任何已完工程，应由工程师进行验收并确认。对不合格的工程，工程师有权拒收。

第四，有权对工程采取紧急补救措施。一旦发生事故、故障或其他事件，如果工程师认为进行任何补救或其他工作是工程安全的紧急需要，则工程师有权采取紧急补救措施。

第五，有权要求解雇承包商的雇员。对于承包商的任何人员，如果工程师认为在履行职责中不能胜任或出现玩忽职守的行为，则有权要求承包商予以解雇。

第六，有权批准分包商。如果承包商准备将工程的一部分分包出去，他必须向工程师提出申请报告。未经工程师批准的分包商不能进入工地进行施工。

2. 工程师在进度管理方面的权力。

第一，有权批准承包商的进度计划。承包商的施工进度计划必须满足合同规定工期（包括工程师批准的延期）的要求，同时必须经过工程师的批准。

第二，有权发出开工令、停工令和复工令。承包商应当在接到工程师发出的开工通知后开工。如果由于种种原因需要停工，工程师有权发布停工令。当工程师认为施工条件已达到合同要求时，可以发出复工令。

第三，有权控制施工进度。如果工程师认为工程或其他任何区段在任何时候的施工进度太慢，不符合竣工期限的要求，则工程师有权要求承包商采取必要的步骤，加快工程进度，使其符合竣工期限的要求。

3. 工程师在费用管理方面的权力。

第一，有权确定变更价格。任何因为工作性质、工程数量、施工时间的变更而发出的变更指令，其变更的价格由工程师确定。工程师确定变更价格时应充分和承包商协商，尽量取得一致性意见。

第二，有权批准使用暂定金额。暂定金额的使用必须按工程师的指示进行。

第三，有权批准使用计日工。如果工程师认为必要，可以发出指示，规定在计日工的基础上实施任何变更工作。对这类变更工作应按合同中包括的计日工作表中所定项目和承包商在其投标书中所确定的费率和价格向承包商付款。

第四，有权批准向承包商付款。所有按照合同规定应由发包人向承包商支付的款项，均需由工程师签发支付证书，发包人再据此向承包商付款。工程师还可以通过任何临时支付证书对他所签发的任何原有支付证书进行修正或更改。如果工程师认为有必要，他有权停止对承包商付款。

4. 工程师在合同管理方面的权力。

第一，有权批准工程延期。如果由于承包商自身以外的原因，导致工期的延长，则工程师应批准工程延期。经工程师批准的延期时间，应视为合同规定竣工时间的一部分。

第二，有权发布工程变更令。合同中工程的任何部分的变更，包括性质、数量、时间的变更，必须经工程师的批准，由工程师发出变更指令。

第三，颁发移交证书和缺陷责任证书。经工程师检查验收后，工程符合合同的标准，即颁发移交证书和缺陷责任证书。

第四，有权解释合同中有关文件。当合同文件的内容、字义出现歧义或含糊时，则应由工程师对此做出解释或校正，并向承包商发布有关解释或校正的指示。

第五，有权对争端作出决定。在合同的实施过程中，如果发包人与承包商之间产生了争端，工程师应按合同的规定对争端作出决定。

第六，工程师可以随时对其助理授权或者收回授权，在授权范围内，他们向承包商发出的指示、批准、开具证书等行为与工程师具有同等效力。

（二）工程师的职责

1. 认真履行合同中赋予的义务并承担相应责任，这是工程师的根本职责。根据 FIDIC 土木工程施工合同条件的规定，工程师的职责有：合同实施过程中向承包商发布信息和指标；评价承包商的工作建议；保证材料和工艺符合规定；批准已完成工作的测量值以及校核，并向发包人送交支付证书等工作。这些工作既是工程师的权力，也是工程师的义务。在工程施工合同的管理中，尽管发包人、承包商和工程师之间定期召开会议，但和承包商的全部联系还应该通过工程师进行。

2. 协调施工有关事宜。工程师对工程项目的施工进展负有重要责任，应当与发包人、承包商保持良好的工作关系，协调有关施工事宜，及时处理施工中出现的问题，确保施工的顺利进行。

三、承包商的权利和义务

承包商是指其标书已被发包人接受的当事人，以及取得该当事人资格的合法继承人，但不指该当事人的任何受让人（除非发包人同意）。承包商是合同的当事人，负责工程的施工建设。

（一）承包商的权利

1. 有权得到工程付款。这是承包商最主要的权利。在合同履行过程中，承包商完成了他的义务后，他有权得到发包人支付的各类款项。

2. 有权提出索赔。由于不是承包商自身的原因，造成工程费用的增加或工期的延误，承包商有权提出费用索赔和工期索赔。承包商提出索赔，是行使自己的正当权利。

3. 有权拒绝接受指定的分包商。为了保证承包商施工的顺利进行，如果承包商认为指定的分包商不能与他很好合作，承包商有权拒绝接受这个分包商。

4. 如果发包人违约，承包商有权终止受雇和暂停工作。如果发包人发生如下违约事件，承包商有权提出终止受雇：

（1）发包人在合同规定的应付款期满 28 天内，未按工程师颁发的支付证书向承包商付款；

（2）发包人干涉、阻挠或拒绝工程师颁发支付证书；

（3）发包人宣布破产或由于经济混乱而导致发包人不具有继续履行其合同义务的能力。

当发包人未在合同规定的应付款期满 28 天内付款，承包商也可以采取暂停工作的措施。由此造成的损失由发包人承担。

（二）承包商的义务

1. 按合同规定的完工期限、质量要求完成合同范围内的各项工程。合同范围内的工程包括合同的工程量清单以内及清单以外的全部工程和工程师要求完成的与其有关的任何工程。合同规定的完工期限则是指合同工期加上由工程师批准的延期时间。承包商应按期、按质、按量完成合同范围内的各项工程，这是承包商的主要义务。

2. 对现场的安全和照管负责。承包商在施工现场，有义务保护有权进入现场人员的安全及工程的安全，有义务提供对现场照管的各种条件，包括一切照明、防护、围栏及看守。并应避免由其施工方法引起的污染，直到颁发移交证书为止。

3. 遵照执行工程师发布的指令。对工程师发布的指令，不论是口头的还是书面的，承包商都必须遵照执行。但对于口头指令，承包商应在 7 天内以书面形式要求工程师确认。承包商对有关工程施工的进度、质量、安全、工程变量等内容方面的指示，应当只从工程师及其授予相应权限的工程师代表处获得。

4. 对现场负责清理。在施工现场，承包商随时应进行清理，保证施工井然有序。在颁发移交证书时，承包商应对移交证书所涉及的工程现场进行清理，并使原施工用地恢复原貌，达到工程师满意的状态。

5. 提供履约担保。如果合同要求承包商为其正确履行合同提供担保，则承包商应在收到中标函后 28 天内，按投标书附件中注明的金额取得担保，并将此保函提交给发包人。履约保证金一般为合同价的 10%。

6. 应提交进度计划和现金流通量的估算。这样，有利于工程师对工程施工进度的监督，有利于发包人能够保证在承包商需要时提供资金。

7. 保护工程师提供的坐标点和水准点。承包商除了对由工程师书面给定的原始坐标点和水准点进行准确的放线外，他有义务对上述各类的地面桩进行仔细保护。

8. 工程和承包商设备保险。承包商必须以发包人和承包商共同的名义，以全部重置成本对工程连同材料和工程配套设备进行保险。保险期限从现场开始工作起到工程竣工移交为止。如为部分工程或单项工程投保时，保险金额则应为除重置成本外，另外 15% 的附加金额，用以包括拆除和运走工程某些部分废弃物等的附加费用和临时费用。

9. 保障发包人免于承受人身或财产的损害。承包商应保障发包人免受任何人员的死亡或受伤及任何财产（除工程外）的损失及其产生的索赔。

10. 遵守工程所在地的一切法律和法规。承包商应保证发包人免于承担由于违反法律法规的罚款和责任。由于遵守法律、法规而导致费用的增加，由承包商自己承担。

第三节　FIDIC 土木工程施工合同条件中涉及费用管理的条款

FIDIC 土木工程施工合同条件中涉及费用管理的条款范围很广，有的直接与费用管理有关，有的间接与费用管理有关。概括起来，大致包括有关工程计量的规定、有关合同履行过程中结算与支付的规定、有关合同被迫终止时结算与支付的规定、有关工程变更和价格调整时结算与支付的规定、有关索赔的规定等方面的内容。

一、有关工程计量的规定

（一）工程量的计量

在制定招标文件时，应列出工程量清单，显示工程的每一类目或分项工程的名称、估计数量以及单位。而单价和合价则由投标者填写，然后成为投标文件的组成部分。这些工程量是在图纸和规范的基础上对该工程的估算工程量，它们不能作为承包商履行合同规定的义务过程中应予完成工程实际和确切的工程量。

承包商在履行合同中完成的实际工程量要通过计量来核实，以此作为结算工程价款的依据。由于 FIDIC 土木工程施工合同是固定单价合同，承包商报出的单价是不能随意变动的，因此工程价款的支付额是单价与实际工程量的乘积之和。

（二）工程计量的程序

1. 工程师的义务。除另有规定的以外，工程师应根据合同通过计量来核实和确定工程的价值，承包商则应得到该价值的付款。当工程师要求对任何部位进行计量时，都应适时地通知承包商授权的代理人。

2. 承包商授权的代理人的义务。承包商授权的代理人接到工程师的计量通知后，应进行以下工作：

（1）立即参加或派出一名合格的代表协助工程师进行上述计量；

（2）提供工程师所要求的一切详细资料。

3. 承包商或其代表未参加计量的后果。如果承包商不参加，或由于疏忽或遗忘而未派其代表参加，则由工程师进行的或由其批准进行的计量应视为对工程该部分的正确计量。

4. 对需用记录和图纸的计量的特殊要求。在对永久工程进行计量需要记录和图纸时，工程师应在工作过程中准备好记录和图纸。而当承包商被书面要求对记录和图纸进行审查时，应在 14 天内参加审查，并就此类记录、图纸和工程师达成一致时双方共同签名。如果承包商不出席此类记录、图纸的审查和承认时，则应认为这些记录和图纸是正确无误的。如果承包商在审查后认为记录和图纸是不正确的，则必须在审查后 14 天内向工程师提出申诉，申明上述记录、图纸中不正确的各个方面；工程师则应在接到这一申诉通知后复查这些记录和图纸，或予以确认或修改。如不及时提出申诉，即使承包商不同意上述记录和图纸，或不签字表示同意，它们仍将被认为是正确的。

（三）工程计量的方法

工程计量应当计量净值，不能依照通常的和当地的习惯进行计量。如有例外情况，应在规范和工程量清单中加以说明，例如若干开挖中对超挖部分的计量方法。如果合同中另有规定的，则依合同规定进行计量。如果编制技术规范和工程量清单时，使用了国际或某国的标准计量方法，则应在合同条款中加以说明，并在测量实际完成的工作量时使用同一方法。具体的计量方法则根据工程的不同而有所不同，可采用均摊法、凭据法、分解计量法等方法。

（四）包干项目分项计量

承包商应在接到中标函后 28 天之内把包含在投标书中的每一包干项目的分项表提交给工程师，以便包干项目能够分项进行计量，但分项表应得到工程师的批准。

二、有关合同履行过程中结算与支付的规定

（一）承包商应提交现金流通量的估算

中标通知书发出后，在合同规定的时间内，承包商应按季度向工程师提交根据合同有权得到的现金流通量估算，以供其参考。此后，如果工程师提出要求，承包商还应按季度提供修订的现金流通量的估算。因为发包人将需要一份估算表，使他能够明确在何时保证能向承包商提供多少资金。但工程师对该表的批准并不解除承包商的责任。

（二）工程进度中的结算与支付（中期付款）

中期付款如按月进行即为月进度支付。对此，承包商应先提交月报表，交由工程师审核后填写支付证书并报送发包人。

1. 承包商应提交月报表。承包商应在每个月末按工程师指定的格式向其提交一式 6 份的报表，每份报表均由经工程师批准的承包商代表签字。

2. 每月的支付。工程师接到月结算报表后，在 28 天内应向发包人报送他认为应该付给承包商的本月结算款额和可支付的项目，即在审核承包商报表中申报的款项内容的合理性和计算的准确性后，工程师应按合同规定扣除应扣款额，所得金额净值则为承包商本月应得付款。应扣款额主要是以前支付的预付款额、按合同规定计算的保留金额以及承包商到期应付给发包人的其他金额。如果最后计算的金额净值少于投标书附件中规定的临时支付证书最少金额时，工程师可不对这月结算作证明，留待下月一并付款。另外，工程师在签发每月支付证书时，有权对以前签发的证书进行修正；如果他对某项工作的执行情况不满意时，也有权在证书中删去或减少该项工作的价值。

（三）暂定金额的使用

1. 暂定金额的定义。暂定金额也叫备用金，是指包括在合同中并在工程量表中以该名称标明，供工程任何部分的施工，或提供货物、材料、设备、服务，或供不可预料事件之费用的一项金额。

2. 暂定金额的使用。暂定金额按照工程师的指示可全部或部分地使用，也可根本不予动用。承包商仅有权使用工程师决定的与暂定金额有关的工作、供应或不可预料事件的费用数额。工程师应将有关暂定金额所作的任何决定通知承包商，同时将一份

副本呈交发包人。

3.暂定金额的使用范围。暂定金额的使用范围为：

（1）在招标时还不能对工程的某个部分作出足够详细的规定，从而使投标人不能开出确定的费率和价格；

（2）招标时不能确定某一具体工作项目是否包括在合同之内；

（3）给指定分包商工作的付款。

（四）保留金的支付

1.保留金的来源。保留金亦称滞留金，是每次中期付款时，从承包商应得款项中按投标书附件中规定比例扣除的金额。一般情况下，从每月的工程结算款中扣除7%~10%，一直扣到工程合同款的5%为止。

2.颁发移交证书时保留金的支付。当颁发整个工程的移交证书时，工程师应开具支付证书，把一半保留金支付给承包商。如果颁发的是分部工程的移交证书时，则应向承包商支付按工程师计算的这部分永久工程所占合同工程的比例相应的保留金额的一半。

3.工程的缺陷责任期满时保留金的支付。当工程的缺陷责任期满时，另一半保留金将由工程师开具支付证书支付给承包商。如果有不同的缺陷责任期适用于永久工程的不同区段或部分时，只有当最后一个缺陷责任期满时才认为该工程的缺陷责任期满。

（五）竣工报表及支付

颁发整个工程的移交证书之后84天内，承包商应向工程师呈交一份竣工报表，并应附有按工程师批准的格式所编写的证明文件。竣工报表应详细说明以下几点：

第一，到移交证书证明的日期为止，根据合同所完成的所有工作的最终价值；

第二，承包商认为应该支付的任何进一步的款项；

第三，承包商认为根据合同将支付给他的估算数额。

工程师应根据竣工图对工程量进行详细核算，对承包商的其他支付要求加以审核，最后确定工程竣工报表的支付金额，上报发包人批准支付。

（六）最终报表与最终支付证书

1.最终报表。在颁发缺陷责任证书后56天内，承包商应向工程师提交一份最终报表草案供其考虑，并应附按工程师批准的格式编写的证明文件。该草案应该详细说明以下问题：

（1）根据合同所完成的所有工作的价值；

（2）承包商根据合同认为应支付给他的任何进一步的款项。

如果工程师不同意或不能证实该草案的任何一部分，则承包商应根据工程师的合理要求提交进一步的资料，并对草案进行修改以使双方可能达成一致。随后，承包商应编制并向工程师提交双方同意的最终报表。当最终报表递交之后，承包商根据合同向发包人索赔的权利就终止了。

2.结清单。在提交最终报表时，承包商应给发包人一份书面结清单，进一步证实最终报表的总额，相当于由合同引起的或与合同有关的全部和最后确定应支付给承包商的所有金额，但结清单只有当最终证书中的款项得到支付和发包人退还履约保证书以后才能生效。

3.最终支付证书。工程师在接到最终报表及书面结清单后28天内，向发包人发出一份最终证书，说明：

（1）工程师认为按照合同最终应支付的款额；

（2）发包人按合同（除拖期违约罚款外）对以前所支付的所有款项和应得到各项款额加以确认后，发包人还应支付给承包商，或承包商还应支付给发包人的余额（如有的话）。

（七）承包商对指定分包商的支付

承包商在获得发包人按实际完成工程量的付款后，扣除分包合同规定承包商应得款（如提供劳务、协调管理的费用等）和按比例扣除滞留金后，应按时付给指定分包商。工程师在颁发支付证书前，有权要求在承包商提交不出证明且没有合法的理由时，则发包人有权根据工程师的证明直接向该指定的分包商支付在指定分包合同中已规定、而承包商未支付的所有费用（扣除保留金）。然后，发包人以冲账方式从发包人应付或将付给承包商的任何款项中将上述金额扣除。

三、有关合同被迫终止时结算与支付的规定

（一）由于承包商的违约终止合同的结算和支付

1.对合同终止时承包商已完工作的估价。由于承包商违约而使发包人终止对承包商的雇用之后，工程师应尽快地确定并证明：

（1）在合同终止时，承包商就其按合同规定实际完成的工作，已经合理地得到或理应收入的款额；

（2）未曾使用或部分使用了的材料、承包商的设备以及临时工程的价值。

2.合同终止后的付款。合同终止后，工程师应查清施工、竣工及修补任何缺陷的费用，竣工拖延的损害赔偿费以及由发包人支付的所有其他费用，并开具支付证书。在此之前，发包人没有义务向承包商支付合同规定的任何进一步的款项。承包商仅有权得到扣除经工程师证明的上述款额后工程合格完工后应得款额的余额。如果扣除的款额超过了合格完工时支付给承包商的款额，则承包商应将超过部分付给发包人。此超出部分应被视为承包商欠发包人而应付的债务。

（二）由于特殊风险而终止合同时的结算和付款

由于合同规定的特殊风险而终止合同时，发包人除应以合同规定的单价和价格向承包商支付在合同终止前尚未支付的已完工程量的费用外，还应支付以下几种费用：

第一，工程量表中涉及的任何施工准备项目，只要这些项目的准备工作或服务已

经进行或部分进行，则应支付该项费用或适当比例的金额；

第二，为工程需要而定货的各种材料、设备或物资中，已交发给承包商或承包商有法定义务要接收的那一部分订购所需的费用，发包人支付此项费用后，上述物资、设备即成为发包人财产；

第三，确属承包商为合理完成整个工程已开支的、而这笔费用又未能包括在上述各项之中的合理支出费用；

第四，终止合同前，因特殊风险发生而导致的施工费用增加或修复费用；

第五，承包商撤离自己设备的迁移费，但这部分费用应该是合理的，应该是撤回基地或费用更低的目的地所需费用；

第六，承包商雇用的所有与工程施工有关的职员、工人，在合同终止时的合理遣返费。

另外，发包人也有权要求索还任何有关承包商的设备、材料和工程设备的预付款的未估算余额，以及在合同终止时按合同规定应由承包商偿还的任何其他金额。上述应支付的金额均应由工程师在同发包人和承包商适当协商后确定，并应相应地通知承包商，同时将一份副本呈交发包人。

（三）因发包人违约终止合同的结算和支付

由于发包人违约而终止合同时，发包人对承包商的义务除与因特殊风险而终止合同时的付款条件一样外，还应再付给承包商由于该项合同终止而造成的损失赔偿费。

四、有关工程变更和价格调整时结算与支付的规定

（一）工程变更的范围

如果工程师认为有必要对工程的形式、质量或数量作出任何变更，他应有权指示承包商进行下述任何工作：

第一，增加或减少合同中所包括的任何工作的数量；

第二，省略任何工作（但省略的工作由发包人或其他承包商实施者除外）；

第三，改变工作的性质、质量或类型；

第四，改变工程任何部分的标高、基线、位置和尺寸；

第五，实施工程竣工所必需的任何种类的附加工作；

第六，改变工程任何部分的任何规定的施工顺序或时间安排。

上述变更不应以任何方式使合同作废或失效，但对变更的影响应按合同规定估价。如果工程师发出变更工程的指示是由于承包商的违约或负有责任，则由此造成的附加费用应由承包商承担。

（二）工程变更的估价

1.使用工程量表中的费率和价格。对变更的工作进行估价，如果工程师认为适当，可以使用工程量表中的费率和价格。

2. 制定新的费率和价格。如果合同中未包括适用于该变更工作的费率或价格，则应在合理的范围内使用合同中的费率和价格作为估价的基础。如做不到这一点，则要求工程师与发包人、承包商适当协商后，再由工程师和承包商商定一个合适的费率或价格。当双方意见不一致时，工程师有权确定一个他认为合适的费率或价格，同时将副本呈送发包人。在费率和价格经同意和决定之前，工程师应确定暂行费或价格，以便有可能作为计算暂付款的依据包括在每月中期结算发出的证书之中。工程师在行使与承包商商定或单独决定费率的权力时，应得到发包人的明确批准。工程师应在发布工程变更指令的 14 天内或变更工程开始之前，向承包商发出要求他就额外付款或费率的确定意图通知工程师的文件，或是直接将他确定费率或价格的意图通知承包商，以便双方进行协商。

一般情况下，合同内所含任何项目的费率或价格不应考虑变动，除非该项目涉及的款额超过合同价格的 2%，以及在该项目下实施的实际工程量超出或少于工程量表中规定的工程量的 25% 以上。

3. 变更超过有效合同价 15% 时的合同总价变功。如果在颁发整个工程的移交证书时，由于对变更工作的估价及对工程量表中开列的估算工程时进行实际计量后所作的调整（不包括暂定金额、计时工费用和价格调整），使合同价格的增加或减少值合计起来超过"有效合同价"（此处系指不包括暂定金额及计日工补贴的合同价格）的 15%，则经工程师与发包人和承包商适当协商后，应在合同价格中加上或减去承包商与工程师可能议定的另外的款额。如双方未能达成一致，此款额则应由工程师在考虑合同中承包商的现场费用和总管理费用予以确定。该款项的计算应以超出有效合同价格的 15% 的量为基础。

（三）价格调整

1. 价格调整的含义。所谓价格调整，就是对工程中主要材料、人力、设备的价格，根据市场变化的情况，按照合同规定的方法进行调整，以对合同价格进行增加或扣除相应的调整金额。因此，这里所说的价格调整，并不是对清单中的单价进行调整。

2. 价格调整适用的合同。价格调整主要适用于长期合同，即施工期超过一年的合同。对于短期合同，要求固定价格是合理的。合同可以规定：合同价格不能因劳务费、材料费以及影响合同实施费用的任何其他事项费用之涨落而加以调整。

3. 价格调整的一般方法。第一，票据法。即根据承包商在施工过程中采购的票据的价格，与投标时的基本价格之差进行价格调整。第二，公式法。即通过几种主要材料占合同总价的比例和基价指数的变化，调整材料、劳力及设备的价格。

第四节　FIDIC 土木工程施工合同条件中涉及进度控制的条款

FIDIC 土木工程施工合同条件中涉及工程进度控制的条款主要包括有关工程进度计

划管理的规定、有关工程延期的规定、有关移交证书和解除缺陷责任证书的规定等方面的内容。

一、有关工程进度计划管理的规定

（一）承包商应提交工程进度计划

1. 提交工程进度计划的时间。承包商在中标函签发日之后，在合同专用条件规定的时间内，应以工程师规定的适当格式和详细程度，向工程师递交一份工程进度计划，以取得工程师的同意。

2. 工程进度计划的修订。在工程计划的实施中，承包商应不断地进行实际进度值与计划值的比较，按期对工程进度计划进行修订。承包商应按要求在规定的时间间隔内（如 3 个月）递交定期报告，对进度计划进行修改。如果工程师发现工程的实际进度已不符合已同意的进度计划时，承包商应根据工程师的要求提出一份修订过的进度计划，表明为保证工程按期竣工而对原进度计划所作的修改。

（二）工程师对工程进度计划的管理

1. 下达工程开工令。工程师应根据合同的规定，在中标函发出之日后，于投标书附件中规定的期限内发出开工通知书。开工通知书应按照合同的规定送到承包商主要营业地点，并应有承包商签收的回执。承包商收到开工通知书的日期，即为工程的开工日期，竣工时间是从开工日期算起。由于开工日期的重要性，工程师应充分了解发包人和承包商所做的开工准备工作，然后根据双方准备的情况，选择合适的时机发出开工通知。

2. 审查工程进度计划。工程师在收到承包商提交的工程进度计划后，应根据合同的规定、工程实际情况及其他方面的因素，审查以下几个方面的内容：

（1）按合同工期完成工程的实施程序；

（2）详细的施工方法；

（3）施工各阶段的材料、机械及人工投入情况；

（4）工程费用流动计划。

向工程师提交工程进度计划，是为了听取建设性的意见。因此，工程师对工程进度计划的审查或批准，并不解除承包商对工程进度计划的任何义务和责任。工程师在审查进度计划时，也不应强制性地干预承包商的安排或者支配施工中所需的劳力、设备、材料等。

3. 监督工程进度计划的实施。工程师监督工程进度计划的实施，是工程师的一项经常性的工作。他以被确认的承包商的工程进度计划作为监督的依据。如果工程的实际进度已不符合已经工程师确认的工程进度计划，则承包商应根据工程师的要求提出一份修订过的进度计划，表明为了保证按期竣工而对原进度计划所作的修改。修改后的工程进度计划也应重新交工程师确认。但这种重新确认，并不意味着工程师对工程延期的批准，而仅仅是要求承包商在合理的状态下施工，延长工期的一切责任应由承包商承担。

4. 下达赶工指示。在承包商无任何理由延长工期的情况下，如果工程师认为整个工程或分部工程在任何时候的进度太慢，与竣工时间不符时，则可以向承包商下达赶工指示。承包商应立即采取经工程师同意的必要措施加快施工进度，以便与规定工期相符合。承包商无权对此提出增加费用的要求。承包商认为有必要在夜间或当地休息日工作时，有权请求工程师同意。如果承包商采取的措施要使发包人增加监理费用的话，该项费用应由承包商负担。

5. 竣工奖金。如果承包商在合同规定的时间之前完工，发包人则应根据工程师签发的竣工移交证书的签署日期与合同规定的完工时间相比所提前的天数，向承包商支付奖金。

（三）承包商对延误工期所应承担的责任

如果由于承包商自身的原因造成工期延误，而承包商又未能按照工程师的指示改变这一状况，则承包商应承担以下责任：

1. 工程师停止付款。当承包商工程进度计划已延误，又不采取积极措施时，工程师有权停止对承包商的付款。这一手段一般是在承包商有能力改变进度计划，但由于其他内部管理不当而造成拖延工期的情况下采用的。

2. 误期损害赔偿。如果承包商未能按合同规定的竣工期限完成工程，则承包商应向发包人支付投标书附件中写明的相应金额（这笔金额是承包商为这种过失所应支付的惟一款项）作为该项违约的损失赔偿费。但损失赔偿费应限制在投标书附件中注明的适当的限额内。发包人可以从应支付或将支付给承包商的任何款项中扣除该项损失赔偿费。损失赔偿费的支付或扣除不应解除承包商对完成该项工程的义务或合同规定的承包商的任何其他义务和责任。

3. 发包人终止对承包商的雇用。如果承包商严重违约，包括拖延工期又固执地不采取补救措施，发包人有权终止对他的雇用。终止对承包商的雇用，这是对承包商违约的严厉制裁。发包人一旦终止对承包商的雇用，承包商不但要被驱逐出施工现场，而且还要承担由此而造成的发包人的损失费用。

二、有关工程延期的规定

（一）工程延期概述

1. 工程延期的含义。由于承包商以外的原因造成施工期的延长，称为工程延期。它与由于承包商自身的原因造成施工期的延长（工程延误）不同。经过工程师批准的工程延期，所延长的时间属于合同工期的一部分。工程竣工的时间，等于投标书附件中规定的时间加上工程师可能允许的延长工期。

2. 工程延期的责任承担。得到工程师批准的工程延期，所延长的工期已经属于合同工期的一部分。因而，承包商可以免除由于延长工期而向发包人支付误期损失赔偿费的责任。由于工程延期所增加的费用将由发包人承担。

（二）工程延期的审批

1. 承包商应提交有关材料。首先，承包商应提交申请延期通知书。承包商应在引起工程延期的事件开始发生后 28 天内通知工程师，并将一份副本呈交发包人。随后，承包商应提交要求延期的详细说明。在通知书发出后的 28 天内，或者在工程师同意的其他合理期限内，承包商应向工程师提交有权要求任何延期的详细说明，以便工程师可以及时对承包商说明的理由和情况进行研究。

如果引起工程延期的事件具有持续性的影响，不可能在申请延期的通知书发出后的 28 天内提供最终的详细说明报告。那么承包商应以不超过 28 天的间隔向工程师提交阶段性的详细说明，并在事件影响结束后的 28 天内提交最终详情说明。

2. 工程师作出工程延期的决定。工程师在接到要求延期的通知书后应进行调查核实，在承包商提交详情说明后，应进一步调查核实，对其申述的情况进行研究，并作出所需延期时间的决定。

对于承包商阶段性的详细说明，工程师也不得无故延误，应作出关于延长工期的临时决定；在收到最终详情说明后，工程师应复查全部情况，并提出有关该事件所需的延长全部工期的决定。最终决定的延期时间不应导致减少已决定的任何延长工期的时间。

工程师应当及时对是否准予工程延期作出决定。同时，工程师在处理延期事件时，应与发包人、承包商进行适当的协商，广泛听取各方面的意见。

三、有关移交证书和解除缺陷责任证书的规定

（一）移交证书

1. 移交证书的颁发。当全部工程基本完工并圆满通过合同规定的任何竣工检验时，承包商可将此结果通知工程师，并将一份副本呈交发包人，同时附上一份在缺陷责任期内以应有速度及时地完成任何未完工作的书面保证。此项通知书和书面保证应视为承包商要求颁发移交证书的申请。工程师应于上述通知书发出之日起 21 天内，或者发给承包商一份移交证书，说明根据合同要求工程已基本完工的日期，同时将一份副本交发包人；或者给承包商书面指示，以工程师的意见详细说明在发给该证书之前，承包商尚需完成的全部工作。

2. 移交证书的作用。移交证书具有以下几项作用：

第一，划分工程阶段。移交证书将确认工程已基本竣工，工程已能够被发包人按照预定目的占有和使用。在工程师未颁发移交证书前，即使承包商完成了合同范围内的全部工作，也不能说该工程已经竣工。移交证书还规定达到基本竣工的日期，在该日期由发包人接受工程，工程的缺陷责任期即开始。

第二，解除承包商对工程照管的责任。按规定，从开工之日起，承包商应对工程、材料、待安装的工程设备等的照管负完全责任。但对于颁发移交证书的工程，照管责

任应随移交证书一起交给发包人，发包人应及时承担起照管责任并办理保险（如果发包人愿意的话）。

第三，确定工程误期损失赔偿和竣工奖金的依据。如果承包商未能按合同规定的竣工期限完成整个工程，或未能按规定的期限完成相应的任何区段工程，则承包商应向发包人支付损失赔偿费。如果承包商提前完成了工程项目，发包人应向承包商支付竣工奖金。而考核承包商完成工程的时间，就是依据移交证书签发的时间。

（二）解除缺陷责任证书

1. 缺陷责任期的计算。缺陷责任期从移交证书中的工程竣工日期开始计算。如果工程师对整个工程只颁发了一份移交证书，则各个单位工程的缺陷责任期从被证明竣工的日期分别开始计算。即一个工程可以有多个缺陷责任期。缺陷责任期的长短应填入投标书的附件中。

2. 解除缺陷责任证书的作用。移交证书并不是工程的最终批准，不解除承包商对工程质量及其他方面的任何责任。只有工程师签发的解除缺陷责任证书，才是对工程的批准。

3. 一个工程只签发一个解除缺陷责任证书。在一项工程中，由于不同区段（或部分）有不同的竣工时间，往往有多个不同时间的移交证书。这样，不同区段（或部分）的缺陷责任期满也不在同一个时间。但是，一个工程项目只能签发一个解除缺陷责任证书。当一项工程有多个移交证书时，只在最后签发的移交证书的缺陷责任期满后，才颁发一个解决缺陷责任证书。

4. 缺陷责任期的延长。承包商为了修补工程的缺陷、损害而进行工程设备的更换、更新，工程的缺陷责任期应延长一段时间，其时间长短与工程因为缺陷或损害等原因而不能交付使用的时期相等。如果只是部分工程受到了影响，则缺陷责任期只对这部分工程进行延长。缺陷责任期的延长一般不应超过从移交证书签发之日起计算的 2 年。

5. 解除缺陷责任证书的颁发。当工程的最后一个缺陷责任期满后，经过工程师检查，证明承包商已根据合同履行了施工、竣工以及修补所有工程缺陷的义务，工程质量达到了工程师满意的程度，则由工程师颁发解除缺陷责任证书。解除缺陷责任证书应由工程师在缺陷责任期满后 28 天内颁发。如果不同的缺陷责任期适用于工程的不同区段或部分时，则在最后一个缺陷责任期满后 28 天内颁发，或根据工程师的指示完成剩余工作、修补缺陷并达到工程师满意后尽快签发。

第五节　FIDIC 土木工程施工合同条件中涉及质量控制的条款

FIDIC 土木工程施工合同条件中涉及质量控制的条款包括有关承包人员素质的规定、有关合同转包与分包的规定、有关施工现场的材料和工程设备的规定、有关施工质量及验收的规定等内容。

一、工程质量控制概述

工程项目质量，是指坚固、耐久、经济、适用、美观等这些能够满足社会和人们需要的自然属性和技术特性。合同中的质量要求，主要体现在技术规范和图纸中。技术规范对工程所用材料、施工工艺、工程实物等几个方面的要求作出了详细规定。

一般来说，规范和图纸中的质量要求足以说明工程的全面质量水平。但工程师为了质量控制更顺利、更严密，往往在此基础上编制进一步的质量要求细则，以说明重要工程部位或环节的技术要求、容许误差、施工方法和程序、工艺操作要点、试验与检查的办法、批准或否决材料与工程的程序和标准等。这样，能使质量标准更具有可操作性。但是，这种质量要求细则必须与合同对工程质量的要求相一致。

工程师在质量控制方面的任务是监督承包商的施工，使工程最终达到合同的技术质量要求。为了确保这一任务的完成，工程师应当建立一套质量控制体系，包括质量控制组织和成员、质量要求、质量控制的程序和方法、验收办法、试验、旁站监理等内容。

在质量控制实施过程中，由于施工过程中的任何一个环节都会对工程的质量产生影响，因此，必须对工程全过程实施质量控制。包括对承包人员的素质控制，对材料、原料、构配件等投入物的控制，对施工质量的控制，对施工验收的控制等内容。

二、有关承包商工作人员素质的规定

工程项目的施工最终要由承包商工作人员（包括承包商雇员、承包商管理人员、承包商代表等）来完成，因此，承包商工作人员的素质是工程项目施工过程中一切质量控制的基础。因此，工程师有权对承包商工作人员的素质进行控制。

（一）对承包商雇员的要求

1. 承包商应提供承包商工作人员的详细报告。如果工程师提出要求，承包商应按工程师可能预先规定的某种格式和时间间隔，向工程师送交表明承包商在现场随时雇用的职员及各种等级的劳务人员数量的详细报告。这能够使工程师对承包人员的数量和质量有大概的了解，这也是对承包商雇用劳务人员的一种约束。

2. 承包商应提供的雇员。承包商应向工程项目施工现场提供与工程施工和竣工以及修补其任何缺陷有关的下述人员：

第一，熟悉他们各自行业的、有经验的技术助理及有能力对工程进行正确监督的工长和领班。

第二，为使承包商恰当并按期履行合同义务所需要的此类熟练的、半熟练的技工和普工。

3. 管理人员的语言能力。承包商的管理人员中应有合理比例的人员能使用合同专用条件中规定的语言进行工作，或者承包商应有足够数量的胜任的口译人员随时在工程现场，以确保指示和信息的正确传达。

4. 鼓励雇用当地人员。应当鼓励承包商适当地并合理地雇用工程施工所在国国内的职员和劳务人员。

5. 工程师有权建议解除承包商不合格的雇员。工程师有权反对并要求承包商立即从该工程中撤掉由承包商提供的、而工程师认为是渎职者或不能胜任工作的任何人员，以及工程师从其他方面考虑认为不宜留在施工现场的人员。并且，没有工程师的同意，不得允许这些人员重新从事该工程的工作。从该工程撤走的任何此类人员，应尽快予以更换。另外，这类决定只能由工程师作出而不能委托他人。

（二）承包商代表的批准和撤回

1. 承包商代表的批准。只要工程师认为是正确履行合同规定的承包商义务所必需时，承包商应在工程的施工期间及其后提供一切必要的监督。承包商或经工程师批准的一位合格的并授权的代表应用其全部时间对该工程进行监督。该代表应代表承包商接受工程师或工程师代表的指示。

2. 对承包商代表批准的撤回。对承包商代表的批准可以由工程师随时撤回。如果工程师撤回了对承包商代表的批准，则承包商应在接到此类撤回的通知后，在实际可能的限度内尽快将该代表调离该工程，以后也不得再雇用该员担任该工程的任何职务，而代之以经工程师批准的另一代表。

3. 承包商代表的语言能力。如果编写合同文件所用语言不是工程施工所在国的语言，或是由于其他任何原因，有必要规定承包商的代表应流利地使用某一语言时，可在合同专用条件中加以规定。否则，承包商应有一名胜任的口译人员在工程现场，以确保指示和信息的正确传达。

三、有关合同转让与分包的规定

由于工程建设项目具有一次性和不可逆的特点且施工复杂而期限长，不可能像对工业产品的检验那样只检验成品。确保工程质量是从复杂的承包商选择程序开始的（如公开招标）。发包人选中了承包商，不仅仅是相信了承包商的质量承诺，更是对承包商的信誉、能力、技术水平的信任。因此，在合同履行中如果出现新的承包商，即使有质量承诺（以合同形式），发包人仍无法相信工程能够达到合同规定的质量要求。基于以上考虑，FIDIC 土木工程施工合同条件对承包商进行合同转让、工程分包有严格的控制。

（一）合同的转让

如果没有发包人的事先同意，承包商不得将合同或者合同的任何部分、合同中的任何利益进行转让。因为发包人是在资格预审、投标和评标之后选中承包商的，签订合同意味着发包人对承包商的信任。但下列情况除外：

第一，按合同规定应支付或将支付的以承包商的银行为受款人的费用。对这些费用的使用、转让，发包人或工程师无权干预。

第二，把承包商从任何责任方那里获得免除其责任的权利转让给承包商的保险人

（当该保险人已清偿了承包商的亏损或债务时）。

（二）工程分包

在国际工程承包过程中，工程的分包常常是必需的。一般来说，分包的工程项目应是专业技术性较强，分包商在该专业更有专长和经验，这样，工程分包便有利于工程质量的提高。

但是，承包商不得将整个工程分包出去。除合同另有规定外，没有工程师的同意，承包商也不得将工程的任何部分分包出去。经工程师同意，承包商可以把工程、服务项目或材料设备的供应分包给其他人。但是，这类同意不应解除合同规定的承包商的任何责任和义务，承包商应将任何分包商、分包商的代理人、雇员或工人的行为、违约、疏忽，完全视为承包商自己及其代理人、雇员或工人的行为、违约、疏忽一样，并对此承担完全的责任。

但是，对下列行为承包商无需取得工程师的同意：

（1）提供劳务；

（2）根据合同中规定的规格采购材料；

（3）合同中已被指定的分包商对工程的任何一部分进行分包。

四、有关施工现场的材料、工程设备和工艺的规定

施工使用的材料、工程设备是确保工程质量的物质基础，工程师必须对此严格控制。

（一）对材料、工程设备和工艺的检验

1. 一切材料、工程设备和工艺均需经过工程师的检验。一切材料、工程设备和工艺均应达到合同中所规定的相应品级，并符合工程师的指示要求。承包商应随时按工程师可能提出的要求，在制造、装配或准备地点，或在施工现场，或在合同可能规定的其他地点或某个地点，供工程师进行检验。工程师及其任何授权人员有随时进入施工现场的权力。

2. 承包商应对检验提供协助。承包商应为检验任何材料、工程设备、工艺提供通常所需要的协助、劳务、电力、燃料、备用品、装置和仪器，并应在用于工程前，按工程师的选择和要求，提交有关材料样品，以供检验。

工程师及其任何授权人员在一切合理的时间内应能进入施工现场及进入正在为工程制造、装配或准备材料和工程设备的所有车间和场所。承包商应为此提供一切便利条件并协助取得进入上述场所的权利。工程师在这些场所进行检验的许可应由承包商负责取得。

3. 工程师进行未规定的检验。工程师要求进行的下列检验属于未规定的检验：

（1）合同中未曾指明或规定；

（2）没有作出专门说明；

（3）工程师要求的检验是在施工现场、材料与工程设备的制造、装配或准备地点以外的其他地点。

如果进行上述检验，检验的结果表明材料、工程设备、工艺并没有按照合同规定达到使工程师满意的程度，则其检验费用也应由承包商承担。

4. 工程师可以委托检验。工程师可以将对工程设备、材料的检验委托给一名独立的检验员进行。此类委托应是有效的，并应把为上述目的而委托的独立检验员看作是工程师的一名助理，工程师应把这种任命在 14 天前通知承包商。

5. 检验时间的通知和遵守。按合同规定对材料和工程设备进行检验，承包商应同工程师商定检验的时间和地点。工程师应将其进行或参加检验的意向提前 24 小时通知承包商。如果工程师或其正式授权的代表未在商定的时间参加检验，除工程师另有指示外，承包商可进行此项检验并应认为是工程师在场时的情况下进行的。承包商应立即将该项检验数据的正式核实的副本送交工程师。工程师应对该项检验数据的准确性给予认可。

（二）对不合格的材料和工程设备的拒收

1. 工程师有权拒收。如果在商定的时间和地点，供检验的材料或工程设备未准备好，或者根据检验结果工程师确认材料或工程设备是不符合合同规定的，那么工程师可以拒收这些材料或工程设备。

2. 拒收的通知。工程师拒收材料或工程设备，应立即通知承包商。通知书应写明拒收的原因。承包商应即刻纠正所述缺陷或者保证被拒收的材料或工程设备符合合同规定。

3. 工程师有权指示运走或拆运不合格的材料或工程设备。第一，工程师有权指示在规定的时间内一次或分几次将不合格的材料或工程设备从施工现场运走。第二，工程师有权指示用合格适用的材料或工程设备取代不合格的材料或工程设备。第三，尽管已进行过检验，但工程师认为在材料、工程设备或工艺等方面不符合合同规定的任何工程，均应拆除并适当地重新进行施工。第四，如果承包商在规定的时间内不遵守上述指示，则发包人应有权雇用他人执行该项指示，并向其支付有关费用。

（三）工程师对施工现场的材料、工程设备的控制

由承包商提供的所有设备、临时工程和材料，一旦运至施工现场，就应被视为是专门供本工程施工所用。除从施工现场某一部位移至另一部位外，未经工程师的同意，承包商不得将上述物品或其中一部分移出施工现场。

五、有关工程项目施工质量及验收的规定

（一）工程师对工程项目施工过程的检查

1. 承包商应严格按合同施工，遵守并执行工程师的指示。除法律上或实际上不可能的情况外，承包商应严格按照合同进行工程施工和竣工，并修补其任何缺陷，以达到工程师满意的程度。在涉及或关系到该项工程的任何事项上，无论这些事项在合同中是否写明，承包商都要严格遵守与执行工程师的指示。承包商应当只从工程师或其代表那里取得指示。

2. 工程师对工程项目施工过程检查的内容。

第一，对承包商质量自检系统进行检查和监督。承包商应建立质量自检系统，这是最基本的质量管理体系。在施工过程中，工程师应对承包商的质量管理体系进行检

查和监督，使其发挥良好的作用。

第二，对各项工程活动进行检查和监督。工程师应在施工过程中检查和监督承包商的各项工程活动，包括施工中的材料质量、混合料的配比、设备的运行及工艺、人员的组成和操作等情况的每一个环节。

3. 工程师对覆盖前工程的检查。没有工程师的批准，工程的任何部分均不得覆盖或使之无法查看。承包商应保证工程师有充分的机会，对将覆盖或无法查看的工程的任何部分进行检查，以及对工程的任何部分将置于其上的基础进行检查。当工程的这些部分已经或即将作好检查准备时，承包商应通知工程师，工程师应参加工程的此类部分的检查，且不得无故拖延。如果工程师认为检查并无必要，则应通知承包商。

4. 工程师对覆盖后工程的检查。对于覆盖后才发现的问题，工程师可以要求对已覆盖的工程进行检查。承包商则应按工程师随时发出的指示，移去工程的任何部分的覆盖物，或在其内或贯穿其中开孔，并将该部分恢复原状和使之完好。

5. 工程师有权指令暂时停工。由于承包商的违约引起的原因，或者为工程的合理的施工或工程的安全，工程师有权指令暂时停工。承包商应按照工程师指示的时间和方式暂停工程，在暂停工程期间承包商应对工程进行必要的保护和安全保障。

（二）工程师在颁发移交证书前对工程的检查

1. 地表应恢复原状。在工程师颁发移交证书前，承包商应将场地或地表面恢复原状。在移交证书中未对此作出规定不能解除承包商自费进行恢复原状工作的责任。

2. 颁发移交证书前的检验。工程师在颁发移交证书前，应对工程进行全面检验，移交证书将确认工程已基本竣工。基本竣工并不意味着承包商没有任何要完成的剩余工作了。一般来说，当工程能够按照预定目的被发包人占有和使用时，工程就可称为已基本竣工了。如果工程师认为工程尚未基本竣工，则应向承包商指出工程中影响基本竣工的所有缺陷，并向承包商发出书面指令，说明在发给移交证书前承包商尚需完成的全部工作。

3. 非承包商的原因造成的妨碍竣工检验的处理。如果由于发包人、工程师、发包人雇用的其他承包商负责的原因，使承包商不能进行竣工检验，则应认为发包人已在本该进行竣工检验的日期接收到了工程。但是，如果工程基本上不符合合同要求，则不能认为工程已被接收；如果工程已被接收，则承包商仍应在缺陷责任期内进行竣工检验。

（三）缺陷责任期的质量控制

1. 承包商对缺陷责任期满前出现的缺陷应当进行调查。在工程的缺陷责任期满之前，工程出现任何缺陷或其他不合之处，工程师可向承包商下达指示，在工程师的指导下调查出现这些情况的原因，并将副本提交给发包人。

2. 缺陷责任期承包商应承担的工作。缺陷责任期满后，承包商应将工程按合同要求的条件，以使工程师满意的状态移交给发包人。为此，承包商在缺陷责任期内完成以下工作：

（1）在移交证书注明的竣工日期之后，切实尽快地完成在当时尚未完成的工作；

（2）工程师（或以其名义）在缺陷责任期满前进行检查，指示承包商对工程进行修补、重建和补救缺陷时，承包商应在缺陷责任期内或期满后14天内实施这些工作。

当承包商未能在合理的时间内执行这些指示时，发包人有权雇用他人从事该项工作，并付给报酬。

3.颁发缺陷责任证书后，承包商对尚未履行的义务仍有承担的责任。尽管颁发了缺陷责任证书，但承包商和发包人仍应对在缺陷责任证书颁发时尚未履行的合理规定的义务承担责任。但是，此类未履行的义务只能是财务或管理方面的问题。为此目的，合同对双方仍然有效。

第六节　FIDIC土木工程施工合同条件中涉及法律、法规的条款

FIDIC土木工程施工合同条件中涉及法律、法规的条款主要包括有关争端处理的条款、有关劳务方面的条款、有关合同法律适用的条款、有关通知和定义的条款、可能使用的补充条款等。

一、有关争端处理的规定

（一）对争端的理解
对争端应作广义的理解，当事人对合同条款和合同的履行的不同理解和看法都是争端。凡是当事人对合同是否成立、成立的时间、合同内容的解释、合同的履行、违约的责任以及合同的变更、中止、转让、解除、终止等方面发生的任何争端，均应包括在内；同时，也包括对当事人对工程师的任何意见、指示、决定、证书或者估价等方面发生的任何争端。

（二）争端发生后发包人和承包商应采取的措施
1.应将争端提交给工程师

不论争端产生在哪一个阶段，也不论是在否认合同有效或合同在其他情况下终止之前还是之后，此类争端事宜应首先以书面形式提交给工程师，并将副本提交给另一方。这样，能够使工程师尽早了解争端的内容及当事人的看法。

2.承包商应继续进行施工

除非合同已被否认或被终止，在任何情况下，承包商都应以应有的精心继续进行工程施工，而且承包商和发包人应立即执行工程师作出的每一项此类决定。

（三）工程师对争端的决定
如果发包人与承包商之间产生争端，并且问题得不到澄清以使双方满意，双方中任何一方可立即将此争端提交工程师，要求其作出决定。由工程师作出决定，可以较快、较经济地解决争端的，应当首先采用。工程师则应当在收到有关争端文件后84天内将其决定通知发包人和承包商。

如果工程师已将他对争端所作的决定通知了发包人和承包商，而发包人和承包商在收到工程师有关此决定的通知70天后（包括70天）双方均未发出要将该争端提交仲裁的通知，则该决定将被视为最后决定，并对发包人和承包商双方均有约束力。

对于具有法律性质的争端，工程师最好在进行法律咨询后作决定。

（四）争端的友好解决

在合同发生争端时，如果双方能通过协商达成一致，这比通过仲裁、诉讼程序解决争端好得多。这样既能节省时间和费用，也不会伤害双方的感情，使双方的良好合作关系能够得以保持。事实上，在国际工程施工合同中产生的争端大都可以通过友好协商得到解决。因此，如果工程师对争端的决定不被接受，双方应尽量自行友好解决，而不应立即对这一争端开始申请仲裁。在合同一方发出对争端裁决委员会裁决不满的通知后，必须经过56天才能申请仲裁。这56天的时间是留给争端的友好解决的。

当然，如果没有特别的协议，友好解决并非必须采取的步骤。为了避免解决争端的协商无限期拖延，只要过了一定期限，不论是否作了友好解决的努力，双方均可提出仲裁申请。

（五）争端的仲裁

1. 仲裁的意义。合同中对仲裁的规定，其意义不仅在于寻找一条解决争端的途径和方法，更重要的是仲裁条款的出现使当事人双方失去了通过诉讼程序解决合同争端的权利。因为当事人在仲裁与诉讼中只能选择一种作为解决国际工程施工合同争端的方法，因此，若合同当事人双方在合同中约定选择仲裁作为解决其合同争端的方法，实际决定了合同当事人只能将仲裁作为解决争端的最后办法。

在仲裁制度上，国际上的通行做法是规定仲裁机构的裁决是终局性的，当事人无权就仲裁机构的裁决向法院起诉。因为国际上的仲裁机构都是民间组织，申请仲裁是当事人基于对仲裁机构的信任及双方的自愿。仲裁机构接受仲裁申请必须经双方当事人的同意（在合同中有仲裁条款或者书面仲裁协议），同时，这种同意也排除了法院对合同争端的管辖权。

仲裁裁决具有法律效力，但仲裁机构无权强制执行，如一方当事人不履行裁决，另一方当事人可向有管辖权的法院申请强制执行。

2. 仲裁的开始。如果争执双方没有另外的协议，仲裁可以在当事人将此争端提交仲裁的意向通知（也就是表示不满的通知）发出56天后开始。

3. 仲裁的进行不改变各方的义务。在工程竣工前后均可诉诸仲裁。但在工程进行过程中，发包人、工程师、承包商各自的义务不得以仲裁正在进行为理由而加以改变。

二、有关劳务方面的规定

（一）对劳务方面进行规定的作用

合同当事人各方的行为应受工程项目所在国法律的调整，承包商在雇用劳务人员、提供生活标准、进行劳动保护方面也要遵守工程所在国的法律。这些问题应当在合同中明确规定，特别是工程所在国法律未对这些问题作出规定的情况下更应如此，以免承包商与劳务人员发生争端，进而影响工程项目施工的正常进行。在招标之前，发包人和工程师共同决定必需的条件，并在规范里详细说明承包商为自己的职员、劳务人员、分包商等提供方便时必须遵守的最低标准。

（二）劳务人员的工资标准、住房、食物和其他物品的供应、遣返等

1.劳务人员的工资及劳动条件的标准。承包商所付工资标准及遵守的劳动条件应不低于其从事工作地区同类商业和工业现行标准和条件。在无当地固定标准可参考的情况下，则应不低于其他发包人在与工程相似的环境下所付的一般工资标准及遵守的劳动条件。如果工程施工地区有固定标准，这类标准都是强制性的，承包商一般都应遵守。

2.劳务人员的住房。除合同另有规定外，承包商应为其因合同目的或与合同有关事宜雇用的职员和工人提供和维护他可能认为必需的膳宿条件与生活环境。包括：全部围栏、供水、供电、卫生设备、厨房、防火及灭火设备、空调、炊事用具、冰箱、家具及其他膳宿条件和生活环境所需用品。当合同结束时，承包商提供的营地（住房）应予撤除，恢复现场原始状态。

如果发包人希望在竣工之后接受部分设施、住房，则应当在合同中明确规定接收的条件；如果这些设施、住房要成为永久工程的组成部分，也应在合同中明确规定。

3.食品与其他物品的供应。承包商应提供食品及饮用水等。承包商为合同之目的及与合同有关事宜，应安排向其职员及工人、分包商供应足够的、价格合理的、合适的食品。承包商根据当地条件只要合理可行时，应在施工现场为职员和工人提供足够的饮用水和其他用水。

有些物品则禁止供应和转让。承包商不但自己不能，也不能允许或容忍其分包商、代理人、职员或工人进口、销售、给予、以货交换或其他方式转让任何酒精饮料和毒品。如果当地的法律、法令允许的除外。对于任何种类的武器和弹药，承包商不得给予、以货交换或以其他方式转让给任何人，也不得允许或容忍这种做法。

4.劳务人员的遣返。对于为合同目的或与合同有关事宜招收或雇用的所有人员，承包商应负责将他们送回招收地或其户籍所在地。对以合适的方式将要返回的人员，在他们离开工地之前，承包商应给予供养。如果这些人员是非工程所在国的国民并且是从该国之外招收的，则在他们离开该国之前，承包商应给予供养。

（三）事故的预防和处理

1.事故的预防。承包商应采取各种措施，防止施工中发生事故。承包商应指派一位工地上的工作人员专门处理安全及防止所有职工人身事故方面的问题。这一工作人员应能胜任此项工作，并有权发布各种指示及采取防止事故发生的预防措施。

2.事故的处理。一旦发生事故，承包商应尽快向工程师报告事故的详情。此外，在发生死亡或重大事故的情况下，承包商应立即用最快的可行方法通知工程师。

（四）劳务人员的健康与安全

1.承包商应提供的卫生条件。承包商应自费采取适当的预防措施，以保证劳务人员的健康与安全。合同履行期间在营地住房区和工地，应与当地卫生部门协作并按其要求，确保配有医务人员、急救设备、备用品、病房及适用的救护服务，并提供所有的福利及卫生条件。

2.承包商应保持对劳务人员健康与安全的记录。承包商应保持对劳务人员健康与安全的记录，工程师可以随时指示写出关于人员安全、健康、福利及财产损害的报告。

3.传染病的预防。承包商应采取适当的措施以预防传染病，应采取必要的预防措施保持在现场所雇职员和工人免受老鼠及其他害虫的侵害，减少对健康的威胁以及由此造成的普遍的危害。承包商应遵守当地卫生部门一切有关规定，特别是安排用经批准使用的杀虫剂对所有建在施工现场的房屋进行彻底喷洒，这一处理应至少每年进行一次或根据工程师的指示进行。当发生传染性疾病时，承包商应遵照并执行由所在国政府或当地医疗卫生部门为处理及消灭流行病所制定的有关规定、命令和要求。

（五）节假日及宗教习惯

承包商在处理他的职员与工人的一切事务时，应对公认的节日、休息日、宗教习惯和其他习俗予以适当的考虑。

三、有关合同法律适用的条款

（一）合同应当明确适用的法律

由于 FIDIC 土木工程施工合同条件在国际工程承包中被广泛采用，而一项国际工程项目要涉及两个或两个以上国家的单位和人员。一般情况下，合同中各方当事人应享受的权利和应承担的义务在合同中都会有十分明确、肯定的表述。但是，在实际履行中，合同的各方当事人仍然会对某些权利义务条款的具体含义有不同的理解。因此，必须在合同中明确合同适用哪个国家的法律，明确一旦发生纠纷，究竟应按照哪个国家的法律来确定合同当事人的权利义务。

有的国家规定对一些特定的国际工程施工合同必须适用本国法律（工程所在国法律）。在这种情况下，合同当事人没有选择合同适用法律的权利。即使在这类合同中订有适用非工程所在国法律的条款，也是无效的。但是，即使在这种情况下，最好在合同中还是明确写上适用哪个国家的法律，其目的在于提示合同当事人严格遵守该国的法律。

（二）合同适用法律的选择

在国际工程施工合同中，一般情况下，当事人可以根据自己的意愿，自行商定、任意选择合同所适用的法律，即合同的"意思自治"原则。如果有的国家对"意思自治"原则有一定的限制，则当事人只能在法律允许的范围内选择合同所适用的法律。由于各国的政治制度、经济制度、民族习惯等方面存在很大的差异，必然决定了各国的法律制度也有很大的不同。

合同适用不同国家的法律，用以确定同一个合同中的同一项权利义务关系，可能会产生截然不同的结果，对各方当事人的利害得失带来严重的影响。

四、有关通知的规定

（一）致承包商的通知

根据合同条款由发包人或工程师发给承包商的所有证明、通知、指示均应通过邮件、电报、电传或传真发至（或留在）承包商主要营业地点或承包商为此目的指定的其他该类地址。

（二）致发包人和工程师的通知

根据合同条款发给发包人或工程师的任何通知均应通过邮件、电报、电传或传真发至（或留在）合同专用条件中指定的各有关地址。

（三）地址的变更

合同双方的任何一方均可在事先通知另一方，将指定地址改变为工程施工所在国内的另一地址，并将一份副本送交工程师，工程师也可在事先通知合同双方这样做。

思考题

1. FIDIC 专用条件中条款出现的原因有哪些？

2. 简述 FIDIC 合同条件的具体应用。

3. FIDIC 合同条件中发包人应承担的风险有哪些？

4. 简述 FIDIC 合同条件中工程计量的程序。

5. 简述 FIDIC 合同条件中工程量清单在工程计量中的作用。

6. FIDIC 合同条件中暂定金额的定义和使用范围是什么？

7. 简述 FIDIC 合同条件中保留金的来源及支付。

8. FIDIC 合同条件中工程进度计划应当由谁编制和修改？

9. FIDIC 合同条件中移交证书的作用有哪些？

10. 简述 FIDIC 合同条件中解除缺陷责任证书的颁发及作用。

11. FIDIC 合同条件中工程师对承包商应提供的雇员有何权利？

12. FIDIC 合同条件中工程师对材料、工程设备和工艺的检验有哪些权利？

13. FIDIC 合同条件中缺陷责任期承包商应承担的工作有哪些？

14. FIDIC 合同条件中工程师对争端的决定的法律性质是什么？

15. 简述 FIDIC 合同条件中争端裁决委员会裁决的程序及法律后果。

16. FIDIC 合同条件中法律适用问题应当如何确定？

附件 相关合同示范文本

《建设工程设计合同示范文本（专业建设工程）》见下方二维码1。

二维码 1

《建设工程设计合同示范文本（房屋建筑工程）》见下方二维码2。

二维码 2

《建设工程监理合同（示范文本）》见下方二维码3。

二维码 3

《建设工程勘察合同（示范文本）》见下方二维码4。

二维码 4

《建设工程施工合同（示范文本）》见下方二维码5。

二维码 5

参考文献

[1] 韩世远．合同法总论 [M]．北京：法律出版社，2018.

[2] 朱广新．合同法总则研究 [M]．北京：中国人民大学出版社，2018.

[3] 翟新辉．中国合同法：理论与实践 [M]．北京：北京大学出版社，2018.

[4] 郑云瑞．合同法学 [M]．北京：北京大学出版社，2018.

[5] 住房城乡建设部高等学校土建学科教学指导委员会组织编写．建设法规教程（第4版）[M]．北京：中国建筑工业出版社，2018.

[6] 何佰洲，刘禹．工程建设合同与合同管理 [M]．大连：东北财经大学出版社，2014.

[7] 王卓甫．工程招投标与合同管理 [M]．北京：中国建筑工业出版社，2018.

[8] 李启明．建设工程合同管理 [M]．北京：中国建筑工业出版社.2018.

[9] 宿辉，何佰洲．建设工程施工合同（示范文本）（GF-2017-0201）条文注释与应用指南 [M]．北京：中国建筑工业出版社，2018.

[10] 康香萍．建设工程招投标与合同管理 [M]．武汉：华中科技大学出版社，2018.

[11] 董良峰，张友志．建设法规 [M]．南京：东南大学出版社，2018.

[12] 邵晓双，李东．工程项目招投标与合同管理 [M]．武汉：武汉大学出版社，2017.

[13] 赖笑．建设工程招投标与合同管理 [M]．重庆：重庆大学出版社，2018.

[14] 杨付莹，吴志新．建设工程招投标与合同管理 [M]．西安：西安电子科技大学出版社，2016.

[15] 王宇静，杨帆．建设工程招投标与合同管理 [M]．北京：清华大学出版社，2018.

[16] 董巧婷．施工招投标与合同管理 [M]．北京：中国铁道出版社，2015.

[17] 谢华宁．建设工程合同 [M]．北京：中国经济出版社，2017.

[18] 张继承．建设工程合同理论与实践研究 [M]．广州：华南理工大学出版社.2017.

[19] 徐焕兴，赵莹华．工程招投标管理 [M]．大连：东北财经大学出版社.2015.

[20] 李福和，顾增平，蔡敏．施工合同法律风险防范与合同管理 [M]．北京：中国建筑工业出版社，2018.

[21] 喻岩．土木工程建设法规 [M]．北京：机械工业出版社，2010.

[22] 李丽红．工程招投标与合同管理 [M]．大连：大连理工大学出版社，2013.

[23] 沈中友．工程招投标与合同管理 [M]．北京：机械工业出版社，2017.

[24] 宋怡．建设工程招投标与合同管理 [M]．北京：北京理工大学出版社，2018.

[25] 王晓．建设工程招投标与合同管理 [M]．北京：北京理工大学出版社，2017.

[26] 余群舟，高洁，周诚．建设工程合同管理 [M]．北京：北京大学出版社，2016.

[27] 刘春江．建设工程合同管理 [M]．北京：化学工业出版社，2017.